Carcassonne
et ses environs
CHÂTEAU DE
PEYREPERTUSE
Sigean
AUDE
N20
TAUTAVEL
A9
N9
ÉTANG
DE LEUCATE
MER MÉDITERRANÉE
VIEUX-PERPIGNAN
Perpignan
Terres
catalanes
Prades
Font-Romeu-
Odeillo-Via
N116
CANIGOU
Saint-Cyprien-Plage
Argelès-sur-Mer
Collioure
CÔTE VERMEILLE
Amélie-les-
Bains-Palalda
PYRÉNÉES
CABO DE CREUS
Figueres
GOLFO DE ROSAS
ESPAGNE
A9
Girona
Vic
Sant Feliu
de Guíxols
COSTA BRAVA
N
50 km
D0928571
FRANCE
EUROPE
AFRIQUE
ASIE
ALLEMAGNE
FRANCE
SUISSE
LANGUEDOC-
ROUSSILLON
ITALIE
ESPAGNE

Peyrepertuse. Cette citadelle cathare (XIe-XIIIe) doit à l'ampleur de ses murailles et à la hardiesse de son site le surnom de petite "Carcassonne céleste".

Berger sur le causse Méjean. Seules s'acclimatent ici deux races de brebis rustiques : la blanche du Massif central et la lacaune.

Manade, Petite Camargue. Dressés pour seconder le gardian, ces chevaux, nés gris ou noirs, ne revêtent leur robe blanche qu'à l'âge de 4-5 ans.

GEOGUIDE

Languedoc-Roussillon
2007/2008

Lara Brutinot
Pierre Guitton

GEOGuides France

Alsace
Bordelais Landes
Bretagne Nord
Bretagne Sud
Charente-Maritime et Vendée
Corse
Côte d'Azur
Guadeloupe
Languedoc-Roussillon
Martinique
Normandie
Paris
Pays basque
Périgord Quercy et Agenais
Provence
Réunion
Tahiti Polynésie française

GEOGuides Étranger

Andalousie
Athènes et les îles grecques
Belgique
Crète
Croatie
Cuba
Égypte
Espagne, côte Est
Irlande
Italie du Nord
Italie du Sud
Londres
Maroc
Île Maurice
Mexique
Pays basque
Portugal
Sicile
Toscane Ombrie
Tunisie
Venise

Avis aux GEOVoyageurs

*Entre l'enquête faite sur le terrain et la parution du guide, les établissements proposés peuvent avoir disparu et certaines informations peuvent avoir été modifiées : suggérez-nous vos corrections ou vos commentaires (***Boîte aux lettres*** en fin de volume).*

GEOPANORAMA

GEOVOYAGE

GEOPRATIQUE

GEOREGIONS

PYRÉNÉES-ORIENTALES

GEO**DOCS**

Le Languedoc-Roussillon à la carte

LE LANGUEDOC-ROUSSILLON EN AMOUREUX

Le cœur battant, partez vous perdre dans les forêts de la Montagne noire, au plus profond des gorges du Tarn, sur les plateaux déserts de l'Aubrac ou offrez-vous une pause les pieds dans l'eau dans une crique de la Côte Vermeille... Réfugiez-vous ensuite dans un buron solitaire, au son de l'accordéon, ou bien sur les remparts de Carcassonne, enlacés face au vent, avant de vous enfouir sous les couvertures d'une chambre d'hôtes des Corbières ou de l'arrière-pays nîmois...

LE LANGUEDOC-ROUSSILLON EN FAMILLE

De nombreux lieux de visite satisferont la curiosité des enfants : entraînez-les, en armure de chevalier, à l'assaut des châteaux de Peyrepertuse et de Quéribus ou invitez-les aux fêtes médiévales de Carcassonne. Côté hébergement, optez pour une ferme-auberge en Lozère, pour un camping au bord de l'eau, ou, plus original, pour une nuit à la belle étoile, perchés dans les arbres à Prats-de-Mollo. Emmenez toute la famille en croisière sur le canal du Midi, à bord du Train jaune à travers la Cerdagne ou à dos d'âne sur les terres cévenoles.

LE LANGUEDOC-ROUSSILLON CÔTÉ NATURE

Assoiffé de nature, ornithologue ou botaniste averti, vous serez ici conquis : observation des espèces par centaines – des castors des gorges du Tarn aux loups de Lozère, en passant par les flamants roses de l'étang de Maugio ou les vautours de la Jonte –, exploration des grottes de Dargilan ou du gouffre de Cabrespine, balades au gré des sentiers d'interprétation du parc des Cévennes… Pensez aussi aux randonnées VTT le long du canal du Midi, aux promenades en raquettes sur l'Aubrac, aux parcours équestres dans la garrigue ou en Camargue, aux parties de pêche… Et, pour souffler enfin, voguez au crépuscule sur les eaux calmes du lac de Naussac.

Hébergements

Hostal dels Trabucayres (Maureillas-les-Illas) 117
Mas Lluganas (Mosset) 131
La Cavale (Mantet) 131
Casa Sobra (Odeillo) 141
Domaine La Bâtisse (Fleury-d'Aude) 219
Auberge du Cèdre (Lauret) 291
Horizons (St-Jean-de-Buèges) 313
Les Chemins Francis (Bagnols) 365
La Périgouse (Ste-Enimie) 376
Les Fleurines (St-Rome-de-Dolan) 382
Mas de la Bonnaude (Lavel-Atger) 402
La Maison forestière des Cévennes (Bréau-et-Salagosse) 432

Restaurants

Le Sire de Cabaret (Roquefère) 165
Le Bout du monde (Verdun-en-Lauragais) 170
Le Comptoir Nature (Le Somail) 225
Le Sanglier (St-Jean-de-la-Blaquière) 312
La Baraque des Bouviers (St-Denis-en-Margeride) 398
Ferme-auberge de l'Escapade (Naussac) 403
Chez Dédet (Masméjean) 415
Le Mas de la Borie (La Salle-Prunet) 420

Oasis vertes

Forêt de Massane 96
Route des crêtes de Collioure à Banyuls 102
Réserve naturelle de Prats 120
Orgues d'Ille-sur-Têt 127
Lac des Bouillouses 135
Montagne noire 161
Île Sainte-Lucie 208
Réserve naturelle du Blagnas 258
Parc naturel du Haut-Languedoc 268
Étangs de Villeneuve-lès-Maguelone 296
Cirque de Mourèze 315
Lac du Salagou 316
Petite Camargue 349
Gorges du Tarn 378
Gorges de la Jonte 384, 385
Chaos de Nîmes-le-Vieux 385
Grotte de Dargilan (Meyrueis) 386
Cham des Bondons 418

Sports et loisirs

Marc Rollot, guide (Los Masos) 129
C.kite et Vol'aime (Font-Romeu) 137
Parapente Sud (Seynes) 338
Fremyc (Meyrueis) 387
Orpaillage (sur le Gardon) 436

Pêche en rivière

Yvan Verdaguer (Haut Vallespir) 121
Parcours "no kill" (Bagnols) 365
Serge Fargier (La Chaldette) 391
Arnaud Pellegrin (St-Alban-sur-Limagnole) 397

Canoë et Kayak

FFCK Limoux 180
Alet Eau Vive 180
Grandeur nature (Roquebrun) 270

Kayak vert (Collias) 338
Le Canophile (Ste-Enimie) 379

Sorties découverte
Le Chant des Bois (Puivert) 184
Narbonne Environnement 204
Bardane (Coursan) 204
LPO Aude (Gruissan) 214
Les Amis du Pech Maynaud 214
La Grande Conque (Cap-d'Agde) 256
Cebenna (Olargues) 270
Maison de la Nature de Lattes 296
Sorties botaniques à Octon 315
Maison du Guide en Camargue 349
Centre de découverte
du Scamandre (Vauvert) 349

Centres équestres
La Goutarende (Cuxac-Cabardès) 164
Les Chevaliers du Sel
(Sougraigne) 187
Camurac 187
Domaine de Blanchefort
(Cassaignes) 186
Cheval de Traverse
(Portal-des-Corbières) 209
Manade Tournebelle
(canal de la Robine) 217
Domaine Fontedicto (Caux) 265
Pégase (Mas-de-Londres) 288
Ranch des Salins
(Villeneuve-lès-Maguelone) 296
Cavalcade (Puéchabon) 309
Ranch de Mourèze 316
Le Mas des Iscles (Vauvert) 349
Cavalerie du Petit Canyon
(Marvejols) 368

Jardins
Cactuseraie d'Escaïre-figue
(Montolieu) 168
Jardins de la Bouichère (Limoux) 179
Jardin botanique de Durban 235
Centre de bonsaï des Corbières 235
Jardin Méditerranéen (Roquebrun) 267
Jardin médiéval d'Uzès 336
Jardins de l'Abbaye
de Villeneuve-lès-Avignon 343
Bambouseraie Prafrance
(Anduze) 440

LE LANGUEDOC-ROUSSILLON DES RANDONNEURS

Avec plus de 6 000km d'itinéraires balisés (GR©, PR©, Tour de pays, sentiers communaux, etc.), les marcheurs confirmés ou amateurs trouveront à coup sûr leur bonheur en Languedoc-Roussillon. Le Canigou et l'Aigoual raviront les grimpeurs ; dans le parc national des Cévennes, ou dans la Montagne noire, en Petite Camargue ou en pays cathare, mais aussi en forêt de Massane, de nombreux parcours de découverte (architecture, faune, flore) guident le promeneur sur des chemins accessibles à tous.

Hébergements
Gîte d'étape du Swan
(Port-Vendres) 106
Ermitage Notre-dame-du-Coral
(col d'Ares) 122
La Cavale (Mantet) 131
Refuges du Canigou 128
Casa Sobra (Odeillo) 141
Gîte d'étape de Castans 166
Gîte d'étape de Minerve 229
Les Quatr'Farceurs (Olargues) 271
Camping Domaine du Pioch
(Fraïsse-sur-Agout) 272
Gîte de la Tour (St-Guilhem) 312
Gîte de l'Escoutal (Le Bleymard) 366
Gîte d'étape de Nasbinals 392
Gîte d'étape la Carline (Florac) 420
Gîte d'étape les Ayres
(St-André-de-Lancize) 426
Gîte d'étape d'Anduze 443

Restaurants
Le Relais de Serrabone
(Boule-d'Amont) 129
Auberge de Mantet-La Bouf'tic 129
Chez Astruc (Aumont-Aubrac) 395

Randonnées accompagnées

Balades et randonnées

LE LANGUEDOC-ROUSSILLON BALNÉAIRE

Où que vous soyez, la Méditerranée ne se trouve jamais à plus de 2h de route ! Si vous êtes mordu de glisse et de sensations fortes, le littoral sera pour vous un formidable terrain de jeu tant le vent, ici, est impertinent ; de la planche au kite surf, du catamaran au cerf-volant, tout se loue et s'apprend : rendez-vous à Palavas-les-Flots, à La Grande-Motte ou à Gruissan. Et, pour les lézards-nés, les plages s'étirent en de longues bandes dorées au fil du golfe du Lion tandis que la Côte Vermeille égrène quelques criques paradisiaques ; c'est là aussi que plongeurs confirmés ou amateurs pourront explorer la réserve marine de Cerbère-Banyuls.

Hébergements

Restaurants

Sports nautiques
Base Nautique (Sigean) 209
Adrénaline (La Franqui) 209
Gruissan Windsurf 217
Gruissan Kite Passion 218
Cercle de Voile de Marseillan 258
Yacht Club de Mauguio (Carnon) 296
Centre Nautique (Sète) 303
Zénith Plage (Palavas-les-Flots) 296
Surf Loisirs (Le Grau-du-Roi) 350

Les plus belles plages
Torreilles 85
Le Racou 95
La Boca del Tech
(Argelès-Plage) 96
Anse des paulilles 103
La Franqui 209
Gruissan 215
Sérignan 252
Dunes du Castellas (Agde) 258
Cap-d'Agde 258
Maguelone 296
Dunes du Grand Travers
(La Grande-Motte) 296
Sète 305
Plage de l'Espiguette
(Aigues-Mortes) 350

Sorties et pêche en mer
Défi pêche (Fleury-d'Aude) 218
Météore II (Le Grau-du-Roi) 350

Plongée
Clubs de plongée (Côte Vermeille) 109
Aresquiers Plongée (Frontignan) 297

LE LANGUEDOC-ROUSSILLON GOURMAND

Ne venez pas dans la région en espérant perdre du poids ! De la terre à la mer, le terroir regorge de victuailles alléchantes, que préparent de redoutables artistes, grands chefs et cuisiniers de talent. Dans les campagnes et les montagnes se cachent de grosses marmites remplies de confits mitonnés, de cassoulets mijotés. L'aligot s'enroule autour des cuillères, la gastronomie catalane tisse sa toile sur vos désirs et vos appétits... Vous retrouvez alors la fraîcheur des fruits de mer, la légèreté d'un poisson grillé, avant de remonter par la garrigue renouer avec l'agneau de lait, le tout en harmonie tannique : ici, les vins se font aussi équilibrés qu'étonnants...

Restaurants gastronomiques
La Galinette (Perpignan) 85
Les Feuillants (Céret) 118
Le Puits du Trésor (Lastours) 165
Château de La Pomarède 176
Chez Philippe (Marseillan) 260
Le Séquoïa (Montpellier) 290
Le Jardin des Sens
(Montpellier) 291
Cellier-Morel (Montpellier) 291
Le Tamarillos (Montpellier) 290
Le Mimosa (St-Guiraud) 312
L'Auberge du Moulin (Auxillac) 372
Le Saint-Sauveur (Meyrueis) 387
Le Faôu (Fau-de-Peyre) 395
Restaurant La Clède (Villefort) 408
Restaurant L'Adonis (Florac) 419
La Lozerette (Cocurès) 419

Producteurs et marchands
La "Rosée des Pyrénées"
(Prat-de-Mollo) 120
Le Relais de Serrabone
(Boule-d'Amont) 129
Chez Bonzom (Saillagouse) 137
Épicerie La Ferme (Carcassonne) 154
Société Conrié (Citou) 164
Ferme du Bosc (Mayreville) 176
Confiserie Lumiel (Quillan) 188
Accents d'Oc (Narbonne) 202
L'Oulibo (Bize-Minervois) 226
Céline et Thierry (Minerve) 227
La Miellerie du mont St-Victor
(Fonjoncouse) 236
The Boucherie of Magalas 265
Fromagerie Puig (Montpellier) 286
Mas des Vautes (St-Gély-du-Fesc) 288

LE LANGUEDOC-ROUSSILLON MÉDIÉVAL

Non, vous ne rêvez pas : ces grandes abbayes roussillonnaises (Fontfroide, Fontcaude, Valmagne, Gellone, Prieuré de Serrabone), ces citadelles du vertige, ces villages perchés du Minervois sont bien réels... Si les châteaux cathares, la rotonde de Rieux-Minervois ou l'abbatiale de Saint-Gilles ont traversé presque intacts les siècles, d'autres ont été remaniés, comme la forteresse de Salses, le château de Castelnou ou l'abbaye de Saint-Michel-de-Cuxa. Mais y résonnent encore le bruit des bottes, des sabots des chevaux, les chants des troubadours... D'ailleurs, pourquoi ne pas s'attarder dans un de ces lieux de mémoire en vous attablant à la Rôtisserie de Villerouge-Termenès, en réservant à l'auberge Régordane de La Garde-Guérin, en flânant dans le jardin médiéval d'Uzès ou encore en vous initiant à la musique ancienne dans l'abbaye cistercienne de Saint-Papoul ?

LE LANGUEDOC-ROUSSILLON ANTIQUE

Votre toge et vos sandales dans le coffre, le Gaffiot à la main, vous souhaitez renouer avec la plus fascinante Antiquité ? Votre intuition sera récompensée : la région est la première à avoir été colonisée par les Romains, à l'époque de leur expansion par-delà la Méditerranée. Outre des vestiges prestigieux – les pavés de la *via Domitia*, les arènes de Nîmes, le pont du Gard –, n'oubliez pas les collections exceptionnelles des musées archéologiques de Narbonne et de Villeneuve-lès-Maguelone, et n'hésitez pas à vous plonger dans la vie quotidienne des colons en dégustant un vin de la cave gallo-romaine du mas des Tourelles, ou en visitant Amphoralis, un village de potiers près de Minerve.

GÉOPANORAMA

Un nom "bicéphale" qui sonne déjà comme l'aveu d'une dualité : **Languedoc** pour la facette occitane, **Roussillon** pour désigner les terres catalanes. Deux cultures pour une région fascinante fortement marquée par l'implantation romaine et durement éprouvée par les luttes religieuses, du catharisme à la guerre des camisards. Côté paysage, la région vous propose un véritable inventaire : garrigues provençales, massifs anciens, hautes montagnes, piémonts en gradin, gorges encaissées, grèves sableuses, côtes rocheuses et, au nord, de grands espaces sauvages qui n'ont d'yeux que pour le Massif central. Les cinq départements présentent pourtant un point commun : le climat, méditerranéen, caractérisé par un ensoleillement record. Nous sommes bien dans "l'autre Midi", province festive et gastronome tournée vers l'Espagne et qui ensorcela de nombreux peintres.

Comprendre le Languedoc-Roussillon

GEOMEMO

Superficie de la région	27 376km², env. 200km de littoral
Points culminants	pic Carlit 2 921m et pic du Canigou 2 784m (Pyrénées-Orientales), mont Lozère 1 699m (Lozère) et mont Aigoual 1 567m (Gard)
Départements	Aude (11), Gard (30), Hérault (34), Lozère (48), Pyrénées-Orientales (66)
Population	2 296 000 hab. au total Aude 50 hab./km², Gard 106 hab./km², Hérault 147 hab./km², Lozère 14 hab./km² Pyrénées-Orientales 95 hab./km²

Géographie et paysages

une région adossée à ses montagnes

Du mont Canigou, le "Fuji Yama catalan", jusqu'au mont Lozère, haut lieu de la mythologie cévenole, se dessine en amphithéâtre toute une ossature montagneuse qui dévale vers le littoral. Vieille terre hercynienne chahutée par le soulèvement alpin, les Pyrénées s'expriment ici en majesté. Criblés de lacs, les sommets granitiques (Carlit, 2921m, Puygmal, 2910m) présentent des formes adoucies, rabotées par d'anciens glaciers. En Roussillon, les vallées pyrénéennes changent d'orientation et s'ouvrent aux influences méditerranéennes. Soleil et luminosité pénètrent au cœur de la montagne, favorisant l'éclosion d'une végétation résolument méridionale : citronniers, chênes-lièges et lauriers-roses. De part et d'autre du cours supérieur de l'Aude, les Pyrénées bousculent toujours les paysages. À l'ouest, les tables karstiques du pays de Sault, rudes et neigeuses en hiver, à l'est les plis anciens du massif des Fenouillèdes qui préfigurent le relief peu élevé mais morcelé des Corbières. Il faut quitter la plaine languedocienne et le seuil du Lauragais où s'insinue le canal du Midi pour trouver le Massif central et de nouvelles montagnes : la Montagne noire, le mont Aigoual (1 567m) et le mont Lozère (1 699m). Sous le sommet chauve du mont Lozère s'étendent les Cévennes, profondément entaillées par les torrents, appelés ici "gardons". Ces terres orgueilleuses aux géologies indécises sont tour à tour granitiques, schisteuses et calcaires, des calcaires déposés par la Méditerranée qui, à l'ère secondaire, montait jusqu'en Lozère.

la côte languedocienne

Dernier éperon montagneux des Pyrénées-Orientales, le massif des Albères plonge avec force dans la mer. Ses roches vigoureuses, aux tons mauves, dessinent les contours escarpés de la Côte Vermeille. De Port-Bou à Collioure, la corniche déroule ses panoramas marins déchiquetés par une multitude de calanques et de criques. Puis le rivage s'apaise. À partir d'Argelès, et sur 200km, un long cordon littoral aux horizons rectilignes dévoile de larges plages. En toile de fond : les étangs lagunaires (Canet, Leucate, Bages et Sigean, Thau, Maugio, Vacarès). Ces anciens golfes marins ont été isolés par des barres alluviales, les lidos, qui s'appuient et se consolident autour de piliers rocheux, le mont Saint-Clair ou le cap Leucate. Le long de la côte s'égraine un chapelet de stations balnéaires. Figure emblématique de cette côte, La Grande-Motte marque la frontière avec la Petite Camargue. Classée par l'Unesco "zone humide d'importance internationale", la Petite Camargue aux sols fragiles et mouvants développe ses entrelacs de terres et d'eaux sur la rive droite du Petit Rhône. Ces terres amphibies que les hommes ont investies pour y installer des manades, des salines et des rizières, abritent aussi des réserves botaniques.

plaines et vallées fluviales

Capricieux, limoneux, les fleuves dévalant des montagnes ont créé des plaines alluviales amplement ouvertes aux voies de communication. Largement colonisées par la vigne, les vallées de l'Aude, de l'Hérault, du Lez, du Vidourle présentent des paysages où l'homme a fortement imprimé sa marque. Entretenus avec passion, les ceps dessinent des alignements disciplinés. Les vergers d'amandiers, de cerisiers et de pêchers quadrillent les vallées fertiles de la Têt ou de la Tech. Sur les rivages de l'Orb, l'oranger, ici plante ornementale, se dore au soleil. Depuis l'Agly, plus oued que rivière, jusqu'au Gardon, l'olivier vient rappeler que le Languedoc-Roussillon cousine avec la Provence.

gouffres, avens et sites ruiniformes

Image facile mais efficace : la région est un gruyère. Les Demoiselles, l'Aven Armand sont les vedettes d'un réseau de grottes aux vastes dimensions où l'on trouve aussi Trabuc, Clamouse ou Dargilan, pour ne citer que les plus fréquentées. Plus d'une vingtaine de sites sont ouverts au public, sécurisés et souvent magnifiés par un éclairage approprié (cf. GEOPratique, spéléologie). Tous abondent en lacs souterrains, en extraordinaires concrétions qui défient les lois de la physique et que des oxydes minéraux ont colorées au hasard du suintement des eaux. Ne vous attendez pas à trouver des peintures rupestres, ce que l'on admire, ici, ce sont des curiosités géologiques. Le sous-sol calcaire du Languedoc-Roussillon présente le réseau souterrain le plus important de France : c'est là qu'est née la spéléologie à la fin du XIXe siècle, grâce notamment à Édouard-Alfred Martel (1859-1938) qui consacra sa vie aux gouffres des Cévennes. Mais que les claustrophobes se rassurent, le délicat et patient travail d'érosion de l'eau sur les roches poreuses et solubles (calcaire, kartz) peut aussi s'apprécier en surface sur les sites ruiniformes de l'Ille-sur-Têt ou de Nîmes-le-Vieux, ou encore dans les cirques de Navacelles et de Mourèze et bien évidemment dans les gorges et canyons dont la région est riche : Tarn, Jonte, Dourbie, etc.

Milieux naturels, faune et flore

Grâce à une situation bioclimatique exceptionnelle où se mêlent influences méditerranéennes, continentales, et même océaniques ; grâce encore à une géologie et à des paysages d'une grande diversité, le Languedoc-Roussillon, faiblement touché par la pollution, recèle l'un des patrimoines naturels les plus riches de France. Répertoriés par le ministère de l'Environnement, 1 000 sites d'intérêt écologique, botanique et faunistique couvrent plus de la moitié du territoire. Ici, la nature préserve ses droits : l'immense parc national des Cévennes (6% de la superficie de la région), trois parcs naturels régionaux (Haut-Languedoc et un petit dernier né en décembre 2003, celui de la Narbonnaise en Méditerranée), 14 réserves naturelles, sans compter les sites acquis par le Conservatoire du littoral. Enfin, n'oublions pas que les eaux de baignade de la région ont toujours passé avec brio les tests de qualité !

milieux forestiers, le goût des extrêmes

La Garrigue Cette formation végétale se reconnaît les yeux fermés à la trilogie de ses parfums : thym, romarin, lavande. Vestige d'anciennes forêts dégradées par l'homme, elle se satisfait des sols calcaires pauvres des moyennes montagnes du Haut-Languedoc et des Corbières. Ce milieu ouvert, peuplé de bouquets de chênes kermès aux allures de bonsaï et de buissons de genêts épineux, abrite une faune abondante : la perdrix rouge, le lézard vert, le lapin de garenne, une multitude de papillons, et l'inoffensive couleuvre de Montpellier, qui peut atteindre 2m et fuira votre approche avec vélocité. Avec un peu de chance et une bonne vue, vous distinguerez, en vol, l'aigle de Bonelli, reconnaissable au plumage blanc de son ventre et à ses ailes brunes (une dizaine d'individus recensés dans la région en 2001). Bien sûr, la cigale, partout présente en terres méridionales, assurera une bande-son continue.

Les forêts On imagine mal de nos jours qu'une gigantesque forêt couvrait jadis toute la région méditerranéenne. En Languedoc-Roussillon, il en reste quelques superbes domaines forestiers : les amples châtaigneraies des Cévennes, les hêtraies de la Montagne noire, les sapinières du Capcir, de Cerdagne, ou encore la forêt de Massane sur le massif des Albères, classée zone de protection renforcée (cf. Terres catalanes, Argelès-sur-Mer). Depuis le début du XXe siècle, la surface forestière a doublé : elle occupe plus du tiers du territoire. Cette évolution s'explique non seulement par les boisements et les reboisements mais aussi par la reconquête forestière de terrains autrefois occupés par des cultures ou des pâturages et aujourd'hui abandonnés. Toutes les forêts sont traversées de torrents sauvages, que fréquentent la truite fario et, plus rarement, le desman. Ce petit mammifère aquatique, nocturne, aux allures de taupe, est dépourvu d'oreilles mais muni d'une trompe. On ne le trouve, en France, que dans la partie orientale des Pyrénées. Vulnérable, discret, inoffensif, il est malheureusement en voie de disparition.

espaces littoraux et zones humides

La Petite Camargue Le Petit Rhône s'étire sur un lit de sable ou de marécages. Le fleuve, la mer, la terre, tout se mêle et se noie. Les roselières brouillent encore les frontières de ce monde mouvant. La Petite Camargue est menacée à moyen terme par la montée des eaux consécutive au réchauffement climatique. Cet écosystème fragile abrite une foule d'oiseaux migrateurs, sédentaires ou indécis : le flamant rose, la sarcelle, le courlis cendré, la spatule et la cigogne. C'est aussi le pays des chevaux blancs et des taureaux noirs, celui d'une flore singulière dont l'emblème est la salicorne, plante grasse qui se plaît dans les eaux saumâtres et que l'on utilise en cuisine comme condiment. Parce qu'elle s'empourpre en été, les gardians l'ont baptisée "lavande des mers". La salicorne et la saladelle prolifèrent sur le sol argileux des "sansouires", ces prairies salées inondables où broutaient naguère les moutons, aujourd'hui remplacés par les bovins et les chevaux. L'homme a su apprivoiser cet univers hostile, acclimatant un vignoble, aménageant des marais salants.

Les étangs L'aspect actuel de la côte est l'aboutissement d'un long travail commencé au début de l'ère quaternaire. Au cours des différentes glaciations, la mer a reculé, mettant à sec des étendues considérables de sédiments. Les vents ont arraché le sable et l'ont déposé en dunes, loin à l'intérieur des terres. Enfin, lorsque la mer a atteint son niveau actuel, le courant ligure et les vents d'ouest ont étalé le cordon dunaire. Au cours de ce processus, des bras de mer se sont retrouvés isolés et ont formé des lagunes. Du Grau-du-Roi à Saint-Cyprien, dans le prolongement de la Petite Camargue et reliés à la mer par des canaux naturels (les graux), une dizaine d'étangs se succèdent. Là, avec la "sagne", les pêcheurs se construisent des abris rudimentaires, d'où ils traquent le poisson (anguilles, mulets, dorades) et les coquillages (clovisses, palourdes ou tellines). Moules et huîtres sont cultivées, elles, dans le bassin de Thau. Côté littoral, ces étangs sont ourlés de dunes naturelles sculptées par les vents et gravement endommagées, en été, par le piétinement des vacanciers. Pour les protéger, les municipalités dressent des "ganivelles" qu'il est conseillé de ne pas franchir. Derrière ces fines clôtures en bois de châtaignier, une graminée dont les racines en réseaux fixent le sable, l'oyat, peut croître en paix et maintenir la dune en place.

Les fonds marins L'opacité des eaux et l'absence de zones rocheuses expliquent le nombre relativement faible d'espèces marines présentes en Languedoc-Roussillon. À une exception près, la côte rocheuse des Albères : au niveau de Banyuls, dans la réserve intégrale marine de Cerbère créée en 1974, les fonds – aussi beaux et intéressants que ceux de Port-Cros, le fameux sanctuaire marin des îles d'Hyères, dans le Var – abritent herbiers de posidonies, hippocampes, mérous, etc.

les causses

À 1 000m d'altitude, sur les solitudes calcaires des causses, le regard porte loin, le silence règne en maître, souligné par le souffle du vent et le chant des oiseaux (bruant, pie-grièche, huppe fasciée). Sur ces paysages qui évoquent la steppe, à la fois sublimes et austères, la roche déchiquetée fait naître une forte impression de chaos : des canyons entaillent la pierre, des rochers jaillissent, sculptés par l'érosion... Oasis de couleur dans cet univers minéral, des cuvettes d'effondrement – les dolines – recueillent les sédiments, permettant de rares cultures. Mais si l'eau court en sous-sol, elle manque en surface. La végétation adaptée à la sécheresse est constituée de graminées et d'arbustes rampants ou épineux (buis, genévrier, prunelier, amélanchier, grande carline). Les brebis s'en accommodent, mais, dans une région touchée par l'exode rural et la déprise agricole, les vocations de bergers se tarissent. La raréfaction des troupeaux trouble l'équilibre écologique ; les pâturages se couvrent de ronces mais aussi de discrètes orchidées, le chardon bleu ou la lavande sauvage étouffent sous la broussaille. Pourtant, les Causses nous font toujours le cadeau de cette scène mille fois photographiée : les moutons se désaltérant, le soir venu, dans ces mares naturelles formées sur une couche d'argile perméable appelées "lavognes".

Environnement

Des Trente Glorieuses au Conservatoire du littoral Jadis infesté par les moustiques vecteurs de malaria, le littoral languedocien a été aménagé dans les années 1960 par l'État, désireux de le convertir en un pôle touristique d'envergure. Cet univers économiquement pauvre – exception faite du port de Sète –, faiblement peuplé (quelques pêcheurs et sauniers), se transforme alors en un véritable Eldorado. Sur les marais démoustiqués et assainis jaillissent des architectures modernistes, aujourd'hui déjà datées. Huit stations verront ainsi le jour parmi lesquelles La Grande-Motte, Le Grau-du-Roi, Palavas-les-Flots ou Port-Leucate sont les plus connues. Elles affichent insolemment leur vocation balnéaire et restent les sites incontournables du farniente et de la baignade pour une clientèle majoritairement venue d'Allemagne et d'Europe du Nord. Mais, par un heureux retournement de l'Histoire et dans un souci d'écologie qui l'honore, l'État rachète depuis quelques années certains sites pour les soustraire à la spéculation immobilière. Vingt-neuf zones sont ainsi désormais protégées par le Conservatoire du littoral, vigilant protecteur des sites côtiers.

Une remontée biologique spectaculaire Classé "Réserve de biosphère" par l'Unesco (1985), le parc national des Cévennes a vu, depuis sa création en 1970, sa faune s'accroître en des proportions inespérées. Parce qu'on est loin des agricultures chimiques, des industries, et que la protection est stricte, le Parc – bien qu'il soit habité dans sa zone centrale – abrite une multitude d'espèces dont il est le seul refuge et qui ont – après réintroduction pour certaines – massivement recolonisé leur écosystème : vautours fauves et moines, castors, mouflons, tétras, aigles royaux, loutres, et un étonnant batracien : la grenouille rieuse. Preuve que l'homme et la nature peuvent être réconciliés.

Climat

un ensoleillement exceptionnel

La douceur des températures en Languedoc-Roussillon, région baignée de lumière, n'est pas un mythe : la moyenne annuelle atteint 16° (pour 12,1° en région parisienne) et l'on compte 325 jours de soleil par an. Le climat y est naturellement méditerranéen, avec des hivers cléments, des étés chauds, voire torrides. Tout en restant agréables, le printemps et l'automne subissent des précipitations dont l'abondance et la concentration ont des répercussions catastrophiques sur le régime des cours d'eau. Les Languedociens sont intarissables sur les débordements de la Vidourle, du Lez ou du Gardon, baptisés "vidourlades", "lézades" ou encore "gardonades". Ce climat devient beaucoup plus rigoureux en Lozère, mais cette rudesse permet de skier l'hiver de l'Aubrac aux Cévennes. Un séjour dans le Perpignanais autour de Pâques, quand les vergers fleurissent sur fond de neige et que se déroulent les festivités de la Semaine sainte, est souvent synonyme de vacances réussies. La Lozère, les Cévennes et les plages du littoral sont des destinations estivales. On ira en Cerdagne en toutes saisons, pour les randonnées l'été, pour le ski l'hiver. Enfin, c'est en automne que Carcassonne et les citadelles cathares, rendues à leur solitude, offrent toute leur beauté.

mistral et tramontane

Parce qu'ils sont généralement porteurs de pluie, les vents de mer, le marin ou le grec, font la joie des maraîchers. Mais les maîtres des lieux sont le mistral et la tramontane, deux vents de terre venus du nord-ouest qui soufflent avec brutalité, l'un dans la vallée du Rhône, l'autre en Languedoc. Il faut avoir l'âme d'un funboarder pour leur trouver du charme. La tramontane se manifeste 192 jours/an (en moyenne) autour de Perpignan, assurant une insolation intense et rafraîchissant au passage les eaux de la Méditerranée qui, ici, dépassent rarement 20°. Le mistral est actif 150 jours/an (en moyenne). "Ce vent qui vient à travers la montagne me rendra fou", écrivait Victor Hugo, et on constate en effet que le mistral, s'il dure, altère l'humeur. Moins connus, mais tout aussi desséchants, les cers balaient régulièrement les plaines viticoles du Biterrois.

Histoire

les premiers habitants (450 000 ans av. J.-C.)

Le front plat, fuyant, les sourcils proéminents et de petite taille (1,60m), l'*Homo erectus* ("celui qui marche debout") habitait la région voilà 450 000 ans. Il vivait là en tribus, menacé par les animaux sauvages, maniant outils et armes rudimentaires (des galets affûtés), maîtrisant encore mal le feu et mangeant crue la viande de ses proies : chevaux, rhinocéros des prairies, rennes ou cerfs. Celui dont on a retrouvé le crâne habitait une grotte entre Tautavel et Vingrau, la caune d'Arago (cf. Terres catalanes, Découvrir les environs de Perpignan). Il est mort à vingt ans, nous disent les paléontologues. S'il nous émeut tant, c'est qu'il est notre plus vieil ancêtre connu, l'un des plus vieux Européens dont on ait retrouvé trace.

la fin de la préhistoire (-10000 à l'an 0)

À partir de -6500, les populations jusqu'alors nomades se sédentarisent, pratiquant l'agriculture et l'élevage. Bientôt, les hommes se regroupent dans des villages fortifiés qu'ils érigent sur des collines aménagées, les *oppidums*, d'où ils surveillent les routes et guettent l'arrivée d'éventuels commerçants grecs et étrusques. Ces agglomérations s'organisent en de véritables cités aux plans élaborés (parfois en forme de damier). Le Languedoc-Roussillon compte des *oppidums* remarquables par leur taille et leur intérêt : Ruscino dans les Pyrénées-Orientales, Pech Maho dans l'Aude, ou encore Ambrussum et Ensérune – l'un des plus grands de France – dans l'Hérault (cf. Béziers, Découvrir les environs).

la "Narbonnaise" (120 av. J.-C.-Ve siècle)

Pour avoir un accès rapide à la péninsule Ibérique annexée à la suite des guerres puniques, les Romains partent à la conquête du littoral gaulois, qu'ils occupent. Ils créent une vaste province qui court de Toulouse à Genève, laquelle, réorganisée, deviendra en 27 la "Narbonnaise". Première étape de la romanisation : le cadastre, opération qui consiste à partager les terres agricoles entre colons. Les Romains bâtissent ensuite des aqueducs pour acheminer l'eau, et des villes pour accueillir les migrants venus d'Italie. Port créé de toutes pièces, 100% romain, Narbonne est alors la capitale politique de la province, et sa population ne cessera de croître pendant les deux premiers siècles de notre ère. Les vignes se développent autour de Béziers, autre cité nouvelle. Baptisée "la Rome française", Nîmes ne cesse d'embellir. Les arènes peuvent accueillir 25000 amateurs de combats de gladiateurs. Les Romains aménagent de grandes voies de communication. La première d'entre elles, la voie Domitienne, relie l'Italie à l'Espagne en longeant la côte. Cette route stratégique est jalonnée d'étapes, de colonies de vétérans, d'auberges et d'ateliers où se fabriquent les amphores. Une autre voie s'ouvre de Narbonne à Bordeaux, favorisant les échanges. La "Narbonnaise" exporte des céréales, du bétail, du vin et des minerais (cuivre, or, argent). Tout est en place pour quatre siècles de paix et de prospérité, c'est la *Pax Romana*.

l'hérésie cathare (XIe-XIIIe siècle)

La naissance d'une doctrine dissidente Au Moyen Âge, pas un seul domaine de la vie temporelle n'échappe à l'emprise de l'Église catholique. Son influence – politique, culturelle, économique – est omnipotente, mais cette mainmise ne va pas sans résistances. Dès le XIe siècle, des chrétiens dissidents condamnent les dérives de Rome, l'avidité de ses prêtres, l'abandon des idéaux fondateurs. En tête des contestataires viennent les cathares. Cette foi nouvelle se fonde sur une lecture puriste de l'Évangile de Jean et du manichéisme, doctrine arrivée en France dans le sillage des croisés et qui s'inspire de croyances chrétiennes orientales. De la Rhénanie à la Catalogne, de l'Italie du Nord au midi de la France, les cathares prêchent une absolue pureté de mœurs, la justice sociale, l'ascèse, la paix et accessoirement le végétarisme. Une utopie totale qu'ils vivent au quotidien, organisés en de grandes communautés parmi lesquelles on distingue deux grands courants : les "dualistes mitigés", pour qui le diable n'est qu'un envoyé de Dieu révolté, et les "dualistes absolus" pour qui le mal est éternel. Tout comme les premiers chrétiens, les cathares ne pratiquent ni l'eucharistie ni le culte de la Vierge et baptisent par simple imposition des mains. Plus de liturgie spectaculaire, ni d'images pieuses. Les femmes accèdent aux mêmes grades religieux que les hommes. C'est ainsi que "Parfaits" et "Parfaites", ou Bons-Hommes et Bonnes-Femmes pratiquent l'ensemble des sacrements, le *consulamentum*.

Des croisades contre les albigeois Dans tout le Languedoc, les églises sont désertées, les comtes et leurs vassaux rallient la foi nouvelle, les puissants seigneurs Trencavel en tête, vicomtes de Béziers et de Carcassonne. Avec la complicité de Philippe Auguste, roi de France, le pape Innocent III réinvente le vieux concept d'hérésie et remet au goût du jour celui du feu purificateur. À partir de là, l'histoire des cathares se confond avec la litanie des bûchers et des massacres dont ils sont victimes. En 1209, la première croisade contre les Albigeois est menée par Simon de Montfort : des milliers de personnes sont assassinées à Béziers, au hasard des pillages. "Tuez-les tous, Dieu reconnaîtra les siens", aurait dit l'abbé de Cîteaux qui confiait à Dieu le soin de faire le tri entre les cathares et les bons chrétiens. Cette première offensive, un succès, ouvre les portes de Carcassonne au victorieux Simon de Montfort qui capture le seigneur cathare de Trencavel et lui ravit sa vicomté. D'autres hostilités suivront, toutes sanglantes. En 1225, Louis VIII, fils de Philippe Auguste, lance une nouvelle offensive contre Toulouse – "la croisade des barons" –, qui se rend. Mais le catharisme poursuivra sa voie dans la clandestinité des citadelles perchées du pays audois. L'Inquisition traquera les communautés cathares dans leurs derniers refuges. En 1244, le château de Montségur se rend, 220 Parfaits et sympathisants sont brûlés ; en 1255, le château de Quéribus tombe à son tour. Toujours persécutés, quelques Parfaits déterminés tentent de faire survivre leur foi. Les derniers d'entre eux, Pèire Autier et Guilhem Bélibaste, seront brûlés l'un en 1310, l'autre en 1321, tués par l'Inquisition carcassonnaise pour "l'édification du peuple".

les guerres de religion (XVIe-début XVIIIe siècle)

L'émergence d'une nouvelle Église Camisard, protestant ou huguenot, quelle différence ? Le protestantisme désigne la religion réformée en ce qu'elle diffère des dogmes de l'Église catholique. Huguenots est le surnom donné aux protestants calvinistes de France et les camisards sont les huguenots cévenols insurgés, qui portent en signe de reconnaissance une chemise blanche (en langue d'oc, chemise se dit *camiso*). Au début du XVIe siècle, richissime et corrompue, l'Église catholique exerce un pouvoir sans partage. Dans toute l'Europe, de plus en plus de fidèles appellent au changement, à la Réforme. Luther, moine et philosophe catholique allemand, tente de convaincre le pape de renouer avec une doctrine plus épurée, plus exigeante spirituellement. Condamné par sa hiérarchie en 1520, il continue de prêcher pour de stricts préceptes religieux considérés comme le point de départ de la Réforme. Français émigré en Suisse, Calvin lui emboîte le pas et surenchérit dans la rigueur en glorifiant la doctrine de saint Augustin, notamment la communion et le baptême ; il met également en valeur le travail et autorise le prêt. Cette nouvelle Église, protestante ou réformée, prône un retour aux Écritures et à la responsabilité individuelle face à Dieu, sans la médiation du prêtre. Nombreux sont ceux qui voient entre catharisme et protestantisme une certaine proximité théologique.

La révolte des camisards Déjà acquis aux thèses de Calvin, les marchands suisses en route vers les ports de Méditerranée font escale dans le Bas-Languedoc. Leurs idées germent aisément sur le terreau d'une population brisée par les épidémies, la famine et dont les prêtres se livrent impunément à la débauche et au commerce des indulgences. Intimidations, massacres protestants et catholiques vont se succéder pendant près de deux siècles. L'Édit de Nantes (1598) assure une paix relative, mais sa révocation, en 1685, déclenchera des révoltes dans les Cévennes, bien acquises à la Réforme malgré la présence d'un fort parti catholique. De 1702 à 1704, las des répressions et des humiliations, les camisards prennent les armes au nom de la liberté de conscience. C'est l'insurrection générale. Il faudra 30000 soldats, les Dragons du roi, et des combats d'une violence inouïe pour venir à bout de quelque 3000 camisards. Cette guérilla durera au-delà de l'armistice de 1704 et ne prendra véritablement fin qu'en 1710 avec la mort du "prophète" et camisard Abraham Mazel. Au contraire des cathares, les protestants ne sont pas des vaincus de l'Histoire. Leur foi a survécu, leur exigence de liberté aussi. Pendant la guerre mondiale de 1939-1945, les Cévennes se sont massivement impliquées dans la Résistance, les camisards se sont mués en maquisards, avec toujours la même farouche volonté d'indépendance. Le musée du Désert, près d'Anduze, retrace de façon passionnante la vie des protestants au temps des persécutions.

l'essor économique (fin XVIIIe-début XIXe siècle)

Au milieu du XVIIIe siècle, la misère régresse, les épidémies cessent, la courbe démographique s'envole. La région respire. Jusqu'alors interdite pour cause de surproduction, la culture de la vigne redémarre (en 1750) et l'aristocratie urbaine investit dans de grands domaines viticoles. Dans les Cévennes, où l'on pleure la mort des châtaigniers détruits par le gel, un nouvel arbre apparaît, le mûrier, hôte naturel du ver à soie. La sériciculture démarre modestement dans les fermes cévenoles, puis de manière industrielle dans les filatures de Saint-Jean-du-Gard ou d'Alès. C'est la vogue des bas de soie qui s'exportent bien au-delà des frontières. Mais l'activité textile de la région ne se réduit pas à la sériciculture ; on tisse le drap de chanvre ou de lin dans l'Hérault et la Montagne noire, les cotonnades en Catalogne et la serge à Nîmes. Dans cette toile robuste, utilisée pour confectionner des bâches et des voiles, les Américains tailleront leurs premiers jeans. Les moyennes vallées de l'Aude se spécialisent dans la chapellerie, un artisanat plus confidentiel mais très actif. À la même époque, on commence à extraire un charbon dans le bassin d'Alès, d'un gisement connu depuis le Moyen Âge, complexe, aux veines fines, mais que de nouvelles techniques permettent d'exploiter à grande échelle (cf. Lozère et terres cévenoles, Découvrir les environs d'Anduze). Au début du XIXe siècle, la sidérurgie régionale se place au deuxième rang national après Le Creusot. Enfin, le Lozérien Jean-Antoine Chaptal, chimiste et homme politique, implantera la première usine chimique de France à Montpellier, déjà riche d'une longue tradition pharmaceutique et possédant une célèbre faculté de médecine.

Économie

Fermeture des mines, déclin de la métallurgie… La région connaît une période de crise à partir de 1960. Reconversion oblige, elle met le cap vers les activités industrielles de haute technologie : électronique, informatique, recherche médicale. La société IBM s'implante en 1965 à Montpellier et, dans son sillage, naît toute une constellation de PME de sous-traitance. Installés dès 1960, laboratoires et unités de fabrication pharmaceutiques prospèrent, une activité qui profite une fois de plus à l'axe Sète-Montpellier-Lunel-Nîmes. Aujourd'hui, c'est le secteur tertiaire (services, tourisme, santé, administration) qui emploie et recrute le plus (soit 77% des actifs) et s'il est toujours élevé, et même supérieur à la moyenne nationale, le taux de chômage se stabilise enfin autour de 13% (contre 9% environ pour l'ensemble de la France). Le tourisme affiche de bons chiffres, la création d'entreprises aussi, et les résultats économiques encourageants des années précédentes se confirment. Un seul bémol : l'agriculture.

le plus grand vignoble de France

Les ravages du phylloxéra Entre le Languedoc-Roussillon et la vigne, c'est une histoire d'amour qui remonte à l'Antiquité, avec ses embellies, tel l'essor du XVIIIe siècle, et ses tragédies, comme la destruction massive du vignoble par le phylloxéra. Cet insecte parasite, apparu en 1869, s'attaque aux racines des vignes et les ravage. À partir de plants américains importés, le vignoble sera reconstitué en quelques décennies par des propriétaires terriens aisés qui se lancent alors dans l'exploitation intensive et mettent tout en œuvre pour "faire pisser la vigne". À cela s'ajoute la concurrence du "vin artificiel" : mélanges de vins, adjonction de sucre (chaptalisation) ou de raisins secs. Le cours du vin s'effondre. Résultat, une crise économique dévastatrice et durable, ponctuée de manifestations de vignerons durement réprimées : neuf morts en 1907 à Narbonne.

Une politique de valorisation À la fin des années 1960, une révolution s'opère : sélection draconienne des plants, abandon de la productivité au profit de la qualité, valorisation des terroirs. Le vignoble languedocien et roussillonnais retrouve la voie du succès. Fort de ses 300 000ha, il fournit 40% de la production nationale, et 13% des AOC. Mais si la mutation est réussie, on assiste toujours à une viticulture à deux vitesses. L'une, violemment concurrencée par l'étranger, propose en abondance des vins de consommation courante ; tandis que l'autre, privilégiant des techniques de vinification plus sophistiquées, s'ouvre au marché international. On voit aussi s'opposer deux systèmes de commercialisation : les caves particulières, qui vendent généralement au détail ou à l'exportation, et les caves coopératives qui écoulent leur production en vrac à des négociants. Malgré ses difficultés récurrentes, le Languedoc-Roussillon apparaît comme un futur Eldorado viticole et de nombreux investisseurs étrangers à la région – Pierre Richard ou Gérard Depardieu par exemple – ont acquis des domaines dans l'Aude et l'Hérault (cf. Gastronomie).

le pari d'un élevage de qualité

Élevage extensif et nouvelles AOC Le pâturage et l'espace : voilà le secret d'une viande goûteuse. En Lozère, les herbages occupent 80% des terres agricoles. Les troupeaux de superbes bœufs au pelage roux et aux cornes effilées vivent en semi-liberté sur des territoires immenses. Dans ces hautes terres, l'élevage bovin, pivot de l'économie rurale, bénéficie des aides destinées à l'agriculture de montagne. Le cheptel, certes modeste en comparaison du troupeau national, produit des viandes très estimées (veau de Langogne, bœuf d'Aubrac). Dans les Pyrénées, de jeunes éleveurs pugnaces ont relancé un élevage sinistré et commercialisent, depuis une dizaine d'années, leurs génisses élevées en estive sous le label "Rosée des Pyrénées" (cf. Terres catalanes, Prats-de-Mollo). Plus surprenant, les gardians consentent à élever sur les vastes sansouires de Camargue des taureaux de boucherie, viande incarnate au goût sauvage estampillée d'une AOC depuis 1996. Les moutons des Causses, eux aussi, broutent sur de grands domaines et de bons herbages, race lacaune principalement pour le lait mais aussi la viande et la laine, et la rustique Blanche du Massif central (race mixte) qui a remplacé dans les années 1970 la Caussenarde. Cet élevage extensif est désormais largement déterminé et subventionné par les instances européennes : il s'agit non seulement de produire de la viande et du fromage, mais aussi d'entretenir les paysages, notamment par la valorisation d'une tradition pastorale ancestrale à laquelle les touristes sont sensibles.

le tourisme, une valeur sûre

Quinze millions de touristes recensés en moyenne ces dernières années, dont plus de cinq millions d'étrangers (Hollandais en tête, talonnés par les Allemands et les Belges). Outre ses atouts naturels, la région a développé de grandes capacités d'accueil : campings, hôtels mais aussi gîtes ruraux et remarquables chambres d'hôtes. Avec une fréquentation touristique en constant progrès, le littoral rafle évidemment la mise. Pourtant, une nouvelle tendance se dessine, née de l'engouement actuel pour le tourisme vert, la randonnée et les sports de pleine nature. Un tourisme rural qui parie sur l'absence de pollution, la convivialité, la qualité et les produits du terroir. Les offices de tourisme proposent des sélections d'établissements ayant reçu des distinctions souvent décernées par les chambres des métiers. Qu'ils concernent les auberges, les artisans charcutiers ou pâtissiers, ou encore l'hôtellerie, ces labels récents sont fiables. Jolie performance, le Languedoc-Roussillon se hisse au deuxième rang du thermalisme français, *ex æquo* avec l'Aquitaine. Plus d'une dizaine de sites se partagent les faveurs de près de 90000 curistes par an, les stations phares étant Balaruc et Amélie-les-Bains où se pratique un thermalisme familial et bon enfant. La région propose une belle palette de soins : eaux sulfurées pour les affections de la peau et des voies respiratoires, eaux bicarbonatées sodiques dites "sédatives" pour les troubles digestifs et nerveux (cf. GEOPratique, thermalisme). Marginal mais prometteur, le tourisme fluvial séduit une clientèle d'Anglais ou de Hollandais habitués à ce style de découverte. La région a donc investi pour améliorer l'accueil sur les berges de ses canaux, ceux du Midi, de la Robine, et du Rhône à Sète (cf. GEOPratique, Tourisme fluvial). Enfin, un tourisme gastronomique, "quasi œnologique", a fait son apparition, encouragé par les progrès constants de la qualité des vins de la région (cf. GEOPratique, Visites).

Population

Les trois quarts des 2296000 habitants se concentrent sur un axe Nîmes-Montpellier-Béziers-Narbonne-Perpignan, c'est-à-dire dans les villes et les zones périurbaines. Après quatre décennies de croissance démographique, le Languedoc-Roussillon reste la région la plus attractive de l'hexagone. Il a connu, entre 1990 et 1999, une forte croissance de sa population (près de 9%) et le taux d'accroissement le plus important en France (0,9% par an). En un demi-siècle, plusieurs vagues d'immigration se sont succédé : les Italiens ont précédé les Espagnols – saisonniers de la vigne – et ces derniers les pieds-noirs, rénovateurs de l'agriculture et de la pêche. Enfin, Portugais et Maghrébins ont constitué une main-d'œuvre bon marché pour l'industrie, les grands chantiers et la récolte des fruits. Aujourd'hui, ce sont les citadins du Nord qui se fixent ici, avides de soleil et d'une nouvelle "qualité de vie", mais, une fois de plus, ce flux migratoire profite essentiellement aux zones urbaines.

un refuge pour les retraités européens

Une retraite au soleil, entre barbecue et pétanque ? C'est un idéal très répandu si l'on en croit les chiffres. Le Languedoc-Roussillon arrive en tête des régions françaises pour le taux d'entrée des personnes âgées de soixante à soixante-quinze ans. Ce sont surtout des "seniors" de l'Île-de-France, des couples généralement aisés, qui aspirent à la tranquillité d'une région douce et lumineuse. Une nouvelle tendance s'observe : beaucoup de "seniors" hollandais, belges ou suisses leur emboîtent le pas, bénéficiant eux aussi de retraites substantielles. Ainsi, le Languedoc-Roussillon présente une pyramide des âges vieillissante, les personnes de plus de soixante ans, soit 25% des habitants, y étant surreprésentées.

la fin de l'exode rural ?

Surprise au dernier recensement de 1999 : la Lozère, victime d'un exode chronique, semble soudain saisie d'un frémissement démographique, gagnant 700 âmes. La nature, le calme et l'espace seraient-ils devenus des valeurs porteuses ? Mais ce progrès est anecdotique, les disparités démographiques restant criantes dans le Languedoc-Roussillon. Quand l'Hérault affiche une densité de population équivalente à la moyenne nationale, la Lozère compte moins de 15 habitants au km², et même moins de 2 pour certains sites.

Identité

deux drapeaux, deux cultures

Croix de Toulouse sur fond rouge, voilà pour le drapeau occitan qui flotte, dans cette région, de Nîmes à Carcassonne. Le Roussillon, lui, arbore toujours, à côté du drapeau français, sa propre bannière : rayures horizontales, sang et or, les couleurs catalanes. En Languedoc-Roussillon, on est loin de la France du Nord, jugée ici cérémonieuse, tristounette, et même un peu suffisante. On raille gentiment les Parisiens, leur accent pointu et leurs voyelles trop nasales. On ne considère évidemment plus les "nordistes" avec terreur comme au Moyen Âge, quand les Languedociens craignaient la brutalité et le fanatisme des "chevaliers d'Outre-Loire" venus semer la mort en terre cathare. Ici, quand on "monte" à la capitale, c'est pour aller à Montpellier ou à Perpignan, sans oublier Barcelone qui se trouve à deux heures de route et dont on soutient l'équipe de foot. Ces deux cultures ne s'accompagnent pas de velléités outrancières d'indépendance. Dans les années 1970, autour de chanteurs aux carrières confidentielles tels Marti, Patric, le mouvement occitan se durcit et milite pour une France fédéraliste, une Occitanie autogérée. Feux de paille. La Catalogne espagnole est une région autonome depuis 1980, et, côté français, on a visiblement plus urgent à faire que de réclamer l'indépendance, sinon "par principe". C'est un régionalisme populaire sans véritable contenu politique. Cependant, il faut savoir que la municipalité de Perpignan compte un adjoint et un conseiller aux "affaires catalanes" et dispose d'une délégation permanente à Barcelone.

côté occitan, la patrie des troubadours

Si elle déborde des frontières du Languedoc-Roussillon, la culture occitane s'y est magistralement illustrée. Tout commence au milieu du XIe siècle quand, de retour de croisade, les seigneurs éblouis par les splendeurs byzantines aspirent à une vie plus brillante. Se dessine alors un idéal nouveau : celui du "chevalier courtois" qui, un siècle plus tard, trouvera son apogée à la cour d'Ermangarde, vicomtesse de Narbonne, et dans les maisons aristocratiques de Montpellier, Nîmes, Carcassonne ou Béziers – siège de l'actuel Cirdoc, centre interrégional de documentation occitane. Il ne s'agit plus de combattre pour Dieu seul, ni même pour son seigneur, mais pour sa dame. Pour séduire, la valeur guerrière ne suffit plus : le chevalier doit faire preuve d'élégance, d'esprit et de culture. Le moindre baron s'entoure de troubadours qui, non contents de chanter l'amour, écrivent aussi, toujours en rimes, des satires politiques et des pamphlets. Animées de fêtes incessantes, les cours du Midi inventent un nouvel art d'aimer et une civilisation du raffinement qui gagneront ensuite le reste de la France. La femme y tient sa place, et celles que frustrait le rôle d'égérie deviennent créatrices à leur tour. Beaucoup de troubadours furent des troubadoures. Le très romantique XIXe siècle redécouvre l'"amour courtois", sa littérature et la fameuse langue d'oc. Depuis, ce retour de flamme pour la culture occitane ne s'est pas démenti et, dans la foulée, on a ressuscité des fêtes colorées, au caractère bien trempé, comme les carnavals et les charivaris (carnaval de Limoux, fête de l'Ours à Prats-de-Mollo). Ces rites festifs qui conjuraient jadis des peurs ancestrales sont devenus l'occasion de joyeux délires. Les carnavals du Languedoc-Roussillon, qui se déroulent sur plusieurs semaines, sont des modèles d'extravagance. On y joue toujours l'"amour courtois", mais sur des rythmes plus frénétiques que ceux de la harpe ou du flûtiau, et les serments d'amour se font désormais en français.

côté catalan, les foyers de la foi

Passé la forteresse de Salses (cf. Terres catalanes, Découvrir les environs de Perpignan), on arrive dans un autre monde, rattaché à la France depuis peu (1659) et tout entier bâti autour du fait catalan. Comme le Pays basque à l'autre bout des Pyrénées, la Catalogne vit à cheval sur la France et l'Espagne. Elle aussi revendique une forte identité culturelle. Son âge d'or se situe autour du XIIe siècle. Fuyant devant la conquête arabe, les voisins espagnols se sont réfugiés ici, emportant avec eux, comme emblèmes d'une foi démonstrative, toutes les reliques de leurs saints patrons. Héritage de Rome, le christianisme était déjà fortement implanté dans la région. C'est donc tout naturellement que la reconstruction, orchestrée par l'Église, s'est organisée autour des monastères. Pendant que le Languedoc s'affranchit timidement des influences religieuses, choisissant pour icône la gente dame, le Roussillon vénère la Vierge avec une ferveur exaltée. Les retables qu'on lui dédie jusqu'au XVIIe siècle, dans le moindre village, sont extraordinaires, rutilants d'or et de pierreries.

Plus l'identité régionale est menacée, plus les retables, hautement symboliques, deviennent riches et démesurés. Cette ferveur religieuse reste un des traits marquants du monde catalan. Nulle part ailleurs, en France, on ne voit des processions aussi théâtralisées que celles de la Semaine sainte : pénitents nu-pieds, encagoulés, supportant l'effigie d'un christ supplicié, brandissant des têtes de morts sur des coussins pourpres ou des coupes emplies de cendres. Dans toute la région, Noël se chante en catalan, et les pèlerinages dédiés à la Madone sont toujours vivaces. Remise au goût du jour en Roussillon par les antifranquistes exilés en 1936, la sardane est une expression plus récente de la "catalanité". Symbole de fraternité, on lui consacre de nombreux festivals, mais on peut surprendre, certains soirs d'allégresse, ou de nostalgie, les Catalans improviser spontanément quelques pas de danse sur les places villageoises. Selon l'humeur, la sardane se révèle grave ou joviale.

sports traditionnels

Dans toute la région, les garçons sont initiés au ballon ovale dès le berceau. Le "rugby des cathares", dit encore "rugby hérétique", à 13 avait la préférence jusqu'à ce que le jeu à 15 le devance. En 2003, Perpignan a combattu contre Toulouse, à Dublin, pour la Coupe d'Europe de rugby et ce fut en Catalogne un événement "national". Autre sport typiquement régional, les joutes nautiques. Sur le littoral et notamment à Sète, Agde et Béziers, de juin à septembre, les jouteurs vêtus de blanc s'affrontent tels des chevaliers en un combat singulier, un bouclier dans une main, un pavois appuyé sur l'épaule. Leur destrier ? la proue d'une barque. Ces joutes sont l'occasion de réjouissances, tout comme le sont les corridas autour desquelles les *aficionados* organisent les ferias, de véritables transes populaires dont les ingrédients sont, outre la tauromachie, les courses camarguaises, les spectacles de rue, les danses et le "pastaga".

Langues

Toutes deux langues romanes (issues du latin), ayant connu l'une et l'autre des fortunes diverses, langue d'oc et catalan sont en fait très proches, quasi jumelles. Depuis 1951 (loi Deixone), elles sont enseignées à l'école et désormais accueillies sur les réseaux de France 3-Régions. Jolie revanche pour des dialectes que le pouvoir central – royal ou républicain –, dans sa volonté d'unifier le territoire, a toujours tenté d'éradiquer. La mode actuelle du "retour aux racines" leur est favorable et elles surfent sur l'air du temps. Au Moyen Âge, la frontière linguistique courait de la Garonne jusqu'au bassin du Var, incluant une partie du Massif central et des Alpes ; au sud de cette ligne "oui" se disait "oc", au nord, "oil". On distinguera alors deux grandes entités, la région de langue d'oil et celle de langue d'oc où, en fait, le parler n'est pas uniforme mais très disparate, variant selon les patois locaux.

langue d'oc

En 1539, pour tous les actes administratifs, l'édit royal de Villers-Cotterêts impose aux Languedociens l'usage du "français de la capitale". La langue d'oc entame alors un irréversible déclin. Au XIXe siècle, des universitaires de Montpellier impulsent un sursaut régionaliste et créent une Société savante pour l'étude des langues romanes. À partir de 1940, l'Institut d'études occitanes fixe les règles de grammaire et d'orthographe d'une langue que l'on dit riche de 160000 mots et baptisée depuis quelques décennies l'"occitan". Enfin, en 1997, est créé le collège bilingue de Montpellier.

le catalan

Au IXe siècle déjà, le catalan se parle dans tous les comtés barcelonais, de Perpignan à la Costa Brava. Au XIIe siècle, il est officialisé comme langue jusqu'à ce que Philippe II, roi d'Espagne, lui préfère le castillan. Quand le Roussillon est rattaché au royaume de France, en 1659, Louis XIV impose le français et s'acharne à le diffuser : création des "petites escolles françaises" (1672) puis des "écoles royales gratuites" d'où le catalan est exclu. Pourtant, dans le secret des familles et l'intimité des églises, le catalan reste la langue maternelle et religieuse. Il est langue officielle en Catalogne espagnole et en Andorre. Côté français, les "anciens" le parlent encore couramment, aujourd'hui tête haute. Dans les Pyrénées-Orientales, une personne sur trois prétend avoir des rudiments de catalan. Pourtant, la transmission ne s'accomplit plus par la famille, seuls 3% des parents parlent la langue du pays à leurs enfants, et encore ne le font-ils qu'occasionnellement. L'école publique a pris la relève : 48 écoles élémentaires dispensent des cours d'initiation et 18 sont bilingues. Il existe aujourd'hui 3 collèges et 7 lycées bilingues ; les plus grands peuvent préparer des études universitaires de catalan.

Architecture

un riche patrimoine mégalithique

Sépultures érigées par une humanité aux rites sociaux bien établis, les dolmens n'ont pas livré tous leurs mystères. Les plus anciens datent du IVe millénaire av. J.-C. (néolithique). Comportant deux ou trois salles en enfilade, ils présentent une forme trapézoïdale spécifique dans le Languedoc, et certains d'entre eux (ceux du causse de l'Hortus) n'ouvrent pas vers l'est – exposition la plus courante – mais vers le sud-ouest. Les archéologues planchent toujours sur l'énigme. Si les dolmens sont nombreux, les menhirs le sont moins et pourtant la région compte l'un des plus beaux champs de pierres levées de France, les Bondons (cf. Lozère et terres cévenoles, Découvrir les environs de Florac). Attention, il ne faut pas confondre les montjoies lozériens avec des menhirs ; ces imposantes pierres taillées marquent les limites d'un pâturage et datent du XIIe siècle (cf. Lozère et terres cévenoles, Découvrir le mont Lozère). Remontant à la fin du chalcolithique, donc plus récents, des vestiges de villages accréditent l'existence d'une société déjà bien structurée. Ces derniers s'organisent en un groupement de cabanes aux murs épais, aux toits probablement couverts de chaume ou de lauzes légères. Les habitants portaient des bijoux, fabriquaient des poteries, cultivaient le blé, élevaient le porc, le mouton, pêchaient à bord de canots rudimentaires et chassaient accompagnés de leurs chiens. C'était il y a 4000 ans. On peut visiter le village de Cambous reconstitué (cf. Montpellier, Découvrir les environs).

la prospérité romaine

Arènes, temples, arcs de triomphe, aqueducs... Un inventaire rapide suffit à convaincre du phénoménal impact qu'ont eu les Romains. Le fil conducteur de cet héritage : la voie Domitienne (*via Domitia*), voie militaire qui longe la côte de Beaucaire à Port-Vendres. Apothéose du génie bâtisseur romain, le pont du Gard donne à lui seul une idée de l'effort consenti par l'Empire pour la prospérité de cette province. Il s'agit là d'une "romanisation" profonde, systématique, presque amoureuse tant on y met d'attention et d'énergie. Le pont du Gard inaugure une nouvelle technique de construction, celle dite du "frottement doux" : la poussière très fine dégagée au moment de la pose des énormes blocs de calcaire soude les pierres en se mêlant à l'eau que l'on fait couler pendant la manœuvre (cf. Nîmes et ses environs, Découvrir les environs d'Uzès). Dans *L'Ombre infinie de César*, l'écrivain Lawrence Durrell écrit : "La taille exceptionnelle des constructions de cette nature en impose car ces édifices gigantesques sont l'expression d'un projet démocratique, sans vocation religieuse, visant l'ensemble du peuple et son confort. Les aqueducs acheminaient l'eau, les arènes étaient des lieux de distraction." Aujourd'hui, les arènes de Nîmes ont gardé leur vocation festive. Le quartier neuf d'Antigone à Montpellier, d'inspiration gréco-romaine avec ses colonnes, ses pilastres, ses corniches gigantesques, peut être interprété comme un clin d'œil de Ricardo Boffil aux fastes de l'Empire romain. Mais, pour ces nouveaux palais, l'heure de la pierre est révolue, c'est de béton qu'ils sont faits.

l'art roman catalan

Au premier regard, l'architecture religieuse catalane déconcerte. Pourquoi ces clochers carrés en forme de tour, crénelés, aérés par d'élégantes baies géminées ? Et ces décorations en forme de frise d'arceaux, si peu usuelles en France, ou ces motifs en dents d'engrenage ? S'ils nous sont peu familiers, ces traits d'architecture se retrouvent fréquemment en Lombardie, province du nord de l'Italie. Invités en Catalogne par les puissants comtes de Barcelone, les artisans lombards du Moyen Âge influenceront durablement un art religieux déjà nourri d'emprunts romains et wisigoths. Les œuvres maîtresses sont les abbayes du Conflent (Saint-Michel de Cuxa, Serrabonne), mais il y a, disséminées dans toute la région et notamment dans les montagnes pyrénéennes, une multitude de petites églises. Émouvantes par leur rusticité, ces chapelles témoignent de l'intense mysticisme rural catalan. Certains de ces petits sanctuaires ruraux sont ornés de fresques aux couleurs vives (les pigments sont intégrés dans le mortier frais) qui racontent les mythes bibliques. C'est vrai surtout en Catalogne espagnole, mais on en trouve quelques beaux exemples en Roussillon français. Parallèlement à cette expression picturale, les sculptures foisonnent, produites notamment dans l'atelier de maître Cabestany, reconnu comme l'un des plus grands artistes du Moyen Âge.

architecture rurale

Une architecture adaptée Purement fonctionnelle, avare d'effets, l'architecture rurale est déterminée par le climat et le type de matériaux à disposition. En Languedoc-Roussillon, les belles pierres ne manquent pas. L'architecture se fait aussi l'écho de contraintes liées à l'économie villageoise : il faut inclure l'étable ou la bergerie quand on est éleveur, la cave si on est vigneron, et la ferme doit s'adapter à d'éventuels changements. Ainsi, dans les Cévennes, lorsque les paysans se reconvertissent dans l'élevage du ver à soie, il leur faut, soit construire une magnanerie attenante, soit rehausser la maison d'un étage. Derrière ces murs sombres de schiste, tout tient sous le même toit, les hommes, les animaux et les réserves. D'épais murs en pierres sèches, un calcaire grisé extrait du sol, des toits de lauzes, de rares ouvertures : la silhouette puissante de ces fermes du causse semble être l'émanation même du paysage. Le plus souvent, la bergerie occupe le rez-de-chaussée ; le toit voûté en pierre soutient le premier étage, auquel on accède par un ample escalier extérieur, en pierre toujours, puisqu'ici le bois est rare. Cet escalier se termine par une terrasse couverte. Ces bâtisses à la beauté rude sont surtout superbement efficaces pour lutter contre le vent et les rigueurs de l'hiver.

Le paysage construit La pierre sèche, celle qu'on glane sur le sol, empilée sans mortier, sert de matière première pour bâtir les abris qui jalonnent les pâturages et les vignobles, appelés capitelles ou cazelles selon la région (cf. Carcassonne, Découvrir les environs de Puivert). Ce sont des maisonnettes rondes, aveugles, de la hauteur d'un homme debout et dont le toit de lauzes forme un dôme. Toutes semblables, et chacune différente, l'une légèrement ovale, l'autre étirée en pain de sucre, etc. Les bergers y attendent l'éclaircie, les vignerons y remisent des outils. Dans certains vignobles, ces abris deviennent des maisonnettes, crépies de chaux et couvertes de tuiles, où l'on peut séjourner en été, quand la ville devient caniculaire. Ce sont les mazets, devenus pour la plupart de belles résidences secondaires. Autre abri temporaire, le buron, où les vachers d'Aubrac fabriquaient le fromage quand les troupeaux étaient à l'estive, de mai à octobre. En basalte ou en granit, ils sont construits à flanc de pâturage, tapis dans l'herbe, n'ont qu'une pièce et qu'une seule ouverture : la porte. La plupart des burons sont abandonnés – il n'y en a plus qu'un en activité sur l'Aubrac lozérien – ou transformés en auberges (cf. Lozère et terres cévenoles, Nasbinals).

les architectures défensives

Cette région de passage entre montagne et littoral, frontalière de surcroît, a toujours subi des vagues d'invasions et attisé les convoitises (occupation romaine, invasions barbares des IIIe et Ve siècles). Dressées sur les sommets, les fameuses citadelles médiévales de l'Aude sont l'ultime refuge des cathares. Se confondant avec la roche, érigés en prolongement des falaises, épousant les contours sinueux des crêtes, ces châteaux sont naturellement imprenables. Nul besoin de douves ni de pont-levis, mais des citernes creusées dans la roche gardent au frais les réserves d'eau précieuses en cas de siège. En Catalogne, les tours de guet montent la garde et communiquent grâce à des signaux de fumée. Au Moyen Âge, les villes s'enrichissent, bourgeois et seigneurs s'accordent sur la nécessité de les fortifier contre les bandits et autres rançonneurs de grand chemin. Il s'agit de protéger les habitants, mais surtout de rassurer les commerçants et les banquiers, bref de sauvegarder une économie naissante. Carcassonne ou Marvejols en sont de magnifiques exemples. Ceinturée de remparts, Aigues-Mortes servira à saint Louis de base pour lancer ses croisades. Quelques siècles plus tard, les citadelles de Salses et de Collioure seront l'œuvre des Espagnols soucieux de verrouiller leur frontière nord. Enfin, quelques années après la signature du traité des Pyrénées de 1659, le commissaire général des fortifications, Vauban, renforce la défense de constructions existantes (Salses et Collioure) et conçoit de nouveaux ouvrages spécifiquement adaptés à la morphologie des montagnes et aujourd'hui parfaitement conservés, telles les forteresses de Mont-Louis ou de Prats-de-Mollo (cf. Terres catalanes).

l'empreinte du classicisme

Au XVIIe siècle, après une épidémie de peste et presque un siècle de guerres de religion, les villes du Languedoc, exsangues, tentent de se reconstruire. L'opération se fait sous l'œil implacable du roi Louis XIII, fervent catholique. Il s'agit de renforcer le pouvoir central en ces terres d'hérésie calviniste. Les notables sont priés de faire allégeance. Paris, ses mœurs et ses modes deviennent le modèle obligé. On érige des arcs de triomphe, on trace des boulevards, des promenades, on ouvre des jardins. Les nouvelles demeures s'inspirent de l'architecture en vogue dans la capitale, le classicisme et sa pureté formelle. "On dirait que cette architecture a trouvé ici son milieu idéal, son ciel et son climat", dira l'académicien natif de Sète, Valery Larbaud. Le goût s'affirme pour des façades équilibrées, symétriques, percées de grandes fenêtres et ornées de frontons. Le tout en pierre de taille. Habilement dissimulés au fond des cours, derrière des portes cochères trop souvent closes, ces hôtels particuliers ont fière allure avec leurs majestueux escaliers monumentaux "entre cour et jardin" qui sont la gloire du style montpelliérain. S'illustre alors toute une dynastie de grands architectes royaux languedociens, dont Jean-Antoine Giral est le plus fameux. La prospérité installée (viticulture, textiles, débuts de l'industrie chimique), la bourgeoisie enrichie investit dans le foncier, achète de grands domaines à la lisière des villes pour y loger des villas ou des castels toujours d'inspiration classique. Construites en pierre rousse, plantées d'ifs et de citronniers, certaines de ces folies évoquent la lointaine Toscane (cf. Montpellier, Découvrir les environs).

un patrimoine industriel varié

C'est avec un pincement au cœur que l'on s'enfonce dans les mines désaffectées du bassin minier d'Alès. Une mine témoin, émouvant voyage dans la mémoire cévenole, retrace l'histoire houillère de la révolution industrielle à nos jours (cf. Anduze, Découvrir les environs). Autre vestige d'un monde industriel englouti, la manufacture royale textile de Villeneuvette, fondée au XVIIe siècle (cf. Montpellier et ses environs, Clermont-l'Hérault). Le portail d'entrée en affiche d'emblée les valeurs : "honneur au travail". La conception de la vie ouvrière qui s'illustre ici se rapproche du paternalisme. Autour de la manufacture et de la maison du directeur, on découvre une ville en réduction avec ses maisons bâties pour les employés, son école, ses dispensaires, et même sa caserne de pompiers. Une vie quasi autarcique. Le Languedoc-Roussillon compte également des pôles industriels bien vivants qui méritent une visite. C'est le cas d'anciennes filatures en Cerdagne, qui, modernisées, fabriquent et commercialisent des toiles réputées. Pyramides de sel d'un blanc immaculé flottant en apesanteur dans les brumes de chaleur, les gigantesques Salins du Midi composent un univers singulier (cf. Nîmes, Découvrir Aigues-Mortes). Autre curiosité : près de Sainte-Enimie, on peut visiter les sources Quézac, ou encore, à Thuir, les caves Byrrh, cet apéritif créé en 1866.

Peinture

Du XVIIe au XIXe siècle, Montpellier connaît une effervescence culturelle sans précédent. Quelques peintres montpelliérains vont accéder à une notoriété nationale. De Sébastien Bourdon, influencé par les écoles de la Renaissance italienne, à Frédéric Bazille, l'un des inventeurs de l'impressionnisme, ils furent nombreux à briller, qui dans l'art religieux (Antoine Ranc, père et fils), qui dans la peinture purement décorative (Troy). À Perpignan, Hyacinthe Rigaud, descendant d'une dynastie de peintres, deviendra le portraitiste attitré de Louis XIV.

Les Fauves "Collioure, les femmes, les bateaux, la mer et la montagne, mais Collioure c'est surtout la lumière. Une lumière blonde, dorée, qui supprime les ombres." Derain évoque ainsi le Roussillon où il s'empresse de rejoindre Matisse au début du XIXe siècle. Ivres de couleurs, leurs toiles s'appliquent à transcrire la transparence de l'air, l'éclat de cette lumière unique. Le dessin se noie dans une joyeuse polychromie. Ces peintres doivent leur surnom – les "Fauves" – au critique parisien Louis Vauxcelles qui, lors d'une visite du Salon d'automne de 1905, choqué par l'éclat des couleurs, s'était écrié : "C'est la cage aux fauves !" Il est vrai que les Fauves réclamaient le droit à l'excès, à l'outrance et au tempérament. Ce "dynamitage des couleurs" fera scandale dans la capitale, mais le Roussillon se rit des polémiques : il devient la Mecque des peintres.

le berceau du cubisme Braque arrive dans la région en 1906, avec dans son sillage : Picasso et Juan Gris. À Céret et dans les environs, ils expérimentent de nouvelles techniques, les collages, et une manière inédite de décomposer paysages et modèles en éléments géométriques. Une des plus importantes révolutions esthétiques du XXe siècle, le cubisme, s'épanouira en Catalogne de 1907 à 1914. Tous les mouvements artistiques modernes en découlent, dadaïsme, surréalisme et expressionnisme abstrait américain.

Artisanat

l'art du grenat

Transmise par les femmes depuis plus de trois siècles, de mère en fille, cette tradition n'a jamais vraiment disparu. Originellement extrait des flancs du mont Canigou, le grenat est la pierre porte-bonheur des Catalanes. Du grenat monté sur de l'or, voilà d'ailleurs qui évoque irrésistiblement les couleurs du drapeau catalan. Tailler la pierre à la main, la sertir pour composer des broches, des bagues mais surtout des croix... une dizaine de joailliers travaillent encore à la manière de leurs ancêtres tout en se risquant parfois à des créations (cf. Terres catalanes, Découvrir Perpignan).

l'art de la terre

La tradition potière du Languedoc-Roussillon remonte au début du néolithique. Après quelques millénaires de pratique, la région maîtrise avec brio toutes les techniques, des plus répandues – terres vernissées, grès cuit au bois, faïences utilitaires – aux plus inattendues comme cet art de la pipe en terre sculptée, à tête de chat ou de fou du roi. Depuis une vingtaine d'années, les potiers du Gard relèvent le pari de ressusciter une production qui fit la gloire de la région du XVIIe au XIXe siècle. Anduze a forgé sa réputation autour de ses grands vases de jardin qui ornaient déjà l'orangerie de Versailles. Le vrai vase d'Anduze, dont le succès ne tarit pas, est façonné au tour à pied, décoré sur ses flancs d'une guirlande en festons ; c'est l'oxyde de cuivre qui lui donne ce vert unique, lustré et printanier, qui le caractérise. L'argile, toujours, sert de matière première aux cruches, terrines et cassolettes jaunes et vertes du Lauragais dans lesquelles mijote le fameux cassoulet. Parmi les santons, acteurs obligés des crèches languedociennes, deux personnages se distinguent : le viticulteur, et le *loutetaïre*, représentant d'un métier révolu qui consistait à faire "monter" le lait des femmes venant d'avoir leur premier enfant.

l'art du tissage

Avec ses couleurs gaies dominées par le jaune safran et le rouge cerise, ses motifs géométriques ou ses rayures, la toile catalane habillait traditionnellement l'espadrille. Depuis peu les tisseurs (on pense aux superbes Toiles du soleil dont le succès est mérité) enrichissent leur gamme de nouveautés : linge de table, nappes, torchons, serviettes, drap ornemental pour l'ameublement, etc. (cf. Terres catalanes, Découvrir Perpignan). Le tissage de la soie est miraculeusement sauvé. La dernière filature a fermé ses portes en 1965 à Saint-Jean-du-Gard, condamnant la tradition séricicole à hanter les mémoires et les musées. Mais, en 1977, un instituteur passionné fait renaître l'art de la soie près d'Anduze, en élevant quelques vers à soie dans sa classe. Ce qui n'était au début qu'une activité pédagogique et récréative prend vite de l'ampleur. Aujourd'hui, une association s'est créée, une plantation de mûriers prospère et de jeunes artisans formés par leurs aînés maîtrisent désormais ce travail "comme naguère", du ver au tissu. Ce nouveau pôle artisanal a conquis le marché japonais, quelques couturiers parisiens, et a ouvert dans la région des boutiques de luxe (cf. Lozère et terres cévenoles, Le Vigan).

l'art du verre

Les "gentilshommes verriers" de l'Hérault ? Des nobles ruinés qui, comme tous les aristocrates du royaume, se sont vu accorder par Charles VII le privilège de souffler le verre. Jusqu'à la Révolution, une production abondante et prestigieuse a alimenté la région en bouteilles destinées à la viticulture et en fioles pour apothicaires. Cette activité a été relancée en 1990 dans l'arrière-pays héraultais, autour de la commune de Claret.

Gastronomie

De la mer à la montagne, des jardins roussillonnais aux pâturages lozériens, la palette agricole est riche et la gastronomie varie au hasard du voyage. Une gastronomie qui s'appuie sur une multitude d'AOC et de labels qui garantissent la qualité, celle des viandes notamment. Ail, huile d'olive, herbes de la garrigue : voilà le tiercé aromatique d'une bonne partie de la région et notamment de la côte, qui décline les saveurs provençales puis catalanes. La gastronomie catalane se distingue en osant des mariages audacieux, comme ceux du canard et de la cerise, du calamar et du chocolat, trouvant son équilibre entre le sucré et l'épicé. Les poissons de Méditerranée ont inspiré mille cuisines : bourrides, brandades, marinades, bouillinades, tourtes (ici baptisées "tielles"), rouilles, etc. Sans oublier les coquillages, les huîtres, et les moules qu'on déguste à la brasucade, grillées sur braises de sarments et arrosées d'une huile épicée. Mais on pratique aussi les saines et roboratives gastronomies rustiques comme le cassoulet, roi d'Occitanie, souvent accompagné de viande de mouton, plus rarement de nos jours d'une demi-perdrix, et toujours d'un minervois bien charpenté. En montagne, de la Lozère à la Cerdagne, les charcuteries artisanales ont du caractère et de l'originalité ; il suffit pour s'en convaincre de goûter les saucisses aux herbes ou le *fetge*, foie de porc salé puis séché. Et pourquoi ne pas profiter du voyage pour apprendre à aimer l'eau ? La santé coule de source en Languedoc-Roussillon : Quézac et ses fameuses bouteilles bleues, Perrier, dont les bulles sont mondialement connues ou encore Salvetat, elle aussi pétillante.

spécialités du terroir

L'anchois de Collioure Sur les trente établissements dépositaires du secret de fabrication de l'anchois de Collioure, il n'en reste que deux (cf. Terres catalanes, Collioure). C'est d'avril à octobre que se pêche ce petit poisson, à bord de barques munies d'une lampe appelée "lamparo". La préparation des anchois demande du temps et de la patience : ils sont brassés dans le sel, entiers, puis éviscérés à la main et à nouveau immergés dans le sel pendant trois mois, le temps que leur chair s'attendrisse et se parfume. Aujourd'hui, l'anchois est également préparé en anchoïade, une purée relevée d'une pointe d'ail. Divin sur une tranche de pain grillé, avec des olives et un rosé de Tavel bien frais.

L'aligot de Lozère Une création diabolique parce qu'irrésistible ! Sur une base de pomme de terre en purée, on mélange de la tomme fraîche d'Aubrac, du beurre, de l'ail écrasé et du lard fondu jusqu'à obtenir – si on a le coup de main – une pâte lisse et onctueuse. Si l'on est déraisonnable ou insatiable, on peut y ajouter des saucisses aux herbes de Florac, des morilles à la crème ou des cèpes à la cévenole. Ou, plus sobrement, une tranche de jambon de pays poêlée, car dans ces terres de Lozère aux généreuses gastronomies, il y aura sûrement au dessert du pain perdu aux pruneaux, de la fougasse bien sucrée ou une tarte aux myrtilles. Pour déguster et apprécier cette spécialité, rendez-vous dans les anciens burons de l'Aubrac transformés en auberge (cf. Lozère et terres cévenoles, Nasbinals).

Merveilleux escargots On plaint sincèrement ceux qui "font le nez" sur les caragoulettes. Les escargots, on s'en régale partout en Languedoc-Roussillon et peu de régions leur font honneur avec autant d'inventivité – à laquelle se mêle parfois un rien de cruauté. Grillés sur braises, bouillis puis mijotés en sauce, enrobés d'un aïoli ou revenus avec une farce aux noix, amandes, jambon et anchois, vous connaîtrez ici l'escargot dans tous ses états.

Fromages et desserts Dans les Pyrénées catalanes, le "fromaget" comme on dit là-bas, est un caillé frais, en faisselle, que l'on consomme sur un lit de miel de pays. La Lozère, forte de ses pâturages parfumés, produit en caves naturelles de fameux fromages de vache à pâte persillée, le bleu des Causses, mais aussi le laguiole, également vendu sous l'appellation fourme d'Aubrac. Avec le lait de brebis, certaines coopératives ont tenté une réplique de feta pour écouler les surplus. Régalons-nous plutôt de pélardons, ces délices crémeux, légèrement acidulés, que l'on fabrique à la ferme, de l'Aude aux Cévennes. La bergeronnette ou pérail, un des rares fromages de brebis à pâte molle, fait de plus en plus d'adeptes. Mais la région Languedoc-Roussillon a aussi "la goule sucrée", on y fabrique un nombre incalculable de douceurs : nougat de Limoux, croquants de Nîmes, grisettes et guimauves de Montpellier, tourons de Catalogne, chocolats de Pomérols (à l'eau de vie et à la

Les vins AOC du Languedoc-Roussillon

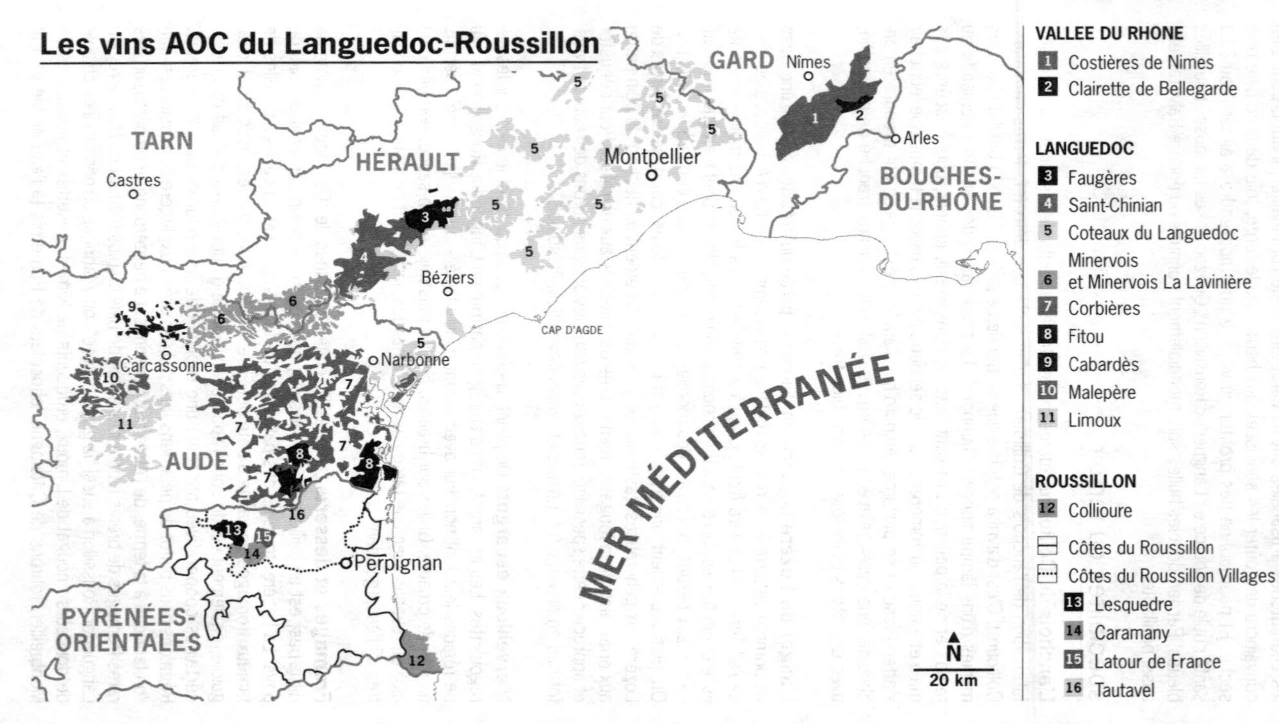

crème anglaise), berlingot de Pézenas, fraise Tagada d'Uzès, etc. Il vous faudra aussi goûter les fruits confits à Carcassonne, les navettes à Sète…

les vins

Toutes les gammes de vins sont représentées ici, tous les prix, toutes les saveurs, toutes les couleurs, blancs, rouges, rosés. On y trouve même des vins à bulles, joyeux et effervescents, des clairettes, des crémants qui valent bien, entre nous, de médiocres champagnes. Et des vins doux naturels, comme le banyuls, le rivesaltes et le maury tantôt miellés, aux reflets d'or, tantôt rubis au parfum de fruits confits. Ou encore des muscats connus depuis le Moyen Âge et produits aujourd'hui à Lunel, Mireval, Frontignan, Saint-Jean-de-Minervois et Rivesaltes. Il y a tant de vins à découvrir, tant de cépages, de crus, tant de variétés liées aux particularismes géologiques ou climatiques, tant et tant de tentations que le mieux est de se laisser guider par les dix "routes des vins" qui, de coopératives en caveaux, jalonnent les vignobles. C'est la manière la plus simple et la plus conviviale de faire connaissance avec les trente-deux AOC du Languedoc-Roussillon que se partagent trois zones de viticulture, celle de la vallée du Rhône, celle des coteaux du Languedoc qui va de Nîmes aux confins de l'Aude, et enfin celle du Roussillon. Et pour les mordus, les férus d'œnologie, l'Aude organise désormais des "séjours vignerons" avec hébergement dans les fermes viticoles, initiation, dégustation et balades parmi les vignes.

Enfants du pays

Saint Benoît d'Aniane (vers 750-821) Fils d'un comte goth de Maguelone (près de Montpellier), ce proche de Charlemagne guerroie dans diverses provinces avant de se retirer du monde pour fonder l'abbaye d'Aniane dans l'Hérault. Il réforme alors l'ordre des Bénédictins et initie un renouveau monastique qui s'étendra à tout l'Empire carolingien.

La dynastie des Trencavel (XIe-XIIe siècle) Ces vicomtes éclairés de Béziers et de Carcassonne siégeaient à Carcassonne où ils entretenaient une cour brillante. Amis des troubadours puis protecteurs des cathares, les Trencavel ont été vaincus par Simon de Montfort (vers 1150-1218), grand pourfendeur d'hérétiques et héros de la croisade contre les Albigeois (1208-1243).

Urbain V (1310-1370) Le Lozérien Guillaume de Grimoard, un noble du Gévaudan, accéda en Avignon à la fonction de pape en 1362. Ce 198e pape fut un humaniste et offrit à Mende, sa ville natale, une cathédrale aux proportions monumentales.

Molière, né Jean-Baptiste Poquelin (1622-1673) On vous dira, et c'est vrai, qu'il est né à Paris, dans le quartier des Halles. Mais, rejeté par la capitale, cet auteur dramatique iconoclaste trouve refuge vers 1653 à la cour du prince de Conti, gouverneur du Languedoc, qui lui inspira le personnage de Don Juan. Molière et sa troupe vivront une dizaine d'années à Pézenas jusqu'à ce que les religieux les en chassent.

Aristide Maillol (1861-1944) Né à Banyuls, mort à Perpignan, il est enterré à Banyuls qu'il n'aimait pas quitter. Ses sculptures célèbrent le corps féminin aux formes pures et épanouies. À partir de 1934, ce sera le sculpteur de Dina Vierny, son modèle exclusif. Une œuvre voluptueuse largement représentée dans la région, notamment à Perpignan.

Paul Valéry (1871-1945) Né à Sète d'une mère génoise et d'un père corse issu d'une famille de marins, il pense se présenter à l'École navale mais laisse "dériver sa passion marine vers les lettres". Disciple de Mallarmé, il écrira des poèmes symbolistes raffinés mais aussi des essais artistiques, philosophiques et politiques. Élu à l'Académie française en 1925, il meurt à Paris en 1945, couvert de gloire et auréolé d'un curieux statut de "poète d'État".

Jean Moulin (1899-1943) Il est né à Béziers. À partir de la zone Sud, il organisa les réseaux de Résistance à l'invasion nazie. Livré aux Allemands par trahison, il mourut sous la torture. Il est aujourd'hui inhumé au Panthéon.

Georges Brassens (1921-1981) On se souvient de sa guitare, de ses moustaches, et de sa "supplique pour être enterré sur la plage de Sète" ; elle est exaucée, ou presque, puisque sa tombe se trouve au cimetière Le Py et que sa ville natale lui a consacré un musée, l'Espace Georges-Brassens. Il fut le principal interprète de ses poèmes, mais les plus élégantes de nos chanteuses, de Juliette Gréco à Françoise Hardy, l'ont mis à leur répertoire.

Jean-Pierre Chabrol (1925-2001) Belle et grande gueule, voix vibrante, cet écrivain conteur à la faconde inoubliable est le chantre absolu de l'âpreté et du courage cévenols.

Jordi Barre Il est né en 1920 à Argelès-sur-Mer. De 1962 à 1995, date de son dernier disque, il chanta en catalan, sans relâche, de la plus modeste estrade villageoise jusqu'aux plus illustres scènes parisiennes (Olympia). Seul, ou avec son groupe Pa amb oli, il galvanise les foules et se produit toujours pour les grandes occasions.

Pascal Comelade Né en 1955, ce musicien atypique et typiquement catalan poursuit loin des médias une carrière sans faille ni compromissions. À l'aide d'instruments improbables, trompettes bouchées, pianos d'enfant, il compose des mélodies au charme hypnotique. Sa mère, Éliane Comelade, est la prêtresse incontestée de la gastronomie catalane.

Robert Combas Né à Lyon en 1957, Robert Combas passera toute son enfance à Sète et fera ses études d'art plastique aux Beaux-Arts de Montpellier. Chantre de la "figuration libre", ce peintre cultive un style proche de la BD. Son inspiration mêle vie quotidienne, références historiques et mythologiques.

Quand partir ? Pour le farniente à la plage, le canoë en rivière ou une initiation au canyoning, choisissez impérativement l'été. Il faut en effet toute l'ardeur du soleil à son zénith pour chauffer les eaux du Tarn ou celles d'un littoral souvent rafraîchi par la tramontane. Mais, pour des virées amoureuses, des échappées culturelles ou des randonnées paisibles, préférez le printemps. C'est aussi à cette saison que le Languedoc s'adonne aux liesses des carnavals, et c'est à Pâques que toute la Catalogne défile en d'impressionnantes processions. Il est conseillé d'attendre les lumières caressantes de septembre pour découvrir la Côte Vermeille, où l'on fête alors les vendanges de Collioure à Banyuls, dans les Corbières et en Minervois. L'hiver, il faut chausser les chaînes pour s'aventurer sur les hauts plateaux lozériens qui invitent au ski de fond et aux balades en raquettes, et vers les stations des Pyrénées-Orientales où se pratique le ski alpin.

Se rendre dans le Languedoc-Roussillon

GEOMEMO

Saison touristique	mi-juin à fin septembre
Ensoleillement	environ 2 600h/an
Précipitations	de 500 à 600mm/an sur le littoral à plus de 2 000mm/an sur la barrière cévenole
Température de la mer	22°C (maximale en été)
Vents	tramontane (192 jours/an en moyenne) mistral (150 jours/an en moyenne)
Prévisions Météo-France	tél. 08 92 68 02 (+ n° du département) ou 3250 www.meteofrance.com

Se rendre dans le Languedoc-Roussillon en avion

Des vols réguliers et directs sont assurés par Air France et par Brussels Airlines au départ de la Belgique. Au départ de la Suisse et du Canada : il faut transiter par Paris.

de France

Air France. Air France assure des liaisons entre Paris et Perpignan (5/j., 1h20 de vol), AR à partir de 145€ ; 4/j. de Roissy et 5 d'Orly vers Montpellier (1h25 de vol), billet AR à partir de 115€. Renseignez-vous bien sur les tarifs appliqués par Air France : gammes "Évasion" avec différents niveaux de prix en fonction de la date d'achat et "Week-end" pour des voyages autour du week-end et avec des réservations jusqu'à la veille du départ. Attention, l'offre "Week-end" n'est ni remboursable ni échangeable. Par ailleurs, des tarifs préférentiels sont accordés aux moins de 25 ans, étudiants (jusqu'à 26 ans), couples, familles, seniors et enfants. Enfin, la carte "Flying blue" permet d'additionner des *miles* afin de bénéficier de billets gratuits (carte nominative valable sur les vols France et étranger). En ligne : "Coup de cœur" est une sélection de destinations de dernière minute en France et en Europe proposée à prix réduit le mercredi, à partir de minuit. Possibilité de réserver un billet sur le site Internet. **Rens.** *49, av. de l'Opéra 75002 Paris Tél. 3654 www.airfrance.fr*

de Belgique

Ryanair. Une liaison quotidienne et directe est assurée entre Bruxelles-Charleroi et l'aéroport de Carcassonne. AS à partir de 30€. Renseignez-vous sur les promotions disponibles sur le site Internet. **Rens.** *www.ryanair.com* **France** *Tél. 0892 23 23 75* **Belgique** *Tél. 09 03 99 310*

Air France. *Rue de France 1060 Bruxelles Tél. 070 222 466 www.airfrance.be*

de Suisse

Swiss International Air Lines. Il n'existe aucun trajet direct vers le Languedoc-Roussillon. Renseignez-vous pour un vol pour Paris au départ de Genève (AR à partir de 119FS) ou de Zurich (AR à partir de 155FS). Prenez ensuite une correspondance (cf. de France). **Rens.** *www.swiss.com* **France** *Aéroport Roissy-Charles-de-Gaulle terminal 2B Paris Tél. 0820 04 05 06* **Suisse** *Aéroport Aérodrome 1215 Genève 15 Tél. 0848 700 700*

Air France. Un vol par jour Genève-Montpellier en semaine (à partir de 490FS). **Rens.** *2, rue du Mont-Blanc 1201 Genève Tél. 022 827 87 87 www.airfrance.ch*

du Canada

Air Canada. La compagnie n'effectue pas de liaison directe vers le Languedoc-Roussillon mais vous pouvez prendre un vol (1 à 2 vols/j.) direct Montréal-Paris (AR à partir de 416$) puis une correspondance pour Montpellier ou Perpignan (cf. de

France). **Rens.** *www.aircanada.com* **France** *Aéroport Charles-de-Gaulle Terminal 2A porte 5 Paris Tél. 0825 880 881* **Canada** *Comptoir de vente dans les aéroports de Montréal et de Toronto Tél. 888 247 2262*

Air France. *2000, rue Mansfield Montréal Québec H3A 3A3 Tél. (1) 514 847 1106, Bloor Street West suite 810 Toronto Ontario M55 154 Tél. (1) 514 847 1106 ou (1) 800 667 2747 www.airfrance.ca*

Se rendre dans le Languedoc-Roussillon en train

de France

Des TGV partent plusieurs fois par jour de Paris-Gare de Lyon vers le Languedoc-Roussillon : env. 12 départs/j. pour Montpellier (3h30 de trajet), 10 pour Nîmes (3h), 2 à 3 pour Perpignan (5h) et 4 à 5 pour Béziers (4h15). Billet AS plein tarif en 2e classe à env. 65€ pour Nîmes, 100€ pour Perpignan et 95€ pour Béziers (les tarifs varient selon les heures et les jours de départ). Trajets directs également possibles au départ d'autres villes de province. **Rens.** *SNCF Tél. 3635 www.voyages-sncf.com*

de Belgique

Un TGV part quotidiennement de Bruxelles pour rejoindre le Languedoc-Roussillon. Il dessert entre autres Nîmes, Montpellier, Béziers et Perpignan. Billet AS pour Perpignan à environ 140€ en 2e classe. **Rens.** *Tél. 02 528 28 28 www.b-rail.be*

de Suisse

Un TGV gagne quotidiennement Nîmes et Montpellier au départ de Genève. Billet AS Genève-Montpellier à 89FS (plein tarif en 2e classe). Le train Pau Casals quitte tlj. en haute saison (3 fois/sem. hors saison) la Suisse pour rejoindre l'est de l'Espagne en passant par Perpignan. **Rens.** *Tél. 0900 300 300 www.cff.ch*

pass

Inter Rail. Vous pouvez vous procurer le pass Inter Rail pour voyager en 2e classe dans 30 pays d'Europe (dont la France) et d'Afrique du Nord, ceci pendant 16, 22 ou 30 jours, sans limite de trajets au sein de la ou des zones sélectionnées. Pour un pass de 16 jours et valable sur une zone, plein tarif à 286€, moins de 26 ans à 195€. Un pass toutes zones existe également pour emprunter le train librement pendant un mois hors du pays d'origine. **Rens.** *www.interrailnet.com*

Eurodomino. Ce pass vous permet de voyager librement dans les 27 pays européens partenaires (hors pays de résidence) en 1re ou en 2e classe. Des coupons de 3 à 8 jours de circulation (consécutifs ou non) sont utilisables sur une période de 1 mois ; chaque coupon n'est valable que dans un seul pays. Les tarifs varient selon le nombre de jours, le pays et la classe choisis. Le pass Eurodomino Jeunes, pour la 2e classe uniquement, permet aux moins de 26 ans de bénéficier d'une réduction de 25%.

réductions

Pour les voyageurs occasionnels, la SNCF propose des tarifs "Découverte", accordant une remise de 25% (en fonction des trains, des disponibilités et des périodes) : "Enfant+", "12-25", "Senior", "À deux" (de 2 à 9 pers.) et "Séjour". Pour les voyageurs réguliers, des cartes commerciales, valables 1 an, attribuent une réduction de 25% à 50% : "Enfant+", "12-25", "Senior", "Escapades" ainsi que les cartes "Famille nombreuse" et "Grand Voyageur".

promotions

La SNCF accorde des billets à prix préférentiel avec les "Prem's", si vous réservez entre 90 et 14 jours à l'avance. Des promotions de "Dernières minutes", uniquement sur Internet avec paiement en ligne, proposent, le mardi, des billets avec 50% de réduction pour 50 destinations à utiliser entre le mercredi et le mardi suivant. Tous ces billets sont nominatifs, non remboursables et non échangeables.

Se rendre dans le Languedoc-Roussillon en car

de Belgique

De nombreuses liaisons régulières relient la gare de Bruxelles-Coach Station CCN à Nîmes et Perpignan (à partir de 139€ AR), Montpellier et Béziers (153€), Narbonne et Carcassonne (172€). Comptez entre 15 et 19h de voyage selon la destination. ***Rens.*** *Coach Station CCN Gare routière Rue du Progrès, 80 1000 Bruxelles Tél. 02 274 13 50 www.eurolines.be*

de Suisse

Alsa+Eggmann ("Eurolines Suisse") assurent des liaisons régulières avec Montpellier et Perpignan. Comptez respectivement 8h30 de trajet et au moins 100FS AR, et 9h et 170FS. ***Rens.*** *Rue du Mont-Blanc, 14 Genève Tél. 022 716 91 10*

pass, réductions et promotions

Le pass Eurolines, valable 15 ou 30 jours, permet de voyager entre 40 villes européennes. Pass à 199€ (15 jours) et 299€ (30 jours), tarifs basse saison. Réduction de 10% pour les moins de 26 ans, et promotions ponctuelles, se renseigner. *www.eurolines-pass.com*

Se rendre dans le Languedoc-Roussillon en voiture

de France

L'"autoroute du Soleil" (A6-E15) relie Paris à Lyon, et descend vers le sud en passant par Valence et par Orange (A7). De là, prenez la "Languedocienne" (A9-E15) qui conduit à Nîmes, Montpellier, Béziers, Narbonne et Perpignan. Pour Carcassonne,

quittez l'A9 au niveau de Narbonne pour l'"autoroute des Deux Mers" (A61-E80). Au départ de Paris, vous pouvez également prendre l'A10-E5 puis l'A71-E11 en direction de Clermont-Ferrand et emprunter la "Méridienne" (A75-E11) suivie de la N9 (vers Montpellier), ou de la N88 puis N106 (jusqu'à Nîmes), pour rejoindre l'A9. Pour Paris-Nîmes, comptez 720km et env. 45€ de péage ; Paris-Perpignan, 850km et env. 45€ de péage ; Paris-Mende 590km et env. 30€ de péage.

de Belgique

De Bruxelles, deux itinéraires s'offrent à vous. Pour vous rendre à Perpignan en passant par Paris et le Massif central, prévoyez 1155km et env. 60€ de péage. Pour vous rendre à Nîmes *via* le Luxembourg (E411et E25), Metz, Nancy et Dijon (A31) jusqu'à Lyon (cf. de France), comptez alors 985km et env. 45€ de péage.

de Suisse

De Genève, passez par Lyon et prenez les autoroutes A40 et A42 jusqu'à Valence (A7) puis Orange et rejoignez la "Languedocienne" (A9). Pour le trajet Genève-Nîmes, comptez 410km et env. 30€ de péage (sans la partie suisse) et 605km et env. 45€ pour Perpignan.

GÉOPRATIQUE

Séjourner dans une ferme-auberge
ou dans un hôtel au bord de la mer,
partir sur les sentiers de randonnée,
pratiquer les sports en eaux vives,
trouver la plage idéale
pour un moment de farniente,
rapporter un souvenir de voyage :
de **A** comme Assurances à **V**
comme Volontariat en passant
par **B** comme Budget, **H** comme
Hébergement ou **T** comme Tourisme
fluvial, toutes les réponses
à vos questions avant de partir
et sur place.

Informations utiles de A à Z

GEOMEMO

Comité régional de tourisme	L'Acropole 954/960 av. Jean-Mermoz CS 79507, 34960 Montpellier Cedex 2 tél. 0810 811 488 www.sunfrance.com
Réservation SNCF	tél. 3635 www.voyages-sncf.com
Fédération française de randonnée pédestre	tél. 01 44 89 93 93 www.ffrandonnee.fr
Comité régional de randonnée pédestre	20, rue de la République 34000 Montpellier tél. 04 67 22 68 22

Assurances

Il n'y a pas de risque particulier à visiter la région, il n'est donc pas nécessaire de souscrire une assurance spécifique. Dans tous les cas, n'oubliez jamais que les sociétés de cartes de crédit (Gold, Visa, Eurocard Mastercard) proposent une assistance médicale automatiquement comprise dans le prix de la carte. Cependant, vous bénéficiez d'une assurance voyage uniquement si vous réglez votre séjour avec votre carte.
Europ Assistance. *Tél. 01 41 85 85 85 www.europ-assistance.fr*
Mondial Assistance. *Tél. 01 40 255 255 www.mondial-assistance.fr*

Pannes ou accidents de voiture La majorité des contrats d'assurance automobile comprennent un service d'assistance en cas de panne ou d'accident qui prend en charge les frais de remorquage et de dépannage, ainsi que les frais de rapatriement et/ou d'hébergement des passagers le temps des réparations (si le véhicule est immobilisé sur place). Certaines compagnies participent également aux frais de location d'un véhicule de remplacement et proposent des options supplémentaires qui couvrent également les pannes d'essence, jusqu'alors non prises en charge.

Sports à risques Si vous pratiquez des sports à risques, renseignez-vous bien auprès de votre mutuelle car certains ne sont pas couverts et demandent de souscrire une assurance spéciale ; d'où l'intérêt de les pratiquer sous la protection d'un club qui, lui, est assuré pour vous !

perte et vol

Carte de paiement Appelez le 0892 705 705, quelle que soit votre carte.

Chéquier Pour faire votre déclaration, le Centre régional d'appel chèques perdus ou volés est disponible 24h/24h au 0892 68 32 08. N'oubliez pas d'appeler immédiatement votre banque pour faire opposition !

Téléphone Notez bien le numéro d'identification IMEI de votre appareil ; il s'affiche quand vous composez *#06# sur votre clavier et vous sera demandé par votre opérateur pour toute déclaration de perte ou de vol.

Budget et saisons touristiques

Le budget d'un séjour en Languedoc-Roussillon peut varier selon différents paramètres : le lieu, la saison ou encore le type d'établissement. Sur le littoral, il peut s'avérer plus difficile de se loger à petit prix en plein été, à moins d'opter pour le camping, une solution qui peut finalement se révéler plutôt bruyante, brûlante (car l'ombre s'y fait rare), parfois même venteuse… et surpeuplée. Le plus sage est de réserver à l'avance dans le petit hôtel convoité, ou bien d'opter pour un repli vers l'arrière-pays. Les campings y sont plus tranquilles et les autres formules d'hébergement (gîtes d'étape, chambres d'hôtes, hôtels) souvent moins onéreuses. En juillet et août, pensez tout de même à réserver : il n'y a rien de plus agaçant que d'errer pendant des heures et des heures avec une famille excédée, au lieu de se baigner ou de se promener… Pour se loger, le budget va de 15€ pour 2 personnes et un véhicule en camping, à 50€ en moyenne pour une chambre double confortable, avec l'alternative intermédiaire du gîte d'étape (environ 11€/pers.). Attention : la demi-pension est obligatoire dans certains établissements et plusieurs nuits consécutives sont exigées dans certaines chambres d'hôtes. Pour se nourrir correctement, il faut en général compter de 10 à 15€ au minimum, et tabler plutôt sur 20€/pers. sur les terrasses de la côte.

gamme de prix

Au fil des pages de votre GEOGuide, vous retrouverez une classification des différentes catégories d'hébergement et de restauration indexée sur les prix. Pour l'établir, nous nous sommes basés, d'une part, sur les prix estimés d'une chambre double (sans petit déj.), et d'autre part sur le prix d'un repas complet, sans boisson, en haute saison.

	Dormir	Manger
Très petits prix	moins de 30€	moins de 10€
Petits prix	de 30 à 40€	de 10 à 15€
Prix moyens	de 40 à 60€	de 15 à 25€
Prix élevés	de 60 à 80€	de 25 à 45€
Prix très élevés	plus de 80€	plus de 45€

Cartes routières

La carte de la région la plus récente et la plus agréable à lire est la carte IGN n° R13 Languedoc-Roussillon au 1/280 000e. Elle permet une approche globale et panoramique claire, tout en étant très précise sur les itinéraires et sites traversés (index des localités au verso). Il existe également la Blay Foldex n°10 au 1/250 000e, avec un index des communes et des sites touristiques qui peut s'avérer pratique. Michelin édite deux cartes régionales au 1/200 000e (nos 235 et 240) mais préférez celles au 1/150 000e (n° 330 pour la Lozère, n° 339 pour le Gard et l'Hérault et n° 344 pour l'Aude et les Pyrénées-Orientales). Plus détaillées encore sont les cartes touristiques locales Top 100 de l'IGN (1cm = 1km), où figurent les courbes de niveaux, les sentiers de grande randonnée (GR©) et de nombreux pictogrammes d'informations touristiques : monuments mais aussi sites d'escalade, pistes cyclables, golfs, etc. (cf. GEODocs, bibliographie).

Fêtes et manifestations

Ici le temps de la fête s'imprègne d'un mélange explosif de traditions culturelles tour à tour maritimes, rurales, férues de musique classique ou de world music, d'œnologie comme de gastronomie, d'identité catalane ou occitane, de théâtre ou d'histoire, ou encore de peinture ou de littérature… De janvier à avril, place aux carnavals et aux fêtes légendaires, dédiées à un saint patron. À la Pentecôte, la poussière se soulève dans les arènes et c'est la saison des ferias qui commence, dans un tourbillon de corridas, courses de taureaux et spectacles équestres. En été de nombreuses manifestations et des festivals sont organisés au bord de la mer comme dans l'arrière-pays. Les dates et programmes sont disponibles auprès des comités et offices de tourisme, ou bien aux numéros de téléphone cités dans le calendrier.

Calendrier des fêtes et manifestations

Janvier	Uzès	Journée de la truffe : 3e dimanche
	Limoux	Le carnaval ou fête des fécos : tous les week-ends (jusqu'en mars)
Février	Prats-de-Mollo	Fête de l'ours, 3 jours de carnaval
Mars	Pézenas	Carnaval et fête du poulain (Mardi gras)
Avril	Montpellier	Rencontres méditerranéennes (rens. 04 67 67 60 60)
	Perpignan	Festival des musiques sacrées (rens. 04 68 66 38 62)
	Pézenas	Printival Bobby Lapointe
	Perpignan	Procession de la sanch (le Vendredi saint)
Mai	Lunel	Cuisine et terroir en fête en pays de Lunel (rens. 04 67 71 01 37)
	Cévennes	Festival nature du parc national des Cévennes (jusqu'en octobre) (rens. 04 66 49 53 00)
Juin	Nîmes	Feria : une semaine à la Pentecôte (rens. 0891 701 401)
	Montpellier	Printemps des comédiens, Château d'O (rens. 04 67 63 66 67)
	Uzès	Festival Uzès danse (rens. 04 66 22 51 51)
	Gruissan	Fête de la Saint-Pierre : fête des pêcheurs
	Frontignan	Festival international du roman noir (rens. 04 67 18 50 04)
	Narbonne	Festival national de théâtre amateur (jusqu'en juillet) (rens. 04 68 90 45 65)
Tout l'été	Région	Festival musique, terroirs et vins (rens. au comité départemental de tourisme)
	Perpignan	Les "jeudis" de Perpignan (rens. 04 68 66 30 30)
	Carcassonne	Les Estivales (musique classique) (rens. 04 68 10 24 30)
	Roussillon	Festival lyrique des pays catalans (rens. 04 68 95 43 42)
Juillet	Villeneuve-lès-Avignon	Les rencontres d'été de la Chartreuse (rens. 04 90 15 24 24)
	Bize-Minervois	Fête de l'olivier (rens. 04 68 41 88 88)
	Étang de Thau	Festival de Thau : musiques du monde (rens. 04 67 18 70 83)
	Saint-Guilhem-le-Désert	Festival de musique de l'abbaye de Gellone (rens. 04 67 57 44 33)
Mi-juillet	Uzès	Les Nuits musicales : musiques anciennes et baroques (rens. 04 66 22 68 88)
	Le Grau-du-Roi	Festival de jazz (rens. 04 66 51 10 91)
	Le Vigan	Festival du Vigan, dans les églises et temples des villages (rens. 06 08 62 71 64)
	Vallée de l'Orb	Spectacles dans les villages (rens. dans les offices de tourisme)
	Prades	Festival Ciné-rencontres (rens. 04 68 05 20 47) www.cine-rencontres.org
	Junas	Festival de jazz (rens. 04 66 93 01 59 www.jazzjunas.asso.fr)
	Montpellier	Festival Radio France Montpellier Languedoc-Roussillon (rens. 04 67 61 66 81)

Fin juillet	Lodève	Les Voix de la Méditerranée : chanteurs, poètes et conteurs (rens. 04 67 44 24 60)
	Thuir	Festival Les Diades catalanes (rens. 04 68 84 67 87)
	Céret	Fête de la sardane (rens. 04 68 87 00 53)
Fin juillet / début août	Portes	Festival du patrimoine, château de Portes 30530 (rens. 04 66 54 92 05) www.chateau-portes.org
	Béziers	Festa d'Oc : musique occitane et musiques du monde (rens. 04 67 31 76 76)
	Cabardès	Festival Les Juliettes : vins et musiques latines (rens. 04 68 72 00 55 www.lesjuliettes.com)
	Uzès	Festival des musiques du monde et du pays d'Uzès (rens. 04 66 22 79 21)
	Prades	Festival Pablo Casals (rens. 04 68 96 33 07) www.prades-festival-casals.com
	Abbaye de Valmagne	Semaines musicales (rens. 05 61 44 24 30, 06 81 84 99 72 et 06 18 14 01 69)
Août	Lattes	Festival théâtral (rens. 04 99 52 95 00)
	Cévennes gardoises	Festival Amadeus (rens. 04 66 21 14 12)
	Villevieille-Salinelles	Festival de musique classique (rens. 04 66 80 01 97)
	Hérault	Festival vin et musique
Mi-août	Béziers	Feria : corridas, spectacles équestres, musiques et vins…
	Mèze	Fête du bœuf
	Lagrasse	Banquet du livre : rencontres littéraires et balades botaniques (rens. 04 68 24 05 75)
	Les Angles	Festa major : festival de la culture catalane
	Prades	Université catalane d'été (rens. 04 68 96 10 84)
	Grau-du-Roi	Corridas et courses camarguaises
	Sète	Joutes nautiques de fin juin à fin août Finales pendant la semaine du 25 août
Fin août / Septembre	Perpignan	Visa pour l'image : festival de photojournalisme (rens. 04 68 62 38 00 www.visapourlimage.com)
Septembre	Castries	Fête des vendanges (rens. 04 67 91 28 50)
	Nîmes	Feria des vendanges (rens. 0891 701 401)
Octobre	Perpignan	Jazz Zèbre : festival jazz, musiques du monde et vins (rens. 04 68 51 13 14)
	Aigues-Mortes	Fête votive : courses, *abrivados*, etc. (rens. 04 66 53 73 00)
	Saint-Jean-de-Cuculles	Fête vigneronne : ventes aux enchères de vin, animations (rens. 04 67 06 23 35)
	Région	Fêtes des vendanges : Carcassonne, Banyuls, Narbonne, Cessenon-sur-Orb…
Fin octobre/ début novembre	Montpellier	Festival du cinéma méditerranéen (rens. 04 99 13 73 74)
Novembre	Gard	Balade du primeur : dans les caves, domaines et châteaux (rens. 04 66 37 03 99)
Décembre	Aude	Marché au gras à Castelnaudary (rens. 04 68 23 05 73)

Handicapés

Avant de vous rendre sur l'un des sites de visite, d'hébergement ou de loisirs de la région, assurez-vous qu'il a été aménagé pour vous accueillir. La plupart des musées et lieux de spectacles ont prévu des accès et circulations adaptés, de même que les hôtels récents. En ce qui concerne les châteaux cathares et autres sites tout aussi escarpés, renseignez-vous par téléphone, ou bien auprès des délégations départementales de l'Association des paralysés de France.

APF. Siège national à Paris. *Tél. 01 40 78 69 00 www.apf.asso.fr*

APF départementales. *Aude-Carcassonne* *Tél. 04 68 25 62 25* **Gard-Nîmes** *Tél. 04 66 29 27 07* ***Hérault-Montpellier*** *Tél. 04 67 10 03 25* **Lozère-Mende** *Tél. 04 66 65 06 13* ***Pyrénées-Orientales-Perpignan*** *Tél. 04 68 52 10 41*

Hébergement

campings

La solution la plus bucolique et la moins onéreuse qui peut pourtant, dans les endroits très touristiques, imposer une promiscuité pesante.

FFCC. La Fédération française de camping et caravaning édite chaque année un guide national très complet (12€). *Tél. 01 42 72 84 08 www.ffcc.fr*

Les Gîtes de France. Répertoire complet d'adresses de camping à la ferme disponible sur commande. *Tél. 01 49 70 75 75 www.gites-de-france.com*

FUAJ. La Fédération des auberges de jeunesse propose elle aussi des nuitées en camping (guide à commander par correspondance). *Tél. 01 44 89 87 27 www.fuaj.org*

auberges de jeunesse

Il en existe 5 en Languedoc-Roussillon, à Perpignan, Carcassonne, Montpellier, Sète et Nîmes, au confort et au charme inégaux. Certaines sont situées dans des sites d'exception (surplombant la garrigue et la mer…), d'autres sont très excentrées et sinistres. Mais toutes ont l'avantage de ne pas coûter très cher (à partir de 12€ la nuit), une fois la carte d'adhésion acquise (10,70€ pour les moins de 26 ans et 15,30€ pour les plus de 26 ans). Guide par correspondance ou sur le site Internet.

FUAJ *27, rue Pajol 75018 Paris Tél. 01 44 89 87 27 www.fuaj.org*

chambres d'hôtes, gîtes et fermes-auberges

CHAMBRES D'HÔTES Les chambres chez l'habitant peuvent se trouver dans de modestes demeures comme dans des manoirs élégants (sans jamais dépasser le nombre de 6 par établissement). Les tarifs varient donc en fonction du standing, mais toutes vous réservent un accueil personnalisé et de qualité, à partir de 35€ la nuit pour 2 pers. petit déjeuner inclus. Le guide des Gîtes de France en répertorie un grand nombre, mais il en existe d'autres dont les listes sont disponibles auprès des comités départementaux de tourisme et offices locaux. En réservant, pensez à demander si un service de table d'hôte est assuré.

GÎTES La Fédération des gîtes de France propose, en plus de la chambre d'hôtes, 3 autres formules d'hébergement : le gîte rural, le camping à la ferme (cf. camping) ou le gîte d'étape. Les gîtes ruraux, loués au week-end ou à la semaine, offrent une occasion de vivre "comme à la maison", dans des résidences individuelles ou mitoyennes meublées qui peuvent s'avérer pleines de charme, à la montagne, à la campagne ou au bord de la mer. Compter au minimum 250€/semaine pour 4-5 pers. Les gîtes d'étape ou gîtes de séjour sont situés auprès des sites et sentiers de randonnées. À l'origine destinés aux marcheurs, VTtistes ou sportifs de tous poils, ils se révèlent idéaux pour les groupes qui souhaitent séjourner un week-end ou plus en étant autonomes et en disposant d'une cuisine. Le coût d'une nuitée ne dépasse pas 12€. Enfin, attribué par le WWF en collaboration avec les Gîtes de France, le label Panda s'applique à certains hébergements situés dans un parc national ou régional (le guide est vendu par correspondance 13€).

Maison des Gîtes de France et du tourisme vert. La fédération édite des guides, véritables bibles pour l'amateur de tourisme vert (descriptifs et photos, département par département). On les trouve à la boutique des gîtes de France entre 5 et 12€ selon le département. *Tél. 01 49 70 75 75 www.gites-de-france.com*

Gîtes d'étape. Le *Guide national des gîtes d'étape* (10€) est disponible auprès de la Fédération des gîtes de France. *Tél. 01 49 70 75 75 www.gites-de-france.com*

www.pour-les-vacances.com. Des pages spéciales Languedoc-Roussillon avec adresses et photos de chambres d'hôtes et de gîtes.

FERMES-AUBERGES Sur une initiative des chambres d'agriculture, cette autre formule s'apparente à celle des gîtes et propose des nuitées, avec tables d'hôte et produits gourmands à déguster…

Réseau Bienvenue à la ferme. *Tél. 04 67 20 88 65 www.bienvenue-a-la-ferme.com*

locations saisonnières

Vous pouvez louer à la semaine ou au week-end des appartements et maisons, entre particuliers notamment. Parmi les sites Internet qui proposent ces services, **www.abritel.fr** est l'un des plus fournis en offres, ainsi que **www.locations-france.com**, **www.immobiliervacances.com**, **www.sejournet.com**

hôtels

HÔTELLERIE CLASSIQUE On trouve dans la région toute la gamme des hôtels, du modeste deux-étoiles aux établissements plus luxueux de type Relais du Silence (www.relais-du-silence.fr) ou Relais et Châteaux (www.relaischateaux.fr). Les premiers peuvent avoir gardé un air d'antan, avec peintures et mobilier des années 1950, ce qui leur confère un certain cachet ; d'autres ont été rénovés de façon moins esthétique, mais offrent souvent des emplacements intéressants, face à la mer ou sur des places de village animées. Dans des sites d'exception, les seconds proposent toutes les prestations de qualité pour un séjour haut de gamme, dans un décor raffiné. Entre les deux, consultez les listes et offres de séjour des comités départementaux de tourisme : ils négocient parfois des tarifs qu'ils combinent en formules "Découverte" avec chéquiers gourmands, passeports musées, etc. (cf. Offices de tourisme).

HÔTELLERIE ÉCONOMIQUE Les grandes chaînes d'hôtellerie économique sont représentées aux abords des grandes villes. Elles proposent 24h/24 des chambres standard, propres et fonctionnelles, à des prix avantageux (de 21€ à 49€ la chambre, pour 1, 2 ou 3 personnes !).

Formule 1. De 21 à 34€ la chambre (de 1 à 3 pers.). *Tél. 0892 685 685 www.hotelformule1.com*

Etap Hôtel. De 25 à 49€ la chambre (avec sdb+WC). *Tél. 0892 688 900 www.etaphotel.com*

Première Classe. Comptez de 30 à 40€ la chambre. *Tél. 0892 688 123 www.envergure.fr*

Internet

Toutes les grandes villes ont désormais leurs cybercafés, avec des formules d'accès Internet tarifées à l'heure qui vous permettront de naviguer sur le réseau ou de consulter votre boîte *e-mail*.

Médias

presse

Quotidiens En kiosque chaque matin, *Le Midi libre* couvre l'intégralité de l'actualité de la région avec ses 26 éditions locales et ses suppléments sports, loisirs et économie. *La Dépêche du Midi* concerne essentiellement l'Aude, et plus largement Toulouse et le Grand Sud : on y trouve l'actualité locale, régionale et nationale, ainsi qu'un supplément spécial magazine tous les dimanches. Dans l'Aude et les Pyrénées-Orientales paraît un quotidien d'informations locales : *L'Indépendant*.

www.midilibre.com Pour retrouver le quotidien en ligne ainsi que de nombreuses informations touristiques (calendriers des manifestations, etc.).

www.ladepeche.com Le quotidien accessible en ligne.

www.lindependant.com Les actualités régionales et, entre autres, les horaires des séances de cinéma.

Hebdomadaires *La Semaine de Nîmes*, qui appartient au groupe Midi libre, paraît le jeudi et traite l'actualité du Gard mais aussi plus largement celle du Languedoc. Pratique pour les ferias (rubrique tauromachie), fêtes et autres événements sportifs ou culturels. Le lendemain sort *Le Journal du Pont du Gard*, plus modeste mais tout aussi proche de la vie locale. Les Pyrénées-Orientales ont également leur hebdo, *La Semaine du Roussillon*, de même que la Lozère : *La Lozère nouvelle*. *L'Hérault Tribune* se fait l'écho des informations municipales des villes d'Agde au Grau-du-Roi.

télévision et radio

France 3 Sud a une programmation régionale, avec un bulletin d'informations tous les soirs avant 19h (avant 20h à Nîmes) et toute une gamme d'émissions diffusées essentiellement le week-end. Sur les ondes du littoral, on peut suivre l'actualité locale (informations générales, sportives et culturelles) sur Radio Narbonne Méditerranée (92.5 FM) ou sur l'antenne régionale de France Bleue Gard Lozère (90.2 FM à Nîmes). Radio Escapade (104.1 à Saint-Jean-du-Gard, 103.3 au Vigan) promeut les initiatives locales des Cévennes de 10h à 19h, avec de vastes plages musicales. Partout ailleurs, on capte les antennes locales des radios nationales.

www.france3.fr Pour connaître la programmation détaillée.
www.captivi.net Une nouvelle chaîne en ligne qui diffuse informations, reportages et vidéos sur la région.

Offices de tourisme

région

Comité régional de tourisme du Languedoc-Roussillon. *L'Acropole 954/960 avenue Jean-Mermoz CS 79507, 34960 Montpellier Cedex 2 Tél. 0810 811 488 www.sunfrance.com*

départements

Comité départemental de tourisme de l'Aude. *Conseil général de l'Aude 11855 Carcassonne Cedex 9 Tél. 04 68 11 66 00 www.audetourisme.com*
Comité départemental de tourisme du Gard. *3, rue Cité-Foule BP 122 30010 Nîmes Cedex 4 Tél. 04 66 36 96 30 www.tourismegard.com*
Comité départemental de tourisme de l'Hérault. *Avenue des Moulins 34184 Montpellier Cedex 4 Tél. 04 67 67 71 71 www.herault-tourisme.com*
Comité départemental de tourisme de la Lozère. *14, boulevard Henri-Bourrillon BP 4 48000 Mende Tél. 04 66 65 60 00 www.lozere-tourisme.com*
Comité départemental de tourisme des Pyrénées-Orientales. *16, av. des Palmiers BP 540 66005 Perpignan Cedex Tél. 04 68 51 52 53 www.cdt-66.com*

Plages

De sable fin ou de galets, ourlées de dunes ou de rochers, sauvages et naturistes ou aménagées… le bord de mer est ici un kaléidoscope que l'on découvre en fonction de ses envies du moment. Au sud, la Côte Vermeille est une dentelle de petites criques de sable ou de galets. En remontant vers Argelès-sur-Mer, Saint-Cyprien, Port-Barcarès, et Narbonne-Plage, le littoral s'étale en de longues bandes de sable fin, dédiées aux loisirs en été : les environs des plages sont alors parsemés de campings et de clubs, et sur l'eau vrombissent toutes sortes de planches, coques et voiles… animation assurée. Entre Agde et Port-Camargue, les plages de sable clair ou noir s'acoquinent avec des espaces sauvages de dunes, marécages et d'étangs. Au milieu, de solides îlots de tourisme et de fête – au Cap d'Agde en particulier – mènent, dans quelques stations, un rythme trépidant. Les plages de Palavas sont plus longues et aérées que celles de La Grande-Motte : on s'y sent moins entassés en été… De la même façon, les plages de Port-Camargue sont plus larges que celles du Grau-du-Roi… Mais pour éviter la foule, il suffit parfois de venir plus tôt, ou plus tard ! Bains du matin et bains de minuit ont également leur charme…

PLAGES NATURISTES Pour pratiquer le naturisme en toute liberté, il existe de nombreuses plages, du cap Béar à l'Espiguette en passant par le cap Leucate, le Cap-d'Agde, Maguelone et bien d'autres. Le Comité régional de tourisme (cf. Offices de tourisme) édite une brochure qui présente plus de 20 centres et clubs.
Fédération française de naturisme. *5, rue Regnault 93500 Pantin www.ffn-naturisme.com Tél. 0892 69 32 82*

Restauration
choisir des produits locaux

Au bord de la Méditerranée, dans les très nombreux établissements, le bar se fait appeler loup et la lotte, baudroie : c'est ainsi qu'à Sète elle mijote en bourride avec l'ail, l'huile d'olive et les autres parfums des garrigues (cf. GEOPanorama, gastronomie). Assurez-vous que les huîtres et coquillages viennent du bassin de Thau ou de l'étang de Leucate et que les calamars, sardines et maquereaux sont pêchés localement. Comme partout, les restaurants les plus clinquants du front de mer ne sont pas forcément ceux qui proposent les produits les meilleurs : engouffrez-vous plutôt dans les ruelles du port, là où se réfugient les tables des gourmets... Côté terroir, goûtez les viandes élevées localement (bœuf d'Aubrac, taureau de Camargue ou agneau du pays d'Oc) ; les charcuteries de montagne fraîches, sèches ou fumées en Lozère et dans les Pyrénées ; et bien sûr, le cassoulet, à déguster dans les nombreuses fermes-auberges du Lauragais...

Santé et désagréments

Insolation et déshydratation La première menace pour votre santé émane de celui qui semble être, au premier abord, votre meilleur ami : le soleil. Il faut s'en méfier, même si l'on ne rêve que de bronzer. Chapeaux, crèmes à indice élevé et eau fraîche sont indispensables en été, en particulier lors des fortes chaleurs, et impératifs pour ceux qui prévoient une randonnée dans les garrigues en pleine journée ou un après-midi sur la plage.

Moustiques et autres animaux nuisibles Au bord des multiples points d'eau, étangs et zones littorales, votre ennemi numéro deux risque fort d'être le moustique. Peu dangereux, il est néanmoins capable de ruiner vos nuits. Les autres animaux potentiellement menaçants peuvent être les guêpes, mais méfiez-vous surtout des vipères (sur les sols rocailleux des garrigues). Pour éviter cette rencontre peu agréable, frappez le sol de vos pieds en marchant sur les chemins (cf. Valise).

Sécurité et dangers

Bulletins météorologiques En montagne comme au bord des rivières et torrents, la première précaution à prendre avant de pratiquer toute activité est de consulter la météo. Météo France vous réserve ses bulletins quotidiens au 3250 ou au 0892 68 02 suivi du numéro du département : 66 pour les Pyrénées-Orientales, 11 pour l'Aude, 34 pour l'Hérault, 30 pour le Gard et 48 pour la Lozère. Vous pouvez aussi consulter le site www.meteofrance.com

Incendies Évitez absolument de partir en randonnée à pied ou en kayak si des orages ou averses violentes sont annoncés, mais également en cas de mélange détonant de canicule et de vent violent : dans les garrigues, pinèdes et maquis, un incendie est vite arrivé... En général, évitez tout feu de camp en zone sèche, abstenez-vous de fumer et prévenez les pompiers (au 18 ou 112 d'un portable) au moindre soupçon de fumée.

Shopping

PRODUITS DU TERROIR À l'approche des boutiques et marchés du Languedoc-Roussillon, les paniers frémissent d'impatience : tant de merveilles, tant de promesses d'une gourmandise raffinée… Produit phare de la Méditerranée, l'huile d'olive est particulièrement délicieuse dans l'Hérault. À Collioure, l'anchois s'achète en conserve ou en bocaux, ou sous mille et un déguisements succulents comme l'anchoïade… À Uzès, place aux truffes. Et côté sucreries, le *turròn* de Catalogne affole les papilles, tout comme les caladons de Nîmes. Quant au miel des garrigues, c'est tout simplement un pur bonheur (cf. Le Languedoc-Roussillon à la carte).

VINS La région est également un paradis pour les amateurs de vin : à l'est, les côtes-du-rhône, lirac, tavel, et costières-de-nîmes. Au centre, les AOC faugères et saint-chinian ainsi que les douze communes de l'appellation coteaux-du-languedoc, mais aussi les corbières, le fitou, le cabardès, le minervois, le malepère et le crémant de Limoux. Au sud, côtes-du-roussillon et collioure, ainsi qu'une gamme exceptionnelle de dix vins doux naturels : banyuls, maury, muscat de Rivesaltes mais aussi de Lunel (cf. GEOPanorama, Gastronomie et Le Languedoc-Roussillon à la carte).
www.vins-languedoc-roussillon.fr Informations, actualités et cartes sur les vins, les cépages, les vignerons, avec l'agenda des foires et salons.
www.terredevins.com Toute l'actualité des vins.

Sports et loisirs

randonnée pédestre

LE RÉSEAU DES SENTIERS Les GR©, sentiers de grandes randonnées, sont balisés en rouge et blanc. Ces itinéraires, le plus souvent linéaires, sont complétés par les GRP© (grandes randonnées de pays, balisage jaune et rouge) qui forment des boucles. Enfin, les PR© (petites randonnées, balisées d'un trait jaune) sont des marches qui ne dépassent jamais 6h et sont donc accessibles à tous. Les sentiers sont recensés par les comités départementaux de tourisme et les offices de chaque localité, et répertoriés dans leurs brochures spéciales, avec balisage et tracé. Les portions des GR© sont répertoriées pour leur part dans des guides spécifiques, édités par la Fédération française de randonnée pédestre (FFRP) et ses comités départementaux (cf. GEODocs, Bibliographie).

EN INDIVIDUEL Les chemins, sentiers et itinéraires s'entrecroisent et s'emmêlent pour vous offrir des parcours singuliers, aussi multiples que variés, de longueurs et de difficultés diverses, ouverts aux goûts et choix de chacun. Pour les plus sportifs, quelques sommets se hissent sur la pointe des pieds : les monts Lozère (1 699m) et Aigoual (1 567m), le pic de Nore (1 211m, point culminant de la Montagne noire) et du Canigou (2 784m), ou encore le pic Carlit (2 921m) et pic Saint-Loup (659m). Les randonneurs confirmés peuvent organiser de beaux parcours sur plusieurs jours avec des étapes tels le GR©70 ou chemin Stevenson (220km), le GRP© Tour de Cerdagne (72km, en 3 ou 4 jours), ou encore le sentier cathare qui traverse l'Aude en quelque 200km, en 12 étapes d'une vingtaine de kilomètres chacune. Les sentiers de découverte – balisés par le parc national des Cévennes, par les parcs régionaux, par l'ONF ou les communes – sont moins longs (ils s'effectuent en quelques heures) et accessibles à tous. Ils sont tantôt culturels, tantôt botaniques ou historiques.

Fédération française de randonnée pédestre. *Tél. 01 44 89 93 93 www.ffrandonnee.fr*

Comités départementaux. Aude *Tél. 04 68 47 69 26 ou 04 68 32 51 71* **Hérault** *Tél. 04 67 41 78 58* **Gard** *Tél. 04 66 74 08 15* **Lozère** *Tél. 04 66 47 17 03* **Pyrénées-Orientales** *Tél. 04 68 61 48 85*

AVEC ACCOMPAGNEMENT De nombreuses associations et prestataires répertoriés par les comités départementaux de tourisme proposent, localement, d'organiser des journées ou séjours de randonnée à pied, avec un âne ou un véhicule pour le portage des sacs. Les grands voyagistes spécialistes du trekking et du voyage à pied offrent, pour leur part, des semaines thématiques dans la région, en hiver comme en été (à pied ou en raquettes), combinées avec des étapes gourmandes, des visites culturelles, picturales ou musicales, des soins de thalassothérapie ou des navigations en péniche sur le canal du Midi.

La Balaguère. *Tél. 0820 022 021 www.labalaguere.com*

Zig Zag. *Tél. 01 42 85 13 93 www.zig-zag.tm.fr*

Atalante. *Tél. 01 55 42 81 00 www.atalante.fr*

CONSEILS Selon la typologie du terrain que vous empruntez, veillez à ne pas glisser, tomber dans un trou ou buter contre un obstacle bien caché. Autrement dit, soyez attentifs et vigilants, et ouvrez grands les yeux, surtout si vous êtes avec des enfants. L'idéal pour pratiquer des activités en terrain accidenté est de se faire accompagner par un guide de randonnée ou un moniteur sportif.

CARTES Pour la randonnée, les cartes les plus adaptées sont les cartes au 1 : 50 000e ou, mieux, les Top 25 au 1 : 25 000e (1cm = 250m) avec mention des sentiers, refuges et aires de camping, toutes éditées par l'IGN.

Espace IGN. *107, rue de La Boétie 75008 Paris Tél. 01 43 98 80 00 www.ign.fr*

randonnée équestre

Chacun des cinq départements de la région dispose de plusieurs milliers de kilomètres d'itinéraires réservés aux cavaliers. Promenades sur les plages, cavalcades au pied des châteaux cathares ou dans les Corbières, balades en Camargue, dans les Cévennes, les Causses… Les lieux pour pratiquer ne manquent pas : clubs, centres et fermes équestres pullulent en bord de mer comme dans l'arrière-pays. Ils proposent des promenades à la journée, des cours et des séjours d'initiation ou de perfectionnement pour tous les niveaux, pour adultes et enfants.

Comité régional de tourisme équestre. *Tél. 04 67 43 82 50* **Aude** *Tél. 04 68 23 28 47* **Gard** *Tél. 04 66 35 58 41* **Hérault** *Tél. 04 67 41 78 53* **Lozère** *Tél. 04 66 65 60 27* **Pyrénées-Orientales** *Tél. 04 68 89 85 20*

cyclotourisme

Sillonner la région en deux-roues est un plaisir qui se décline sur vélo de route ou sur VTT, le long des voies aménagées ou des sentiers. Pas moins de 332 km de pistes cyclables relient Beaucaire à Cerbère : on peut ainsi rouler au bord du litto-

ral tout en étant à l'abri des voitures, en passant par Aigues-Mortes, Sète, Gruissan et Collioure.
Ligue de cyclotourisme du Languedoc-Roussillon. *Tél. 06 82 11 60 59 et 04 68 57 84 93 http://ffctlr.free.fr*
Comités départementaux. *Aude* *Tél. 04 68 32 69 17* ***Gard*** *Tél. 04 66 74 24 10* ***Hérault*** *Tél. 04 67 78 37 50 codep34.free.fr* ***Lozère*** *Tél. 06 30 90 42 64* ***Pyrénées-Orientales*** *Tél. 04 68 22 46 36*

golf

Le Languedoc-Roussillon compte 23 golfs (dont près de la moitié dans l'Hérault), mais tous n'ont pas de parcours de 18 trous. Les compacts et les 9 trous permettent néanmoins de s'entraîner et de se faire plaisir, même s'ils n'offrent pas les mêmes qualités de longueur et de tactique de jeu que les grands terrains. Un Golf Pass propose, pour 190€, 5 *green fees* valables dans certains golfs (pour un seul et même joueur). Consultez les coordonnées des golfs sur Internet, en visualisant tous les parcours et informations techniques, sur www.liguegolflanguedocroussillon.org
Ligue régionale de golf. *Tél. 04 66 68 22 62*
Comités départementaux. *Gard* *Tél. 04 66 68 22 62* ***Hérault*** *Tél. 06 84 05 89 77* ***Lozère*** *Tél. 04 66 32 88 17* ***Aude et Pyrénées-Orientales*** *Tél. 04 68 37 63 01*

escalade

Pour crapahuter à flanc de rocher, les parois de la région sont autant de voies royales vers le paradis. Sur le seul massif de la Clape, dans l'Aude, pas moins de 280 voies d'escalade sont découpées dans un calcaire de qualité. Il y en a ici pour tous les niveaux, des débutants aux plus chevronnés. Dans la haute vallée de l'Aude, un rocher-école offre plus de 100 voies d'initiation ou de perfectionnement, à l'abri du vent. Pour les enfants, de nombreuses via ferrata faciles d'accès ont été aménagées dans la région : autour de Nîmes ou à Font-Romeu... Sur celles du Caroux, de Navacelles ou de la Séranne, dans l'Hérault, on se fait battre le cœur un peu plus fort, et dans les gorges de l'Hérault ou de la Cesse, c'est encore beaucoup de plaisir. En Lozère, les gorges de la Jonte donnent un vertige délicieux.
Fédération française de la montagne et de l'escalade. *Tél. 01 40 18 75 50 www.ffme.fr*
Comité régional Languedoc-Roussillon. *Tél. 04 67 22 68 14*
Comités départementaux. *Aude* *Tél. 04 68 90 69 72* ***Hérault*** *Se rens. au comité régional* ***Gard*** *Tél. 06 75 74 47 10* ***Lozère*** *Tél. 046 65 12 47 86* ***Pyrénées-Orientales*** *Tél. 06 83 42 69 32*

plongée sous-marine

SITES Sur les fonds sableux du littoral languedocien, quelques épaves permettent de découvrir la plongée et de se faire plaisir sans trop s'effrayer. Pour vous réjouir les yeux, optez plutôt pour les côtes rocheuses des Pyrénées-Orientales, riches en reliefs, végétaux et poissons : de nombreux clubs proposent des sorties le long de la Côte Vermeille, entre Leucate, Collioure et Banyuls, en lisière de la réserve sous-marine.

GEOPRATIQUE

CLUBS Pour choisir un club, le seul critère objectif est aussi le plus subjectif : le courant qui passe, ou ne passe pas, entre vous et l'encadrement. C'est primordial, surtout pour les débutants : dans l'eau, votre vie dépend du moniteur qui vous guide ! C'est moins important pour les "autonomes", quoiqu'ils doivent se méfier des instructeurs qui ne les mettent pas assez en garde contre l'envie de "taper" les 60m (profondeurs communes en Méditerranée) et ne leur expliquent rien sur la plongée qu'ils vont réaliser. Comptez 35-40€ la plongée (sans location d'équipement) et 45-50€ le baptême en moyenne. L'accident est très rare, mais ses conséquences sont souvent très graves. Autant ne pas se tromper de club. Il existe deux types de structures : les clubs affiliés à la FFESSM (Fédération française de plongée) et les clubs adhérents des associations américaines (Padi, Naui, SSI). Les premiers sont plus adaptés pour la formation de plongeurs autonomes et les seconds parfaits pour débuter. Le baptême se fait dans moins de 5m d'eau, pendant au moins une demi-heure, avec un moniteur qui prend son temps… et parfois tient la main de son élève angoissé !

Fédération française d'études et de sports sous-marins. *Tél. 04 91 33 99 31 www.ffessm.fr*

FFESSM Pyrénées-Méditerranée. *Tél. 05 62 24 18 65 www.ffessmpm.fr*

Comités départementaux. *Aude* *Tél. 06 73 18 87 68* ***Gard*** *Tél. 06 26 48 32 48* ***Hérault*** *Tél. 06 63 03 71 18* ***Pyrénées-Orientales*** *Tél. 04 68 53 47 31*

spéléologie

Les apprentis spéléologues peuvent se réjouir : l'eau s'est infiltrée avec malice dans toutes les roches de la région… Des Cévennes au massif de l'Espinouse, des contreforts du Massif central au massif pyrénéen, le réseau souterrain égrène ses grottes et rivières cachées, ainsi que quelques belles cavités : gouffre géant de Cabrespine, grotte de Limousis dans l'Aude, s'abordent avec des moniteurs diplômés, garants de votre sécurité. Safaris souterrains, initiation et stages à volonté, dans les très nombreux clubs et écoles de la région. De belles journées en perspective.

Fédération française de spéléologie. *Tél. 04 72 56 09 63 www.ffspeleo.fr*

Comité régional de spéléologie. *Tél. 04 67 76 99 89*

Comités départementaux. *Aude* *Tél. 04 68 46 39 24* ***Gard*** *Tél. 04 66 23 64 97* ***Hérault*** *Tél. 06 14 10 12 29* ***Lozère*** *Tél. 04 66 45 26 29* ***Pyrénées-Orientales*** *Tél. 04 68 04 32 16*

sports d'eau vive

CANOË-KAYAK À coup de pagaies, vous passerez sous le pont du Gard, descendrez gorges, canyons et défilés le long de nombreux cours d'eau : Aude, Orb, Cèze, Hérault, Gardon, mais aussi Tarn et Lot, dangereux dans leur cours supérieur, mais bien plus paisibles dans leur cours inférieur. À moins que vous ne préfériez les grands espaces calmes et plats : vous découvrirez alors les étangs et canaux de la Camargue, au milieu de nuées d'oiseaux… Un itinéraire tout particulièrement séduisant permet aux débutants (comme aux plus perfectionnés) d'atteindre la mer en quelque six journées, en dévalant le cours de l'Aude jusqu'aux écluses et moulins du canal du Midi. Les rivières des Pyrénées-Orientales sont plus ardues à naviguer : l'encadrement est obligatoire, à moins d'être vraiment très expérimenté. Les rivages côtiers sont davantage accessibles (sauf en cas de houle et de vent vio-

lent) : on y découvre des plages secrètes que l'on passe des heures, ensuite, à tenter de retrouver à pied. C'est malheureusement en vain, car bien souvent ces trésors-là ne sont accessibles que par l'eau.
Comité régional de canoë-kayak. *Tél. 04 67 22 68 19*
Comités départementaux. ***Aude*** *Tél. 04 68 31 61 60* ***Gard*** *Tél. 04 66 02 08 91* ***Hérault*** *Tél. 04 67 41 78 40 (ou 41)* ***Lozère*** *Tél. 04 66 49 25 97* ***Pyrénées-Orientales*** *Tél. 04 68 38 92 99*

RAFTING, NAGE ET HYDROSPEED Des sensations fortes garanties au cœur des gorges de la Pierre-Lys, dans la haute vallée de l'Aude, le haut Allier et les gorges de Rhodes, très techniques, à ne tenter que bien encadré. Spectacle splendide.

sports nautiques

VOILE Sur les rives des lacs et sur les plages, tous les types d'embarcation se louent, à l'heure, à la journée, au week-end ou à la semaine : planche à voile, petit catamaran et dériveur, ou plus grand voilier… Avec moniteur ou skipper pour les plus novices, et en toute liberté pour les autres, en respectant quelques précautions par vent fort. Pour les locations de voiliers et autres sorties en mer, voir les offices de tourisme, ou sur Internet les sites qui répertorient les bonnes adresses, comme le www.languedoc.net.
Ligue régionale de voile. *Tél. 04 67 50 48 30 www.ffvoilelr.net*
Comités départementaux. ***Aude*** *Tél. 04 68 32 93 90 cdv.aude@wanadoo.fr* ***Gard et Lozère*** *Se renseigner à la ligue régionale* ***Hérault*** *Tél. 04 67 51 59 66* ***Pyrénées-Orientales*** *Tél. 06 03 31 50 77*

PLANCHE À VOILE Les plans d'eau plats des lacs et étangs sont parfaits pour s'initier. Pour les mordus de funboard, les vastes étendues maritimes offrent plus de possibilités… mais aussi plus de dangers, surtout par vent de terre ! Liste des clubs sur le site de la Fédération française de voile (www.ffvoile.org).

KITE SURF Le nouveau sport de glisse en vogue, très impressionnant pour les débutants et les spectateurs médusés… Les plans d'eau fermés peuvent être plus rassurants pour débuter, en particulier ceux dont la profondeur ne dépasse pas 1m, parfaits pour tomber et remonter sans s'épuiser (étangs de Lapalme, dans l'Aude, et de l'Or, à partir de la base de Mauguio dans l'Hérault). Pour s'élancer vers le large, les nombreux centres du littoral, de Barcarès à Port-Camargue, louent tout l'équipement nécessaire. Il y a également une école de kite surf à Frontignan. Coordonnées des sites et clubs sur Internet ou auprès de la Ligue de vol libre dont dépend cette activité qui se pratique entre air, terre et mer.

vol libre

PARAPENTE, DELTA, CERF-VOLANT DE TRACTION Voler sans moteur, juste porté par le souffle du vent ou les courants d'air ascendant, peut être tout à fait grandiose et époustouflant dans les Cévennes, au-dessus du cirque de Mourèze ou de celui, vertigineux, de Navacelles. Pour débuter, il existe, en Lozère, un site plus adapté que les autres pour apprendre à décoller et atterrir : Ispagnac- Paros, près de Quézac. Le parapente et le delta-plane se pratiquent également dans le Vallespir,

à Argeliers et à Peyrepertuse, mais ici le vol est plus technique, réservé aux experts en la matière. Les falaises du cap Leucate sont elles aussi très prisées et, à leurs pieds, on peut s'essayer au *buggy* sur sable, tracté par un cerf-volant. L'hiver, place au snow kite, pratiqué dans les stations de Font-Romeu et de La Llagonne ; tracté par un cerf-volant géant, ce sport demande de maîtriser à la fois la glisse sur neige et le maniement de la voile ! La carte IGN du Vol libre en France (env. 5€) vous indiquera tous les spots de parapente, delta, cerf-volant et les coordonnées des clubs.
Fédération française de vol libre. *Tél. 04 97 03 82 82 www.ffvl.fr*
Ligue de vol libre du Languedoc-Roussillon. *Tél. 04 67 55 75 74*

PARACHUTISME Pour s'initier, suivre un stage ou simplement s'informer, commencer par visiter le site de la Ligue, puis celui du centre de Pujaut (Gard), le plus développé de la région.
Fédération française de parachutisme. *Tél. 01 53 46 68 68 www.ffp.asso.fr*
Comités départementaux de parachutisme. ***Gard*** *Tél. 06 14 09 09 71* ***Hérault*** *04 67 79 42 39*
École française de parachutisme Languedoc-Méditerranée. *Aérodrome de Pujaut Tél. 04 90 26 41 83 www.skydive-pujaut.com*

sports d'hiver

Pour combiner neige et soleil, la station la plus réputée est sans conteste Font-Romeu, mais tout autour, d'autres stations plus tranquilles permettent de glisser en pente douce le long des Pyrénées, en ski de descente ou en ski de fond. Pour ceux que la vitesse ennuie ou effraie, il reste les raquettes : cette alternative est idéale pour parcourir la Cerdagne et le Vallespir, les Pyrénées audoises, ou encore les plateaux du Causse et la Lozère. Dans toute la région, de nombreux clubs et guides accompagnateurs proposent, à partir des offices de tourisme locaux, des balades à la journée. La Fédération française de ski regroupe toutes les activités, avec coordonnées des clubs et descriptifs des stations.
Fédération française de ski. *Tél. 04 50 51 40 34 www.ffs.fr*
Comités régionaux. ***Cévennes et Languedoc*** *Tél. 04 67 22 94 92 www.skicevenneslanguedoc.free.fr (Hérault, Gard et Lozère)* ***Pyrénées Est*** *Tél. 05 61 63 10 11 www.ffs-pyrenees.com (Pyrénées-Orientales, Aude et Hérault)*

pêche

En mer ou en rivière, les amateurs trouveront dans la région de quoi se faire plaisir. N'oubliez pas les permis pour la seconde option, les contrôles sont fréquents.
www.unpf.fr. Site de l'Union nationale pour la pêche en France qui présente toutes les informations sur la pratique de la pêche dans tous les départements français.
www.peche48.com. Tout sur la pêche en Lozère, les sites, les parcours *no kill* et les coordonnées de guides de pêche.
www.pecheherault.com. Tout sur la pêche dans l'Hérault.

Thermalisme et thalassothérapie

Eaux de source riches en propriétés curatives, eaux de mer revitalisantes et régénératrices… Faites votre choix selon vos besoins en matière de santé : cicatrisation,

soins des rhumatismes, des voies respiratoires, du stress… ou bien selon vos envies : remise en forme, détente, minceur… Des Pyrénées au littoral, vous trouverez une multitude d'établissements de thermalisme ou de thalassothérapie qui vous proposeront des formules à la journée, au week-end ou à la semaine. Vous obtiendrez les listes complètes auprès des comités départementaux de tourisme. Il existe également des réseaux spécialisés et, bien sûr, des voyagistes qui vous proposeront à leur tour leur sélection, avec ou sans hébergement. Les centres de thalasso du littoral sont présents de Banyuls à Port-Camargue, en passant par Port-Barcarès, le cap d'Agde et La Grande-Motte.
France thermale. *Tél. 01 53 91 05 75 www.france-thermale.org*
Allô Thalasso. *Tél. 01 53 21 86 95 www.allo-thalasso.com*

Tourisme fluvial

Découvrir la région du pont d'une péniche ou d'un bateau est un luxe très accessible : les embarquements de groupe à la journée et les locations de bateaux sans permis s'effectuent à Castelnaudary, Carcassonne, Beaucaire, Saint-Gilles, Agde et Sète. À la vitesse ronronnante de 10 à 30km/h maximum, ils vous feront glisser le long des rivières et canaux : canal du Midi, canal de la Robine, canal d'Agde à Sète, Petit Rhône et Petite Camargue… Tous les itinéraires et documentations sont disponibles auprès des comités départementaux de tourisme.
Locaboat Plaisance. *Tél. 03 86 91 72 72 www.locaboat.com*
Nautic. ***Hérault*** *Agde Tél. 04 67 94 78 93 www.nautic.fr*
Crown Blue Line. ***Aude*** *Castelnaudary Tél. 04 68 94 52 72 www.crownblueline.com*

Transports en commun

TRAIN Le réseau des TER (Trains Express Régionaux) permet de longer tout le littoral de Collioure à Nîmes, avec des correspondances en bout de course pour Aigues-Mortes au sud et Villeneuve-lès-Avignon au nord. De Perpignan, on peut rejoindre Prades et Font-Romeu, et de Narbonne retrouver Carcassonne puis Limoux et Quillan ou Castelnaudary. De Béziers on remonte aisément jusqu'à Lodève puis en Lozère, tout comme de Nîmes en traversant Alès et les Cévennes. Il existe enfin une formule originale pour découvrir l'ouest des Pyrénées-Orientales : le Train jaune (cf. Terres catalanes, Font-Romeu). ***SNCF*** *Tél. 3635 www.voyages-sncf.com*

CAR De nombreuses compagnies d'autocars sillonnent la région : dans certains départements, elles sont près d'une dizaine à se répartir les secteurs. Les horaires et itinéraires sont disponibles auprès des offices de tourisme et gares routières, mais aussi des gares SNCF (cf. GEORégions, mode d'emploi).

Transports individuels

RÉSEAU ROUTIER Un grand axe routier principal traverse d'un bout à l'autre la plaine littorale, des Pyrénées jusqu'au Rhône : c'est l'autoroute A9, dite la Languedocienne. S'y greffent des axes remontant vers l'ouest : l'autoroute A61 de Narbonne à Toulouse *via* Carcassonne, et vers le nord : l'A75 vers Clermont-Ferrand par Clermont-l'Hérault et Lodève (cf. GEOVoyage, se rendre dans le Languedoc-Roussillon en voiture et GEORégions, mode d'emploi). Un réseau de routes nationales permet ensuite de rejoindre les villes importantes, sur le littoral comme dans l'arrière-pays. Puis c'est un entrelacs de routes départementales, autant d'occasions de s'imprégner du charme des lieux, dans les garrigues et la montagne comme au pays cathare.

DISTANCES

(en km)	Béziers	Carcassonne	Mende	Montpellier	Narbonne	Nîmes
Carcassonne	85					
Mende	215	300				
Montpellier	70	155	150			
Narbonne	30	55	250	100		
Nîmes	125	205	140	50	150	
Perpignan	90	115	310	160	60	215

LOCATION DE VOITURES Toutes les grandes sociétés de location ont leurs agences principalement dans les grandes villes, ainsi que dans les aéroports.
Ada. *Tél. 0825 169 169 www.ada.fr*
Avis. *Tél. 0820 05 05 05 www.avis.fr*
Europcar. *Tél. 0825 358 358 www.europcar.fr*
Hertz. *Tél. 01 41 91 95 25 www.hertz.fr*

Travailler sur place

Différentes formules s'offrent à celui ou celle qui désire financer son séjour en travaillant. Dans toutes les stations balnéaires, les hôtels, restaurants, bars, clubs de plage, boutiques et autres activités liées au tourisme recrutent chaque été des saisonniers. Les résidences-clubs et les centres de loisirs recherchent également des animateurs pour encadrer leurs activités (avec BAFA pour les enfants), de même que les piscines des surveillants de baignade (diplômés bien sûr). Pour prolonger la saison, vous pouvez également participer aux vendanges ainsi qu'aux récoltes dans les vergers.
Centre régional d'information jeunesse de Montpellier. *Tél. 04 67 04 36 66 www.crij-montpellier.com*
www.anpe.fr Le plus fourni en offres (aussi bien pour la restauration, la récolte ou les vendanges).
www.planete-enseignant.com De nombreux jobs pour étudiants.

Urgences

Dans tous les cas urgents, contactez le 17 pour la police, le 18 pour les pompiers, le 15 pour le samu et le 112 d'un portable.

Valise

Dans une valise en partance pour le Languedoc-Roussillon, on aime trouver de quoi être à l'aise en toutes circonstances. Cela commence par des vêtements adaptés : légers et amples pour flâner en ville sous la canicule, confortables pour la randonnée, avec quelques éléments couvrants en laine polaire pour la montagne, en Lozère mais aussi au sommet des Pyrénées. Les chaussures tiendront bien la cheville pour les ascensions longues, et seront solides et souples pour les balades, avec des semelles antidérapantes et des chaussettes en coton. Pour parer à tout, glissez dans une trousse à pharmacie les pansements traditionnels et les doubles-peaux, à côté d'un antiseptique, d'un aspivenin et de quelques antalgiques. Pour ce qui est du soleil, le port du chapeau est impératif, ainsi que l'usage d'une crème solaire. Pour le soir, panoplie antimoustiques hautement recommandée ! Pour être vraiment à l'abri, une moustiquaire viendra parfaire le paquetage du voyageur averti. S'il reste encore un peu de place, emportez une gourde isotherme : il n'y a rien de tel que de l'eau fraîche en toutes occasions.

Visites

en savoir plus sur les milieux naturels

ORNITHOLOGIE Toujours en quête de zones humides tranquilles pour se nourrir et se reposer, les oiseaux ont inscrit la région au palmarès de leurs escales et lieux de vie favoris. Pour découvrir la magie du peuple migrateur, le printemps et l'automne sont des saisons privilégiées, en Petite Camargue comme au bord de tous les étangs côtiers en particulier. Pour être accompagné ou orienté, adressez-vous aux associations et groupes ornithologiques de la région : ils organisent tous types de sorties sur le terrain.

LPO. *www.lpo.fr* ***Aude*** *Tél. 04 68 49 12 12* ***Hérault*** *04 67 18 09 32*

Groupe ornithologique du Roussillon. *Tél. 04 68 51 20 01*

Centre ornithologique du Gard. *Tél. 04 66 63 85 74*

ALEPE (Association lozérienne d'étude et de protection de l'environnement). *Montée Julhers 48000 Balsièges Tél. 04 66 47 09 97*

PARCS ET JARDINS Le dynamisme d'une poignée d'amoureux des jardins nous permet, année après année, de découvrir des merveilles habituellement cachées derrières palissades et murets. L'association Praedium Rusticum assure la coordination du Temps des jardins, un événement qui a lieu du 1er mai au 31 octobre et qui voit s'enchaîner visites et animations dans les jardins publics et privés. Informations et calendrier par téléphone ou sur Internet.

Praedium Rusticum, Les Amis des parcs et jardins du Languedoc-Roussillon. *Château de Flaugergues 34000 Montpellier www.jardinslanguedoc.com Tél. 04 99 52 66 39*

SENTIERS D'OBSERVATION ET D'INTERPRÉTATION DES PAYSAGES Les nombreux sentiers qui ont été aménagés dans les parcs naturels régionaux et dans le parc national des Cévennes permettent de découvrir et d'être attentif à la faune et à la flore mais aussi à l'architecture, aux sols, aux rapports entre l'homme et la nature… Renseignez-vous auprès des offices de tourisme de la région ou des nombreux points infos répartis dans le Parc national. La documentation y est complète (cf. Lozère et terres cévenoles, Florac)

Parc national des Cévennes. *Château de Florac 6 bis, place du Palais Tél. 04 66 49 53 01 www.cevennes-parcnational.fr*

Fédération des parcs naturels régionaux. *9, rue Christiani 75018 Paris Tél. 01 44 90 86 20 www.parcs-naturels-regionaux.tm.fr*

musées et expositions

DRAC Languedoc-Roussillon Pour connaître l'actualité et le programme des activités des associations de mise en valeur, d'étude et de protection du patrimoine culturel de la région, prenez contact avec la direction régionale des Affaires culturelles ou visitez son site Internet. *Tél. 04 67 02 32 00 www.languedoc-roussillon.culture.gouv.fr*

itinéraires thématiques

Le Languedoc se prête bien à la découverte thématique et les professionnels du tourisme ont su mettre en valeur des itinéraires et les baliser parfaitement : routes des vins du Minervois et des Corbières, "Pays cathare" ou encore art roman fournissant pour certains des plaquettes informatives que vous trouverez sur place dans les offices de tourisme ou que vous pouvez demander avant votre départ auprès du comité régional de tourisme (cf. Offices de tourisme).

http://languedocroussillon.free.fr Le site de BEL'R (Bienvenue en Languedoc-Roussillon). Informations générales sur la région, puis département par département, avec liste d'infos utiles et contacts divers.

www.languedoc.net Répertoire de sites et d'acteurs locaux, classés par thèmes : art et culture, hébergement, médias, sports, tourisme, vins, etc. Non exhaustif mais sélection intéressante, avec pages pratiques météo, TV, cinéma, itinéraire.

Volontariat

La richesse des patrimoines naturel et historique de la région offre de nombreuses occasions de s'investir pour participer à son entretien, sa restauration ou son animation. Selon les affinités, d'aucuns choisiront les chantiers de fouilles ou de restauration de monuments ; d'autres préféreront les travaux de débroussaillage, d'aménagement de sentier ou de salle d'exposition. D'autres encore se sentiront l'âme plus naturaliste et participeront à des comptages d'oiseaux à moins de préférer le contact humain et de choisir alors des activités d'accueil et d'animation. Tout est possible, mais il faut réserver sa place bien en amont auprès du siège des différentes associations.

Cotravaux. À l'interface de tous les organismes. *Tél. 01 48 74 79 20*

REMPART. Rénovation de bâtiments historiques, fouilles, environnement. *Tél. 01 42 71 96 55*

Concordia. Bâtiment, environnement, actions sociales. *Tél. 01 45 23 00 23 www.concordia-association.org*

LPO Aude. Accueil des visiteurs, suivi des migrations d'oiseaux, animations. *Tél. 04 68 49 12 12*

GÉOREGION

Couleurs et contrastes marquent la Catalogne, pays du sable, du marbre et du granit, de la vigne, de l'oranger et du sapin. On y fête la sanch à l'heure de Pâques, on y danse la sardane et on y entend souffler la tramontane, le long de la Côte Vermeille notamment, qui a vu naître un sculpteur, Maillol, un mouvement de peinture, le fauvisme, et un vin doux naturel, le banyuls. Abricotiers et cerisiers fleurissent dans la plaine du Roussillon, sur les riches terres arrosées par le Tech et la Têt, tandis que de séculaires monastères s'abritent dans la vallée du Conflent et que dominent, dans le Vallespir, les puissantes forteresses de Vauban.

À ne pas manquer La vieille ville de Perpignan, l'abbaye Saint-Michel de Cuxa, le musée d'Art moderne de Céret, le centre de la Préhistoire à Tautavel

Et si vous avez le temps... Mangez des anchois à Collioure, assistez au retour des bateaux de pêche à Port-Vendres

Terres catalanes

GEOMEMO

Département	Pyrénées-Orientales (66), 4 116km², 392 800 hab.
Ville principale	Perpignan, chef-lieu (105 115 hab.)
Informations touristiques	CDT 04 68 51 52 53 OT Perpignan 04 68 66 30 30
Points culminants	pic du Carlit 2 921m, pic du Puigmal 2 910m pic du Canigou 2 784m
Lieux de baignade	La Franqui, Le Barcarès, Torreilles, Canet, Argelès, Le Racou, Collioure, anse des Paulilles, Banyuls
Espaces protégés	réserve marine de Cerbère-Banyuls-sur-mer (spot de plongée), réserve naturelle de Mantet, réserve naturelle de Prats-de-Mollo

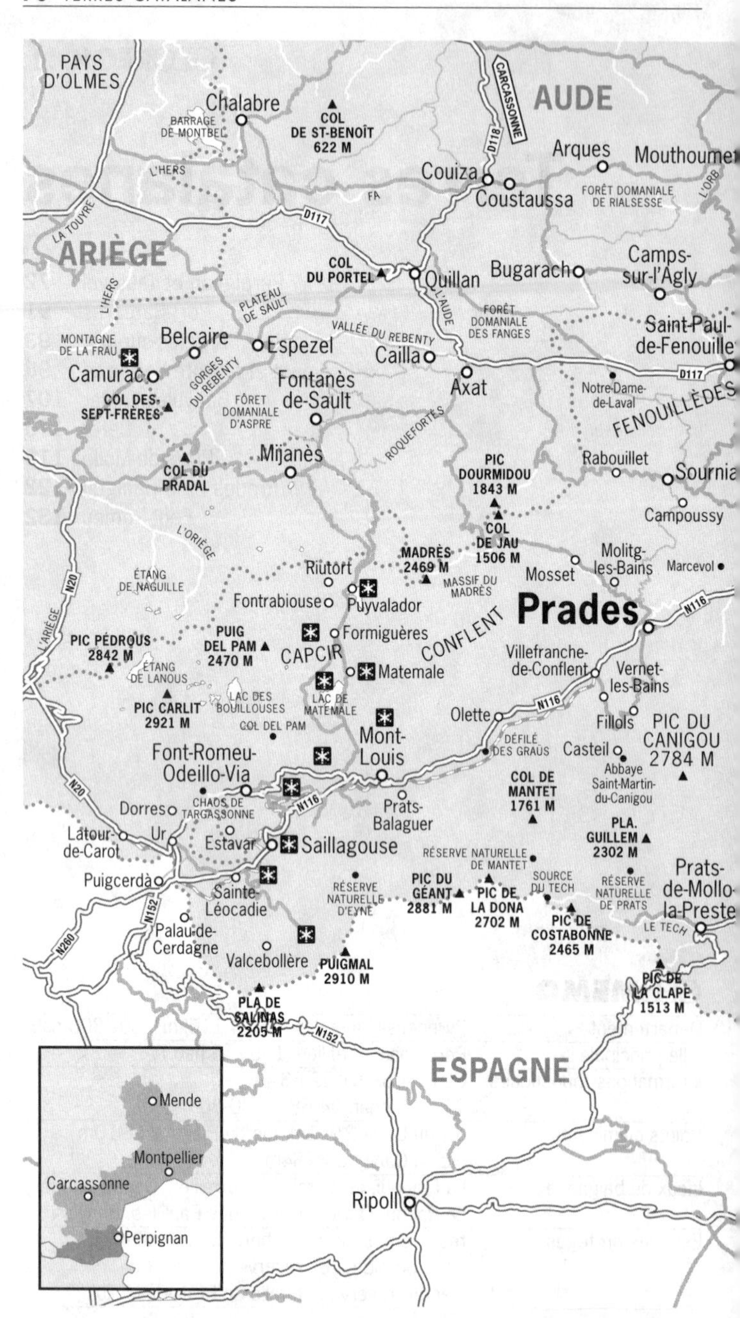

TERRES CATALANES GEOREGION

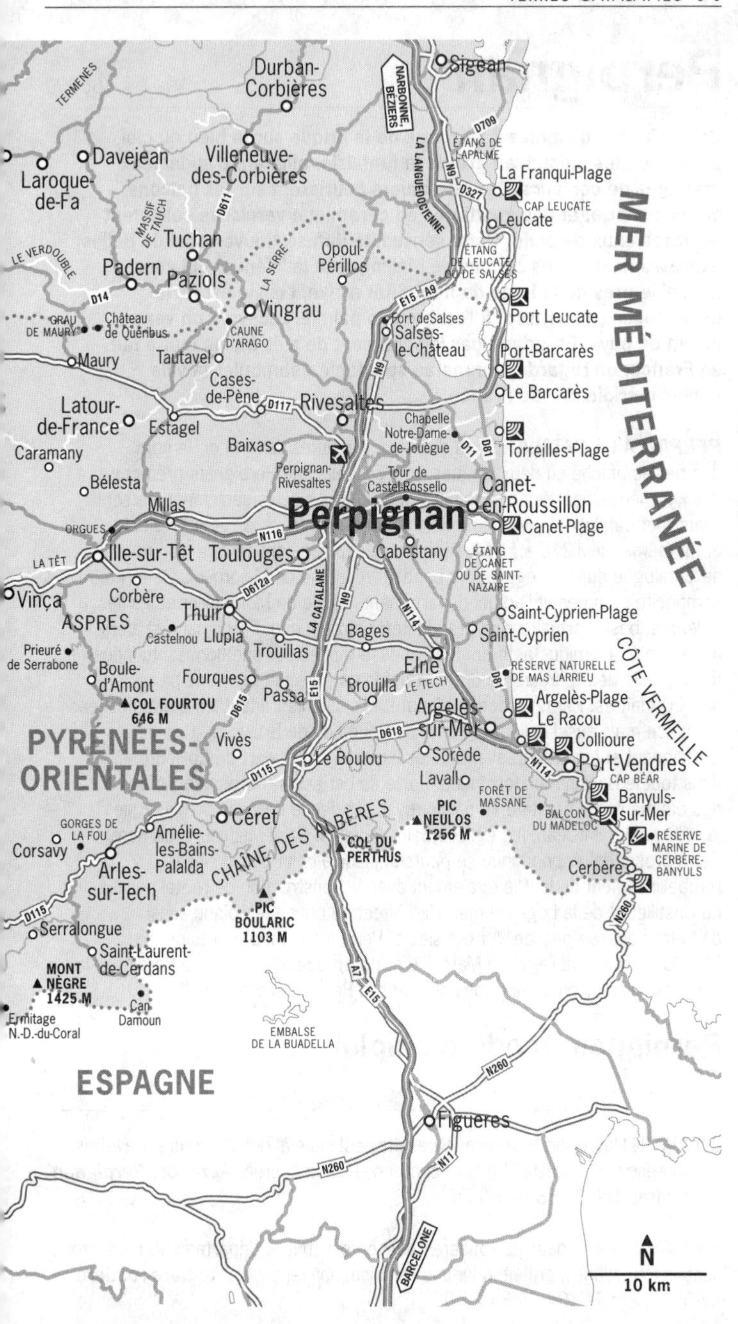

GEOREGION TERRES CATALANES

Perpignan

66000

Ce qui frappe d'emblée ? Le rouge de la brique sur le bleu du ciel, et les façades peintes au gré de la fantaisie, alignant d'audacieux mariages de couleurs. Des citronniers fleurissent sur les balcons en ferronnerie, et des gouttières en céramique vernissée collectent les rares eaux de pluie. Cette sensualité diffuse trouve aussi de belles expressions dans les statues de Maillol, telle la "Vénus" qui vous accueille près de la Loge de mer. Sitôt arrivé, l'envie est forte de se poser en terrasse, à l'ombre des palmiers, devant un verre de vin de pays. Et, gagné par le sentiment de n'être plus tout à fait en France, on regarde comme au spectacle déambuler la ville la plus méridionale de France.

***PERPINYÀ* LA CATALANE** Les drapeaux à rayures sang et or, le nom des ruelles affiché en deux langues, tout rappelle que Perpignan, préfecture des Pyrénées-Orientales et française depuis trois siècles seulement, se sent avant tout catalane. La ville connaît son apogée entre le XIIIe et le XVe siècle et fut même, de 1276 à 1344, l'éphémère capitale continentale d'un royaume de Catalogne du Nord également baptisé "royaume de Majorque". Ce territoire composite comprenait l'actuel département, la ville de Montpellier et les îles Baléares, base portuaire d'un grand intérêt stratégique. Perpignan est alors un centre économique actif dont la richesse repose sur une florissante industrie textile, celle des "pareurs de draps" dont la corporation regroupe plus de 400 maîtres. Par un procédé d'apprêt exclusif, ils traitent les étoffes tissées sur place mais aussi celles de Paris, de Rouen ou de Bruxelles. Puis ils les teignent et les ornent, avant de les exporter, au départ de Collioure, dans tout le Bassin méditerranéen. Forte de cet essor, Perpignan s'offre des bâtiments de prestige, le palais royal, résidence des rois de Majorque, la collégiale Saint-Jean, les églises Saint-Jacques, Saint-Mathieu et La Real. Cette prospérité économique se poursuit jusqu'à la fin du XIVe siècle, l'embellissement de la ville également avec la construction de l'hôtel de ville, du Castillet et de la Loge de mer. L'architecture privée témoigne aussi de cette richesse passée. Au XIVe siècle, Perpignan compte près de 16 000 habitants (à l'égal de Marseille et de Bordeaux) et c'est ce Perpignan-là, bien restauré, qu'on admire toujours dans le Perpignan d'aujourd'hui.

Perpignan, mode d'emploi

accès

EN AVION L'aéroport Perpignan-Rivesaltes est situé à 7km du centre. Navettes aéroport-centre-ville 4,50€. En taxi, comptez 15€ la course. ***Aéroport Perpignan-Rivesaltes*** *Tél. 04 68 52 60 70*

EN CAR Les compagnies routières desservent tout le département. Elles proposent un tourist'pass, gratuit, pour une semaine, non renouvelable. ***Gare routière*** *Av. du Gal-Leclerc Tél. 04 68 35 29 02*

EN TRAIN Liaison Paris-Gare de Lyon-Perpignan en TGV, *via* Montpellier (environ 5h). Le train de nuit "Corail Lunea" au départ de la gare d'Austerlitz et à destination de Port-Bou dessert la gare de Perpignan. ***Gare SNCF*** *Place Salvador-Dali* ***SNCF*** *Tél. 3635 www.voyages-sncf.com*

EN VOITURE Accessible par la N9, ou l'autoroute A9, la "Catalane", la ville s'aborde au nord par le pont Arago, à l'ouest par le boulevard Michelet, ou au sud par l'avenue des Baléares.

Perpignan et ses environs

(en km)	Perpignan	Tautavel	Collioure	Céret	Leucate
Tautavel	28				
Collioure	31	56			
Céret	34	63	34		
Leucate	36	36	55	69	
Prades	45	53	77	72	81

orientation

Le torrent de la Basse divise Perpignan en deux : rive droite, le cœur historique, et, rive gauche, le quartier commerçant du quai Vauban, plus récent. Le centre est ceinturé de boulevards circulaires qui suivent le tracé des anciennes fortifications de Vauban. Le cœur de la cité est un dédale de ruelles dominées par deux collines ; l'une supporte le palais royal, l'autre le quartier Saint-Jacques.

location de voitures

Europcar. *Aéroport Tél. 04 68 61 05 43 Gare SNCF Tél. 04 68 34 89 80*
Avis. *Aéroport Tél. 04 68 61 58 97 Gare SNCF Tél. 04 68 34 26 71*
Hertz. *Aéroport Tél. 04 68 61 18 77 Gare SNCF Tél. 04 68 51 37 40*

se déplacer en ville

Dans Perpignan, on se déplace à pied avec le P'tit bus ou en vélo, après avoir laissé sa voiture parking Wilson (Bd Wilson) ou Arago (place Arago). Une navette relie le centre-ville à un parking gratuit (1 200 places) avenue du Palais-des-Expositions. Plus proches du centre, les dix autres parkings sont payants.

BUS Tout sur les bus dans le guide CTP, distribué à l'office de tourisme et à l'agence CTP. Ticket journée : environ 4€. Le P'tit bus (gratuit) circule dans le centre de 7h45 à 19h45. ***Agence CTP*** *27, bd Clemenceau Tél. 04 68 61 01 13*

TAXIS
Accueil Perpignan taxis. *Tél. 04 68 35 15 15*
Catalunya taxis. *Tél. 06 09 35 80 83*

LOCATION DE DEUX-ROUES
Veloland. Le seul qui loue des vélos à la journée (32€/j). *Chemin de la Fauceille Tél. 04 68 08 19 99*

informations touristiques

Office de tourisme (plan C1). Vous pourrez vous y procurer le pass gratuit "Patrimoine en Terre catalane" qui permet de visiter 24 sites des Pyrénées-Orientales à des tarifs préférentiels à partir de la deuxième visite. *1, pl. Lanoux Tél. 04 68 66 30 30 www.perpignantourisme.com Ouvert lun.-sam. 9h-18h, dim. et j. fér. 10h-13h ; 15 juin-15 sept. : fermeture à 19h et dim. 10h-16h* **Point info-tourisme** *Pl. Arago Ouvert lun.-sam. 10h-18h (19h en saison) Fermé dim. et j. fér.*

presse

Trois quotidiens : *L'Indépendant, La Dépêche, Le Midi libre*, et deux gratuits pour organiser vos sorties : *Le Bizz* et la *Gazette du cinéma rive gauche.*

accès Internet

Net @nd G@mes (plan B1). *45, bis av. du Gal-Leclerc Tél. 04 68 35 36 29 stef@netandgames.fr www.netandgames.com Ouvert tlj.*

marchés

Marché. Tlj. 7h-13h, place des Poilus (plan B2) et place Cassanyes (plan C2). Mar.-dim. 7h-13h, place de la République (plan B2).
Marché bio. Samedi matin, place Rigaud (plan B2).
Marché aux puces. Dimanche matin, avenue du Palais-des-Expositions.
Marché des arts. 1er samedi du mois 10h-17h, allée Maillol (plan A1).
Foire à la brocante. Samedi 8h-18h, allée Maillol (plan A1).

fêtes et manifestations

Semaine sainte. La procession de la sanch est le point d'orgue d'une semaine faite de festivités où se succèdent bénédictions, défilés de chorales, messes et concerts de musiques religieuses. La sanch (le "Précieux Sang") est le sang du Christ. Jadis, les condamnés à mort pouvaient défiler pour demander pardon avant leur exécution. Pour éviter qu'ils soient reconnus et lynchés, tout le monde portait des cagoules pointues. De l'église Saint-Jacques jusqu'à la cathédrale, cette procession avance pieds nus, chevilles enchaînées, au son des *goigs* (chants religieux catalans). Les hommes portent des *misteris* de cire et de bois (statues représentant la Passion du Christ, dont la *Mater Dolorosa*). Cette tradition ressuscitée dans les années 1950 n'est pas une simple reconstitution historique mais un acte de foi, ou en tout cas, une expression de la catalanité. Ces jours-là, même la tramontane retient son souffle.
Festival des musiques sacrées. Durant la Semaine sainte
Les jeudis de Perpignan. Le jeudi en juillet-août, multiples animations de rue, *coblas* (orchestres catalans), jazz, guitares manouches, danseurs de sardane.
Les Estivales. En juillet, festival de musiques, théâtre, danse, etc.
Visa pour l'image. Fin août-début septembre, pour voir les œuvres des stars mondiales du photojournalisme. Expos et débats.
Jazz zèbre. En octobre, festival jazz, musiques du monde et vin.

Découvrir Perpignan

☆ **À ne pas manquer** Le palais des rois de Majorque et la cathédrale Saint-Jean-Baptiste à Perpignan, la forteresse de Salses, le Centre européen de la Préhistoire de Tautavel **Et si vous avez le temps...** Visitez Perpignan au fil des expositions photographiques du festival Visa pour l'image, dégustez rivesaltes et bubbles à la cave Nayaudei à Rivesaltes, allez danser la sardane à Thuir les mardis soir d'été, éclatez-vous jusqu'au bout de la nuit au In Love à Canet-Plage

Le Castillet (plan B1) L'emblème de Perpignan. Tout en brique rose, cette porte fortifiée du XIVe siècle protégeait à la fois contre l'envahisseur et les débordements d'une cité souvent frondeuse. À l'intérieur, la Casa Pairal (la maison des ancêtres), musée d'arts et traditions populaires, décline en huit salles les thèmes de la vie quotidienne (le pastoralisme, l'artisanat, les fêtes, etc.). Un survol de la culture catalane qui passe aussi par la reconstitution d'intérieurs. Cette collection d'objets rares commence, dans une salle obscure du rez-de-chaussée, par une saisissante cène sculptée (bois peint du XVIIe siècle) qu'il ne faut pas manquer. Beau panorama en haut du donjon. *Place de Verdun Tél. 04 68 35 42 05 Ouvert mai-sept. : 10h-19h30 ; oct.-avr. : 11h-17h30 Fermé mar. Entrée 4€ TR 2€*

Cinéma Le Castillet (plan B1) Au pied du Castillet, se dresse un des plus vieux cinémas de France, conçu en 1911 par l'architecte barcelonais Eugène Montès et par le sculpteur toulousain Alexandre Guénot. Une surprenante fantaisie architecturale entre Modernisme catalan et Art nouveau français. Ce cinéma – toujours en activité – se doublait d'une salle de skate (vous remarquerez l'enseigne *Skating* en forme de boule qui prouve que la glisse n'est pas née d'hier). *1, boulevard Wilson Tél. 04 68 35 38 63*

Place de la Loge (plan B2) Pavée de marbre rose, cette place est le forum de la ville. On y danse la sardane les soirs d'été et on y "pète la charade" (expression locale signifiant bavarder des heures durant). Bâtie dans la première moitié du XVe siècle, la Loge de mer (aujourd'hui occupée par le Café de France) fut le siège d'un important tribunal de commerce qui arbitrait les différends liés au négoce maritime (voir la girouette en forme de navire). À côté, l'hôtel de ville, dont la construction s'étale sur plusieurs siècles, présente une belle façade en galets et de lourdes grilles forgées au XVIIIe siècle, avec le fer du Canigou, réputé pour ne pas rouiller. Le patio à arcades abrite un bronze de Maillol. Dans la salle des mariages, on peut voir un plafond à caissons de style hispano-mauresque. Voisin de l'hôtel de ville, le palais de la Députation où siégeait au XVe siècle une délégation des Corts de Catalogne (sorte de parlement dont la première fonction était de répartir l'impôt). La finesse des colonnettes qui soutiennent les baies contraste avec l'austérité d'une façade tout en pierres de taille.

☆ **Palais des rois de Majorque (plan B3)** Construit sur la colline du Puig del Rey sous le règne de Jacques Ier, il fut la résidence continentale des rois de Majorque de 1276 à 1344 et témoigne de l'époque dorée où Perpignan se prenait pour une capitale de la Méditerranée. On remarque le bel appareillage traditionnel des murs fait de cailloux de rivière et de briques (les cayrous). Entrée théâtrale par

BOIRE UN VERRE, MANGER UNE GLACE

- *1* Le Petit Moka — B2
- *2* Brasserie Vauban — A2
- *3* Chez Imbernon — B2
- *4* Glacier chocolatier Espi — B2
- *5* L'Arago — B2

SORTIR

- *10* Le Républic Café — B2
- *11* Habana Bodeguita — B2

MANGER

- *20* Au Vrai Chic Parisien — B3
- *21* Casa Sansa — B2
- *22* La Galinette — B1
- *23* Al Très — B2
- *24* Le Sud — C2
- *25* Le Chapon fin — C1

DORMIR

- *30* Auberge de jeunesse — A2
- *31* L'Avenir — A2
- *32* Hôtel de la Loge — B2
- *33* Park-Hôtel-Best Western — C1

Perpignan

NARBONNE
R. Ernest-
R. C.-Saint-Saëns
Lavisse
R. A.-Saisset
R. du Commandant-Ernest-Soubielle
CHAPELLE DU CHRIST-ROI
Rue Henri-Bataille
JARDIN EXOTIQUE
Rue Coustou
Avenue Louis-Torcatis
1
JARDIN EXOTIQUE
LA TÊT
Rond-point de la Têt
PARC DE DÉTENTE
Pont Arago
Boulevard de la France Libre
ANDORRE
Bd E.-Michelet
Av. Général-Leclerc
Rond-point de la Méditerranée
30
LA PÉPINIÈRE
Av. J.-Rous
Boulevard Georges-Clemenceau
Av. de Grande-Bretagne
Av. des Palmiers
CDT
Rue Rempart Villeneuve
MUSÉE PUIG
JEUNESSE ET SPORTS
Cours Lazare-Escarguel
Place B.-Job
2
Rue J.-B.-Lulli
Rue Franklin
Rue P.-Riquet
Place de Catalogne
Place Jean-Payra
Place G.-Péri
R. Porte d'Assaut
GARE
Avenue du Général-de-Gaulle
SQUARE JEANTET-VIOLET
Quai Vauban
Rue Léon Dieudé
R. du 14-Juillet
Q. Bourdan
JARDINS TERRUS
Q. de-Lattre-de-Tassigny
Place du 8-Mai-1945
31
Q. de Barcelone
R. du Docteur-Zamenhoff
SQUARE ARAGO
BEAUX-ARTS
Rue de l'Avenir
Rue d'Iéna
Place du Col.-Arbanere
Rue Boileau
Rue Oliva
Quai Nobel
Rue des Corbières
Bd des Pyrénées
R. P.-Cartelet
JARDINS A.-BAUSIL
Rue Paul-Massot
LA BASSE
Avenue du Lycée
Rue du Capcir
Rue du Maréchal-Foch
SYNAGOGUE
FORUM SAINT-MARTIN
3
Place des Mateuets
Rue des Jotglars
Rue Lt. Pruneta
Q. de Hanovre
Rue Président-Doumer
R. B.-Balanda
Place Vaillant-Couturier
Boulevard Félix-Mercader
Q. de Genève
Avenue Gilbert-Brutus
Av. Gilbert-Brutus
Rue de Cerdagne
Rue La-Fayette
Avenue Julien-Panchot
Rue Paulin-Testory
Rue Docteur-Georges-Rives
CIMETIÈRE SAINT-MARTIN
TOULOUSE
Rue du Chantier
Rue Cdt-Blazy
Avenue Marcelin-Albert
Rue Alart
Rue de Sébastopol
R. J.-Tastu
SAINT-MARTIN-DU-BON-SECOURS
Rue de l'Emporda
Avenue Victor-Dalbiez
Rue Pierre-Puigary
R. J.-Verdaguer
Rue Rodin
R. P.-Roux
4
Rue Pierre Renaudel
Rue Alain-Lesage
Rue des Romarins
Rue des Tuileries
Rue des Cigales
All. de Bacchus
Rue J.-F.-Marmontel
A

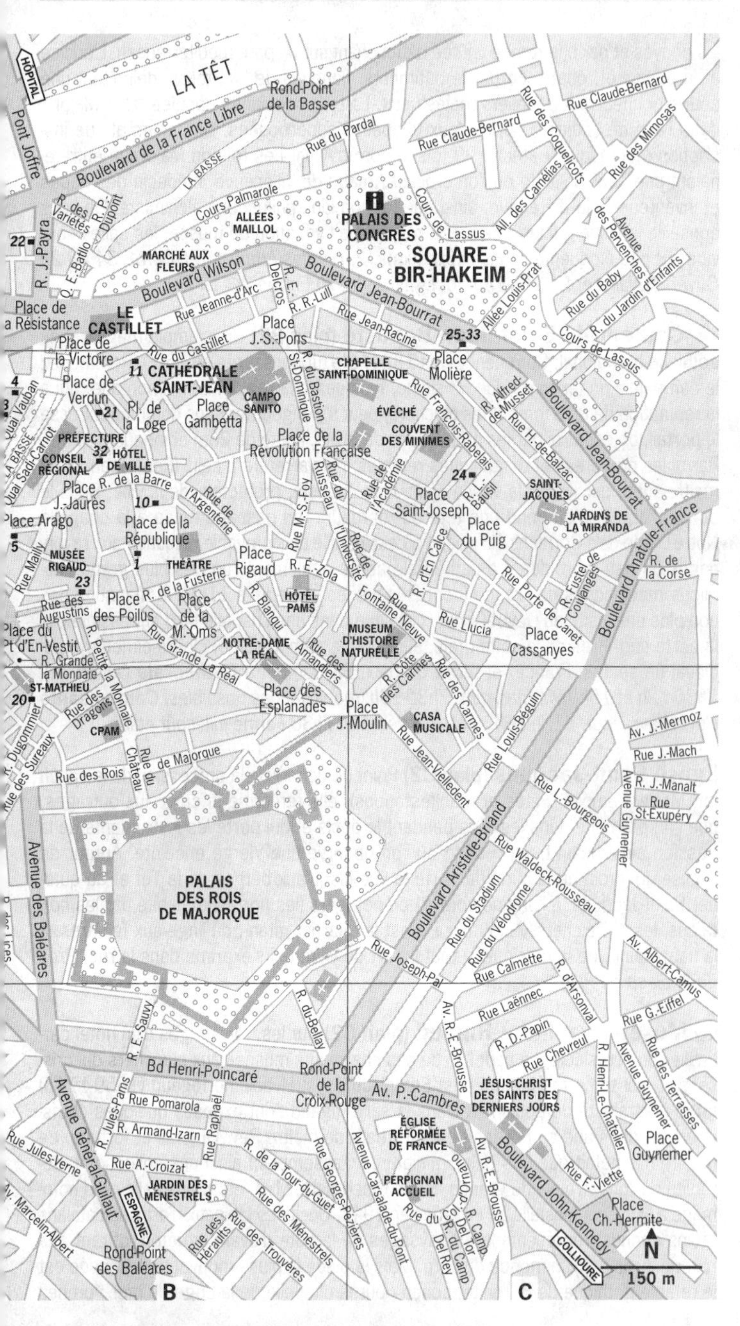
LA TÊT
Rond-Point de la Basse
Boulevard de la France Libre
Pont Joffre
HÔPITAL
PALAIS DES CONGRÈS
SQUARE BIR-HAKEIM
ALLÉES MAILLOL
MARCHÉ AUX FLEURS
Boulevard Wilson
Boulevard Jean-Bourrat
LE CASTILLET
Place de la Résistance
Place de la Victoire
CATHÉDRALE SAINT-JEAN
CAMPO SANITO
Place Gambetta
CHAPELLE SAINT-DOMINIQUE
ÉVÊCHÉ
COUVENT DES MINIMES
Place Molière
Place de la Révolution Française
PRÉFECTURE
CONSEIL RÉGIONAL
HÔTEL DE VILLE
Place J.-Jaurès
Place Arago
Place de la République
THÉÂTRE
MUSÉE RIGAUD
Place Rigaud
HÔTEL PAMS
Place Saint-Joseph
Place du Puig
SAINT-JACQUES
JARDINS DE LA MIRANDA
Boulevard Anatole-France
Place des Poilus
NOTRE-DAME LA RÉAL
MUSEUM D'HISTOIRE NATURELLE
Place Cassanyes
ST-MATHIEU
CPAM
Place des Esplanades
Place J.-Moulin
CASA MUSICALE
PALAIS DES ROIS DE MAJORQUE
Boulevard Aristide-Briand
Avenue des Baléares
Bd Henri-Poincaré
Rond-Point de la Croix-Rouge
Av. P.-Cambres
JÉSUS-CHRIST DES SAINTS DES DERNIERS JOURS
ÉGLISE RÉFORMÉE DE FRANCE
PERPIGNAN ACCUEIL
Boulevard John-Kennedy
Place Guynemer
Place Ch.-Hermite
Avenue Général-Guilaut
JARDIN DES MÉNESTRELS
ESPAGNE
Rond-Point des Baléares
COLLIOURE
150 m
N
B
C

les douves et par une rampe voûtée débouchant sur un parc méditerranéen. L'édifice a du panache : quatre corps de bâtiments, flanqués de huit tours, délimitent une cour d'honneur aux escaliers majestueux. La tour principale, appelée "tour Major", dans l'axe de l'édifice, abrite deux chapelles superposées. Une énigmatique inscription mauresque y affiche 99 fois le nom d'Allah. Les rois de Majorque entretenaient une cour brillante où l'on croisait Arnaud de Villeneuve, médecin des papes et inventeur de la diététique, ainsi que Ramon Llul, philosophe alchimiste. On vous conseille la visite guidée : ce palais n'ayant pas vocation de musée, les salles sont vides et peu éloquentes sans explications. *2, rue des Archers Tél. 04 68 34 48 29 Ouvert tlj. juin-sept. : 10h-18h ; oct.-mai : 9h-17h Entrée 4€ TR 2€*

☆ **Cathédrale Saint-Jean-Baptiste (plan B2)** Un exemple magistral du gothique méridional. Commencée en 1324, elle fut consacrée en 1509. Remarquez le campanile en fer forgé du XVIIIe siècle, typique de la région. La tramontane, qui a la réputation de faire tomber les clochers, peut s'y engouffrer sans dommage. Passé le portail, on est saisi par les proportions de la nef, haute de 26m et longue de 72m. Parmi les nombreux et magnifiques retables, on s'arrêtera à celui (Renaissance) du maître-autel, qui illustre la vie de saint Jean-Baptiste, protecteur de la ville. Sous le buffet d'orgue, d'où pend une tête de roi maure, un passage mène à la chapelle Notre-Dame-dels-Correchs (XIe siècle) où est installé un incroyable reliquaire aux rayonnages un peu morbides. La cathédrale abrite également l'un des plus grands carillons mécaniques de France (concert tous les samedis à 11h). Ne manquez pas non plus une visite au Dévot-Christ (XIVe) situé dans une chapelle (XVIe) accessible par la porte sud. Près de la cathédrale, allez voir le *campo santo*, cloître cimetière médiéval (le seul en France) et havre de paix. *Pl. Gambetta* ***Cathédrale*** *Ouvert lun. 7h30-12h et 15h-19h, mar.-dim. 7h30-19h (modifications possibles)* ***Campo santo*** *Ouvert avr.-sept. : 12h-19h ; oct.-mars : 11h-17h30 Fermé juil.-août et lun.*

Église Saint-Jacques (plan C2) Point de départ de la procession de la sanch (cf. Mode d'emploi, Fêtes et manifestations), elle renferme la croix aux outrages, que l'on promène dans les rues pendant le défilé et qui porte les instruments de la Passion ainsi qu'un beau retable où l'on observe une Vierge enceinte. Autour de l'église, le jardin de la Miranda porte la vue jusqu'aux berges de la Têt et au quartier Saint-Jacques, à l'origine couvert de potagers (les *hortas*) et habité par les *hortalans*, les maraîchers. Aujourd'hui, c'est le quartier gitan : du linge aux fenêtres, à la napolitaine, de la musique… tout un art de vivre qui s'exprime dans la rue. *Près de la place du Puig*

☺ **Musée Hyacinthe-Rigaud (plan B2)** Sur les trois étages d'un hôtel particulier du XVIIIe siècle, se tient l'un de ces charmants musées aux planchers qui crissent et aux tomettes bien cirées. Enfant du pays, Hyacinthe Rigaud (1659-1743) fut le portraitiste de Louis XIV. Dans la salle Rigaud sont exposés quelques chefs-d'œuvre, dans une autre, des petits formats de maître Rey. Original et fortuné, ce notaire n'achetait que des toiles miniatures, rassemblant ainsi une collection hétéroclite où l'on retrouve de grands noms (Giacometti, Miró, etc.). Une salle rend hommage à Dufy, qui s'installa à Perpignan en 1941. Quelques tableaux d'artistes catalans moins connus, représentant les paysages de la côte d'avant le béton, offrant à la rêverie la vision d'un monde disparu. Mais la pièce la plus émouvante du musée est le retable gothique de la Trinité, conçu pour la chapelle de la Loge de mer ; prenez le temps d'observer sa partie inférieure où sont évoqués les tourments et les joies du commerce maritime ! *16, rue de l'Ange Tél. 04 68 35 43 40 Ouvert 2 mai.-sept : 12h-19h ; oct.-avr. : 11h-17h30 Entrée 4€ TR 2€*

Musée Puig (plan A2) Pour les numismates. Autour d'un beau jardin sont exposées quelque 2 000 pièces catalanes et des médailles issues du monde méditerranéen. *42, av. de Grande-Bretagne Tél 04 68 62 37 64 Ouvert mer. et sam. 9h30-18h Entrée 4€ TR 2€*

Gare de Perpignan Sans doute l'une des plus banales de France, mais Dalí y situait "le centre du monde". Et sans doute est-ce vrai, si l'on précise : le centre de son monde. Car c'est de là que Dalí, habitant Cadaquès, organisait ses escapades à Paris, de là qu'il a fui la guerre civile, de là qu'il exportait ses tableaux dans le monde entier. La gare de Perpignan fut bien le centre stratégique d'un commerce artistique très florissant mené tambour battant par Gala. *Av. du Général de Gaulle*

En savoir plus sur la culture catalane

CeDACC. Sachez qu'en catalan, le u se dit ou, que le v = b, le ll = ye, le x et le g (en fin de mot) = ch. Quant au a final, il se prononce entre a et e. Si vous voulez vous sensibiliser à la culture locale, rendez-vous au Centre de documentation et d'animation de la culture catalane, vous y trouverez entre autres une importante bibliothèque. *42, av. de Grande-Bretagne Tél. 04 68 66 24 90 Ouvert mar., mer., sam. 10h-18h et jeu.-ven. 13h-18h*

Où prendre l'expresso du matin ?

Le Petit Moka (plan B2 n°1). Ce café-salon de thé sert des fruits pressés (3€), des milk-shakes (4,50€) et surtout un vrai cappuccino (3,80€). Les soirs d'été formule brasserie à 11,50€ et pizzas à partir de 9€. *11, place de la République Tél. 04 68 34 31 92 Ouvert tte l'année*

Où faire un shopping catalan ?

☺ **Maison Quinta (plan B2).** Prêtresse de l'art de vivre catalan, Françoise Quinta a ouvert, dans un hôtel particulier du centre, une boutique de déco qui se déploie autour d'un escalier majestueux. En un savant bric-à-brac, elle expose des babioles, de la vaisselle, du mobilier, les fameuses Toiles du soleil (cf. Découvrir les environs de Prats-de-Mollo) et des livres que l'on peut feuilleter en buvant un thé (goûter de 14h30 à 18h30). Entre tendance et tradition. *3, rue Grande-des-Fabriques Tél. 04 68 34 41 62 Fermé dim.-lun.*

Où acheter le traditionnel grenat ?

Laviose. Depuis trois siècles, les Catalanes portent des bijoux en grenat (cf. GEOPanorama, Artisanat). On peut voir un orfèvre au travail chez Laviose, joaillier qui perpétue la tradition et reproduit les bijoux d'antan (et notamment la croix badine) avec un soin scrupuleux. Rien à moins de 90€. *4, rue du Mal-Foch Tél. 04 68 34 90 66 Ouvert 9h-12h et 14h-19h Fermé dim. et lun. matin*

Où prendre un verre en terrasse ?

Brasserie Vauban (plan A2 n°2). Rendu aux piétons, le quai Vauban compose le long de la Basse une promenade idéale en forme de *rembla*. Parmi les terrasses, nous vous recommandons celle de la brasserie Vauban. Formule à 18€ le midi (lun.-ven.) et à 35€ midi et soir. *29, quai Vauban Tél. 04 68 51 05 10 Fermé dim.-lun.*

Chez Imbernon (plan B2 n°3). Pour boire un verre ou déjeuner rapidement. Cette autre brasserie du quai propose des salades de 6 à 10€ et une formule à 14€ le midi. *41 bis, quai Vauban Tél. 04 68 51 27 78 Fermé dim.*

Glacier chocolatier Espi (plan B2 n°4). Pour une pause gourmande autour de coupes de glaces divines. *43 bis, quai Vauban Tél. 04 68 35 19 91 Ouvert tlj.*

L'Arago (plan B2 n°5). Sous les palmiers de la place Arago, une brasserie aux allures de bistrot. Deux terrasses, l'une près de la Basse, l'autre, à l'étage, sous des auvents. On peut aussi déguster une franche cuisine de brasserie. Menu catalan env. 23€. Formule entrecôte env. 14€ qu'accompagne avantageusement la cuvée de l'Arago (env. 13€). *1, place Arago Tél. 04 68 51 81 96 Ouvert tlj.*

Où boire le bubbles ?

Le Républic café (plan B2 n°10). Le bubbles est un muscat pétillant (cf. Découvrir les environs de Perpignan). On dit le Rèp', une terrasse sur la place de la République et une salle à la déco extravagante inspirée des architectures de Gaudi, avec des bancs en mosaïque aux formes alanguies. Le rendez-vous des retours de plage et des nuits trépidantes. *Gay-friendly. 2, place de la République Tél. 04 68 51 11 64 Ouvert 20h-2h Fermé dim.-lun.*

Où sortir le soir ?

Habana Bodeguita (plan B2 n°11). L'adresse latino de Perpignan. C'est Cuba, mieux qu'en vrai. Avec la bénédiction du Ché dont le portrait trône au-dessus du bar, et cours de salsa gratuits les mercredis et jeudis à 20h. Apéro (4€), cocktail cubain (7€), cigare (13€). Un endroit vraiment très réjouissant où l'on peut aussi dîner. *6, rue du Castillet/5, rue Grande-des-Fabriques Tél. 04 68 34 11 00 Ouvert 18h-2h Fermé dim.*

Découvrir les environs

Rivesaltes

Rivesaltes doit sa notoriété à son vin doux naturel, le muscat, qui évoque des parfums de miel ou de seringua. Ce bourg paisible de la rive droite de l'Agly aligne les caves sur son allée-promenade bordée de platanes. Pour conjurer la crise des ventes (les producteurs de Rivesaltes ont en moyenne trois années de récolte en réserve), trois bons génies catalans de moins de 30 ans ont créé une cave d'un nouveau genre. Leur but : ramener les jeunes amateurs de tequila et autres alcools latinos dans le droit chemin d'une consommation plus locale. En 2001, ils créent un muscat pétillant (fermentation naturelle), moins sucré, plus gai : le bubbles. Succès immédiat, dans lequel ils s'engouffrent pour inventer de nouvelles gammes. Allez les voir dans leur cave de Rivesaltes où ils produisent aussi de la musique *lounge* et encouragent de bons plasticiens. ***Cave Nayandei*** *7, rue Pasteur 66600* ***Rivesaltes*** *(à 14km de Perpignan) Tél. 04 68 64 14 33 www.nayandei.fr*

Entre l'étang de Leucate et les Corbières

☆☺ **Forteresse de Salses** Salses a toujours été un passage stratégique qu'il fallait verrouiller. Surgie au milieu des vignes, patinée par le soleil, cette forteresse en brique rose, pierre des Corbières et calcaire blanc de Gérone est l'éclatante démonstration que l'architecture militaire, par pur souci d'efficacité, peut être superbe. Construite à la fin du xve siècle par les Espagnols, elle défendait une zone frontalière très disputée. Une architecture carapaçonnée qui assure la transition entre le château fort médiéval et les bastions de Vauban : 1 500 soldats vivaient là sur trois niveaux de casernements, 300 chevaux dans les écuries. Tout était conçu pour une vie en autarcie afin de résister aux éventuels sièges : il y a une chapelle, des caves, des latrines collectives, des fours gigantesques, un astucieux système de tout-à-l'égout, des canalisations de plomb, pour l'eau chaude et le sauna, calqués sur le système maure de l'Alhambra de Grenade. Une visite vraiment passionnante, surtout si l'on choisit de la faire guidée. *66600* ***Salses*** *(à 21km de Perpignan) Tél. 04 68 38 60 13 www.monum.fr Ouvert juin-sept. : 9h30-19h ; oct.-mai : 10h-12h15 et 14h-17h Dernière visite 1h avant la fermeture Entrée 6,50€ Gratuit moins de 18 ans*

Domaine du Champ des Sœurs. Un jeune domaine très prometteur du cru Fitou. Le genre de bouteille que l'on ouvre pour le plaisir du fruit, tout en finesse, en douceur. *Laurent Maynadier 19, av. des Corbières 11510* ***Fitou*** *(à 33km de Perpignan et 12km de Salses) Tél. 04 68 45 66 74 ou 06 03 68 26 94 Sur rdv*

Tautavel

☆☺ **Centre européen de la Préhistoire de Tautavel** De l'homme de Tautavel, les fouilles ont jusqu'à présent livré plus d'une centaine de restes humains appartenant au moins à une vingtaine d'individus, et des dizaines de milliers d'ossements d'animaux et d'outils en silex. La gageure, à partir d'éléments aussi ténus, était d'élaborer un musée vivant. Il l'est, et amusant en plus. Les dioramas sont des reconstitutions de l'habitat et de la vie de l'*Homo erectus*. Ne manquez surtout pas la scène de la chasse au mouflon devant le Canigou alors qu'un cerf brame et qu'un chat perché sur une branche vous menace, le tout avec mannequins et animaux naturalisés, décor sonore et jeux de lumière, très réussi. Dans chaque salle, les écrans déclenchent à votre passage (grâce à votre récepteur audioguide, c'est magique) la diffusion d'un document – simple, court et informatif – dont les commentaires éclairent l'exposition. Des maquettes et des consoles interactives vous permettent également de zoomer sur les fouilles qui se tiennent dans la caune d'Arago, où sont placées des caméras guidées à distance. En fin de visite, on se trouve face à face avec monsieur Tautavel en chair et en os (et beaucoup de latex), superbement vêtu de peaux de bêtes. On est ému de voir ainsi notre arrière-arrière, puissance mille, grand-père tant le musée a réussi à nous le rendre... humain. Le billet donne droit, ensuite, à la visite de l'exposition du palais des Congrès, tout aussi étonnante, qui raconte en 3D virtuel l'histoire de l'humanité *via* la Géorgie, l'Allemagne, l'Italie, l'Espagne, etc. *Av. Grégory 66720* ***Tautavel*** *(à 30km de Perpignan) Tél. 04 68 29 07 76* ***Musée de la Préhistoire*** *Ouvert tlj. juil.-août : 10h-19h ; avr.-juin et sept. 10h-12h30 et 14h-18h ; oct.-mars : 10h-12h30 et 14h-17h* ***Palais des congrès*** *Ouverture décalée de 30min en plus par rapport au musée Entrée 7€ TR 3,50 €*

Caune d'Arago Un petit train touristique vous y mène en été, et vous dépose au bord du Verdouble, à l'embouchure des gorges et à proximité d'une jolie baignade (très courue). La caune signifie grotte en catalan, et, si c'est bien dans ce site que vécut l'homme de Tautavel, on n'accède pas aux fouilles. *À 3km de Tautavel, direction Vingrau Départ du train devant la Cave des Maîtres Vignerons à Tautavel, en été uniquement. Rens à l'office de Tourisme de Tautavel Tél. 04 68 29 12 08*

Le Fenouillède Entre Tautavel et Saint-Paul-le-Fenouillet s'étend le Fenouillède, une microrégion au paysage aride et attachant que soulignent à l'horizon de longues crêtes rocheuses. Sur un ciel très présent, se détache la silhouette aiguë du cyprès ou celle argentée de l'olivier. Pour le reste, c'est un patchwork de vignobles qui produisent les côtes-du-roussillon et un vin doux, le maury. C'est un pays sans esbroufe, dont le charme tient à sa vérité et, si les villages – Estagel, Maury, Saint-Paul – ne sont pas exceptionnels, ils dégagent néanmoins beaucoup de charme. *De Perpignan suivez la D117 : à Saint-Paul-le-Fenouillet, la route des gorges de Galamus mène vers les Corbières, la D117 vers les terres cathares*

Thuir

Musée de l'Aspre et musée nature et chasse de Thuir Un piédestal de collines arides, entre Thuir et Canigou, qui prennent leur essor au pic Sainte-Anne (1 300m) ; des paysages sauvages, maquis couverts de chênes verts ou landes égayées par l'ajonc et la bruyère blanche. Pour en savoir plus, il faut visiter deux petits musées à Thuir. Le musée de l'Aspre, musée d'art et traditions populaires, et le musée Nature et Chasse, plus nature que chasse avec sa collection d'animaux naturalisés et replacés dans leur milieu naturel reconstitué. *66300* ***Thuir*** *(à 15km de Perpignan) Tél. 04 68 84 67 87 Ouvert juin-sept. : tlj. 10h-12h et 15h-19h ; hors saison : sur rdv Fermé dim. matin* ***Musée de l'Aspre*** *Bd Grégory* ***Musée Nature et Chasse*** *7, bd Violet Entrée libre*

Soirées sardane de Thuir La ville propose des cours gratuits de sardane, l'occasion de tisser des liens entre vacanciers et Catalans. Rendez-vous en juillet et en août, tous les mardis, à 20h30, place de la République. Après la leçon, une dégustation de muscat avec le *pourou*, carafe affublée d'un long bec qui permet de boire "à la régalade". *Renseignements à l'office de tourisme de Thuir (à 15km de Perpignan) Tél. 04 68 84 67 86 et 04 68 53 45 86 (en saison)*

Visiter les caves viticoles

Caves Byrrh. Elles ont un âge et une taille respectables (112 ans, 7ha et 130 employés). Vous pourrez y suivre une promenade guidée en cheminant entre l'élégance d'une verrière signée Eiffel et le gigantisme des 600 foudres (fûts de chênes), parmi lesquels la plus grande cuve du monde (1 million de litres). Projection d'un film présentant les chaînes d'embouteillage récemment modernisées (30 000 bouteilles/h). Enfin, vous prendrez l'apéritif, du byrrh, entre autres. La visite (1,70€) est remboursée à partir de 17€ d'achat. *6, bd Violet 66300* ***Thuir*** *(à 15km de Perpignan) Tél. 04 68 53 05 42, www.byrrh.com Ouvert tlj. 10h-11h45 et 14h-18h45*

Castelnou

☺ **Castelnou et son château** Attention, dans ce village très courtisé, il faut choisir son heure pour flâner. Mimétiques avec la colline, les maisons de schiste se blottissent autour de venelles ombreuses et pentues. Les fours à pain, ventrus, sont bâtis en excroissance sur les façades. Et si vous marchez le nez en l'air, vous verrez, en corniche, quelques tuiles décorées au lait de chaux. Prévoyez de consacrer un petit moment à Castelnou, car le village regorge d'artisans d'art. Arrêtez-vous notamment 12, Carrer del Mitg, à la boutique L'Œuf-surprise, qui renoue avec la tradition XVIIe siècle de l'œuf décoré servant d'écrin (ouvert l'après-midi seulement), ou à l'incroyable boutique d'Étiennette place de la Mairie. Terminez la visite par le château, forteresse militaire du XIe siècle (très remaniée), qui fut sans doute le siège d'une vicomté du Vallespir. Les salles présentent des reconstitutions de scènes médiévales un peu pauvres, mais le jardin botanique et l'aire de pique-nique sont très plaisants. La visite comprend une dégustation des vins du domaine Castelnou. *À 23km de Perpignan* via *Thuir Tél. 04 68 53 22 91 Visite tlj. juil.-sept. : 10h-19h ; oct.-déc. et mai-juin : 11h-18h ; fév.-avr. : 11h-17h Fermé jan. Entrée 4,50€*

Étiennette. Pimpante octogénaire aux allures de cartomancienne, Étiennette tient boutique place de la Mairie à Castelnou. Cette paysanne s'est découvert sur le tard des talents d'artiste et vend, dans son joyeux bazar, ses poèmes improbables et ses dessins naïfs au crayon de bois, mais aussi les œufs de ses poules et toutes les herbes de la garrigue en bouquets. N'hésitez pas à engager la conversation. *Place de la Mairie 66300* ***Castelnou*** *(à 23km de Perpignan* via *Thuir)*

Pour en savoir plus sur la flore

Jardin exotique Un jardin extraordinaire de 3ha avec les fleurs des cinq continents et un jeu de pistes éducatif pour les enfants. Plantes carnivores, cactées, etc. De nouvelles activités sont proposées sur le thème de l'eau. *66300* ***Ponteilla*** *(à 14km de Perpignan et à 6km de Thuir) Tél. 04 68 53 22 44 Ouvert juil.-août : tlj. 14h-18h30 ; avr.-juin, vac. scol. : tlj. 14h-18h30 ; sept.-mi-oct. : mer., sam.-dim et j. fér. 14h-18h30 Entrée 5€*

Passer un après-midi à la ferme

Domaine Val Marie. Équitation ? Les enfants de 6 à 12 ans découvrent le cheval et le poney avec balades, attelage, *pony-game*. Ateliers nature ? Jardinage, construction d'épouvantails, de cabanes, création d'herbiers, etc. Autour de 100€ la semaine, avec pour les plus grands, les multiples activités d'un centre équestre. *Route de Bages-Montescot 66180* ***Villeneuve-de-la-Raho*** *(à 10km de Perpignan) Tél. 04 68 55 86 24*

Elne

☺ **Cathédrale Sainte-Eulalie-et-Sainte-Julie** Une silhouette imposante. Un seul regret : le clocher de gauche, adjonction moderne, n'a pas la majesté de son voisin qui, lui, haut de quatre étages, est de style lombard. Bâtie au XIe siècle, remaniée partiellement au XIIe (voûtes) puis aux XIVe et XVe siècles pour de modestes ajouts (chapelle sud), la cathédrale présente un beau portail de marbre (XIe) et un retable (XIVe) peint par le maître catalan Pere Baro. Mais on s'attarde surtout dans le cloître, chef-d'œuvre de l'art roman, l'un des plus beaux de France. Des piliers carrés, massifs, alternent avec de fines colonnes jumelées. Une partie romane (la galerie sud) et une partie gothique permettent d'apprécier l'évolution de la sculpture religieuse en Roussillon. Une grande variété de motifs magistralement exécutés – Adam et Ève sont superbes. Dans le cloître, un musée archéologique et un musée d'Histoire locale. Visites guidées (1h). *Plateau des Garaffes (face au musée Terrus) 66200* ***Elne*** *(à 15km de Perpignan) Tél. 04 68 22 70 90 Ouvert tlj. avr.-mai : 9h30-17h45 ; juin-sept. : 9h30-18h45 ; oct. : 9h30-12h45 et 14h-16h45 ; nov.-mars : 9h30-11h45 et 14h-16h45 Fermé 25 déc, 1er jan., 1er mai L'entrée au cloître (5€) donne accès au musée Terrus*

Musée Terrus Peintre originaire du village, On dit d'Étienne Terrus (1857-1922) qu'il est le précurseur du fauvisme, mais son travail hors normes ne s'apparente en vérité à aucune école et il a joliment représenté les paysages du Roussillon. Le musée propose des expositions temporaires. *3, rue Porte-Balaguer 66200* ***Elne*** *(à 15km de Perpignan) Tél. 04 68 22 88 88 Ouvert tlj. avr.-mai : 9h30-17h45 ; juin-sept. : 9h30-18h45 ; oct. : 9h30-12h45 et 14h-17h45 ; nov.-mars : 9h30-11h45 et 14h-16h45 Fermé 25 déc., 1er jan. et 1er mai*

Tropique du Papillon Ici, le lépidoptère est roi, les papillons de nuit ou de jour volettent en toute liberté dans des volières et même dans une serre tropicale. *66200* ***Elne*** *(à 15km de Perpignan, prendre la route d'Argelès à la sortie d'Elne, au carrefour qui croise la N114) Tél. 04 68 37 83 77 Ouvert juil.-août : 10h-19h ; avr.-mai et sept. : 10h-12h30 et 14h30-18h Entrée 6€ Enfant 4€*

Canet-en-Roussillon

Étang de Canet Sur cette zone protégée, un village de pêcheurs a été reconstitué : quelques jolies cabanes en roseaux. Elles sont entretenues par quelques pêcheurs retraités. Sentier-découverte d'une heure au départ du village de pêcheurs pour tenter de surprendre les flamants roses. Au loin, on aperçoit Saint-Cyprien, un Canet *bis* dont on peut se dispenser. Si vous cherchez une villégiature de bord de mer, filez directement à Argelès, c'est à 10km à peine… ***Office de tourisme*** *Tél. 04 68 86 72 00*

Aquarium de Canet Sur le port de plaisance. Pour les jours où la tramontane vous a chassé de la plage. On y voit des poissons du monde entier (350 espèces) répartis en 58 aquariums. Les poissons exotiques se taillent un franc succès (surtout les horribles piranhas). *Bd de la Jetée 66140* ***Canet-en-Roussillon*** *(à 13km de Perpignan) Tél. 04 68 80 49 64 Ouvert juil.-août : tlj. 10h-20h ; hors saison : tlj. 10h-12h et 14h-18h Entrée 5,70€ Enfants 3,70€*

Aller à la plage

La plage la plus proche de Perpignan (10km par la D617) est Canet-Plage, où les Perpignanais viennent se rafraîchir en été depuis fort longtemps : en effet, un tramway les y menait déjà au début du XIXe siècle, aujourd'hui remplacé par la ligne de bus CTP n°1. La plage est souvent surpeuplée, pour un peu de calme, il faut aller un peu plus au sud sur la plage de Torreilles (cf. Port-Barcarès, Découvrir les environs) ou 40km au nord à La Franqui (cf. Narbonne et ses environs, Bages)

Où danser le soir ?

☺ **In Love.** L'équipe du bar de nuit le plus sympathique de Perpignan, El Corazon, a ouvert à Canet-Plage, dans un cinéma désaffecté, une discothèque baroque au décor d'un kitsch consommé. *Av. du Canigou, face aux jardins de Mogador 66140* ***Canet-en-Roussillon*** *(à 13km de Perpignan) Tél. 04 68 73 29 09 Ouvert juil.-août : tlj. ; sept. : jeu.-sam. ; oct.-juin. : ven.-sam. et j. fér.*

Manger à Perpignan

On viendrait manger ici à genou tant la cuisine y est généreuse, inventive dans l'utilisation des épices, des aromates et dans les associations sucré-salé. L'occasion de redécouvrir tous les attraits du poisson. Attention, ici, les tapas ne sont pas des amuse-gueules de comptoir mais souvent de belles portions.

petits prix

Au Vrai Chic parisien (plan B3 n°20). Elle a des airs montmartrois, cette ruelle sinueuse qui grimpe vers le palais des rois de Majorque, un début d'explication au nom incongru de ce restaurant. À moins que ce ne soit une boutade, car ici on aime la fantaisie : chaises bariolées, miroirs encadrés tels des tableaux de maîtres. Et, comme chic ne veut pas dire snob, tout est convivial, jusqu'à la cuisine, simple et bonne. Un menu soigné à 12€, quart de vin roussillonnais à 1,50€, et café à 1€. Les prix, eux, n'ont rien de parisien ! *14, rue Grande-la-Monnaie Tél. 04 68 35 19 16 Fermé lun.-jeu. le soir, sam. midi, dim. et août*

prix moyens

Casa Sansa (plan B2 n°21). Une institution perpignanaise : tout le monde vous demandera si vous y avez mangé. Celui qui en a assuré le succès a pris le large. Reste le cadre qui, depuis 1846, accumule les souvenirs en un joyeux bric-à-brac. L'ambiance plaira à qui aime la promiscuité. Une cuisine à gros débit avec des tapas copieuses, des langoustines flambées, etc. Un menu à 19€ et un menu tapas à 29€. *Rue des Fabriques (au pied du Castillet) Tél. 04 68 34 21 84 Ouvert tlj.*

prix élevés

☺ **La Galinette (plan B1 n°22).** Une cuisine aux "accents du Sud", mais sans chauvinisme, puisque la carte propose même une canette de Challans. De petites tables carrées pour tête-à-tête, et de grandes rondes, joliment dressées, pour les occasions plus conviviales. Christophe Comes, dont le succès va grandissant, fait son marché chaque matin et improvise un menu confiance à 45€. Le midi, formule à 15€ (sauf week-end). À la carte, du thon rouge, de la dorade royale avec fricassée de légumes du jardin, de l'agneau… et même de la galinette (poisson de roche). *23, rue Jean-Payra Tél. 04 68 35 00 90 Fermé dim. et lun.*

☺ **Al Très (plan B2 n°23).** Une décoration foisonnante composée de lustres et de tableaux, un mobilier *design* (copies de Mallet-Stevens), un éclairage intime. Le lieu a de l'esprit. Depuis 1996, Al Très sert une cuisine régionale généreuse, et toute en délicatesse. Les assiettes, copieuses, réservent d'aimables surprises : ainsi le fondant au chocolat s'accompagne de petits fruits ; la salade d'artichauts et de crabe, de coriandre et d'huile de sésame ; les gambas, de chutney de tomate ; le café, de succulents croquants aux amandes. Et ce, même dans la formule à 12€ servie à midi. La patronne vous guidera dans sa carte des vins (350 références). Autour de vous, concentrés sur leur assiette, les convives sont enchantés, et presque incrédules devant tant de perfection ! *3, rue de la Poissonnerie Tél. 04 68 34 88 39 Fermé en saison : dim.-lun. midi ; hors saison : dim.-lun.*

Le Sud (plan C2 n°24). On dirait le vaste patio d'un caravansérail, où figuiers et acacias dansent à la lueur des bougies. Les murs sont chaulés et l'on admire les belles tonalités de bleu des boiseries. Il est possible de s'isoler dans de petites pièces ou de choisir de dîner sous le ciel étoilé. Et le lieu s'anime quand débarquent des guitaristes gitans. Le nouveau propriétaire réaffirme une cuisine catalane et de saison avec une souris d'agneau confite, des calamars à la plancha et girolles, un *pan con tomate* au jambon *serrano* et de bons poissons. Comptez environ 30€ à la carte. *12, rue Louis-Bausil Tél. 04 68 34 55 71 Ouvert le soir Fermé mer. ; jan.-avr.*

prix très élevés

Le Chapon fin (plan C1 n°25). Le restaurant du Park-Hôtel (cf. Dormir à Perpignan). Un chef étoilé, Alexandre Klimenko, sert une cuisine haut de gamme dans un décor très bourgeois. Qu'il travaille le saint-pierre ou la poularde en vessie, cet homme a la toque virtuose. Que dire ? C'est plus que parfait, mais presque un peu trop solennel. Menus de 60 à 100€. *18, bd Jean-Bourrat Tél. 04 68 35 14 14 Fermé dim. ; 3 premières sem. de jan. ; 2 dernières sem. d'août*

Manger dans les environs

petits prix

Le For'Hom. Une grande cour abritée par un mûrier, des murs d'un jaune appétissant, des nappes aux couleurs de la Catalogne, et un fond musical qui sait se faire discret et relaxant (Cesaria Evora et consœurs). Un bon choix d'apéritifs de région, à commencer par le maury. Et une carte simple : plats du terroir et produits frais (de 9 à 13€). L'assiette For'Hom propose un assortiment de spécialités maison pour 10€. Menu à 12€. Un petit restaurant réjouissant par sa simplicité et sa qualité. *Avenue Badia, 66720 **Tautavel** (à 26km de Perpignan) Tél. 04 68 29 13 51 Fermé juil.-août : dim. soir ; hors saison : sam. ; oct.-jan. et mars*

Restaurant-hôtel Cortie. Dans le vieux Thuir, une affaire de famille fondée en 1902 qui ouvre sur une grande salle avec azulejos et ferronnerie. Pas d'esbroufe chez les Cortie, on y voit plus de Catalans que de touristes. La restauration s'organise autour d'un alléchant buffet de hors-d'œuvre (25 plats). Formule 13€ (buffet, plat du jour, fromage ou dessert), et une riche paella dans un menu à env. 22€. Pour ceux qui voudraient y dormir, les chambres ont été rénovées en 2005 et le petit déjeuner (buffet) est exceptionnel. *3, rue Jean-Jacques-Rousseau 66300 **Thuir** (à 15km de Perpignan) Tél. 04 68 53 40 30 Fermé en saison : dim. ; hors saison : sam.-dim*

prix moyens

Le Patio. Un patio de pierres sèches où fleurit le jasmin et où glougloute une fontaine. Simple mais savoureux. L'assiette de charcuterie (13€) en est un bon exemple : de bons produits, variés, une terrine maison, le tout assorti d'un gratin de pommes de terre-courgettes et d'une salade verte goûteuse (pas de ces salades exsangues de snack). Menu à 20€ avec parillades (grillades de plusieurs viandes). *9, carrer del Mitg 66300 **Castelnou** (à 23km de Perpignan) Tél. 04 68 53 23 30 Fermé mar. soir-mer. ; jan.*

Les Jardins de Mogador. Une cour ombragée retranchée derrière des murs crénelés. Ce restaurant marocain aux ambiances chaleureuses (bel éclairage, musique langoureuse) sert à la carte d'excellents tajines de 17 à 19€, des brochettes d'agneau au cumin à 17€ ou encore des poissons selon l'arrivage (comptez environ 19€). *25, av. du Canigou 66140 **Canet-en-Roussillon** (à 13km de Perpignan) Tél. 04 68 80 02 13 Ouvert le soir et dim. midi Fermé hors saison : lun.-mer. et dim. soir*

prix élevés

☺ **Grill du Château de Jau.** Un déjeuner à Jau – expérience quasi initiatique – demande du temps : on y redécouvre le plaisir des repas estivaux qui s'éternisent à l'ombre des arbres (ici, un mûrier tricentenaire), on y goûte les vins (généreusement servis) du domaine, et on y fait l'apprentissage d'un nouvel art de recevoir élaboré par Estelle Doré, muse des lieux, dont la philosophie oscille entre zen et gourmandise. Le décor ? Le château familial, une folie rose de style directoire, une tour sur une dépendance de l'abbaye cistercienne du col de Jau, et, en amphithéâtre autour d'un bassin, la terrasse du restaurant. Le repas ? Immuable : fougasse aux grattons, *pan con tomate* et jambon, grillades d'agneau, roquefort, sorbet à l'orange et vins d'ici (dont l'irrésistible Jaja de Jau) pour 30€, vins compris (pincez-vous !). Le service est parfait, et, après le repas, vous pouvez aller voir l'exposition d'art contemporain, toujours ambitieuse et bien scénographiée. Il est conseillé de réserver 48h à l'avance. *66600 **Cases-de-Pène** (à 20km de Perpignan) Tél. 04 68 38 91 38 Ouvert 10 juin-sept. : tlj. à midi*

☺ **Can Marty.** Un lieu joyeux qui séduit bien au-delà de Thuir une clientèle fidèle ravie d'être là ; tout le monde s'embrasse et papote gaiement. La déco décline toutes les couleurs catalanes, or, ocre, rouge, et la cuisine toutes les saveurs de la Méditerranée. Commencez par une sangria au byrrh, vous êtes à Thuir. En entrée, le classique *pan con tomate* et anchois augure un bon repas, il est beau, bon, copieux. Et tout à l'avenant, du riz noir cuisiné à l'encre de seiche (14€) aux parillades de viandes ou poissons (13,50 et 23€). Grand choix de vins, vous avez les bouteilles sous les yeux. Un bon moment et une patronne délicieuse. Menu et formule avec dix tapas env. 20€. Carte autour de 30€. Il est prudent de réserver ! *13, bd Grégory 66300* ***Thuir*** *(à 15km de Perpignan) Tél. 04 68 53 61 40 Fermé dim. et lun.*

Dormir à Perpignan

Nous avons sélectionné des hôtels en centre-ville, ou très proches. Inutile d'aller courir les rocades pour trouver les Formule 1 et autres enseignes d'hôtellerie économique qui, sur la route de Thuir, proposent des chambres à peine moins chères (autour de 28€).

camping

Roussillon camping catalan. De l'ombre, des toboggans, un restaurant et une piscine. Env. 16€ l'emplacement. *32/52, av. de la Salanque (à 4km au nord de Perpignan, direction Polygone nord puis Bompas ou en bus, arrêt à 50m du camping, départ gare routière) Tél. 04 68 63 16 92 Fermé fin oct.-début mars*

très petits prix

Auberge de jeunesse (plan A2 n°30). Entre hôtel de police et police municipale, l'auberge de jeunesse est bien gardée. Son paradoxe : être à la fois au cœur d'un parc, celui de la Pépinière, et tout près d'une voie express. Une cinquantaine de lits répartis en chambres de 4 ou 8 pers. à environ 12€ la nuitée. *Allée Marc-Pierre Tél. 04 68 34 63 32 Fermé nov.-mars*

☺ **L'Avenir (plan A2 n°31).** Dans un quartier résidentiel proche de la gare, l'Avenir est à 6min à pied du centre de la ville, par une belle promenade qui longe les quais de la Basse et les villas d'un Perpignan cossu. Peints sur le mode naïf, papillons, oiseaux et fleurs donnent une fraîcheur juvénile à cette grande maison qui offre aussi l'agrément d'une terrasse (au 1er étage). Les chambres (de 22 à 35€) sont sobres, la literie neuve, et certaines peuvent recevoir jusqu'à 4 ou 5 personnes (42€). Une salle pour regarder la télé "en famille" et un garage (env. 5€ la nuit). *11, rue de l'Avenir Tél. 04 68 34 20 30 www.avenirhotel.com Ouvert tte l'année*

prix moyens

Hôtel de la Loge (plan B2 n°32). Près de la Loge de mer, une demeure du XVIIe siècle aux ambiances andalouses, un rien démodée. Avec sa fontaine, le patio d'entrée est un refuge pendant les chauds étés roussillonnais. De 48 à 62€ (environ 6€ de moins en basse saison), les chambres avec sdb sont climatisées, toutes sont équipées de TV. *Place de la Loge/1, rue Fabriques-d'en-Nabot Tél. 04 68 34 41 02 www.hoteldelaloge.fr Fermé 15 jours pour les fêtes de fin d'année*

prix très élevés

Le Mas Boluix. À 3km du centre, ce mas, vieux de deux siècles, qui a été joliment restauré, résiste vaillamment, au milieu de ses vignes et de ses pêchers, à la gangrène des zones pavillonnaires. Un endroit de caractère, bourgeoisement installé, où le viticulteur vous initiera aux vins de la région. Vous trouverez là cinq chambres d'hôtes avec vue, climatisation et TV satellite à 82€ pour 2 personnes (petit déjeuner compris). *Chemin du Pou-de-Les Colobres (plan d'accès sur le site) Tél. 04 68 08 17 70 www.domaine-de-boluix.com Ouvert sur réservation*

Park-Hôtel-Best Western (plan C1 n°33). Un sans-faute à 5min à pied du centre par les allées du square Maillol. Chambres vastes et climatisées, TV satellite, lits immenses (de 75 à 105€). Garage privé (10€). Pour le plaisir aussi de siroter un gin tonic aux Célébrités, le bar du Park-Hôtel. *18, bd Jean-Bourrat Tél. 04 68 35 14 14 www.parkhotel-fr.com Ouvert tte l'année*

Dormir dans les environs

camping

Camping municipal El Moli. Un camping simple avec des arbres, une grande piscine et un snack. Comptez environ 18€ pour un emplacement et 2 personnes. *Boulevard d'Archimède 66200* ***Elne*** *(à 15km de Perpignan) Tél. 04 68 22 08 46 Ouvert juin-sept.*

prix moyens

Mas de la Couloumine. Dans une ferme arboricole plantée d'arbres à kiwis, des poules picorent sur la pelouse entre eucalyptus et palmiers nains. Une piscine et sa cuisine d'été sont à votre disposition car l'établissement ne sert pas de repas, à part le petit déjeuner (avec confitures de kiwis, bien sûr !). La maison est neuve et les chambres, à son image, sont sans grand charme mais propres, accueillantes (a/c et sdb) et bon marché : env. 42€ pour 2 pers., 52€ pour 3. *Chantal et Louis Tubert Route de Bages 66200* ***Elne*** *(à 15km de Perpignan) Tél. 04 68 22 36 07 www.mas-couloumine.com Ouvert tte l'année*

☺ **L'Abri sous roche.** Face aux crêtes décharnées de la Serre del Clot, cette maison de village aux crépis joyeux propose des chambres simples et bien équipées. Petit déjeuner dans un patio en terrasse. Une adresse pratique et un accueil vraiment attentionné. Chambre double avec petit déj. 45€. *29, rue Gambetta 66720* ***Tautavel*** *(à 26km de Perpignan) Tél. 04 68 29 49 31 Fermé jan.*

Mas camps. Reprise en 2003 par des Anglais, cette auberge a gardé son aspect charmant des maisons de vacances que l'on vient juste de rouvrir pour l'été. Une salle télé, un grand patio et, derrière, des hectares de vignes. Si la proximité de la route vous effraie, sachez qu'elle est peu fréquentée la nuit, ou demandez les chambres qui ouvrent sur les collines (de 44 à 65€ selon le confort et la saison). Avis aux amateurs : vous pourrez goûter les vins du domaine des Graves qui vieillissent à dix pas de votre chambre. *66460* ***Maury*** *(à 34km de Perpignan par la D117) Tél. 04 68 29 10 77 Ouvert tte l'année*

Aux Remp'arts. Sur une placette du vieil Elne, cette maison haut perchée affiche un air guilleret : des volets lavande, une enseigne avec soleil couchant. Des chambres fonctionnelles ouvrent sur le ciel. De 50 à 60€ avec petit déj. Studios à la semaine de 245 à 495€. Salon avec cheminée et TV. Cette maison à l'atmosphère chaleureuse dispose d'un restaurant. *3, place Colonel-Roger 66200* ***Elne*** *(à 15km de Perpignan) Tél. 04 68 22 31 95 www.remparts.fr Ouvert tte l'année*

prix élevés

Hôtel-restaurant Cara Sol. Dans le vieil Elne. Il a fière allure le Cara Sol, sa façade jaune soleil dressée face au Canigou. Toutes les chambres, refaites (sdb et a/c), offrent des panoramas splendides et les prix sont tout à fait raisonnables. Comptez 65€ la double. On déjeune sur une terrasse panoramique d'un repas sans génie mais sans (mauvaise) surprise, à 15€ le midi et 16€ le soir. *10, boulevard Llibéris 66200* ***Elne*** *(à 15km de Perpignan) Tél. 04 68 22 10 42 www.hotelcarasol.com Restaurant fermé 2 dernières semaines de nov. et jan.*

☺ **L'ancienne Gare.** Au lieu-dit Millery, dans une ancienne gare de campagne ressuscitée par une artiste peintre dont les tableaux ont la sensualité des bons fruits de saison. Très romantiques, les chambres aménagées sous les toits ont du cachet (65€ la double). Votre hôtesse connaît les secrets de la région et les criques désertes. *Le Millery 66620* ***Brouilla*** *(à 25km de Perpignan* via *Elne) Tél. 04 68 89 88 21 Ouvert tte l'année*

Les Oliviers de Virgina. À 12km de Tautavel, dans un petit cirque de collines sauvages où se dresse une sorte d'"hacienda roussillonnaise" flambant neuve et toute rose. Des oliviers, un petit verger et une piscine pour agrémenter ce gîte (3 nuits minimum : 314€ pour 4 pers.). Le site est calme entre ciel et garrigues. *Route des Oliviers 66600* ***Cases-de-Pène*** *(à 17km de Perpignan) Tél. 04 68 38 91 46 www.oliviers-de-virgina.com Fermé mi-déc.-début jan.*

Mas de la Roubine. À 3km d'Elne, une ancienne ferme, très calme, avec de grands arbres et une prairie aux allures de golf. Trois chambres doubles à 65€ pour 2 pers. petit déjeuner inclus. Arboricultrice "défroquée", la patronne concocte avec talent une "cuisine du Sud élargi", comme elle dit (25€ le repas, vin compris). *M. et Mme Piquemal-Pastre 66200* ***Elne*** *(à environ 18km de Perpignan et à 3km des plages) Tél. 04 68 22 76 72 www.mas-roubine.com Fermé déc.-jan.*

Peu del Causse. Moins d'1km sépare Thuir de Sainte-Colombe, village restauré avec un incroyable savoir-faire, jusque dans le moindre petit détail. Méryl, une délicieuse Américaine, a retapé de ses mains un mas viticole lové autour d'une cour intérieure plantée d'arbres et de massifs. Chambres vastes (env. 68€) à la décoration inspirée, avec portraits de famille, et équipées de belles salles de bains. Du savoir-vivre et de copieux petits déjeuners avec France-Musiques en sourdine. *6, carrer del Canigo 66300* ***Sainte-Colombe*** *(à 21km de Perpignan* via *Thuir) Tél. 04 68 53 42 47 Fermé nov.-mars*

La Figuera. En bas du charmant village de Castelnou, la rue se perd en un sentier herbeux. À droite, une maison discrète ornée de glycines, avec des chaises pour paresser sous les figuiers. Cette adresse est un vrai "jardin secret", un cocon bucolique où l'on déguste aussi une cuisine subtile. Chambres à la décoration très soignée (de 70 à 80€). Petit déjeuner servi sous les arbres et repas à 25€. *3, carrer de la Font d'Avall 66300* ***Castelnou*** *(à 23km de Perpignan via Thuir) Tél. 04 68 53 18 42 www.la-figuera.com Ouvert tte l'année*

prix très élevés

☺ **Casa del Arte.** Une profusion de lauriers-roses et de bougainvillées et un ruisseau, jaillissant de la bambouseraie, qui irrigue eucalyptus et iris... Quelques hôtes sont occupés à bronzer au bord d'une piscine. Cette ancienne bergerie tout en schiste, qui croule sous les fleurs, est pleine de coins et de recoins secrets où chacun trouve son intimité. Chambres fraîches et originales à 80-90€ et 2 suites à 90-100€, petit déj. inclus. Table d'hôte sur demande (env. 25€ le repas). *66300* ***Thuir*** *(à 15km de Perpignan) Tél. 04 68 53 44 78 www.casadelarte.fr.fm Fermé jan.*

Port-Barcarès

66420

Les stations jumelles de Port-Leucate et de Port-Barcarès ont grandi sur le lido, bande de sable entre l'étang de Leucate et la Méditerranée. On a creusé des marinas (plus de 1 000 anneaux à Leucate, 600 à Barcarès). Pour le reste, c'est une succession de campings, de parkings, de lotissements et de ronds-points. Ces cités ont été conçues entre 1963 et 1970 dans un mépris total de l'écologie. Pour faciliter la vie des touristes d'Europe du Nord, qui constituent la majorité de la clientèle, les zones résidentielles (ensembles de petites maisons sans grâce) portent en guise de nom les lettres de l'alphabet, K, L, M ou Z. Étrange univers de science-fiction. On se console en allant regarder le soleil se coucher sur l'étang ou en faisant un saut à La Franqui, un amour de plage.

AUTOUR DE L'ÉTANG DE LEUCATE Une trentaine de kilomètres de plages ininterrompues, parfaitement rectilignes. Côté déprime : beaucoup de béton, de monde (la population est multipliée par 25 en été à Barcarès), une eau rarement chaude, une tramontane qui bat des records de vitesse – donc du sable dans les yeux et sur les goûters. Côté bonheur : une côte propre (pavillon bleu), des sites protégés par le Conservatoire du littoral (Torreilles, mas Larrieu, étang de Canet), et une bonne idée, des stations sur la plage. En effet, les axes de communication se trouvent à l'arrière des villes et les constructions directement sur la dune.

Port-Barcarès, mode d'emploi

accès

EN VOITURE À 23km de Perpignan par l'A9 (sortie 40 ou 41), ou par la route qui longe le littoral.

EN CAR Liaison Barcarès-Perpignan ***Corporation française de Transports (CFT)*** *Tél. 04 68 61 01 13*

informations touristiques

Office de tourisme de Port-Barcarès. *Place de la République Tél. 04 68 86 16 56 www.portbarcares.com Ouvert tlj. 9h-12h30 et 14h-18h (9h-20h en été)*
Office de tourisme de Leucate. *Espace culturel BP 11370 Port-Leucate Tél. 04 68 40 91 31 www.leucate.net Ouvert juil.-août : tlj. 9h-19h ; avr.-juin et sept.-oct : tlj. 9h-12h et 14h-18h*

Découvrir Port-Barcarès et ses environs

☆ **À ne pas manquer** Le port ostréicole de Leucate **Et si vous avez le temps...** Survolez le Canigou en ULM, dînez dans une paillote sur la plage de Torreilles

☺ **Torreilles** Entre Barcarès et Canet-Plage, un village pittoresque au milieu de la Salanque, plaine littorale où poussent asperges et artichauts. Vigne et maraîchage ont enrichi Torreilles, comme en témoignent de beaux hôtels particuliers et de grands "cortals" (écuries). Sur les rives de l'Agly, une chapelle, Notre-Dame-de-Jouègue, et son parc, idéal pour un pique-nique suivi d'une sieste. Protégée par le Conservatoire du littoral, la plage de Torreilles (à 4km du village), qui étend son long cordon de sable sur 4km, est l'une des plus sauvages de la côte. *66440* ***Torreilles*** *(à 10km de Perpignan) Liaison en car entre Perpignan et Torreilles, village et plage, toute l'année* ***Infos touristiques*** *Village marin de Torreilles-plage Tél. 04 68 28 41 10*

S'initier à l'art du *trincadis*

Maison Secall. Le *trincadis*, la mosaïque catalane, s'apprend en l'aimable compagnie d'un maître diplômé des Beaux-Arts et amoureux de Gaudi. Dans une maison de maître (avec piscine), les Secall organisent des expositions et accueillent superbement leurs stagiaires. Stage de 5 jours en demi-pension env. 450€. *Place Joffre 66440* ***Torreilles*** *Tél. 04 68 59 67 66 www.mosaiques-secall.com*

Survoler la côte ou le Canigou en ULM

Base ULM de Torreilles. Destination Canigou (2h, 3 200m d'altitude, env. 200€) ou Côte Vermeille (1h, 1 000m d'altitude, env. 100€). *À la sortie de Torreilles sur la D11, direction Sainte-Marie Tél. 04 68 28 13 73 (téléphonez pour les horaires)*

Où déguster des fruits de mer ?

☆ **Port ostréicole de Leucate.** À 1km au sud de Leucate-Plage, sur la route littorale, prenez à gauche la direction "centre ostréicole rive droite" pour découvrir ce port miniature fait de baraques en bois posées le long d'un grau. Une dizaine de producteurs proposent des fruits de mer d'une fraîcheur exquise, dont l'Aquarium qui, pour 7,50€, sert une assiette composée d'huîtres, moules, et palourdes **L'Aquarium** *11370* **Leucate** *Tél. 04 68 40 92 36*

Où danser sur un paquebot ensablé ?

Le Lydia. L'une des meilleures idées de Barcarès : ensabler sur la plage un paquebot à la retraite, le Lydia, et y ouvrir une discothèque où étudiants et trentenaires font bon ménage. On peut également y déjeuner ou y dîner dans le restaurant panoramique. *Av. de la Grande-Plage 66420* **Port-Barcarès** *Tél. 04 68 86 07 13 Ouvert août : tlj. 23h-5h ; hors saison : ven.-sam. 23h-5h*

Manger dans les environs

En été, trois paillotes-restaurants ouvrent sur la plage de Torreilles ; il faut y dîner quand le littoral se vide, et y attendre les étoiles pour un bain de minuit.
Zaza club. La plus branchée. *Tél. 04 68 59 21 45*
La Casa Pardal. La plus "populaire catalan". *Tél. 04 68 28 49 10*
La Baraquette. La plus chic. *Tél. 04 68 28 25 27*

Dormir à Port-Barcarès et dans les environs

On donnera peu d'adresses pour dormir et manger sur la côte. Repliez-vous plutôt sur les établissements de l'arrière-pays qui assurent un meilleur rapport qualité-prix et moins de bousculade. Autre solution, contactez l'office de tourisme ou le comité départemental de tourisme pour trouver une location (cf. GEOPratique, Hébergement).

prix très élevés

☺ **La Vieille Demeure.** La plus noble demeure du village de Torreilles. Après la fraîche pénombre du hall, on est ébloui par le patio où poussent citronniers et mandariniers. Une déco au goût du jour, d'une luxueuse rusticité : sol en tomettes patinées, enduits aux teintes chaudes, tapis de soie et mobilier en bois précieux et fer forgé conçu par une artiste de la région. Un rêve éveillé qui a son prix : chambres de 75 à 120€ avec terrasse privée pour certaines. *4, rue de Llobet 66440* **Torreilles** *(à 6km de Port-Barcarès) Tél. 04 68 28 45 71 www.la-vieille-demeure.com Fermé 15 oct.-Pâques*

Argelès-sur-Mer *66700*

Argelès est située au cœur d'une vallée fertile couverte de potagers prospères. Il y a deux Argelès. Argelès-Village, vieux bourg aux couleurs gaies blotti autour d'une église gothique, repose au pied de la montagne des Albères. Argelès-Plage, station balnéaire tentaculaire, a su préserver

une certaine qualité de vie. Plantée en 1860 pour assainir les dunes marécageuses, la pinède (12ha) fut le premier argument touristique d'Argelès et a survécu à la convoitise des promoteurs. Les immeubles ne dépassent pas la cime des arbres et l'on a privilégié les espaces verts et les campings. Les quartiers de bord de mer ouvrent sur une longue promenade et sur une plage interminable (7km) et, surtout, étonnamment large. Argelès fait la transition entre le littoral sablonneux et la Côte Vermeille.

LES ALBÈRES Ce dernier bastion pyrénéen, abrupt, domine la plaine du Roussillon et croule en à-pic dans la mer. Les Albères composent un massif à deux visages : il peut être luxuriant et boisé vers l'ouest, de Sorède à Céret, tandis que sa façade maritime, celle qui forme la Côte Vermeille d'Argelès à Cerbère, est totalement décharnée. Entre deux falaises de schiste noir ou vermeil (d'où le nom de la côte), quelques criques où les ports nichent à l'étroit (Collioure, Port-Vendres, Banyuls, Cerbère) et quelques anses avec de petites plages de galets (Paulilles).

Argelès-sur-Mer, mode d'emploi

accès

EN VOITURE À 18km au sud-est de Perpignan par la N114 *via* Elne.

EN CAR Ligne Cerbère-Perpignan. Pour rejoindre Argelès-Village, deux lignes : Argelès-Céret ou Argelès-Perpignan ***Gare routière de Perpignan*** *Tél. 04 68 35 29 02*

EN TRAIN À 15min de Perpignan en TER. Taxis toute l'année et bus en juil.-août entre la gare, le village et la plage. Un petit train touristique assure la navette. *Office de tourisme Tél. 04 68 81 15 85* ***SNCF*** *Tél. 3635 www.voyages-sncf.com*

orientation

Argelès-Village n'a pas été conçu pour la voiture, stationnez près de la gare (2min à pied du centre) dans le grand parking gratuit. On rejoint Argelès-Plage (2km) par l'avenue du 8-mai-1945 ou par l'avenue de la Libération. À l'arrière de la station balnéaire, de grandes avenues permettent une circulation rapide. Les parkings sont nombreux. Au bout de l'avenue du Grau, vers le sud, vous trouverez le port, et au-delà encore, le quartier du Racou, le plus plaisant d'Argelès-Plage.

informations touristiques

Office de tourisme. Vous pourrez vous y procurer le petit guide des randonnées indispensable à votre séjour (3€). *Place de l'Europe Tél. 04 68 81 15 85 Ouvert en saison : tlj. 8h30-20h ; hors saison : lun.-ven. 9h-12h et 14h-18h, sam. 9h-12h*

accès Internet

Web mania. *187, av. du Tech Tél. 04 68 81 20 28 Ouvert juil.-août : tlj. 9h-23h ; hors saison : se renseigner*

marchés

À Argelès-Village, les mercredis et samedis matin, toute l'année. À Argelès-Plage, les lundis, mercredis et vendredis matin sur le parking des platanes (15 juin-15 sept.). Marché bio, le mardi matin, sur le port (15 juin-15 sept.). Vente directe de poissons, tous les jours, avenue du Môle, sur le port.

fêtes et manifestations

En été, il se passe toujours quelque chose à Argelès-sur-Mer et pour tous les âges. **Cours de sardane** au village le lundi. Les **animations folkloriques** sont également nombreuses (chants marins, concours de sardanes, etc.). *Un calendrier est disponible à l'office de tourisme Tél. 04 68 81 15 85 ou au comité des fêtes Tél. 04 68 81 10 15*

Découvrir Argelès-sur-Mer

☆ **À ne pas manquer** Le Racou, l'église de Saint-Génis-les-Fontaines **Et si vous avez le temps...** Dégustez une bière au miel à la Brasserie des Albères à Argelès, prenez un bain de soleil sur la plage de la Boca del Tech, pique-niquez dans la forêt de Massane

Notre-Dame-del-Prat d'Argelès-Village Un bel exemple de gothique méridional, portail avec chapiteaux, vieux fonts baptismaux, chaire joliment sculptée et de nombreux retables.

Casa de les Albères Dans ce musée d'art et traditions populaires, une collection d'outils évoquent l'artisanat en Catalogne du Nord. Les plus inattendus concernent le travail de la vigne, la *llacadora*, traceuse de sillons, ou l'*escaldadora* qui fournissait l'eau bouillante, une des nombreuses armes utilisées pour lutter contre le phylloxéra. Vous y trouverez aussi une bibliothèque publique spécialisée en culture catalane. *4, place des Castellans Argelès-Village Tél. 04 68 81 42 74 Ouvert lun.-ven. 9h-12h et 15h-18h, sam. 9h-12h Fermé dim. Entrée 2€ (4€ avec la visite de la ville)*

☆ ☺ **Le Racou** Venant buter en cul-de-sac contre les contreforts rocheux des Albères, le Racou – recoin, en catalan – est le plus joli coin d'Argelès-Plage et la dernière plage de sable avant l'Espagne. Ancien quartier de pêcheurs, fait de baraques joliment bricolées et de maisonnettes à jardinets bâties sur le sable.

Où boire une bière au romarin ?

Brasserie des Albères. Que ce soit en terrasse ou à l'intérieur, l'artisan-brasseur de la brasserie des Albères vous reçoit, vous explique et vous fait déguster sa gamme de bières haute fermentation, au romarin, au miel, au banyuls, ou sa bière bio sur lie. *29, av. des Flamants-Roses Tél. 04 68 95 79 09 Ouvert lun.-ven. 8h-12h et 14h-18h, sam. 9h-12h*

Découvrir les environs

Les Aigles de Valmy Dans le parc de Valmy, étrange château néogothique du XIXe siècle, spectacles de fauconnerie (14h30, 15h45, 17h). Aire de pique-nique. *N114, direction Collioure Tél. 04 68 81 67 32 Ouvert avr.-oct. : 14h-18h30 Fermé lun. sauf juil.-août*

☆ **Saint-Génis-des-Fontaines** Il faut faire une petite incursion vers l'intérieur des terres pour découvrir l'église de ce village. Son linteau en marbre blanc (vers 1020) qui surplombe le portail est l'une des plus anciennes œuvres d'art roman attesté en France. Il présente le Christ en gloire porté par des anges et entouré de ses apôtres. Sa facture évoque l'art de l'enluminure. On peut aussi visiter le cloître et l'église (XIIIe siècle), entièrement reconstituée à partir des colonnes originelles. *66740* ***Saint-Génis-des-Fontaines*** *(à 10km d'Argelès) Tél. 04 68 89 84 33 Accès par le cloître Ouvert tlj. juil.-août : 9h30-12h30 et 15h-19h ; mai-juin et sept. : 9h30-12h et 14h-18h ; oct.-avr. : 9h30-12h et 14h-17h*

Profiter des réserves naturelles

Mas Larrieu Paysage amphibie où le Tech se jette dans la mer, cette réserve naturelle protégée par le Conservatoire du littoral juxtapose dunes à tamaris, marécages, roselières et l'une des plus belles plages de la côte, **la Boca del Tech**. À *2km au nord d'Argelès-Plage par la D81*

Forêt de Massane Cette forêt quasi vierge qui couvre 300ha (dont une zone de protection renforcée) est un vestige de l'ancienne forêt méditerranéenne (préglaciaire). Entre 600 et 1 150m d'altitude, en amont du château de Valmy ou du hameau de Lavall. Uniquement accessible à pied. Deux itinéraires (2h50 ou 5h45), bien décrits dans le topo-guide distribué par l'office de tourisme d'Argelès-sur-Mer.

Plein'R. Chaque massif – ici, les Albères, et à quelques kilomètres le Canigou ou le Costabonne, beau massif qui clôt la vallée du Vallespir – a ses curiosités, ses charmes et ses dangers. Pour mieux observer, mieux comprendre, il est vivement recommandé de se faire accompagner de professionnels, surtout quand ils ont l'enthousiasme d'Éric Delfour, de l'association Plein'R. Randonnées d'une demi-journée (10€), à la journée (15€) ou plus. *Tél. 04 68 89 10 58 (après 20h) ou 06 18 46 08 16 edelfour@hotmail.fr*

Faire une sortie en mer

Al Mar. Balades le long de la Côte Vermeille, via Collioure et Port-Vendres. Grande promenade de 2h (adulte 12€, enfant 8€), petite promenade de 1h20 (adulte 8€, enfant 6€). Sorties de pêche en mer (22€). *Sur le port d'Argelès Quai Marco Polo Tél. 04 68 81 60 43*

Roussillon croisières. Excursions jusqu'à Port-Bou (17€) ou jusqu'au Port de la Selva (Espagne), avec déjeuner (46€), et également programme de sorties de pêche en mer (matériel fourni) *Tél. 04 68 81 63 84*

Manger à Argelès-sur-Mer

Difficile de bien manger dans des établissements saisonniers dont la qualité, en plus, varie d'une année à l'autre. Pour être satisfait à prix raisonnables, il faut se rendre sur le port, où nous vous recommandons deux adresses.

prix moyens

La Bodega du port. Tapas et cuisine à la plancha (comptez 24€). *Les Villégiales du Mole Tél. 04 68 95 86 44 Ouvert mi-juin-sept. : tous les soirs ; oct.-mi-juin : ven. soir, sam. soir et dim. midi*

La Mariscada. Un restaurant plaisant pour se régaler de poissons frais en viviers et de moules. Menus à 11,50, 16, 27 et 37€. *Résidence La Réale Tél. 04 68 81 59 87 Ouvert tlj. en saison Fermé hors saison : dim. soir-lun. ; déc.-jan.*

Manger à Sorède

L'Auberge de Margaux. La Margaux des chansons populaires est une fille simple mais généreuse et cette auberge lui ressemble. L'anti-nouvelle cuisine dans toute sa splendeur ; les portions sont énormes (et bonnes). Menu à 16€ : soupe de poissons, plat catalan, fromage, dessert, et muscat offert avec le café. *10 bis, route de Laroque 66690* ***Sorède*** *Tél. 04 68 95 41 63 Fermé lun.-mar.-midi hors saison*

Dormir à Argelès-sur-Mer

camping

Le Bois fleuri. Un camping dans les bois, avec piscine, restaurant. Navette gratuite vers le village et les plages. Emplacements de 11 à 15€ et location de mobile homes. *Rte de Sorède (à 4km d'Argelès) Tél. 04 68 81 70 00 Ouvert mi-mars-sept.*

prix moyens

Clair logis. Des chambres impeccables (sdb, TV) qui, à l'arrière, ouvrent sur la montagne et sur un jardin. Un hôtel paisible (s'il y a une ligne SNCF à proximité, soyez sans crainte, il passe peu de trains). Terrasse et parking privé. Petit déjeuner sommaire. Chambres doubles de 38 à 46€. *78, route nationale Tél. 04 68 81 03 27 Ouvert tte l'année*

☺ **Oasis.** Cet hôtel-restaurant donne directement sur la plage du Racou. L'ambiance familiale évoque à la fois *Les Vacances de M. Hulot* et *La Boum*. Les chambres côté mer (simples et convenables) ne coûtent que 47€ (43€ côté rue). Demi-pension à partir de 47€/pers. Le restaurant d'extérieur, installé sous des arcades et ombragé, est fort agréable. Menus à 15, 17 et 22€. *Av. Torre-d'en-Sorre Tél. 04 68 81 13 37 Ouvert avr.-sept.*

prix élevés

☺ **Mas Senyarich.** À seulement 3km d'Argelès-Village, dans un cadre idyllique. La route se faufile entre vignes et haies de cyprès, jusqu'à rejoindre, au bout d'une allée de micocouliers, une vieille demeure bien restaurée. À l'intérieur, une salle panoramique, une cheminée et, en guise de décoration, des outils traditionnels. Pas de table d'hôte mais des petits déjeuners pantagruéliques servis au bord de la piscine ou sur la terrasse. Un accueil parfait. Cinq chambres à 65€ (petit déj. inclus) et un gîte pour 4 pers. de 750 à 1 100€/sem. *Dans le centre d'Argelès, au feu, prenez la direction Sorède, passez sous le pont de chemin de fer et suivez les panneaux "chambres d'hôtes" Tél. 04 68 95 93 63 www.mas-senyarich.com Ouvert tte l'année*

Dormir à Sorède

campings

Camping Coscolleda. Aménagé avec simplicité dans un bois de mimosas et près d'un torrent, ce camping propose des emplacements de 11 à 21€ et la location de mobile homes, chalets et appartements. Piscine. *27, rue de la Coscolleda 66690* ***Sorède*** *(à 7km d'Argelès) Tél. 04 68 89 16 65 www.camping-lacoscolleda.com Camping ouvert 30 avr.-oct.*

Camping des Micocouliers. Plus sophistiqué et plus cher, ce camping très arboré (avec piscine) propose de grands emplacements (95m²) à environ 21€ pour 2 personnes et des chalets (pas toujours très propres) de 325 à 660€ pour 6 pers. *Rte de Palau 66690* ***Sorède*** *(à 7km d'Argelès) Tél. 04 68 89 20 27 www.camping-les-micocouliers.com Ouvert juin-sept.*

prix moyens

☺ **Hôtel Saint-Jacques.** Très calme, une grande maison neuve (mais pas disgracieuse), entourée de jardins où se niche une piscine. Des chambres vastes à la déco soignée, avec terrasse ou balcon et sdb confortable de 40 à 65€, et des chambres pour 4 pers. de 64 à 89€. Des prix doux pour un hôtel élégant à 7km seulement d'Argelès. *45, rue Saint-Jacques 66690* ***Sorède*** *(à 7km d'Argelès) Tél. 04 68 89 00 60 www.hotelstjacques.com Fermé jan.-mi-mars*

☆ Collioure

66190

Collioure se love dans la plus belle crique de la Côte Vermeille. Rien n'est banal à Collioure, deux plages miniatures se font face, séparées par la masse cubique d'une forteresse médiévale, les couleurs les plus enjouées alternent avec l'austère beauté du schiste... enfin se dresse ce fameux clocher à dôme rose dont la puissance érotique n'a échappé à personne. Surtout pas aux peintres fauves, qui prétendaient "qu'il n'y a pas en France de ciel plus bleu qu'à Collioure".

DU TEXTILE À L'ANCHOIS La richesse du royaume de Majorque reposait sur l'artisanat textile. Au XIVe siècle, Collioure est l'un des grands comptoirs de Méditerranée, détenant le monopole de l'exportation des toiles, des vins catalans, important en retour les soieries d'Orient. La pêche, quant à elle, connaît son apogée au début du XXe siècle avec l'arrivée du chemin de fer qui favorise de nouveaux marchés. Collioure compte alors 700 pêcheurs, 21 conserveries, 2 chantiers de construction de bateaux et 130 barques catalanes équipées pour la pêche à l'anchois. De belles barques, fines et colorées, aux voilures latines (triangulaires). Derain disait : "Collioure sans voiles, c'est un soir sans étoiles."... aujourd'hui, il ne reste plus que deux ou trois barques, qui restent à quai, voiles en berne, pour une bien triste retraite. Désormais, l'anchois se pêche à Port-Vendres, et la seule activité de Collioure, c'est le tourisme.

Collioure, mode d'emploi

accès

EN VOITURE À 22km au sud-est de Perpignan, par la N114 puis par la corniche.

EN TRAIN Lignes Perpignan-Collioure (env. 25min en TER) et Paris (gare de Lyon)-Collioure (5h40) en TGV jusqu'à Montpellier ou Perpignan puis en TER. En train de nuit "Corail Lunea" : Paris (gare d'Austerlitz)-Port Bou *via* Collioure. ***SNCF*** *Tél. 3635 www.voyages-sncf.com*

EN CAR Étape sur la ligne Cerbère-Perpignan. ***Gare routière*** *Perpignan Tél. 04 68 35 29 02*

orientation

En arrivant d'Argelès, prendre à l'entrée de Collioure la direction "Route des crêtes" ou "Espace économique" pour accéder au parking gratuit – navettes vers le centre toutes les 15min (en juillet et août). Ensuite l'avenue du Gal-de-Gaulle (1re entrée du parking payant du centre, près de la poste) débouche sur la plage d'Avall (2e entrée du parking du centre). Le village s'organise autour de ses deux plages principales que séparent le château royal et la rivière du Douy. La plage d'Avall borde le quartier du XVIIe siècle appelé le Faubourg, peu animé en dehors du bord de mer. Les quais de la plage Boramar sont bordés de terrasses et de remparts qui protègent le quartier médiéval. C'est ici, dans ce quartier piéton entre l'église Notre-Dame-des-Anges et l'avenue Miradoux, que vous trouverez l'essentiel des commerces et des galeries.

train touristique

Petit train touristique. Il assure une liaison buissonnière entre Collioure et Port-Vendres par le fort Saint-Elme (panorama). Départ toutes les heures de Collioure, parking de la Poste. *Tél. 04 68 98 02 06 ou 06 15 15 66 04 www.petit-train-touristique.com Circule tlj. avr.-nov. Billet 6€, gratuit pour les moins de 4 ans*

informations touristiques

Office de tourisme. *Place du 18-Juin Tél. 04 68 82 15 47 www.collioure.com Ouvert juil.-août : lun.-sam. 9h-20h, dim. 10h-18h ; juin et sept. : lun.-sam. 9h-12h et 14h-19h ; hors saison : mar.-sam. 9h-12h et 14h-18h*

location de deux-roues

Xtrem bike. 18€/j. un VTT et 55€/j. un scooter 49,9cc. *5, rue de la Tour-d'Auvergne (plage d'Avall) Tél. 06 23 01 93 01 Ouvert saison : tlj. ; hors saison : sur rdv*

marchés, fêtes et manifestations

Marchés. Mercredi et dimanche matin, place du Maréchal-Leclerc.
Pendant la saison, les animations sont quotidiennes, demandez à l'office de tourisme les dates des "sardinades" (repas collectif de sardines grillées sur sarments)
Procession de la sanch. Le Vendredi saint. La tradition est la même qu'à Perpignan, mais ici le défilé se fait en nocturne (cf. Perpignan, Mode d'emploi).
Fête de la Saint-Vincent. Du 14 au 18 août. Jeux nautiques, bals, animations de rue, feu d'artifice, et le 16, des corridas dans les arènes.

Découvrir Collioure

☆ **À ne pas manquer** Le château royal et l'église Notre-Dame-des-Anges à Collioure, la route des crêtes de Collioure à Banyuls **Et si vous avez le temps...** Suivez le chemin du fauvisme dans la vieille ville, observez le travail des anchoïeuses à la Conserverie Roque à Collioure, assistez au retour des bateaux de pêche, quai de la Quarantaine à Port-Vendres

Vieille ville Partez des quais de la promenade Boramar. Rue Saint-Vincent, installée sur son porche, la Vierge romane des quatre chemins veille sur le quartier médiéval. Venelles et escaliers grimpent jusqu'à la rue Bellevue, qui clôt la ville de ses remparts. Au hasard des rues, vous remarquerez la maison typique de Collioure, maison de pêcheur ou de vigneron : étroite, haute de deux étages, avec, en bas, une cave débarras, en haut les pièces habitables. Certaines ont gardé leur façade en schiste, d'autres affichent des crépis orange, jaunes ou fushia. Jadis, les pêcheurs peignaient leurs barques de couleurs vives, puis avec ce qui restait au fond des pots (allongé d'un peu de chaux), ils protégeaient volets et façades. En haut de la vieille ville se tient le quartier Mouré et ses habitations colorées et fleuries, ses ruelles couvertes de treilles et ses anciens casernements transformés en résidences secondaires.

Espace Fauve Cette association organise des visites guidées thématiques dont le "chemin du fauvisme", circuit de 1h30 dans la vieille ville, ponctué par une vingtaine de reproductions placées là où les originaux ont été peints par Matisse ou Derain. Cette visite (6€) vous immerge aussi dans le Collioure du début du xxe siècle qui inspira les peintres fauves (cf. GEOPanorama, Peinture). *Quai de l'Amirauté Tél. 04 68 98 07 16 Ouvert juin-sept. : tlj. 9h30-12h30 et 15h-19h ; hors saison : 10h-12h et 15h-18h sauf lun., sam. et dim. matin*

☆ **Château royal** Résidence des rois de Majorque au XIVe siècle, il fut fortifié par étapes du XIVe au XVIIe siècle. La création de la grande citadelle, sous Louis XIV, entraîne la destruction des quartiers qui jouxtent la forteresse. Très vite, les villageois reconstruisent le long de la plage d'Avall. Bel exemple d'architecture militaire (chemin de ronde, barbacane, etc), mais il n'y a pas grand-chose à voir dans ces grandes salles vides, hormis des expositions temporaires. *Tél. 04 68 82 06 43 Ouvert tlj. juil.-août : 10h-19h ; juin et sept. : 10h-18h, hors saison : 9h-17h Entrée 4€*

☆ **Église Notre-Dame-des-Anges** Ses fondations plongent dans la Méditerranée. Le clocher est l'ancien phare du port, autour duquel Vauban décide la construction d'une église en 1672 en remplacement de l'église Sainte-Marie, détruite au cours des travaux de la citadelle. Elle vaut surtout par sa décoration intérieure : pas moins de neuf retables, dont celui du maître-autel sculpté sur bois et recouvert de feuilles d'or. Le baroque espagnol dans toute sa splendeur.

Musée d'Art moderne-Fonds Peské Pour le plaisir de longer le superbe mur en pierres de l'impasse du musée, puis de s'attarder dans les jardins Pams, frais en été. Un musée d'Art moderne qui reçoit des artistes en résidence pour enrichir un fonds où l'on retrouve des œuvres de Cocteau ou d'Henri Martin. *Route de Port-Vendres (au bout de la plage d'Avall) Tél. 04 68 82 10 19 Ouvert juin.-août : 10h-12h et 14h-18h ; oct.-mai : mer.-lun. 10h-12h et 14h-18h Fermé 1er jan., 1er mai, 1er nov. et 25 déc. Entrée 2€*

Fort Saint-Elme Ce château défensif, en forme d'étoile à six pointes, qui domine Collioure et Port-Vendres, fut érigé au XVIe siècle par l'empereur espagnol Charles Quint. De construction antérieure, la tour, au centre, était utilisée comme signal et position de défense. Le fort, restauré, devrait ouvrir à la visite en juin 2007. Une partie de ses jardins seront alors accessibles, ainsi que l'intérieur du bâtiment, la salle d'armes et le pas de tir qui domine les environs. Accès à pied en 1h par un sentier qui part du parc Pams, par le petit train touristique, ou en voiture par Port-Vendres. *Visite guidé 5€ Rens. Tél. 06 64 61 82 42 www.fortsaintelme.fr*

En savoir plus sur la relève artistique

Atelier 18. Si les peintres sont toujours nombreux à Collioure, tous n'ont pas le talent de leurs ancêtres et peu de galeries ont de réelles exigences (autres que commerciales). Atelier 18 fait exception, représentant des peintres, des sculpteurs, des graveurs, des *designers* de mobilier… qui savent étonner ou émouvoir. *18, rue Pasteur Tél. 04 68 98 06 34 atelier.18@club-internet.fr Ouvert tte l'année*

Aller à la plage

En pleine saison, on retiendra de toutes les miniplages de Collioure celle de Saint-Vincent, tout au bout du Boromar pour sa belle vue et un peu de paix.

Où faire une pause déjeuner ?

Chez Simone. Un snack jaune citron, tout jeune, comme ses propriétaires. Petite terrasse sur le Boromar, au pied de l'église, pour déjeuner d'une omelette aux frites ou au riz, d'une belle assiette de falafels ou de kebabs (8€). Des galettes au fromage ou au saumon (6,50-7,50€), et des glaces pour finir. Ouvert aussi pour le petit déj. avec une formule "bonjour express" à 2€. *Bd Boromar Tél. 04 68 82 12 56*

Où acheter anchois et vins de méditation ?

Conserveries Roque et Desclaux. Ces deux établissements proposent les mêmes articles à des prix similaires. Anchois salés, à l'huile, et toute une gamme de produits dérivés de l'anchois et de l'olive. Vous pourrez assister à une démonstration de la préparation de l'anchois. Chez Roque, on voit les ouvrières au travail aux heures d'ouverture de l'atelier (pas le week-end, évidemment, mais la boutique reste ouverte). Ah ! la dextérité des anchoïeuses ! ***Desclaux*** *3, route nationale et carrefour du Christ Tél. 04 68 82 05 25* ***Roque*** *Route nationale, à l'entrée de Collioure en direction d'Argelès Tél. 04 68 82 22 30*

Domaine de la Tour vieille. Ce vignoble traditionnel (12ha de coteaux abrupts) se travaille toujours à la main. Vous pourrez y déguster des collioures rouges et "rosés des roches", mais aussi des vins plus précieux, le cap creus, un rancio sec issu de la tradition catalane, ou le vin de méditation, un vin doux hors d'âge (plus de 40 ans) vinifié selon la méthode andalouse en "solera", où les vieux vins éduquent les plus jeunes. On vous expliquera tout à la boutique de la Tour vieille. *12, route de Madeloc Tél. 04 68 82 44 82 Ouvert tte l'année lun.-ven. 14h-17h*

Où boire un verre le soir ?

Le Piano-Piano. Une cave derrière un porche en pierre de taille. Tout Collioure s'y retrouve, saisonniers et touristes. Ambiance chaleureuse propice à d'aimables délires. Un grand choix de bières. *18, rue Rière Ouvert tlj. 19h-2h*

Le Petit Café. Déco à la Mucha avec des guéridons lumineux contenant des boules en verre de Murano joliment kitsch. Cocktails 8€. *2, rue de la Prud'hommie Ouvert fév.-Toussaint et vac. scol. 20h-2h*

Découvrir les environs

☆ ☺ **Route des crêtes de Collioure à Banyuls** À l'entrée de Collioure en venant d'Argelès-sur-Mer, prenez la "Route des crêtes" (12km). Étroite, parfois vertigineuse, la D86 offre des panoramas éblouissants sur le Roussillon et la Côte Vermeille. Elle monte en lacets parmi les vignes et les figuiers avant de pénétrer dans une forêt de chênes-lièges. On passe devant l'ermitage de la Consolation (sources, buvette), puis au col de Serre et l'on s'arrête au balcon du Madeloc (belvédère sur la Méditerranée et table d'orientation). De là, on grimpe en 15min à pied jusqu'à la tour du Madeloc (653m). La descente vers Banyuls, parmi les vignes et les amandiers – *via* Notre-Dame-de-la-Sallette, une chapelle du XIXe siècle – est aussi particulièrement impressionnante.

Port-Vendres À 2,5km de Collioure par la corniche. Pendant que Collioure, vieille coquette, s'admire dans le miroir de ses eaux turquoise, Port-Vendres travaille. On est loin ici du farniente et de la frime balnéaire. Pour vous accueillir, des bateaux en convalescence près de l'atelier d'un charpentier de marine, la vedette grise des douanes, la casemate des sauveteurs en mer, et des montagnes de filets pourpres qui fleurent bon l'anchois. Les chalutiers arrivent entre 15h et 16h pour la criée et débarquent le poisson quai de la Quarantaine (env. 4 000t/an). En face, à la gare maritime, on s'active pour recevoir les bateaux de croisière qui font escale ici pour la nuit. Quai Forgas, il y a Pujol, un pêcheur-écailler gentiment gouailleur, des bistrots bon marché, des marchands de cartes postales et de bouées. Port-Vendres vous fait vivre des ambiances authentiques très revigorantes ! ***Office de tourisme*** *1, quai François-Joly 66660* ***Port-Vendres*** *Tél. 04 68 82 07 54*

Aller à la plage

Cap Bear Au port de commerce de Port-Vendres, prenez la route cabossée qui mène en 3km au phare du cap Bear, au pied duquel on peut pique-niquer ou se baigner (roches plates). Au retour, la route offre de belles vues sur les Albères et le fort Saint-Elme.

☺ **Anse de Paulilles** À 2km de Port-Vendres par la N114, le hameau de Cosprons et sa chapelle surplombent la baie de Paulilles au fond de laquelle, entre vignes et pinèdes, se cache une plage encore sauvage. Un lieu de baignade très couru à fréquenter tôt le matin, ou tard le soir. De la plage de Paulilles, un sentier littoral rejoint le cap Bear en 45min.

S'initier à l'escalade et au canyoning

Tendances du Sud. Des moniteurs brevetés proposent des initiations à l'escalade à Collioure (25€ la demi-journée), mais aussi dans le Fenouillède. Également spécialistes du canyoning pour débutants et sportifs confirmés (32-65€ la demi-journée selon le canyon). *Tél. 04 68 55 06 23 ou 06 81 62 87 41 www.tendancesdusud.com*

Manger à Collioure

N'oubliez pas de consulter la rubrique Où faire une pause déjeuner ?, où vous retrouverez des adresses de restauration à très petits prix.

petits prix

Le Zouave. Dans une ruelle un peu délaissée. Resto-galerie avec patio et de jolies toiles d'inspiration BD accrochées sur des murs de schiste. Tapas de 3,50 à 6,50€, salades à partir de 8,50€ (dont la Collioure, que d'autres appelleraient "niçoise"), plats à partir de 9,50€. Plutôt jeune, plutôt gai et plutôt bon. *14, rue du Dr-Costes Tél. 04 68 82 00 71 Fermé hors saison : mar.-mer. ; jan. : lun.-mer. ; mi-nov.-mi-déc.*

prix moyens

L'Amphitryon. L'une des belles terrasses de Collioure, récemment reprise par un couple de restaurateurs consciencieux. Un honorable menu à 17€ avec sardines grillées. Pour un repas léger, une assiette de fruits de mer à 20€ ou un méli-mélo de lotte et de Saint-Jacques à 20€. Plusieurs menus à 19, 28 et 42€. *Plage du Boutigué Tél. 04 68 82 36 00 Ouvert mars-début nov. Fermé mer. sauf en saison*

prix très élevés

Le Neptune. Plusieurs terrasses étagées dans la verdure, au pied d'une vieille demeure, face à la baie. On vient pour le cadre et pour une gastronomie subtile d'un bout à l'autre du repas, du filet de sole farci à la chair de crabe jusqu'aux abricots rôtis avec nougat. Formule à 30€ le midi, menus à 49, 66 et env. 80€. À la carte, comptez 55€. *Plage du Boutigué Tél. 04 68 82 02 27 Ouvert tte l'année Fermé en saison : lun. ; hors saison : mar.-mer.*

Manger dans les environs

prix élevés

☺ **Ferme-auberge du Clos des Paulilles.** Il était une fois, près de la plage, une ferme abandonnée. En 1995, la bonne fée Estelle Dauré à qui l'on doit déjà l'une des meilleures adresses du département, le grill du Château de Jau (cf. Perpignan, Manger dans les environs), décide d'en faire une ferme-auberge ou plutôt une oasis de calme et de volupté. On y dîne derrière de hauts murs de pierres sèches dans lesquels sont aménagées des ouvertures où se dessinent, comme dans un cadre, les vignes, les pins et la plage judicieusement éclairés. Menu unique à 39€, avec dégustation des vins du domaine : foie gras maison aux épices, gaspacho, tajine de poulet aux pruneaux, tomme de brebis et gelée de vin, dessert au chocolat. Vins de la propriété servis à satiété. Un moment de grâce. ***Anse de Paulilles** (à 4km de Collioure) Tél. 04 68 98 07 58 Ouvert mi-mai-début oct. : le soir et dim. midi Réservez de préférence*

La Côte Vermeille. À l'emplacement de l'ancienne criée, et toujours en "osmose" avec l'actuel marché, ce restaurateur aime travailler le poisson, de l'anchois au turbot, mais aussi la langouste et le homard (sans négliger les viandes). Menus de 25 à 55€, env. 45€ à la carte. *Quai du Fanal 66660 **Port-Vendres** (à 2,5km de Collioure) Tél. 04 68 82 05 71 Fermé en saison : lun.-mar. midi ; hors saison : dim.-lun.*

prix très élevés

☺ **Le Poisson rouge.** Vous voilà enfin arrivés au paradis : une crique aux roches rouges et sa plage de poche, face au soleil couchant et au débouché du port de pêche. Là, une élégante guinguette dont la terrasse baigne dans les vagues. Commencez par un punch à la cannelle, et laissez-vous tenter par la salade folle (avec jambon et copeaux de fromages), ou par les anchois marinés. Un bon choix de poissons, moins de viande mais d'excellente qualité, le tout cuisiné dans le respect des saveurs. Si le vent se lève, une salle avec de grandes baies vous accueille. Comptez env. 50€ à la carte. *Route de la jetée 66660 **Port-Vendres** (Du port de commerce de Port-Vendres, direction "aire de camping-cars"au rond-point ; 200m après, prendre la route du Mole ; c'est sur la plage après le 2nd tunnel) Tél. 04 68 98 03 12 Fermé avr.-juin et sept.-oct. : mar.-mer.*

Dormir à Collioure

Les hôtels de la catégorie "prix moyens" offrent un rapport qualité-prix moins intéressant que ceux de l'arrière-pays (conséquence de l'implacable loi de l'offre et de la demande). Il en est de même pour les restaurants. Mais certains établissements ambitieux, plus chers, valent le coup.

campings

☺ **Camping des Amandiers.** Camping en terrasses, sous les arbres, avec accès direct à la plage (150m). Abrité du vent mais on peut être gêné par le bruit – la voie ferrée est proche. Emplacement 22€. *Lieu-dit l'Ouille (à 1km de Collioure) Tél. 04 68 81 14 69 Ouvert avr.-sept.*

Camping de la Girelle. Terrain ombragé situé directement sur la plage de l'Ouille. Emplacement de 19 à 23€ selon saison. *Plage de l'Ouille Tél. 04 68 81 25 56 mannevy@wanadoo.fr Ouvert avr.-sept.*

prix moyens

Le Triton. L'hôtel est près de la route (certes, il est insonorisé, mais...) et certaines chambres (les moins chères, à env. 40€) donnent sur l'arrière, surplombant les cuisines d'un restaurant (bruit et odeurs garantis). Évidemment, celles qui ouvrent sur la mer ont la plus belle vue qui soit (70€). Toutes les chambres sont climatisées. Accueil et petit déjeuner rudimentaires. *1, rue Jean-Bart Tél. 04 68 98 39 39 www.hotel-triton-collioure.com Ouvert tte l'année*

Boromar. Cet hôtel discret dispose de la même vue que le Triton mais il est en retrait de la route, sur un quai piétonnier, et l'accueil est courtois. Pour le petit déjeuner, une terrasse avenante. Chambres à 55, 65 et 70€ (selon la vue et la taille). *Plage du Boutigué Tél. 04 68 82 07 06 Ouvert avr.-début nov.*

Les Templiers. Dufy, Picasso et les autres venaient là se régaler de poissons, réglant l'addition à coups de fusain. Certains de leurs tableaux sont encore aux murs, et c'est toujours la même famille, les Pous, qui gère cette hôtellerie en parvenant à lui garder son âme. Chambres de 50 à 80€ ; celles de l'annexe, moins chères (de 45 à 55€), sont sans intérêt. Les Templiers, c'est aussi un bon restaurant où l'on sert un menu (22€) sur des nappes catalanes multicolores ; nous vous recommandons le saint-pierre à la façon de Pauline, il est fameux. Si vous n'y séjournez pas, arrêtez-vous au moins au bistrot : le bar a la forme d'une barque catalane et les murs sont couverts de tableaux. *Av. Camille-Pelletan Tél 04 68 98 31 10 Fermé jan.*

prix élevés

L'Arapède. Si la nationale semble proche, elle est vite oubliée. Surplombant la mer, on se croirait en croisière et la rumeur automobile reste à la porte de cet établissement élégant qui dégringole vers les flots. La piscine est somptueuse. Chambres tout confort avec terrasse de 63 à 108€, sans terrasse de 53 à 78€. L'Arapède se double d'un restaurant légitimement réputé, la Farigole. Menus à 18€ (sauf week-end et j. fér.), 25, 35 et 48€. Cuisine inventive, une bonne adresse pour goûter l'anchois. *Route de Port-Vendres Tél. 04 68 98 09 59 Ouvert fév.-nov. et j. fér.*

prix très élevés

☺ **Casa Païral.** Ça et là, des chaises longues, des jarres fleuries sont disposées dans le vaste jardin de cette ancienne demeure aux airs andalous. Un lieu hors du temps. Il ne s'agit pas ici de "voir" Collioure, mais de se retirer le soir venu ou pour une sieste, dans le silence et le luxe, ou de siroter un banyuls près de la piscine cachée sous les pins et les palmiers. Chambres de grand standing entre 85 et 188€, petit déj. 10€. Parking privé (12€). *Impasse des Palmiers Tél. 04 68 82 05 81 www.hotel-casa-pairal.com Ouvert Pâques-Toussaint : tlj.*

Dormir dans les environs

très petits prix

Gîte d'étape du Swan. Au cœur du village, le rdv des plongeurs et des randonneurs amateurs d'ambiances conviviales. Le soir, on se retrouve dans le jardin pour se faire des grillades sur la cheminée de plein air. Dortoir 11,50€/pers., chambre collective 13,50€/pers., double 15,50€/pers. Cuisine à disposition. *9, rue du 4-Septembre 66660* ***Port-Vendres*** *(à 2,5km de Collioure) Tél. 04 68 82 25 75 Ouvert mars-déc.*

petits prix

Hôtel-restaurant Les Paquebots. Dans une rue calme de Port-Vendres, un hôtel modeste tenu par une jeune femme radieuse. Salle de bar-restaurant accueillante, et toute une gamme de chambres, parfois vétustes, de 28€ (sanitaires sur le palier) à 46€ (avec sdb et TV). Plusieurs formules de demi-pension (ici, en effet, tout est possible !). Garage. *14, rue Jules-Ferry 66660* ***Port-Vendres*** *(à 2,5km de Collioure) Tél. 04 68 82 01 35 www.hotel-restaurant-les-paquebots-66.com Ouvert tte l'année*

prix moyens

☺ **L'Ermitage Notre-Dame-de-Consolation.** Magnifiquement conservées, les galeries à arcades de cet ancien ermitage ouvrent sur des terrasses propices aux fêtes religieuses (et profanes). Car s'il est toujours consacré, ce lieu n'est pas compassé, mais plutôt populaire. Sous les tilleuls, les résidents organisent de joyeuses soirées barbecue. Chambres monacales, fraîches, de 40€ (sanitaires sur le palier) à 45€ (avec douche et WC). Chambres de 3 et 4 pers. à 50 et 65€. La sérénité de cette oasis est parfois troublée par les chants d'une basse-cour bien fournie. *À 5km de Collioure (sur la N114 sortie 14) Tél. 04 68 82 17 66 Ouvert avr.-2 jan.*

prix élevés

Domaine Valcros. Dans un domaine viticole. Vue sur la Méditerranée, les vignes et les caves, remarquablement restaurées (l'architecte des Bâtiments de France ne plaisante pas à Paulilles). Un seul regret, la nationale est proche. Par un sentier privé, vous êtes à la plage en 2min (et à deux pas de la ferme-auberge). Des chambres vastes, claires, climatisées, sobrement et joliment décorées d'env. 70€ (hors saison) à 84€ (haute saison), petit déj. inclus. ***Anse de Paulilles*** *(à 4km de Collioure) Tél. 04 68 82 04 27 www.domainedevalcros.com Ouvert tte l'année*

☺ Banyuls-sur-Mer

66650

On trouve toujours beaucoup de vignerons à Banyuls, mais vraiment moins de pêcheurs et de contrebandiers (tant pis pour le folklore). Hésitant entre l'ocre et le blanc, cette cité balnéaire épouse parfaitement les contours de sa crique en demi-lune. Le port de pêche accueille désormais des plaisanciers bienheureux de trouver un lieu où la tramontane ne souffle pas (ou très peu). Venant buter sur un escalier monumental, la rue piétonne du centre propose un vrai choix de commerces et pas seulement des boutiques de souvenirs et, en été, des terrasses vivantes occupent la promenade du bord de plage. Banyuls est aussi la capitale du vin doux et la ville du sculpteur Maillol.

LES VIGNOBLES DE LA CÔTE VERMEILLE Entre Collioure et Cerbère, couvrant les pentes abruptes de la Côte Vermeille, un vignoble défie les lois du bon sens et sculpte véritablement la montagne. Arrimé à ses murettes de pierres sèches, grandi sur des terres squelettiques, il s'étage en terrasses jusqu'à la mer. Ce vignoble est quadrillé de chenaux pour l'évacuation des eaux et ponctué d'*orri*, abris de pierres. C'est là, sous le soleil et la tramontane, que mûrissent les vins rouges ou rosés de Collioure et les vins doux de Banyuls.

Banyuls-sur-Mer, mode d'emploi

accès

EN VOITURE À 37km de Perpignan et à 8km au sud de Collioure par la N114.

EN TRAIN Lignes Perpignan-Collioure (env. 25min) et Banyuls-Collioure (env. 15min). ***SNCF*** *Tél. 3635 www.voyages-sncf.com*

EN CAR Sur la ligne Perpignan-Cerbère. ***Gare routière*** *Tél. 04 68 35 29 02*

orientation

La Baillaury coupe la ville en deux. Rive gauche : la plage, le quartier commerçant de la rue Saint-Pierre et le vieux quartier d'Oune. Rive droite : la place de la Méditerranée et le port. Prenant appui sur un impressionnant ouvrage d'art à l'entrée de la ville, la N114 traverse la ville entre front de mer et plage. Sept parkings, dont celui de la gare, peu fréquenté et pourtant près du centre.

informations touristiques

Office de tourisme. Bel accueil et documentation importante sur le département. Les marcheurs y trouveront tous les topo-guides nécessaires à la découverte des environs. *Av. de la République Tél. 04 68 88 31 58 www.banyuls-sur-mer.com Ouvert mi-juin-mi-sept. : tlj. 8h30-20h ; mi-sept.-oct. et 2 mai-15 juin : lun.-sam. 9h-12h et 14h-19h ; nov.-avr. : lun.-sam. 9h-12h et 14h30-18h*

marchés

Jeudi et dimanche matin, place du marché, toute l'année. En juillet et août, marché nocturne d'artisanat, tous les soirs et marché de produits régionaux tous les vendredis de 8h30 à 17h, sur le front de mer.

fêtes et manifestations

En janvier, fête de l'Orange. En juillet, fête catalane et fête du vieux Banyuls. En août, festival de sardanes et Festa major. Fête des vendanges en octobre.

Découvrir Banyuls-sur-Mer

☆ **À ne pas manquer** Le musée Maillol et les caves de Banyuls **Et si vous avez le temps...** Suivez le sentier sous-marin de la réserve marine de Cerbère-Banyuls, découvrez les arômes exceptionnels du banyuls du Cazot des Maillols, faites un dîner catalan Chez Co à Cerbère

Vieux Banyuls Rendez-vous au cap d'Oune, l'ancien quartier pêcheur et vigneron aux maisons bariolées, un site souvent ignoré par les touristes. Beaucoup de fleurs, d'aloès et... d'escaliers. Des ambiances authentiquement villageoises. Grimpez la rue Voltaire au départ de la place Bassères. Sur cette place, au n°4, la boutique d'une "cactocultrice", Barbarine, qui, avec cactus et figues de barbarie, fait des confiseries et des confitures. Inédit !

Aquarium de l'Observatoire L'un des plus grands centres français des sciences de la mer ouvre son aquarium au public. Les 250 espèces locales sont réparties en 40 aquariums. Une collection d'oiseaux empaillés de l'étang de Canet, dont certains en voie de disparition. *Av. du Fontaulé Tél. 04 68 88 73 39 Ouvert 9h-12h et 14h-18h30 (13h et 21h en juil.-août) Adulte 4,40€ Enfant 6-12 ans 2,20€*

☆ **Musée Maillol** Le sculpteur amoureux des femmes rondes (1861-1944) est né à Banyuls et est enterré dans cette métairie, où il s'était retiré à la fin de sa carrière. Au travers de photographies, de lithographies et d'objets personnels, on entre dans l'intimité de l'artiste. Et, à voir sa cuisine, on devine un homme sensuel. Attardez-vous au jardin où, sur la tombe de Maillol, repose une muse pensive, la belle "Méditerranée", copie de la Vénus de l'hôtel de ville de Perpignan. Quelques œuvres de Maillol, peu, mais de qualité. *À 4km de Banyuls (suivre le fléchage) Tél. 04 68 88 57 11 Ouvert oct.-avr. : tlj. 10h-12h et 14h-17h, mai-sept. : tlj. 10h-12h et 16h-19h Entrée 3,50€ TR 2,50€*

Explorer une réserve marine

Réserve marine de Cerbère-Banyuls-sur-Mer Entre Banyuls et Cerbère s'étend, sur 650ha, la 1re réserve marine de France (créée en 1974), qui se partage en deux zones : une zone de protection intégrale au niveau du cap Rédéris (65ha), interdite à la pêche et à la plongée, et une autre, moins sévèrement réglementée, dont on peut découvrir la faune. La chasse sous-marine est bien entendue interdite. Depuis 2004, afin de protéger les fonds marins, une zone de mouillage est prévue, au niveau du cap l'Abeille, où les bateaux peuvent s'amarrer sans jeter l'ancre. *5, rue Roger-David Tél. 04 68 88 09 11 www.cg66.fr* ***Point info*** *Port de plaisance de Banyuls-sur-Mer (juil.-août) Tél. 04 68 88 56 87 et accueil du sentier sous-marin plage de Peyrefitte*

Plonger en mer

Sentier sous-marin Près du rivage, sur une longueur de 500m aller-retour, ce parcours créé en l'an 2000 est ponctué par cinq stations d'observation représentatives des écosystèmes de la réserve. Il suffit de savoir nager (les fonds ne font pas plus de 5m), de louer sur place un masque et un tuba spécialement équipés pour diffuser des commentaires sous l'eau. L'accès est gratuit et le site est surveillé par des maîtres nageurs. *Plage de Peyrefitte (3km au nord de Cerbère) Renseignements Tél. 04 68 54 91 85 Ouvert juil.-août : tlj. 12h-18h*

Clubs de plongée D'Argelès à Cerbère, les clubs sont nombreux. Sachez aussi que les clubs indiqués ci-dessous proposent d'autres sites de plongée que la réserve marine.

CIP. *66190 Collioure Tél. 04 68 82 07 16*

Les copains d'abord. *66660* ***Port-Vendres*** *Tél. 04 68 82 46 57 www.plongee-portvendres.com*

Plongée cap Cerbère. *66290* ***Cerbère*** *Tél. 04 68 88 41 00 www.capcerbere.com*

Prosubmer. *66700* ***Port-Argelès*** *Tél. 04 68 81 63 84 www.prosubmer.com*

Voguer en kayak de mer

Aléoutes Aventures. Initiation, location et balades encadrées. *Port de plaisance, entre les quais C et D Tél. 04 68 88 34 25 ou 06 08 27 93 27* www.kayakmer.net

☆ Où déguster du banyuls ?

Le banyuls est un apéritif ou un vin de dessert obtenu par adjonction d'eau de vie dans le vin déjà fermenté. Le vignoble de Banyuls (4 200ha) déborde sur les communes de Collioure, Cerbère et Port-Vendres.

☺ **Cazot des Maillols.** Émigrés des Corbières voisines, Alain Castex et Ghislaine Magnier sculptent, la pioche à la main, les terrasses escarpées de Banyuls – à la merci de la pente et des vents, au plus près du soleil et de ses rayons brûlants… Petits rendements et soins méticuleux tout au long de l'année donnent un vin exceptionnel, d'une qualité rare et aux arômes envoûtants, déroutants – autour de 12€ la bouteille pour les premières cuvées. *17, av. Puig-del-Mas Tél. 04 68 88 59 37 ou 04 68 88 52 52 (téléphonez pour les périodes d'ouverture)*

Cellier des Templiers. Visite guidée gratuite et dégustation. *Route du mas Reig (à 2km du centre de Banyuls par l'avenue du général-de-Gaulle) Tél. 04 68 98 36 92 www.banyuls.com Ouvert tlj. : avr.-oct. 10h15-19h30 ; nov.-mars 10h30-13h et 14h30-18h30*

L'Étoile. Fondée en 1921, cette coopérative, la plus ancienne du cru de Banyuls, s'est spécialisée dans l'élevage des vieux banyuls, des vins doux paillés qui vieillissent au soleil, en terrasses, dans des dames-jeannes. Visite (rapide) de la cave et dégustation. *26, av. du Puig-del-Mas Tél. 04 68 88 00 10 Ouvert tlj.*

Découvrir Cerbère

À 10km au sud de Banyuls, c'est l'ancien port frontalier. Abandonné, le poste de douane a pour seule vocation aujourd'hui celle de supporter quelques graffitis du style "Sem Catalans" (qui en doute ?). Engoncé dans une crique étroite, Cerbère est un village assoupi ; la banque s'efforce d'ouvrir quelques heures par semaine en été, beaucoup de boutiques ferment, mais un peu de vie demeure autour du Café de la plage, du centre de plongée, du petit port de plaisance et de la gare internationale (jonction avec l'Espagne). L'endroit a incontestablement du charme, mais c'est une séduction un peu mélancolique. ***Office de tourisme** 66290 **Cerbère** Tél. 04 68 88 42 36*

Manger à Banyuls-sur-Mer

petits prix

☺ **La Paillote.** Dans une rue piétonne, au pied d'un escalier gigantesque qui débouche sur le ciel, ce salon de thé-restaurant est tenu par une globe-trotteuse sédentarisée à Banyuls. Ambiance néo-hippie rafraîchissante : toute l'Europe bohème est venue ici gratter la guitare ou utiliser le point web. Voyage culinaire (spécialités du monde entier autour de 8,50€) et musical (on choisit sa musique à la carte parmi 400 références). *14, rue Saint-Pierre Tél. 04 68 88 30 30 www.lapaillotte.com Ouvert juil.-août : tlj. ; hors saison : jeu.-sam. Fermé vac. scol. Noël*

prix moyens

Al Fanal. Près du port, Al Fanal cuisine le veau ou le poisson avec imagination et apporte un soin tout particulier à la présentation des plats. Les langoustines de la baie de Rosas à la plancha et à la fleur de sel sont une réussite. Menu "balade en Côte Vermeille" à 25€, et, à midi, une formule brasserie à 19€. Vous pouvez également y dormir, dans des chambres de 54 à 68€ selon le confort (moins 10% hors saison). *18, av. du Fontaulé Tél. 04 68 88 00 81 Fermeture annuelle variable, se rens.*

prix élevés

La Littorine. Le restaurant de l'hôtel Les Elmes est classé parmi les meilleures tables de France. Cuisine toute en finesse d'un chef qui use des épices sans en abuser et inventa pour le poisson la cuisson *al dente*. Cassolette de saint-pierre et homard, tournedos de thon au foie gras... Tout est savoureux jusqu'au dessert, par exemple un chaud-froid de griottes. La cave renferme des trésors. Repas mer/montagne à 28€, ou menu terroir à 39€. À la carte, comptez environ 45€ (et plus si affinités). *Plage des Elmes Tél. 04 68 88 03 12 Ouvert midi et soir Fermé oct.-mai : lun.-mar. ; mi-nov.-mi-déc.*

Manger à Cerbère

Chez Co. Cet adorable restaurant de poche niché au cœur de Cerbère se partage entre une terrasse fleurie, sous pergola de bois, et une aimable salle à manger ornée de photos sépia d'un Cerbère du début du XXe siècle alors au fait de sa gloire. Mais trêve de nostalgie ; Chez Co est l'adresse la plus vivante, la plus attachante et la plus authentiquement catalane de Cerbère. Fille du cru, Corinne Cautrès concocte une cuisine radieuse, de ces cuisines familiales qui, dans leur simplicité bien troussée, atteignent une forme de perfection. Dans un menu complet à 13€ (entrée, plat, dessert), on déguste les classiques du coin mijotés avec rigueur et générosité – boles de picoulat, calamars farcis, fidéua, une sorte de paella catalane sur lit de pâtes fines – et les créations de Corinne comme cette moussako, adaptation personnelle et fort réussie d'un classique de la gastronomie grecque. Le plaisir des papilles, une bolée de bonne humeur, un accueil chaleureux, sans affectation ; l'adresse mérite que l'on fasse pour elle l'effort de parcourir quelques kilomètres. *3, rue Mitjaville Tél. 04 68 88 41 02 Ouvert juil.-août : tlj. Fermé hors saison : dim. soir et lun.*

Manger, dormir à Banyuls-sur-Mer

Le Catalan. Un hôtel-restaurant neuf à l'architecture anodine, mais on y est comme à la proue d'un navire : vue sur Banyuls, la mer et la montagne, un panorama à presque 360°. Sans être luxueux, l'hôtel est bien équipé : 2 piscines, salle de remise en forme, terrasses panoramiques et jardin. Chambres climatisées ou ventilées, avec sdb, loggia et TV, de 61 à 84€ (selon la saison). En juillet et août, demi-pension à env. 84€/pers. et pension complète à env. 102€/pers. Un restaurant de qualité, Le Miradou, propose une cuisine de terroir (menus de 24 à 39€). *Route de Cerbère, à la sortie de Banyuls Tél. 04 68 88 02 80 Ouvert mars-mi-nov. et fin déc.-début jan.*

Dormir à Banyuls-sur-Mer

camping

Camping La Pinède. À mi-distance du village et de la plage (environ 800m), ce camping municipal est au calme. Des arbres et un bon confort. De 10 à 12,50€ selon la saison. Bornes pour les camping-cars. *Route des crêtes, av. Guy-Malé Tél. 04 68 88 32 13 Ouvert avr.-nov.*

prix moyens

☺ **Hôtel Canal.** À 100m à peine de la plage ! Une façade qui flatte l'œil. Les chambres sont impeccables, les matelas toujours neufs – les randonneurs qui arrivent ici, épuisés après la traversée des Pyrénées par le GR©10, sont intraitables sur la qualité de la literie. Si vous avez le choix, préférez les chambres des derniers étages, qui offrent de belles vues, côté baie ou côté montagne. Un établissement fréquenté par des habitués qui sert aussi, pour ses pensionnaires uniquement, une cuisine familiale d'inspiration catalane. Chambres de 35 à 72€ selon le confort et le nombre de lits ; demi-pension de 37 à 65€/pers. Et ici, pas de tarifs haute et basse saisons, quel savoir-vivre ! *9, rue Dugommier Tél. 04 68 88 00 75 hotelcanal@aol.com Ouvert tte l'année*

prix élevés

☺ **Les Elmes.** La crique des Elmes est belle, dommage que ses rivages soient affublés d'affreux immeubles. Qu'importe, l'hôtel leur tourne le dos et n'a d'yeux que pour la Méditerranée. C'est un hôtel moderne aux chambres sobres (a/c, TV et balcon pour certaines). Dans cet établissement de standing, l'accueil est confondant de gentillesse. Il faut compter pour une chambre donnant sur le jardin de 46 à 61€ en basse saison et de 69 à 90€ en haute saison. Pour une chambre avec vue sur la mer, il vous en coûtera de 66 à 74€ en basse saison et de 100 à 110€ en haute saison. À noter l'excellent restaurant La Littorine (cf. Manger, prix élevé). *Plage des Elmes Tél. 04 68 88 03 12 Hôtel Ouvert tte l'année Restaurant fermé mi-nov.-mi-déc.*

Dormir à Cerbère

camping

Camping municipal de Cerbère. Dans un site sauvage, parfaitement calme. À deux pas de la plage, un lieu pour les vrais amateurs de camping, totalement dépourvu des aménagements – snacks et autres jeux en plastique – qui sont l'ordinaire de la plupart des terrains. Emplacement environ 10€. *Anse de Peyrefitte Tél. 04 68 88 41 17 Ouvert tte l'année*

prix moyens

Le Belvédère du Rayon vert. Conçu par un architecte mégalo à la fin des années 1920, cet hôtel fut d'abord une villégiature pour aristocrates en partance vers l'Espagne. Matériaux : aluminium, béton armé et marbre. Signes particuliers : une silhouette en forme de paquebot dominant la ville et, à l'intérieur, un cinéma, une salle de bal et une terrasse panoramique. La gloire du Belvédère fit long feu. Des travaux sont amorcés dans ce vaisseau fantôme, aujourd'hui classé monument historique, et quelques chambres, équipées en studios, sont ouvertes à la location. Pour les passionnés d'ambiances nostalgiques. Il faut compter de 280 à 500€ par semaine pour 4 pers. (60€ par jour hors saison) et de 310 à 600€ par semaine pour 6 pers. (75€ par jour hors saison). On peut également se contenter de visiter, une dame amoureuse du lieu et "gardienne du temple" s'en charge. *Avenue de la Côte-Vermeille Tél. 04 68 88 41 54 Ouvert tte l'année*

Dormir chez un producteur de Banyuls

Le Clos d'Embarselo. Des chambres comparables à des studettes qui, sur près de 25m² concentrent, outre la pièce à dormir, une cuisinette, une salle de bain et un wc privé. Le tout pour un tarif incroyablement doux de 38€. Ce qui motive ces viticulteurs, c'est le plaisir de vous faire découvrir des randonnées méconnues, des balades secrètes et, accessoirement leur vignoble où ils produisent artisanalement un précieux banyuls. Coup de foudre pour le millésime baptisé "autour du chocolat", le plus sensuel de tous, qui se déguste au soleil couchant en croquant un carré noir. *Rue de l'Église 66290* ***Cerbère*** *(à 10km au sud de Banyuls) Tél. 04 68 88 41 16 Ouvert mi-fév.-mi-oct.*

Céret

66400

Une ville taillée pour le bonheur : il suffit pour s'en convaincre d'arriver un jour de floraison des cerisiers, et de paresser en terrasse sous les grands ombrages des platanes séculaires (classés Monuments historiques !). L'eau dévale des montagnes, chante aux fontaines et court dans les ruelles. Jadis connue pour ses tanneries (quartier des tins) et ses forges, Céret se tourne au XIXe siècle vers l'arboriculture, plante oliviers et cerisiers qui font toujours partie du paysage. Puis les peintres sont venus, Picasso en tête, pour faire de Céret la "Mecque du cubisme" et l'un des trois "C" du Triangle d'or de la peinture. Les deux autres étant Collioure avec les Fauves et Cadaquès, tout proche, avec Dalí.

LE VALLESPIR Le Vallespir, qui s'organise autour de la vallée du Tech, fraîche, encaissée et plus arrosée que ses voisines, est abusivement baptisé "le pays de la pluie" (tout est relatif, parce qu'à Céret on compte près de 300 jours de soleil par an). Né au pic de Costabonne (2465m), le Tech dégringole jusqu'à Céret après une course de 35km *via* Prats-de-Mollo, Arles-sur-Tech et Amélie-les-Bains. En amont de Céret, le Vallespir se pare d'un charme pastoral et montagnard. Cantonnés au fond des vallées, les vergers abandonnent les pentes montagneuses aux forêts de chênes, de châtaigniers et de mélèzes, puis, en altitude, à de vastes hêtraies. Dispersé, l'habitat se compose de mas isolés ou de hameaux, les *veïnats*, aujourd'hui le plus souvent transformés en résidences secondaires.

Céret, mode d'emploi

accès

EN VOITURE À 28km de Perpignan par l'A9, puis la D115 à l'échangeur n°43, ou sans péage par la N9.

EN CAR Liaison Argelès-Céret et Perpignan-Amélie-les-Bains. ***Gare routière de Perpignan*** *Tél. 04 68 35 29 02*

orientation

Céret, installée sur la rive droite du Tech, est ceinturée d'une ronde de boulevards qui suivent le tracé des remparts. Les boulevards Joffre et Jaurès débouchent sur la place Picasso. C'est là que la ville est la plus animée. Ne vous aventurez pas dans la vieille ville en voiture ; au bout du boulevard Joffre et de la place de la République, vous trouverez le parking des Tins.

informations touristiques

Office de tourisme. Il organise des visites guidées thématiques de la ville et fournit un descriptif des randonnées dans la région. *1, av. Clemenceau Tél. 04 68 87 00 53 www.ot-ceret.fr Ouvert en saison : lun.-sam. 9h-12h30 et 14h-19h, dim. 10h-13h ; hors saison : lun.-ven. 9h-12h et 14h-17h, sam. 9h30-12h*

marchés

Le samedi matin, tout le Vallespir s'y retrouve, ne manquez pas cet "événement". En saison – dès fin avril, ici, l'été est précoce –, marchés de la cerise.
En été, marché nocturne le mardi à partir de 20h.

fêtes et manifestations

Fête de la cerise. Fin mai-début juin. Confection entre autres de clafoutis géants.
Ferias. Mi-juillet. Céret est connue pour ses corridas et ses lâchers de vachettes : 3 jours de liesse.
Festival de la sardane. Fin juillet. 5 jours de fête non-stop avec concours de sardanes, un événement à ne pas manquer ! *Rens. 04 68 87* 46 49

Découvrir Céret

☆ **À ne pas manquer** Le musée d'Art moderne de Céret, l'église Sainte-Marie d'Arles-sur-Tech **Et si vous avez le temps...** Participez au festival de la sardane en juillet à Céret, empruntez la route de Fontfrède pour son panorama sur le Roussillon, suivez l'incroyable promenade des gorges de la Fou

☆ ☺ **Musée d'Art moderne de Céret** Beaucoup de villes ont reçu des artistes, peu d'entre elles les honorent avec autant de passion que Céret. Un grand musée par la taille et la qualité. En 1910, à l'invitation du sculpteur catalan Hugué, connu sous le nom de Manolo, les peintres quittent Montmartre pour séjourner à Céret. Pablo Picasso, Georges Braque, Juan Gris, Max Jacob y inventeront le cubisme, un mouvement pictural qui révolutionne la peinture au XXe siècle. Créé en 1950 grâce aux dons (en œuvres) de Matisse, Chagall et Picasso (notamment ses coupelles tauromachiques), le musée n'a cessé de grandir et son fonds de s'enrichir d'œuvres contemporaines (ne ratez pas la vidéo qui raconte cette épopée).

L'aventure culturelle de Céret continue et chaque année, une grande exposition y est organisée. *8, bd Maréchal-Joffre Tél. 04 68 87 27 76 www.musee-ceret.com Ouvert juil.-15 sept. : tlj. 10h-19h ; hors saison : lun., mer.-dim. 10h-18h Entrée 5,50€ Expositions 8€*

Musée d'Archéologie Astucieusement mises en valeur, quelques belles pièces retracent l'histoire du Vallespir : des urnes funéraires, des poteries préhistoriques, des bijoux ou encore la reconstitution d'une nécropole. Le musée propose également des visites guidées de la ville lun.-ven. 10h30. *Place Picasso, tour d'Espagne Tél. 04 68 87 31 59 Ouvert juil.-août : tlj. 10h-13h et 14h-18h ; hors saison : lun.-ven. 10h-12h et 14h-17h Entrée 2,50€*

Vieille ville Vous y accéderez par la place Picasso (tour d'Espagne, vestige des remparts) ou par la porte fortifiée (dite de France). Attardez-vous place des Neufs-Jets, une placette à taille humaine avec une fontaine. N'oubliez pas l'église Saint-Pierre, elle renferme de superbes retables.

Pont du Diable Vous le voyez en entrant dans la ville en venant de Perpignan. Depuis le XIVe siècle, cet élégant pont de pierre à arche unique brave toutes les inondations (souvent violentes) du Tech. Normal puisqu'il a, selon la légende, été construit par le Diable en échange de l'âme du premier être vivant qui le franchirait. Rusés, les Cérétans firent passer un chat noir.

Découvrir les environs

Ermitage Saint-Ferréol Plusieurs bâtiments (XIIIe siècle, remaniés au XVIIIe siècle) dont une chapelle romane. De ce belvédère la vue porte loin : sur le Canigou, les Albères et la mer. *Par la D615, à 3,5km de Céret vers le nord Accessible à pied en 2h **Départ** parking du pont du Diable (Céret) Balisage jaune Dénivelé 150m*

Panorama de Fontfrède À 12km au sud de Céret, par la route de Fontfrède. Cette route magnifique franchit le col de la Brousse (860m) avant d'arriver à la stèle des Évadés (1 005m), une halte panoramique sur le Roussillon embrassant jusqu'à la baie de Rosas. Nostalgique, Picasso venait ici voir son Espagne natale. À droite une piste mène à une aire de pique-nique sous la hêtraie (fontaine). De là, on peut continuer à pied vers le pic de Fontfrède (comptez 1h AR).

☆ ☺ **Église abbatiale Sainte-Marie d'Arles-sur-Tech** Cette abbatiale construite en deux étapes (XIe et XIIe siècles) est l'une des plus belles de Catalogne. Avant de pénétrer dans l'édifice, observez à gauche de l'entrée le sarcophage appelé "Sainte Tombe" qui secrète de façon inexpliquée (infiltration ? condensation ? miracle ?) une eau pure redistribuée aux fidèles. À l'intérieur, un retable honore Abdon et Sennen, deux saints kurdes patrons d'Arles. À côté, la rodella est une offrande de cire faite par les villageois de Montbolo et portée chaque 30 juillet en procession. Enfin, un beau cloître gothique. Nous vous recommandons la visite guidée, vraiment passionnante. *À 13km à l'ouest de Céret sur la D115 66150 **Arles-sur-Tech** Ouvert juil.-août : lun.-sam. 9h-19h ; hors saison : lun.-sam. 9h-12h et 14h-18h (dim. 14h-17h en avr.-oct.) Entrée 3,50€ **Office du tourisme** Tél. 04 68 39 11 99*

Route de Batère Exploitée au cours du XIXe et du XXe siècle et fermée en 1994, Batère, dont vous ne verrez que les vestiges, fut la plus importante et la dernière mine de fer du Canigou. Prenez la D43 à Arles-sur-Tech. Vous atteindrez Batère en 20km par une route pastorale *via* Corsavy, un superbe village encore vivant et bien plus charmant que bien des "beaux villages de France" labellisés. Au retour, on peut bifurquer sur la D44 et redescendre par Montferrer, autre hameau, lui aussi panoramique et doté d'une belle église romane.

Gorges de la Fou Réellement saisissant ! Dans ce défilé – le plus étroit du monde, dit-on –, on se surprend parfois à chercher le ciel tant la lumière du jour a du mal à filtrer. Longue de 1 700m, profonde de 250m et large de 1,50m, la promenade est sécurisée. Prévoyez une petite laine. Parking et petite restauration. *À 15km env. de Céret sur la D115 Tél. 04 68 39 16 21 Ouvert avr.-nov. : 10h-18h Entrée 5€*

Manger à Céret et dans les environs

très petits prix

☺ **El Tall del Bisbe.** Sur la place Picasso, ce petit bistrot sobre mais coquet où l'on mange pour rien est le nouveau pari gagné du patron de l'hôtel Vidal : ouvrir un snack catalan bon marché et de qualité ! Formule à env. 10€ avec buffet de hors-d'œuvre et un plat du jour. Tapas à partir de 3,50€. Accueil décontracté et chaleureux. *10, bd Jean-Jaurès 66400* ***Céret*** *Tél. 04 68 87 71 75 Fermé en saison : dim.-lun. soir ; hors saison : dim. et le soir*

petits prix

☺ **Les Voûtes.** Une cave, un bar à vins et une terrasse sur la plus charmante place d'Amélie-les-Bains. Ces cavistes passionnés sont aux petits soins ; aucun produit du terroir, vins ou condiments, ne leur échappe. Madame sert de bons assortiments froids sur "planche" : charcuteries catalanes, panier de crudités, etc. Comptez 12€ avec un verre de vin. *2, place de la République 66610* ***Amélie-les-Bains*** *(à 8km de Céret) Tél. 04 68 87 80 71 Fermé dim. midi et jan.*

prix moyens

Le Catalan (Al Catala). Rafraîchie, la déco navigue sur des tonalités bleues (*exit* les bibelots rustiques de l'ex-Ferme de Céret), mais on se régale toujours de bons plats "terroir" : morue, pavé de thon, parillades de viandes et de poissons, boles de picolat, "coustillous" pour des prix très digestes. Menus de 11 à 29€. *15 av. Georges-Clemenceau 66400* ***Céret*** *Tél. 04 68 87 07 91 Fermé dim. soir et lun. hors saison*

prix élevés

☺ **Chez Françoise.** Entre la gentillesse d'Henriette aux fourneaux, et le sourire mutin de Véronique à l'accueil, notre cœur balance. Salle et terrasse sous la treille, face aux montagnes. On vient de tout le Vallespir goûter chez Françoise une cuisine féminine mitonnée aux petits oignons. Le menu pantagruélique à 29€ est servi avec vin à volonté à tel point que prévoir une sieste dans la forêt de Corsavy est tout particulièrement recommandé ! *Face à l'église 66150* ***Corsavy*** *(à 20km environ de Céret) Tél. 04 68 39 12 04 Ouvert juil.-août : midi et soir ; hors saison : midi seulement Fermé mer. tte l'année*

Manger, dormir à Céret et dans les environs

très petits prix

Gîte d'étape-restaurant de la Batère. À 1 500m d'altitude, dans un site grandiose, déjà très montagnard, ce gîte voit jusqu'à la mer. Comptez 12€ la nuitée en chambres collectives ou 36€/pers. en demi-pension. Le restaurant, avec vue panoramique, propose un menu rustique à 13€ : charcuterie et fromages de pays, de bons gros gâteaux maison. Les nouveaux gérants, qui sont accompagnateurs en montagne, proposent des randonnées et des activités de plein air. Un conseil : appelez et faites le plein avant de monter. *66150* ***Corsavy*** *(à 20km de Céret) Tél. 04 68 39 12 01 Ouvert mi-avr.-mi-oct.*

petits prix

Hostal dels Trabucayres. Une pension de famille dans une clairière de moyenne montagne aux allures de bout du monde. Dans ce calme olympien, les Cérétans trouvent refuge les chauds week-ends d'été. Le ciel limpide du Vallespir, la forêt, une foule de balades faciles et le soir, dans l'ancienne grange, une bonne table sur de belles nappes. Chambres simples mais confortables env. 29 et 33€, menu à 14,50€ et demi-pension 34€/pers. *Las Illas 66480* ***Maureillas-les-Illas*** *(à 10km de Céret) Tél. 04 68 83 07 56 Hôtel ouvert mi-avr.-mi-oct. Restaurant ouvert tlj. en été Fermé hors saison : mar.-mer. ; mi-jan.-mi-mars*

prix moyens

☺ **Castel Émeraude.** Le luxe à prix abordable dans un manoir flanqué de deux tours pointues et agrémenté d'une verrière. Le parc s'avance jusqu'aux rives du Tech. Les chambres avec balcon de ce Relais du silence donnent sur la verdure (de 45 à 68€ la double). C'est aussi une étape gourmande : foie gras maison, agneau au fromage de chèvre. Menus de 18 à 36€. *Rte de la corniche 66110* ***Amélie-les-Bains*** *(à 9km de Céret) Tél. 04 68 39 02 83 www.lecastelemeraude.com Fermé mi-nov.-mi-mars*

Hôtel Vidal. En plein centre, une ancienne résidence épiscopale du XVIIIe siècle au charme romanesque, avec terrasse fleurie et façade fanée. Chambres spacieuses à 40€, et un restaurant à la réputation bien installée. De saines et bonnes "catalaneries" comme la morue à l'aïoli ou l'escalivade. Menu 28€. *4, place Soutine 66400* ***Céret*** *Tél. 04 68 87 00 85 Ouvert tte l'année*

prix très élevés

☺ **Les Feuillants.** Une villa rose au cœur de Céret, dans un parc. Les Feuillants, c'est avant tout un restaurant que les chefs Banyols et Plouzennec, partis vers de nouvelles aventures, ont rendu célèbre. En cuisine, David Tanguy relève le défi avec brio. Le restaurant gastronomique propose un menu "saveurs régionales" à 35€ (comptez 60€ à la carte) et le livre des vins compte plus 580 références ! Un coin brasserie pour déjeuner, sous la verrière ou dans le jardin, d'une formule à 19€ (entrée, plat, verre de vin) ou d'un menu à 25€. Cuisine légère, imaginative. Chambres luxueuses de 80 à 100€ (selon la saison) et deux suites Arts décos de 120 à 140€. *Place Picasso 66400* **Céret** *Tél. 04 68 87 37 88 Restaurant fermé dim. et lun. sauf en juil.-août ; mi-déc.-mi-fév.*

Dormir à Céret

très petits prix

Camping Mas d'en Mas. Pour dormir sous les cerisiers et profiter d'une petite piscine. Environ 16€ l'emplacement pour deux personnes. *Allée château d'Aubiry Tél. 04 68 83 46 01 Ouvert tte l'année*

prix moyens

Les Arcades. Sous ses airs impersonnels, cet hôtel réserve d'agréables surprises, à commencer par le hall, véritable galerie d'art – "C'est la collection de l'amitié", dit le patron, modestement. Aux Arcades, on est bien reçu, les petits déjeuners sont copieux, avec du jus de pomme artisanal (car Céret est aussi la ville de la pomme), et les chambres confortables (de 41 à 55€ selon le confort). Location de studios meublés à la semaine de 230 à 360€. Garage 5€. *1, place Picasso Tél. 04 68 87 12 30 Ouvert tte l'année*

prix très élevés

La Châtaigneraie. Une grande demeure bourgeoisement aménagée par des Anglais aimables et chics (très *British*, en somme). Six chambres non-fumeurs (sdb, réfrigérateur, théière électrique) avec vue sur le Canigou ou sur la piscine, de 80 à 165€ selon la saison. Sous les châtaigniers, de petits coins secrets pour lire en paix et, parmi les cerisiers, un raccourci pour descendre en ville. *Route de Fontfrède (à 1,5km du centre) Tél. 04 68 87 21 58 Ouvert tte l'année*

Dormir dans les environs

☺ **Le Mas Trilles.** Passé la piscine, le parc de ce noble mas catalan du XVIIe siècle glisse en pente douce vers les rivages du Tech par un sentier botanique. Dans les patios des chambres, la maîtresse de maison a planté des fleurs odorantes en veillant à ce que les parfums s'accordent en de subtiles symphonies. Tout est à la mesure de ce raffinement : la déco des chambres, l'accueil (pas guindé pour autant), et les assiettes terroir concoctées pour les petites faims. Dix chambres de 110 à 205€ (basse saison) et de 130 à 230€ (haute saison). *66400* **Reynès** *(à 2km de Céret dir. Amélie-les-Bains) Tél. 04 68 87 38 37 Ouvert fin avr.-mi-oct.*

 Prats-de-Mollo *66230*

Dernière ville et gardienne du Vallespir, sur la rive droite d'un Tech encore jeune et turbulent, cette villégiature favorite des rois d'Aragon au XVe siècle repose dans un cirque de montagnes préservé. Dominée par une église monumentale, Prats-de-Mollo (prononcer "Pratsse-de-Moyo") est un joli bourg entouré de fortifications construites à l'époque de Vauban, avec une partie médiévale que traverse le torrent du Guillem. À 750m d'altitude, la cité mêle à de farouches airs montagnards des ambiances méridionales venues d'Espagne, à 15km seulement. Le soir venu, les anciens tirent leur chaise sous l'arbre à palabres de la place El Firal, et regardent rentrer les randonneurs, à qui la réserve naturelle offre de beaux parcours (20 sentiers balisés sur 250km).

Prats-de-Mollo, mode d'emploi

accès

EN VOITURE À 63km de Perpignan, par l'autoroute A9, sortie n°43, ou par la N9 puis la D115, et à 33km de Céret.

EN CAR Ligne Perpignan-Amélie-les-Bains. ***Gare routière de Perpignan*** *Tél. 04 68 35 29 02*

informations touristiques

Office de tourisme. Accueil charmant. Achetez les fiches du topo-guide (0,50€ la fiche), et demandez le descriptif des trois pistes VTT. Affichage journalier des prévisions météo. *Pl. El Firal Tél. 04 68 39 70 83 Ouvert juil.-août : lun.-sam. 9h-13h et 14h-19h, dim. et j. fér. 10h-12h et 14h-18h ; sept.-juin : lun.-sam. 9h-12h et 14h-18h*

marchés

Mercredi sur le Foiral et vendredi sur le parking du haut.

fêtes et manifestations

Carnaval et fête de l'ours. En février. Ayant dormi tout l'hiver, les "ours" (des garçons grimés et vêtus de peaux de bêtes) se réveillent et descendent du Costabonne semer la pagaille au village. Pour les capturer, une jeune fille sert d'appât. Traqués, gluants de suie, d'huile et de sueur, les ours se débattent et les "chasseurs" en garderont l'empreinte et les taches. Bousculades, danses, repas communautaire. Cette fête a lieu aussi à Saint-Laurent-de-Cerdans et Arles-sur-Tech. **Festa major** en juillet et **Fête catalane** en août.

Découvrir Prats-de-Mollo

☆ **À ne pas manquer** La vieille ville **Et si vous avez le temps...** Faites-vous guider dans la réserve naturelle de Prats, passez la nuit perché sur une branche avec MontOz'arbres, rapportez des espadrilles de Saint-Laurent-de-Cerdans

☆ **Vieille ville** C'est par les portes de France ou d'Espagne que l'on aborde la ville basse, commerçante et animée, avec ses maisons nobles en granite taillé du Costabonne. La ville haute, médiévale, aux petites maisons étroites, abritait jadis les plus démunis ; c'est aujourd'hui un quartier charmeur avec ses ruelles escarpées, pavées de galets, et ses jardinets à terrasses, et toujours populaire : on vit et on dîne dehors autour des barbecues. Visitez également l'église, construite au XVIIe siècle sur un édifice antérieur dont il ne reste que peu d'éléments. Le portail, aux belles ferrures, est surplombé d'un os de 2m fiché dans la façade (de mammouth ou de baleine ?). À l'intérieur, un incroyable retable baroque de 14m de haut. ***Église*** *Ouvert 9h-18h*

Fort Lagarde Un chemin couvert semi-souterrain de 300m de long relie l'église au fort Lagarde qu'a construit Vauban à la place d'une ancienne tour de guet des rois de Majorque. On peut emprunter une navette gratuite pour y accéder. Une trentaine de salles à visiter (chapelle, cuisines...) et des spectacles de capes et d'épées. *Ouvert avr.-nov. : 14h-17h30 (11h-19h en juil.-août) Entrée 3,50€ Visite guidée 4€ Spectacle historique à 15h (sauf le sam.) 9,50€ Rens. à l'office de tourisme*

Où déguster la “Rosée des Pyrénées” ?

Association “Rosée des Pyrénées”. Le label créé en 1992 pour cette viande très goûteuse est réservé aux génisses élevées en estive au lait de la mère lors de la transhumance d'été. On n'en trouve d'ailleurs que de juin à septembre. Pour la découvrir, des éleveurs organisent des balades dans les pâturages, à la rencontre des troupeaux, et, le midi, vous servent un repas de terroir à base de grillades. *Rens. Tél. 04 68 39 74 49 ou 04 68 05 25 80*

Découvrir les environs

Se balader, randonner

Réserve naturelle de Prats Ce magnifique territoire protégé de 2 300ha s'étend sur la haute vallée du Tech, du pic de Costabonne (2 507m) jusqu'au Pla Guillem. Une grande variété végétale, un étage montagnard dominé par le hêtre, faisant place aux pins à crochets puis à des landes et des pelouses d'estives où broutent les troupeaux. La faune la plus facile à observer : la marmotte, l'isard, la perdrix et, avec plus de chance et de patience, le chat sauvage, le grand tétras ou l'aigle royal. Les rocailles fleuries sont le domaine d'une incroyable variété de papillons. Les guides de la réserve proposent des promenades-nature à thème (la flore, les insectes, les rapaces, les pierres) d'une demi-journée, des randonnées d'une journée ou des treks de 3 à 7 jours. *De Prats prendre la D115A jusqu'à La Preste (8km)*

***Chalet d'accueil** Ouvert en été **Guides** Contactez Olivier Guardiole Tél. 04 68 39 74 49 ou 06 16 77 13 46 resnatprats@wanadoo.fr*

Passer des journées dans les arbres

MontOz'arbres. Il existe de plus en plus de parcours forestiers acrobatiques, mais celui-ci est particulièrement attractif, parce que le cadre est beau (une ancienne pépinière de l'ONF), parce qu'il est bien sécurisé, et enfin parce que les accompagnateurs font preuve d'humour et de psychologie avec qui a le vertige. On trouve des tyroliennes et une via ferrata. Vous en redemandez ? Passez-y la nuit : bivouac dans un hamac dans des cabanes en rondins (adulte 38,50€, moins de 18 ans 36,50€/nuit et petit déj.) ou nuit dans un chalet d'hôtes perché en haut des arbres (70€ pour 2 pers./nuit et petit déj.). Aire de pique-nique et sentier arboretum. ***La Preste** (à 33km de Prades) Tél. 06 19 23 88 41 www.montozarbres.com Ouvert avr.-nov. Accès adulte 18-22,50€, moins de 18 ans 16-20,50€ moins de 1m40 7€*

Pêcher à la mouche dans le haut Vallespir

Yvan Verdaguer. Les torrents du haut Vallespir sont le lieu idéal pour une initiation à la pêche sportive. Ce guide de pêche diplômé propose des cours en situation (à partir de 75€ la demi-journée et de 50€ pour les moins de 18 ans, matériel fourni), des parcours pour les initiés ou tout simplement des promenades au fil de l'eau, pour tous, à la découverte d'une rivière et de son environnement naturel (10€ la demi-journée). *Tél. 06 19 18 68 11 navyhamecon.@yahoo.fr*

Où acheter tissus catalans et espadrilles ?

Les Toiles du soleil. C'est à Saint-Laurent-de-Cerdans, en rachetant une usine textile moribonde, que la famille Quinta a ressuscité en 1993 la tradition des toiles catalanes avec le succès de leurs illustres ancêtres, les "pareurs de draps" du XIVe siècle. Aujourd'hui, ces toiles colorées sont exportées jusqu'à New York, Tokyo et Sidney. La boutique décline tous les usages des toiles Quinta. Vous trouverez aussi à Saint-Laurent les deux derniers fabricants d'espadrilles de la région. *66260 **Saint-Laurent-de-Cerdans** (à 16km de Prats-de-Mollo) Tél. 04 68 39 50 02 Ouvert avr.-oct. : 10h-12h et 14h30-19h (lun. 17h) ; nov.-mars : 10h-12h et 13h30-17h Fermé dim. matin*

Manger, dormir à Prats-de-Mollo

camping

Camping Saint-Martin. En bordure de rivière, ce terrain ombragé est agrémenté d'une piscine bien plaisante, car les eaux du Tech sont fraîches ! Emplacement 16€. *Av. du Vallespir Tél. 04 68 39 77 40 Ouvert tte l'année*

prix moyens

☺ **Hôtel-restaurant Ausseil.** Dans l'enceinte fortifiée. Un bon hôtel, dans la tradition des pensions de famille, mais ici – contrairement à l'idée que l'on peut se faire de ce type d'hébergement – la famille est jeune et de plus charmante. Chambres agréables de 40 à 45€. Dans une salle chaleureuse ou en terrasse, face au bel hôtel de ville, la patronne sert une cuisine traditionnelle catalane soignée (menus 16,50 et 22,50€). Formules demi-pension de 80 à 90€ pour 2 pers. *Place Trinxeria 04 68 39 70 36 www.hotel-ausseil.com Fermé nov.-déc.*

Le Bellevue. Pour les "claustros" qui ne peuvent pas dormir cernés de remparts, un hôtel hors les murs. En vis-à-vis, la grande place et la montagne. Chambres claires, propres, avec mobilier rustique flambant neuf, env. 46-52€. Et encore un excellent restaurant catalan (primé) qui réactualise la tradition. Menus de 19,50 à 50€. *Place El Firal Tél. 04 68 39 72 48 www.lebellevue.fr.st Fermé déc.-mi-fév. Restaurant fermé fév.-mars et nov. : mar.-mer.*

Manger, dormir dans les environs

Ermitage Notre-Dame-du-Coral. Gîte d'étape au cœur d'un ermitage isolé (le sanctuaire, dans son état actuel, date du XVIIIe siècle). On y dort pour 13€ la nuitée en dortoir (15€ avec une cuisine à disposition) mais on peut aussi y manger (mieux vaut téléphoner avant) de saines nourritures, avec priorité aux produits bio, pour randonneurs (menus 13, 16, 18 et 20€, plat du jour 9€). *Route du col d'Ares (à 15km de Prats-de-Mollo, 10km de route et 5km de piste) Tél. 04 68 39 75 00 olsans@wanadoo.fr Ouvert en saison : tlj. ; nov.-mars : sam.-dim. et j. fér.*

Prades

66500

Du marbre rose pour paver les trottoirs, le marbre du Conflent, des fontaines, quelques rues pittoresques avec des maisons appareillées en brique et galets de la Têt. Mais en dépit de son vernis, Prades ne suscite pas de grands coups de foudre et vaut surtout pour ses environs et son effervescence estivale. La capitale du Conflent peut en effet s'enorgueillir d'organiser l'un des festivals de musique classique les plus prestigieux de France. Il faut y venir un mardi, jour de marché : une ambiance souriante, des musiciens des rues, une foule de stands où l'on vend de tout, de la graine au légume bio en passant par l'encens et les fruits de la région. On s'assoit face à l'église, à une terrasse de café, pour jouir du spectacle.

LE CONFLENT La Têt dégringole de Cerdagne. Elle se faufile dans un défilé montagneux, le haut Conflent, qui s'ouvre à partir de Villefranche en une large vallée, le Conflent. La Têt y prend ses aises et circule, apaisée, parmi d'immenses vergers. Fertilité du sol, soleil, eau : pêchers, abricotiers et pommiers prospèrent. Il faut goûter le rouge du Roussillon, le meilleur abricot de France, qui tente un retour. Le Conflent est aussi une importante voie de communication entre Méditerranée et montagne (Espagne, Andorre) ; la N114 est surchargée toute l'année, les riverains du haut Conflent s'en plaignent assez. Mais il suffit de s'en écarter pour visiter les chefs-d'œuvre d'art roman et gagner la montagne.

Prades, mode d'emploi

accès

EN VOITURE À 30km de Perpignan, par la N114.

EN TRAIN Ligne TER Perpignan-Villefranche ; comptez 45min de trajet environ. ***SNCF*** *Tél. 3635 www.voyages-sncf.com*

EN CAR Ligne Perpignan-Bourg-Madame. ***Gare routière de Perpignan*** *Tél. 04 68 35 29 02*

orientation

Rien de plus simple : sur la rive droite de la Têt, une ville à taille humaine dont le cœur commerçant s'organise autour de la place centrale et de l'église. Treize parkings. En cas de pénurie, celui qui se trouve avenue Arrous, près de la caserne des pompiers, est vaste et gratuit... mais peu ombragé.

informations touristiques

Office de tourisme. Accueil dévoué. Topo-guides de randonnées dans la région disponibles. *4, rue des Marchands Tél. 04 68 05 41 02 www.prades-tourisme.com Ouvert été : lun.-sam. 9h-12h30 et 14h30-18h30, dim. 10h-12h ; hors saison : lun.-ven. 9h-12h et 14h-18h*

marché

Le mardi dans tout le centre historique.

fêtes et manifestations

Journées romanes. En juillet. Conférences et visites commentées de l'art roman catalan. *Rens. au 04 68 96 27 40*
Festival Pablo Casals. En juillet et août. Festival de musique de chambre fondé en 1950 par le violoncelliste espagnol Pablo Casals exilé à Prades. Concerts dans l'église Saint-Pierre de Prades et dans l'abbaye Saint-Michel-de-Cuxa.
Festival des Ciné-rencontres. En juillet. Festival de cinéma.
Université d'été catalane. En août. Cours et séminaires en catalan et, le soir, spectacle gratuit sur la place de l'église, en catalan ! Pour les ultras du régionalisme.

Découvrir Prades

☆ **À ne pas manquer** L'abbaye Saint-Michel-de-Cuxa à Codalet, l'abbaye Saint-Martin-du-Canigou à Casteil, le prieuré de Serrabone à Boule-d'Amont, le Canigou
Et si vous avez le temps... Composez votre pique-nique au marché le mardi, assistez à un concert dans l'église de Prades pendant le festival Pablo Casals en juillet et août, faites l'ascension du Canigou aux premières heures du jour

☺ **Église Saint-Pierre** Le clocher carré typique du roman méridional (XIIe siècle), en marbre du Conflent et granite du Canigou, est surmonté d'une pyramide (récente) qui supporte, comme souvent en Catalogne, un campanile de fer forgé. Le reste du bâtiment date du XVIIe siècle. L'intérieur recèle le retable le plus riche du département, et l'un des plus grands de France. Réalisé entre 1697 et 1699 par Joseph Sunyer, artiste catalan, il compte plus de 100 statues et bas-reliefs contant en six tableaux la vie de saint Pierre. Le Trésor de l'église expose plusieurs reliquaires dont celui de saint Valentin, devant lequel il n'est pas interdit de se faire des serments. *Ouvert juil.-sept. : lun.-ven. 10h-12h et 15h30-18h ; hors saison se renseigner* ***Trésor*** *Tél. 04 68 05 23 58 Env. 2,60€ TR env. 1,80€*

Espace Casals Dans la médiathèque, une salle est dédiée au violoncelliste Pablo Casals (1876-1973). On y voit des photos, un de ses violoncelles, son parapluie, son piano, des lettres, bref des fragments de sa vie. Les enregistrements de l'artiste sont diffusés pendant la visite. *33, rue de l'Hospice Tél. 04 68 96 28 55 espacecasals@voila.fr Ouvert juil.-août. : mar.-ven. 9h-13h et 14h-17h, sam. 9h-13h ; hors saison : mar. 10h-12h et 15h-19h, mer. 10h-19h, ven. 15h-19h, sam. 10h-13h*

Découvrir les environs

Les villages du Conflent

Eus Prononcer "éousse". À 3km de Prades par la D36, dominant la plaine, face au Canigou et coiffé d'une imposante église couleur pain d'épice, Eus a fière allure. C'est l'un des plus beaux villages du Conflent, avec ses maisons basses, ses bouquets d'aloès, ses venelles qui grimpent et tournicotent au hasard des caprices de la roche. Il est d'ailleurs classé Monument historique et estampillé "village le plus ensoleillé de France" : on y prend le soleil sur un banc que les ancêtres ont creusé dans la pierre de la place des Cabres. On peut s'attarder aussi au Natural-bar, snack-crêperie de la place de la République, et visiter, près du château, la galerie Art d'Eus qui réunit une trentaine d'exposants. Pour un peu de calme (Eus est très fréquenté), filez à l'anglaise par la rue de Coma qui se faufile entre les blocs de granite jusqu'à un ruisseau rafraîchissant. La promenade, facile, continue vers le village voisin d'Arboussols (1,3km). *66500* ***Eus*** *(à 7 km de Prades) Visite d'Eus sur rdv S'adresser à M. Bausili, personnage savant à l'accent fleuri Tél. 04 68 96 22 69*

Villefranche-de-Conflent Nichée dans un berceau de murailles médiévales, Villefranche fut entièrement refortifiée par Vauban au XVIIe siècle. Aujourd'hui, la ville est colonisée par les marchands de babioles et l'on se croirait dans un "tout pour rien". Mais, le soir tombé, quand les boutiques ont fermé, la ville se révèle dans toute sa splendeur : des rues rectilignes bordées de maisons élégantes, une place pavée de marbre rose, une belle église au portail roman, elle aussi partiellement construite avec le marbre de Villefranche. Nous vous conseillons de faire le tour des remparts en suivant le chemin de ronde (4€, jusqu'à 20h en été), et de monter au fort Libéria en empruntant un escalier souterrain de 1 000 marches. Allez voir également, sur la route de Vernet-les-Bains, les concrétions de la grotte des Grandes Canalettes. *66500* ***Villefranche-de-Conflent*** *(à 6km de Prades)* ***Infos touristiques*** *2, rue Saint-Jacques Tél. 04 68 96 22 96* ***Grotte*** *Tél. 04 68 05 20 20 www.grotte-grandes-canalettes.com*

Ouvert tlj. : avr.-mi-juin : 10h-17h30 ; mi-juin.-mi-sept. : 10h-18h ; mi-sept.-oct. : 10h-17h30 ; nov.-mars. : dim. et vac. scol. 14h-17h Spectacle son et lumière tlj. à 18h30 en juil.-août

Vernet-les-Bains Cité thermale pour rhumatisants, Vernet connut son heure de gloire à la fin du XIXe siècle, quand l'aristocratie anglaise y séjournait. Venu chercher ici un peu de soleil, Rudyard Kipling y trouva "la plus enchanteresse des montagnes, le Canigou". Bel hommage sous la plume de celui qui fréquentait l'Himalaya. Bâtie en amphithéâtre dans un site boisé que domine le Canigou, Vernet est rafraîchie par le Cady. C'est aux aulnes ("vern" en catalan) qui bordent ce torrent que Vernet doit son nom. Une bourgade amoureuse des arbres puisqu'elle est le premier village-arboretum de France : on s'y promène d'arbre en arbre (plus de 2 000 de 275 espèces différentes). Sous un château fort et l'église Saint-Saturnin, la vieille ville a du charme et les rues qui jouxtent la place de la République sont animées de commerces et de cafés. *66820* ***Vernet-les-Bains Office de tourisme*** *Tél. 04 68 05 55 35 Ouvert juil.-août : lun.-ven. 9h-12h30 et 15h-18h30, sam. 9h-12h30 et 15h-17h, dim. et j. fér. 10h-12h ; sept.-juin : lun.-ven. 9h-12h et 14h-18h, sam. 9h-12h et 15h-17h*

☺ **Village et réserve de Mantet** À 40km environ de Prades par la D6, *via* Sahore et Py, une route téméraire monte en lacets le long de la Rotja vers le col de Mantet (1 760m), et redescend au cœur d'un magnifique cirque montagneux. C'est l'un de ces bouts du monde, miraculé, et heureusement classé réserve naturelle. À 1 555m d'altitude, blotti au pied d'une chapelle coiffée de lauzes, le village de Mantet repose au milieu de ses terrasses, jadis dévolues à la culture du seigle, et aujourd'hui colonisées par les prairies. Départ de nombreuses balades. ***Maison de la nature et de la réserve*** *Tél. 04 68 05 71 11 Attention, faites le plein d'essence et d'argent avant de monter !*

L'architecture religieuse catalane

☆ ☺ **Abbaye Saint-Michel-de-Cuxa** À 3km de Prades, sur fond de montagnes, Saint-Michel-de-Cuxa, monument phare de l'art roman catalan, émerge des vergers. L'église que l'on voit aujourd'hui, consacrée en 974, est préromane. C'est en l'an 1000 l'une des plus grandes de France. Son plan ambitieux s'inspire de celui des grandes églises de pèlerinage italiennes. Les ouvertures de la nef étaient couvertes par des arcs outrepassés (en fer à cheval) qui témoignent de la permanence des traditions wisigothiques. Des deux clochers construits au XIIe siècle, il n'en reste plus qu'un (l'autre ne résista pas à un tremblement de terre). Cette tour carrée est décorée des fameuses et si caractéristiques bandes lombardes (feston d'arcature). Dans le cloître, reconstitué dans les années 1950, on observe les premières sculptures romanes de Catalogne : pas de motifs religieux, mais des motifs floraux ou animaliers avec papyrus et lions orientaux à crinières torsadées. Saint-Michel était un important foyer culturel : venus de toute l'Europe, les moines y étudiaient, et le doge vénitien Pietro Orseolo – dont on sait les accointances avec Byzance – s'y est retiré, emportant avec lui son trésor où figuraient de nombreux tapis persans. Les sculpteurs s'en seraient-ils inspiré ? Une visite passionnante à faire de préférence guidée. Le lieu est toujours habité par une modeste communauté religieuse de cinq moines. *66500* ***Codalet*** *Tél. 04 68 96 15 35 http://monsite.orange.fr/abbaye.cuixa Ouvert mai-sept. : lun.-sam. 9h30-11h50 et 14h-18h, dim. 14h-18h (oct.-avr. 17h) Entrée 4€*

☆ **Abbaye Saint-Martin-du-Canigou** Le site est exceptionnel : l'abbaye est perchée à plus de 1 000 m d'altitude dans un maelström de rochers, de falaises et de canyons. Un lieu propice à la méditation, ou au repos. Consacrée en 1009, l'abbaye a été endommagée en 1428 par un tremblement de terre. Supprimée en 1781, elle tombe en ruine et sert alors de carrière. Si elle a le mérite d'exister, les restaurations entreprises par l'évêque de Perpignan entre 1902 et 1916 sont souvent qualifiées de hasardeuses. On visite le "cloître" (reconstruit au début du XXe siècle mais recélant quelques chapiteaux romans), l'église, et l'on observe, creusées dans le roc, les tombes du chevalier-fondateur de l'abbaye et de sa femme. La visite (accompagnée seulement) est assurée par les membres de la communauté des Béatitudes. Près de l'accueil, un sentier mène en quelques minutes à un belvédère. *66820* ***Casteil*** *(à 15km de Prades) Tél. 04 68 05 50 03 Attention, l'accès est interdit aux voitures particulières. Vous vous y rendrez donc à pied soit par une allée forestière cimentée (40min) soit par un sentier plus sportif et plus intéressant (comptez 1h) qui part derrière le bâtiment du traitement des eaux, la Saur (parking). Vous pouvez également vous y rendre en 4x4 avec Jean-Claude Cullell (Tél. 04 68 05 64 61) parmi les moins chers (6,50€)* ***Visites*** *juin-sept. : lun.-sam. 10h, 11h, 12h, 14h, 15h, 16h, 17h, dim. 10h, 12h30, 14h, 15h, 16h, 17h ; oct.-mai : mar.-sam. 10, 11h, 14h, 15h et 16h, dim. 10h et 12h30 Fermé jan. Entrée 4€*

☆ ☺ **Prieuré de Serrabone** Dans un univers de crêtes forestières se dresse le prieuré roman de Serrabone (XIIe), célébrant le triomphe du schiste, d'un art religieux rustique aux lignes strictes. On aperçoit d'abord le clocher en forme de mitre, puis l'on pénètre par la galerie sud perchée au-dessus d'un précipice. Six gracieuses arcades aux chapiteaux sculptés tranchent avec l'austérité de l'architecture extérieure. Mais la surprise est dans l'église : dans une nef relativement lumineuse, un "bosquet" de colonnes forme une tribune de marbre rose. Les chapiteaux sculptés offrent le même bestiaire qu'à Saint-Michel-de-Cuxa, des monstres, des lions ailés, des griffons, des aigles. Émouvant et saisissant chef-d'œuvre de l'art roman catalan. En sortant de Serrabone, vous pourrez faire une promenade agréable dans un vaste arboretum méditerranéen. *66130* ***Boule-d'Amont*** *(à 23km à l'est de Prades) Tél. 04 68 84 09 30 Ouvert tlj. 10h-18h Adulte 3€, gratuit pour les enfants*

Musée d'Art sacré-Hospice d'Ille-sur-Têt Les alcôves de cet ancien hospice (datant du XIIIe siècle remanié au XVIIe) qui recevaient malades et pèlerins abritent aujourd'hui une collection d'art sacré. Une exposition permanente nous éclaire sur l'art du retable. Un peu poussiéreux, scénographie poussive, mais passionnant. Le musée s'est enrichi en 2006 d'un important ensemble roman : on peut désormais admirer la quasi-totalité des fresques provenant de la chapelle abandonnée de Casesnoves (XIIe), un devant d'autel et un retable romans, des croix processionnelles, sculptures de chapiteaux... *10, rue de l'Hôpital, 66130* ***Ille-sur-Têt*** *(à 18km de Prades) Tél. 04 68 84 83 96 Ouvert avr.-14 juin : tlj. 14h-18h ; 15 juin-sept. : tlj. 10h-12h et 14h-19h ; oct.-nov. et fév.-mars : lun.-sam. 14h-18h Fermé certains j. fér., se rens. et déc.-jan. Entrée 3,50€*

Curiosités naturelles et land-art

Musée géologique de Vernet Le musée d'un jeune homme de 85 ans, autodidacte et monomaniaque des merveilles cachées de nos terres et mers anciennes : 10 000 pièces réparties en 110 vitrines. Des minéraux cristallisés et des fossiles marins, de vraies raretés, toutes ou presque issues du sol français. Une passionnante visite guidée. Dans les sous-sols du superbe casino. *66820* ***Vernet-les-Bains*** *(à 11km de Prades) Tél. 04 68 05 77 97 Ouvert mai-oct. : mar.-dim. 10h-12h et 14h-18h ; hors saison : sur rdv Entrée 3€ Gratuit pour les moins de 12 ans*

Orgues d'Ille-sur-Têt Au nord-ouest d'Ille, le site géologique des Orgues présente dans un paysage de western des cheminées de fées et des sculptures naturelles en forme d'orgues qui sont les œuvres de l'érosion. À l'entrée, on vous remet un fascicule qui, à chacune des sept haltes du sentier d'interprétation, offre des commentaires sur la géologie ou la flore. Au sortir du site, prenez la direction Montalba jusqu'au belvédère aménagé pour avoir un panorama saisissant sur les Orgues. Vous pouvez aussi aller à Casesnoves, village fantôme. En 2km, en longeant la Têt, on arrive au milieu des ruines du hameau, dans une forêt d'oliviers nains aux troncs fantasmagoriques. Là, une chapelle romane, les ruines d'un donjon et de quelques maisons. *66130* ***Ille-sur-Têt*** *(à 18km de Prades par la N116) Tél. 04 68 84 13 13 Ouvert tlj. juil.-août : 9h30-20h ; avr.-juin et sept. : 10h-18h30 ; oct. : 10h-12h30 et 14h-18h ; nov.-jan. : 14h-17h ; fév.-mars 10h-12h30 et 14h-17h30 ; vac. scol. : 10h-17h30 Entrée 3,50€*

Chambre de cire Sur la rive gauche de la Têt, la D35 serpente au milieu d'âpres collines couvertes de garrigues. On passe Arboussols, village pittoresque moins couru qu'Eus, puis on arrive à Marcevol, un hameau en schiste précédé du prieuré des chanoines du Saint-Sépulcre. Ce prieuré a gardé intacts son clocher-mur et son portail typique de la ferronnerie romane catalane et encadré de marbre rose. C'est près de Marcevol que l'artiste contemporain Wolfgang Laib a choisi d'installer, dans une anfractuosité de la roche, sa "chambre de cire", un espace entièrement crépi de cire d'abeille où l'on tient tout juste à deux. Il faut marcher 45min dans des paysages bouleversants (panorama sur le Canigou) avant de trouver cette œuvre étonnante. *66320* ***Marcevol*** *(à 10km de Prades)* ***Prieuré*** *Tél. 04 68 05 24 25 Ouvert juil.-sept. : 10h30-12h30 et 14h30-19h ; oct.-nov. et avr.-juin : 10h30-12h30 et 14h30-18h sauf lun. ; déc.-mars : visite sur rdv* ***Chambre de cire*** *Prendre la clef à la mairie d'Arboussols ou à la ferme Sainte-Eulalie ou tél 06 15 13 16 12*

Faire une "rando-nez"

Mosset. Dressé sur son piton, Mosset garde son air rustique et farouche de village de montagne. À visiter, la Tour des parfums, un musée interactif où vous pourrez tester vos capacités olfactives en "sniffant" les parfums des plantes aromatiques, ce qu'on appelle ici une "rando-nez". *66500* ***Mosset*** *(à 12km au nord-ouest de Prades) Tél. 04 68 05 38 32 Ouvert 14 juil.-août : 10h-12h et 15h-19h ; hors saison : tlj. sauf lun. 15h-18h Fermé jan. Entrée 3€*

☆ Le Canigou

Sa masse pyramidale, sa majestueuse présence ont longtemps fait croire qu'il était le plus haut sommet d'Europe. Jusqu'à ce qu'on le mesure : 2 784m seulement. Mais c'est Lui qui a conquis le cœur des Catalans. La nuit de la Saint-Jean, des brasiers sont allumés à son sommet avec la flamme sacrée del Canigo entretenue toute l'année à Perpignan au Castillet. Dans ces brasiers brûlent des vœux, et des hommages rédigés par les Catalans exilés. Chaque commune envoie ses messagers, lesquels ont pour mission de redescendre, au départ du grand feu commun, la torche qui allumera le feu de leur village. En 1858, les alpinistes Adolfe Joanne et Alfred Tonnelé fanfaronnent, qualifiant l'ascension du Canigou l'un de "facile", l'autre "de plaisanterie". Une plaisanterie qui ne s'improvise pas (245 accidents entre 1982 et 1992).

Grimper sur le Canigou en voiture

Au début du xxe siècle, le Canigou s'est ouvert au tourisme puis aux voitures. La surfréquentation des pistes menant au refuge des Cortalets (en été, son parking fait penser à celui d'un hypermarché) a alerté les autorités. Depuis 1999, il est classé "grand site" et placé sous la double tutelle des ministères de l'Environnement et de l'Agriculture. Attention, les pistes – ouvertes de mai à octobre – sont étroites, sinueuses avec des accotements fragilisés ; la piste du Balatg a même été emportée par un éboulement éclair en 2005. C'est pourquoi elles sont strictement réglementées et peuvent être fermées en cas d'affluence (120 véhicules simultanément sur les 2 pistes). Il faut avoir l'habitude de la conduite en montagne pour les emprunter. La piste de Balagt, 16km au départ de Fillols (risque de chute de blocs de pierre) et la piste de Llech, 20km, au départ de Prades (interdite la nuit et par mauvais temps), mènent au refuge des Cortalets (2150m). La piste du col de Jou, longue de 15km, au départ de Vernet, d'abord goudronnée jusqu'au col, puis en terre, conduit au refuge de Mariailles (1700m) ***Refuge des Cortalets*** *99 places à 13,50€ la nuitée Tél. 04 68 96 36 19* ***Refuge de Mariailles*** *53 places à 13€ la nuitée Tél. 04 68 05 57 99*

En 4x4. Des compagnies de taxis vous mènent aux refuges. Nous vous conseillons Jean-Claude Cullell, basé à Corneilla, près de Vernet, pour ses tarifs très compétitifs (comptez environ 16€). *Tél. 04 68 05 64 61*

Randonner sur le Canigou

Avant tout départ, renseignez-vous sur la météo (Tél. 0892 68 02 66) et équipez-vous de la carte 1/50 000 Canigou n°10 (IGN) et du guide *Rando-Canigou, Vallespir, Conflent* (cf. GEODocs, Bibliographie)

À partir des Cortalets Par le pic Joffre en 2h. La voie la plus empruntée (aucun risque de s'égarer, en été, il y a des milliers de personnes) commence par le GR®10 et bifurque à la fontaine de la Perdrix. Aucune difficulté, de 7 à 77 ans.

Par la crête de Barbé En 2h20. Balisage rouge, *via* la Cheminée du Canigou. C'est un escalier vertigineux.

À partir du refuge de Mariailles Le plus beau parcours, une végétation et une faune plus riches.

Par la cheminée du flanc sud En 4h. Cet itinéraire, toujours évident, commence sur le GR®10. Le passage aride de la cheminée se fait normalement sans grande difficulté.

Guides de montagne Pour des circuits plus exigeants et des randonnées sur plusieurs jours, vous pouvez faire appel à un spécialiste.
Éric Delfourt. *Tél. 04 68 89 10 58 ou 06 18 46 08 16*
Antoine Glory. *Tél. 04 68 96 46 41*
Marc Rollot. *Tél. 04 68 96 55 00 ou 06 12 92 60 70*

S'initier aux sports de montagne

Marc Rollot. Outre le canyoning, l'escalade et la randonnée sur le Canigou (ou dans les gorges de la Carença), ce moniteur expérimenté propose aux amoureux de la montagne des sorties à la journée qui s'adressent aux sportifs mais aussi aux familles. *50€ la journée, 35€ la demi-journée. La Poterie de Baillanet, 66500* ***Los Masos*** *(à 1km de Prades, route de Perpignan) Tél. 04 68 96 55 00*

Manger à Prades et dans les environs

très petits prix

Le Relais de Serrabone. Sur la route qui mène au prieuré. Il s'agit de la boutique d'un groupement de producteurs (fromages, miel, charcuterie) qui propose des sandwichs fameux, et copieux, au pain bio (env. 6€), des assiettes de foie gras et des jus de fruits artisanaux au verre. Des tables sont installées à l'ombre. *66130* ***Boule-d'Amont*** *(à 23km à l'est de Prades) Tél. 04 68 84 26 24 Ouvert mars-1er nov. Fermé mar. hors saison*

petits prix

L'Auberge de Mantet-La Bouf'tic. Belle salle panoramique, sobre et lumineuse. La patronne, qui est aussi maire du village, sert une cuisine simple et bien tournée : lapin à l'aïoli, grillades (11€), omelettes (6€), crêpes et tartes maison. *À l'entrée du village 66360* ***Mantet*** *(à 40km de Prades) Prendre la N116 et à Villefranche-du-Conflent, prendre à gauche la D6 (mieux vaut appeler avant d'y monter) Tél. 04 68 05 51 76 Ouvert juin-sept. : tlj. ; hors saison : sur réservation*

prix moyens

La Table d'Isani. À Taurinya, derrière les chambres d'hôtes Las Astrillas. Et si on dînait au jardin ? Isabelle aux fourneaux a dressé une table sur la pelouse de son jardin, un lieu intime d'où l'on ne voit que des arbres. Jamais plus de huit convives, pour se sentir entre amis et pour que la qualité soit parfaite. Des plats occitans ou catalans au rdv de deux menus à 16 et 25€, qui ouvrent sur un vin doux naturel avec ses mises en bouche, salade composée, dessert et café (menu à 16€). *2, traverse d'Avall 66500* ***Taurinya*** *Tél. 04 68 05 28 27 Ouvert tte l'année sur réservation*

☺ **Les Jardins d'Aymeric.** Face à la gare routière, un établissement qui ne paie pas de mine et pourtant se décarcasse pour offrir une gastronomie créative à base de produits extra-frais. Gourmet et esthète, le chef flatte l'œil et les papilles. Des assiettes joliment dressées, et le ramage se rapporte au plumage. La soupe de crabe vert et la pintade fermière sont inoubliables ! Menus à 20, 25 et 34€. *3, av. du Gal-de-Gaulle 66500* ***Prades*** *Tél. 04 68 96 53 38 Fermé dim. soir et lun. tte l'année et le mer. de mi-oct. à mi-avr.*

Le Cortal. Deux salles à la déco rustique, trois terrasses face aux montagnes, et un bon moment en perspective : les grillades au feu de bois (la spécialité) sont excellentes, la poêlée de crevettes au rivesaltes ambré est un régal, et l'omelette norvégienne termine agréablement le repas. Comptez 25€ pour un bon repas. *13, rue du Château 66820* ***Vernet-les-Bains*** *(à 11km de Prades) Tél. 04 68 05 55 79 Fermé mer. Réservation conseillée*

prix élevés

☺ **Le Saint-Paul.** La salle de restaurant, très bourgeoise, est installée dans une chapelle médiévale, mais on préférera la terrasse où quelques tables sont joliment dressées sous les tilleuls. Un service un peu théâtral, les garçons font assaut de prévenance, mais finalement très agréable. Une cuisine fine et inspirée signée Patricia Gomez, qui est capable de transformer un simple maquereau en un plat royal. Le menu "petit plaisir" à 28€ est un immense bonheur. Autres menus à 49 et 87€, comptez 50€ à la carte ; et des vins catalans à faire trembler Bordeaux. *7, pl. de l'Église 66500* ***Villefranche-de-Conflent*** *(à 8km de Prades) Tél. 04 68 96 30 95 Ouvert tte l'année Fermé été : dim. soir-lun. ; hors saison : dim. soir-mar. ; 3 sem. en juin, dernière sem. nov. et jan.*

Manger, dormir dans les environs

L'infrastructure hôtelière est étique… Donc, comme les mélomanes du festival Casals, on ira dormir dans les environs (et pourquoi pas manger, puisque la plupart des adresses sélectionnées ci-dessous sont également des adresses fameuses en matière de cuisine).

camping

Camping municipal Le Cabanil. Simple, tranquille et ombragé. Emplacement pour deux personnes 6,60€. *66500* ***Molitg-les-Bains*** *(à 7km de Prades) Tél. 04 68 05 02 12 Ouvert avr.-nov.*

petits prix

Les Mailloles. Dans une vaste clairière, cette maison neuve cachée dans la verdure et les roselières abrite trois chambres d'hôtes simples mais tout à fait plaisantes (40€) et deux dortoirs de 5 lits (17€ la nuitée petit déjeuner inclus). La campagne dans toute sa splendeur, et, en prime, un accueil chaleureux. Repas (de l'apéritif au café) 18€. Les cavaliers ou randonneurs peuvent également commander un pique-nique (10€). *66820* ***Fillols*** *(à 10km env. de Prades) Tél. 04 68 05 66 46 www.gite-les-mailloles.com Fermé mi-nov.-mi-fév.*

☺ **La Cavale.** C'est assez loin de Prades (40km) mais, pour les amateurs d'ambiances montagnardes – nous sommes à 1 765m d'altitude –, le site est idyllique et complètement dépaysant. La résidence de ces éleveurs de chevaux, également importateurs de yourtes et de mobilier mongols, s'organise autour du manège. De sa chambre, on voit évoluer les étalons et, au-delà, s'étend le cirque de Mantet. Chambres doubles tout confort 36€. Nuitée en petits dortoirs de 4 places 12€. Formule demi-pension. Pique-nique 6€. Promenades à cheval à partir de 23€, et une multitude de randonnées pédestres au départ de cette ferme équestre. *66360* ***Mantet*** *(de Prades, prendre la N116 et, à Villefranche-du-Conflent, prendre à gauche la D6) Tél. 04 68 05 57 59 www.la-cavale.fr Ouvert tte l'année*

☺ **Mas Lluganas.** Une ferme, une vraie, avec veaux, vaches, canards et tracteur. Deux couples de jeunes agriculteurs vous reçoivent à bras ouverts comme les nouveaux membres de leur déjà grande famille. Deux possibilités d'hébergement : à la ferme pour la joie des enfants, ou à la Forge, une dépendance isolée au bord de la Castellane (plus romantique, mais moins vivant). Chambres de 29 à 45€ selon le confort, et repas avec produits de la ferme (pâté aux figues ou au banyuls et confits) pour 16€ vin compris (sur réservation). *66500* ***Mosset*** *(D14, à 12km env. de Prades) Tél. 04 68 05 00 37 www.maslluganas.com Ouvert avr.-mi-oct. sur réservation*

Hôtel-restaurant L'Éden. Face au parc du casino de Vernet-les-Bains et au bord du Cady, cet hôtel sans prétention architecturale concentre son effort sur l'accueil. Des chambres confortables, bien exposées (certaines avec loggia et vue) de 30 à 52€. On peut aussi louer des studios de 145 à 205€/semaine toute l'année. Terrasses, salon de thé. *2, promenade du Cady 66820* ***Vernet-les-Bains*** *(à 11km env. de Prades) Tél. 04 68 05 54 09 Ouvert avr.-nov.*

prix moyens

Le Troubadour. Une adresse un peu bohème où l'on croise le monde entier (Anglo-Saxons, Hollandais, etc.), tenue par un bel Américain décontracté. Chambres simples et claires (40€ la nuit ou 225-245€ la semaine selon la saison). À 100m de la maison, un jardin en terrasses abrite une piscine très bucolique. Repas à 15€. *Place Saint-Sadurni 66130* ***Boule-d'Amont*** *(à 40km env. de Prades et à 5km de Serrabone) Tél. 04 68 84 76 10 Ouvert fin avr.-sept.*

☺ **Le Molière.** Au pied de Saint-Martin-du-Canigou. Les propriétaires ont gardé l'ambiance familiale de cet hôtel de campagne tout en élargissant la clientèle aux sportifs et aux gastronomes (la cuisine y est fameuse). Un endroit clair, calme, où la vie coule de source. Chambres simples mais confortables de 41 à 47€. Menus 22 ou 27€, cuisine à la fois légère et généreuse, service vif et aimable. *66820* ***Casteil*** *(à 13km de Prades) Tél. 04 68 05 50 97 www.lemolière.com Fermé Toussaint-jan.*

☺ **Las Astrillas.** Taurinya est un village agréable, fier de sa rusticité et qui entend bien la garder. "Vous êtes ici chez vous" est la devise de l'établissement, et ce n'est pas un vain mot. Des chambres vastes, tout confort, dans les dépendances d'une ancienne ferme (45 ou 63€ pour la suite). Un jardin à l'anglaise, où l'on dîne en été. Passionné de gastronomie catalane, le patron cuisine avec un égal bonheur des recettes oubliées ou plus traditionnelles. Repas (réservé aux hôtes) 17€, vin et apéritif compris. Vraiment excellent, tout comme le petit déjeuner. *12, carrer d'Avall 66500* ***Taurinya*** *(à 5km de Prades au bord de la D27) Tél. 04 68 96 17 01 las.astrillas@libertysurf.fr Ouvert mars-nov.*

Font-Romeu

66120

En vieux français, *romeu* désigne le pèlerin. Font-Romeu, c'est donc la fontaine du pèlerin : nombreux furent en effet les chrétiens à venir se recueillir près de la source où un taureau trouva une statue miraculeuse de la Vierge. De cette légende naquit l'ermitage du XVIIe siècle. Mais Font-Romeu ville est une invention récente. Au début du XXe siècle, on construisit le Grand Hôtel où quelques vedettes prirent leurs habitudes. Puis il ne se passa plus grand-chose avant le boum des sports d'hiver. C'est vrai que le site, qui se déploie plein sud en belvédère sur la Cerdagne, a de quoi séduire. Malheureusement, il n'a guère inspiré les architectes et les promoteurs immobiliers. Font-Romeu n'a rien de Cerdan. C'est une incongruité, née du tourisme, qui a grandi jusqu'à devenir la seule ville de la Cerdagne française, et qui englobe désormais la bourgade d'Odeillo et le hameau de Via. L'âme véritable de la Cerdagne, il faut la chercher dans ses villages aux grandes fermes de schiste ou de granite blotties près de leur église romane.

LA CERDAGNE À une altitude moyenne de 1 200m, la Cerdagne, "moitié de France, *meytat d'Espanya*", occupe le bassin d'un ancien lac glaciaire. Puygmal au sud, Carlit au nord ; la barre cyclopéenne de la sierra del Cadi, ces massifs vigoureux semés de lacs qui encadrent le haut plateau de Cerdagne. Le soleil ? Il brille 300 jours par an, mais la Cerdagne n'a que faire des records. Elle distille son charme avec élégance et désinvolture, tantôt montagnarde, tantôt méditerranéenne, mais toujours lumineuse. Alors… Courez en Cerdagne, paradis de la randonnée, avant que le béton et les chalets d'opérette ne la rattrapent.

Font-Romeu, mode d'emploi

accès

EN VOITURE À 87km de Perpignan par la N116.

EN TRAIN Train jaune (cf Découvrir les environs) ou cars SNCF. ***SNCF*** *Tél. 3635 www.voyages-sncf.com*

EN CAR Ligne Perpignan-Bourg-Madame. ***Gare routière de Perpignan*** *Tél. 04 68 35 29 02*

informations touristiques

Office de tourisme. *38, av. Brousse 66120 Font-Romeu Tél. 04 68 30 68 30 Ouvert tlj. 9h-12h et 14h-18h, vac. scol. et été : tlj. 8h30-19h*

accès Internet

Web Web House. Boutique informatique (pas de bar) avec accès Internet. 5€/heure. *15, rue Maillol Tél. 04 68 30 50 02 Ouvert saisons été et hiver : tlj. 15h-20h ; hors saison : mar.-sam. 14h30-19h*

fêtes et manifestations

En juillet, Aplec (rassemblement de "sardanistes") et concerts de musique catalane. En août, concours hippique et fête du soleil.

Découvrir Font-Romeu

☆ **À ne pas manquer** La chapelle de l'ermitage Notre-Dame-de-Font-Romeu, le village de Dorres **Et si vous avez le temps...** Découvrez les paysages de la Cerdagne avec le Train jaune, dévalez les pentes de la charmante station familiale des Angles à ski, dînez aux chandelles au Cal Païà Eyne

☆ **Ermitage Notre-Dame-de-Font-Romeu** La chapelle (XVIIe siècle) renferme, l'été, une Vierge de l'Invention en bois doré du XIIe siècle et un retable baroque, œuvre de Joseph Sunyer. En septembre, la Vierge est transférée à l'église d'Odeillo, où elle passe l'hiver. C'est le théâtre d'un spectaculaire pèlerinage. En sortant de l'ermitage, suivez le chemin du Calvaire qui mène à un panorama. *Sur la route de Mont-Louis (D618) Pour les horaires d'ouverture, rens. à l'office de tourisme*

Jouer au golf

Golf de Font-Romeu. Très beau golf d'altitude (entre 1 750 et 1 840m) : 9 trous (par 34), 2 348m. Practice couvert de 8 postes, practice découvert de 20 postes. *Green free* de 27 à 31€ selon la saison. Compétition *open* les samedis et dimanches. Grand prix de la ville en août. *Espace sportif Colette-Besson Tél. 04 68 30 10 78 Ouvert tlj. mai-11 nov.*

S'élever en montgolfière

Ozone 3. Tous les sports ou presque, de l'escalade au tir à l'arc. Ozone propose aussi des vols en montgolfière (150€), du canyoning en eaux chaudes (de 35 à 60€) et des randonnées équestres à partir de 20€ la demi-journée, etc. *40, av. Brousse Tél. 04 68 30 36 09*

Découvrir les environs

Train jaune Ce qui fut ici la grande aventure des années 1900 est en fait jaune et rouge, comme le drapeau catalan. Cette ébouriffante prouesse technique, ce pari fou, a nécessité la construction de 650 ouvrages d'art et de 19 tunnels. Le parcours, qui flirte sans cesse avec le vide, affronte des déclivités de 6%. Ce train, aujourd'hui touristique, était, avant le tout-automobile, un mode de communication vital entre les montagnes cerdanes, très enclavées, et le reste du département. Il a survécu grâce à la pugnacité de cheminots amoureux de leurs "locos". Il va de Villefranche-de-Conflent à Latour-de-Carol, mais la partie la plus spectaculaire du voyage se situe entre Villefranche et Mont-Louis, dans les gorges de la Têt. Aussi magique que soit ce périple, faire l'aller-retour est un peu fastidieux (pour les enfants surtout) ; imaginer un retour en voiture est préférable. *Minimum 4 trains/jour, toutes les 2h en juil.-août Rens. auprès de la gare de* ***Villefranche*** *(Tél. 04 68 96 63 62), de* ***Latour-de-Carol*** *(Tél. 04 68 30 85 02) ou de la SNCF Tél. 3635 www.ter-sncf.com. Billet Villefranche-Latour 17,40€ l'aller*

Chaos de Targassonne Après le village de Targassonne, une curiosité naturelle : un chaos de blocs granitiques géants en suspens sur les pâturages, témoin d'une ancienne morène glaciaire. Les tailleurs de pierre du coin s'en servaient de carrière. On peut s'y aventurer, escalader sans risque les rochers. Refermer les barrières derrière vous pour que les chevaux ne s'évadent pas. *D618 (à 4km de Font-Romeu)*

☺ **Llo** Un village très aérien dressé sur son piton rocheux. Il ne faut pas rater l'église et son portail roman, ni la balade dans les gorges du Sègre. Pour les sportifs, une via ferrata et, pour le farniente, les bains d'eaux chaudes (un bassin en plein air à 35°C avec des jets masseurs et une "nage à contre-courant" et un bassin couvert à 37°C, 7,50€). *66800* ***Llo*** *(à 15km de Font-Romeu)* ***Bains*** *Tél. 04 68 04 74 55 Ouvert tlj. 10h-19h15, juil.-août 9h30-19h15*

☺ **Eyne** Ce hameau, perché contre un ressaut de la montagne, doit sa réputation à sa vallée, le "jardin" favori des botanistes européens depuis le XVIIe siècle. Conservateur de la réserve naturelle d'Eyne, Michel Barracetti continue un patient travail de classement des espèces endémiques ou rares. *66800* ***Eyne*** *(à 10km de Font-Romeu)* ***Maison de la vallée*** *Tél. 04 68 04 97 05 www.eyne-cambredaze.com Ouvert juil.-août : 10h-18h Entrée gratuite Visite guidée 3,50€*

Valcebollère Village oublié, partiellement abandonné. "Ici le temps s'est arrêté", prévient une pancarte, et c'est vrai qu'il s'est figé dans la singulière beauté de ses architectures paysannes, tout en schiste. Pour une halte gourmande, visitez le musée des Abeilles et dégustez leur miel. *66340* ***Valcebollère*** *(à 25km de Font-Romeu)* ***Musée*** *Tél. 04 68 04 58 26 Ouvert été et vac. scol. : tlj. 14h30-18h30*

☆ ☺ Dorres

Un amour de village perché à 1 460m d'altitude. Disposé en gradins dans un chaos de roches granitiques, face au soleil levant, il offre sur la Cerdagne le plus beau des balcons. Sans doute parce qu'il a grandi à l'écart, solitaire dans son cul-de-sac, Dorres a gardé tout son charme. La route s'arrête là, près de l'église romane et du lavoir, mais la balade continue, sous la forme d'un sentier pavé qui, longeant la rivière, monte jusqu'à la chapelle du Belloc. Tous les ingrédients du bonheur sont là : un panorama à 360°, un ciel immense, les montagnes à perte de vue, et, à flanc de montagne, des troupeaux de moutons ou de chevaux semi-sauvages. *66800* ***Dorres*** *(à 12km de Font-Romeu par la D618 puis la D10)* ***Mairie*** *Tél. 04 68 04 60 69 (pour la réservation des gîtes municipaux)*

☺ **Musée des Tailleurs de pierre** Tout séjour en Cerdagne devrait commencer par une visite de ce musée sensible et intelligent qui donne des clés – géologiques, sociologiques, historiques – pour une meilleure compréhension de la région. Un guide du patrimoine raconte l'épopée de la corporation des tailleurs de granite, qui furent aussi maçons, et à qui l'on doit de grands ouvrages (ponts, aqueducs, tunnels et même la basilique de Lourdes). Pour prolonger la visite sur le terrain, le musée propose des idées de promenade en Cerdagne. Le billet donne un accès gratuit aux bains. *66800 **Dorres** (à 12km de Font-Romeu) Renseignements à la mairie Tél. 04 68 04 60 69 Entrée 4€*

Bains d'eau chaude Des eaux chaudes sulfureuses, naturellement jaillies du sous-sol à 40°, qui font la peau douce et soignent les bronches. Chacun a la nostalgie de l'époque où les bains de Dorres étaient libres et ouverts même la nuit à tous les joyeux drilles. Maintenant, ils sont clos et tarifés. La piscine dite "romaine" en granite est toujours là, superbe, mais que dire des nouveaux aménagements ? Rien, les grandes douleurs sont muettes. *66760 **Dorres** (à 12km de Font-Romeu) Tél. 04 68 04 66 87 Téléphoner pour les horaires Entrée 3,90€*

En savoir plus sur la faune et la flore

Lac des Bouillouses Sur le massif du Carlit, qui compte 27 lacs et étangs, celui des Bouillouses à 2 016m d'altitude est l'un des plus beaux. Le long du rivage, un sentier d'interprétation (compter 2h30) vous initie aux secrets de la faune et de la flore. En été, la D60 est fermée pour protéger le site d'un excès de gaz automobiles. La montée au lac s'effectue alors en télésiège (env. 7€ AR) ou en navette (env. 5€). ***Télésièges** Départ Roc de la Calma à Font-Romeu **Navettes** Départ aire d'accueil du Pla de Barrès à Mont-Louis*

En savoir plus sur l'énergie solaire

Four solaire d'Odeillo "Le plus grand du monde" avec ses 3 000m² de miroirs et des reflets amusants à photographier. Il se voit de loin, et c'est aussi de loin qu'il est le plus beau. Le CNRS y travaille depuis 1969 sur les applications de l'énergie solaire. Ce que l'on découvre, c'est une vaste salle avec des panneaux pédagogiques sur le soleil, les énergies renouvelables, la nature et le comportement de la lumière, les travaux de recherche du laboratoire, le solaire dans l'habitat et des maquettes interactives. *66120 **Odeillo** Tél. 04 68 30 77 86 Ouvert tlj. juil.-août : 10h-19h30 ; hors saison : 10h-12h30 et 14h-18h Entrée 6€*

☺ **Four solaire de Mont-Louis** Ce n'est pas le plus grand, mais c'est le plus ancien. Et en effet il ressemble à un prototype, à une très grande maquette – ce qui rend facile et spectaculaire son utilisation pédagogique. On assiste à des expériences qui laissent les enfants bouche bée : enflammer une branche ou percer une plaque d'acier en 3 secondes (sauf les jours de grisaille). Des poteries cuites sur place sont vendues à la boutique. *66210 **Mont-Louis** Tél. 04 68 04 14 89 Visites guidées uniquement (45min) juil.-août : toutes les 30min 10h-11h30 et 14h-18h ; 1er-15 juin : toutes les heures 10h-11h et 14h-17h ; 16-30 juin : toutes les heures 10h-11h et 14h-18h ; sept.-mai : toutes les heures 10h-11h et 14h-17h (16h nov.-fév.) Entrée 5,50€*

Faire un saut en Espagne

Puycerdà Riche en adresses de qualité – hôtellerie et restauration –, la Cerdagne française ne propose rien de palpitant pour les sorties nocturnes. Il faut aller à Puycerdà pour trouver une ville animée qui traîne jusqu'à l'aurore (surtout pendant les vacances scolaires). Cette cité grandie au bord d'un lac est devenue l'une des villégiatures des Barcelonais enrichis. On y trouve des bistrots où l'on se régale de tapas tard dans la soirée et des boîtes de nuit où l'on s'amuse "à l'espagnole". *À 20km de Font-Romeu*

Bar central. Ce cyber café ouvert tard réunit une clientèle jeune tous looks confondus. Idéal pour glaner des adresses et faire des rencontres. *7, plaza Santa Maria Tél. (00 34) 627 492 315 Ouvert 15h-2h30 Fermé mar.*

Le Miamidos. Un bar-restaurant à tapas populaire. Des jambons pendent du plafond, et les vitrines réfrigérées proposent un choix alléchant de tapas (de 3 à 10€). Ambiance conviviale (surtout les soirs de retransmission de match). *Place dels Herois Tél. (00 34) 972 88 22 57 Fermé oct.*

Pratiquer le ski

Pour le ski alpin, quelque 278km de descente, 110 remontées mécaniques et 190 pistes (tous niveaux) se répartissent sur les sites de Puigmal 2000, Cambre d'Aze, Font-Romeu-Pyrénées 2000, Porte-Puymorens et Les Angles, une jolie petite station du Capcir. Les amateurs de ski nordique se retrouvent dans les stations de Cerdagne, mais plus volontiers en Capcir, dans des paysages plus sauvages, où les accueillent les stations de Formiguères, Llagonne ou Puyvalador.

Maison du Capcir-haut Conflent Pour toute information sur les accès, les équipements, les prestataires et l'hébergement dans les différentes stations. *Tél. 04 68 04 49 86 www.capcir-pyrenees.com* ***Refuge des Camporells*** *66210* ***Matemale*** *(à 19km de Font-Romeu) Accès à pied Tél. 06 82 12 99 22*

Cambre d'Aze 1 640-2 400m d'altitude, 25 pistes, 18 remontées mécaniques. *Point info Tél. 04 68 04 08 01 www.cambre-d-aze.com*

Font-Romeu-Pyrénées 2000 1 600-2 250m d'altitude, 34 pistes, 21 remontées mécaniques. *Rens. Altiservice Tél. 04 68 30 60 61, office de tourisme de Font-Romeu Tél. 04 68 30 68 30 ou office de tourisme Pyrénées 2000 Tél. 04 68 30 12 42 www.font-romeu.fr*

Formiguères 1 500-2 400m d'altitude, 19 pistes, 8 remontées mécaniques, raquettes, ski de randonnée et ski de fond. *Tél. 04 68 04 43 75 www.formigueres.com*

Les Angles 1 600-2 400m d'altitude, 29 pistes, 16 remontées mécaniques, 3 jardins des neiges. *Tél. 04 68 04 32 76 www.lesangles.com*

Porte-Puymorens 1 600-2 500m d'altitude, 17 pistes, 12 remontées mécaniques, domaine surf. *Tél. 04 68 04 82 41 www.porte-puymorens.net*

Cerdagne Puigmal 2600 1 800-2 600m d'altitude, 34 pistes, 13 remontées mécaniques, raquettes et ski de fond, jardin des neiges. *Point info Tél. 04 68 04 70 15 esf.puigmal.fr*

Puivalador 1 700-2 400m d'altitude, 17 pistes, 10 remontées mécaniques, raquettes et ski de fond. *Point info Tél. 04 68 04 44 83 www.puyvalador.com*

La Quillane 1 700-1 810m d'altitude. La plus petite station des Pyrénées, 4km de pistes, 4 téléskis, 1 fil neige, lac à truites. *Tél. 04 68 04 22 25*

S'essayer à l'alpinisme

Bureau des guides des Pyrénées catalanes. Randonnées 20€/jour (rando de nuit, 23€), raquettes (25€/jour), via ferrata (35€ le parcours), canyoning à partir de 28€ l'initiation, alpinisme (245€/jour), etc. ***À Font-Romeu** Tél. 06 09 69 42 14* ***À Llo** Tél. 06 81 89 04 30*

S'initier au kite surf et au parapente

Vol'aime. Cette école agréée FFVL propose des baptêmes biplaces (59€) ou des stages tous niveaux en parapente. *92, rue Creu de Sé 66120 **Targassonne** (à 7km de Font-Romeu) Tél. 04 68 30 10 10 www.volaime.com*

☺ **C.Kite.** Le kite surf – cerf volant de traction – se pratique sur neige en hiver et sur prairie en été. Diplômée par la Fédération française de vol libre, la sympathique équipe de C.Kite vous entraîne dans les plus beaux sites cerdans pour jouer avec le vent sur terre et sur neige. Formules "Découverte" à partir de 22€ et stages à partir de 99€. *94, rue Creu-de-Fé 66120 **Targassonne** Tél. 06 14 59 80 87 www.ckite.com*

Où acheter de la charcuterie de montagne ?

Chez Bonzom. Cette charcuterie artisanale de Saillagouse pourrait réconcilier le plus intégriste des végétariens avec le porc et le sanglier. ***Magasin** Av. des comtes de Cerdagne 66800 **Saillagouse** (à 12km de Font-Romeu) Tél. 04 68 04 71 53 Fermé hors saison lun., mer. et dim a.-m.* ***Atelier-saloir** Jambons s'affinant patiemment et vidéo sur la cuisine du cochon Dégustation gratuite Itinéraire fléché Ouvert en été et pendant les vacances scolaires*

Manger, dormir à Font-Romeu

petits prix

La Chouette. Un vieil hôtel rénové en chambres d'hôtes, désormais plutôt pimpant et d'une jolie couleur "crème catalane". Ambiance conviviale de randonneurs aimablement conseillés par les propriétaires, fins connaisseurs de la région. Chambres douche-WC de 34 à 40€, petit déj. 4,50€. Repas copieux d'inspiration cerdane 12,50€. *2, rue de la Liberté **Odeillo** Tél. 04 68 30 42 93 www. chouette.fr Fermé quelques semaines en basse saison*

La Dame blanche. Ce restaurant gastronomique (menus catalans à 26 et 34€) propose aussi une intéressante formule brasserie. Pour 14€, trois buffets à volonté avec hors-d'œuvre (crudités, charcuterie, poisson froid), fromages et desserts (tarte myrtilles, salade d'oranges, mousse chocolat). *Av. Brousse Tél. 04 68 30 07 81 Fermé quelques jours au printemps et à l'automne*

☺ **Casa Sobra.** Au bout d'Odeillo, cette maison calme et comme retirée du monde intéressera les sportifs. Vous pourrez pratiquer VTT, canyoning, escalade... au gré de vos désirs à la journée ou en séjour. Des chambres de 2, 3 ou 4 pers. (de 17 à 20€/pers. selon la saison) et un gîte de 9 couchages (de 995 à 1 180€/sem.). Fonctionne en gestion libre (cuisine équipée). *12, rue des Saules 66120* ***Odeillo*** *Tél. 04 68 30 24 74 www.casasobra.com Ouvert tte l'année*

prix moyens

☺ **La Fromagerie.** Un étonnant restaurant-galerie aux murs tapissés de tableaux. Le plus drôle, c'est le plafond : la reconstitution d'une prairie où les champignons – hallucinogènes ? – poussent la tête en bas. Une carte riche : pâtes fraîches, spécialités fromagères (fondues, tartiflettes) et le fameux "chardon ardent maison" (20€) – des dés de bœuf flambés au banyuls, piqués sur un chardon d'acier tenu par une potence et servis avec une garniture de champignons et de pommes de terre. Comptez 20€, sauf si vous vous contentez d'une pizza. *2, av. Brousse Tél. 04 68 30 01 88 Ouvert tte l'année*

Le Cara Sol. Modestes mais accueillantes, les chambres panoramiques de cet hôtel haut perché regardent la Cerdagne. L'hiver, vous pourrez vous réchauffer au coin d'un feu de bois en dégustant une fondue, une raclette, des grillades. L'établissement sert aussi une cuisine traditionnelle comme la morue à la catalane (14,50€). Vous y trouverez aussi un jardin ombragé, où l'on sirote sa bière à l'abri des regards. Chambres avec vue de 40 à 45€. *1, avenue Brousse Tél. 04 68 30 08 11 Fermé nov. et mai*

☺ **Les Roches.** Dans une élégante villa du début du XXe siècle, ces chambres d'hôtes (de 55 à 65€) ressuscitent avec panache le Font-Romeu de la Belle Époque. Tous les charmes du raffinement à la française – tissus moirés, lits à baldaquins, meubles précieux, jolis tableaux – et quelque chose de délicieusement cosy à l'anglaise. Pourtant, vous ne trouverez rien de compassé dans l'ambiance. Jardin et parkings privés. Une adresse de conte de fées pour jouer les "Sissi en Cerdagne". *112, av. du Maréchal-Joffre 66120* ***Font-Romeu*** *Tél. 04 68 30 31 84 http://les-roches.chez.tiscali.fr Fermé oct.-nov. et avr.-juin*

Manger dans les environs

petits prix

Le Dagobert. À l'intérieur des remparts de Mont-Louis, en terrasse ou dans la salle en pierres apparentes avec cheminée. Pour 15€, tout compris, vous aurez une belle assiette de charcuterie de montagne, des magrets de canard ou un pavé de saumon sauce banyuls, du fromage, un café, une infusion ou un thé. Et cette abondance ne nuit pas à la qualité. *8, bd Vauban 66210* ***Mont-Louis*** *(à 9km de Font-Romeu) Tél. 04 68 04 14 32 Fermé hors vac. scol. : lun.-jeu. le soir ; jan. et juin*

petits prix

La Brasserie Planes. Dans ce bar toujours animé, une restauration bon marché de qualité. Menu brasserie incluant le vin à 15€, et plat du jour (toujours excellent et bien servi) à 8€. *Place de Cerdagne 66800* ***Saillagouse*** *(à 12km de Font-Romeu) Tél. 04 68 04 72 08 Fermé début nov.-mi-déc. et 15 jours en mars*

prix moyens

Le Crapahuteur. Une saine et copieuse cuisine traditionnelle servie sans manières, mais avec gentillesse. Des grillades, quelques spécialités catalanes. Formules à 16 et à 20€. *18, av. des Comtes-de-Cerdagne 66800* ***Saillagouse*** *(à 12km de Font-Romeu) Tél. 04 68 04 08 57 Fermé dim. soir hors saison*

L'Auberge catalane. À Latour-de-Carol, village dont le seul titre de gloire est d'avoir été chanté par Brigitte Fontaine, l'Auberge catalane, a été superbement restaurée. La salle de restaurant est très agréable, le service aussi. Tout en concoctant une savoureuse cuisine de terroir, le nouveau chef, Pascal Domenge, toque blanche du Roussillon, laisse libre cours à son imagination dans le menu "Pascal" : filet de dorade au chorizo doux et grenache au chocolat et fruits rouges. Menus de 15 à 32€. Une bonne adresse doublée d'un hôtel douillet (chambres doubles à 48-52€ selon la saison). *10, av. du Puymorens 66760* ***Latour-de-Carol*** *(à 15km au sud-ouest de Font-Romeu) Tél. 04 68 04 80 66 www.auberge-catalane.fr Ouvert tlj. vac. scol. Fermé hors saison dim. soir et lun. Fermeture mi-nov.-mi-déc. et une semaine au printemps*

La Vieille Maison cerdane-Chez Planes. Une institution cerdane depuis 1895. Le succès toujours d'actualité de ce restaurant gastronomique repose sur un solide savoir-faire, un cadre chaleureux (mais sans grande imagination), sur l'amour des plats mitonnés (et notamment la cuisine du gibier) et sur un service irréprochable. Toutes choses qui font que le week-end et les jours de fête, toute la Cerdagne endimanchée se bouscule "chez Planes". Menus à 23, 30 (très bon menu) et 45€. *Place de Cerdagne 66800* ***Saillagouse*** *(à 12km de Font-Romeu) Tél. 04 68 04 72 08 www.planotel.fr Fermé début nov.-mi-déc. et 15 jours au printemps*

Manger, dormir dans les environs

petits prix

☺**Cal Paï.** Une maison pleine de coins, de recoins secrets, de tapis, de cheminées, de buffets rustiques regorgeant de champignons et de confitures maison. Vous êtes là au sommet du village, Eyne, au niveau du clocher de l'église qui forme le premier plan d'un vaste panorama sur la Cerdagne. Pour les enfants, il y a des jeux et de la glaise à pétrir s'ils s'ennuient. Pour les grands, une bibliothèque, un piano et des clients distrayants (randonneurs, peintres, pianistes) avec qui faire connaissance. Inoubliable dîner aux chandelles, dans une grande salle aux murs de verre. Vous repartirez amoureux de la vie ! Exceptionnel rapport qualité-prix. Fonctionne en demi-pension (39€/pers. et 27€ pour les enfants), dîner et petit déjeuner pantagruélique compris. Dîner pour les non-pensionnaires sur réservation à 20€. Dans une dépendance, vous trouverez un gîte en gestion libre à 17€ la nuitée. *66800* ***Eyne*** *(à 12km de Font-Romeu) Tél. 04 68 04 06 96 Fermeture annuelle variable, se rens.*

La Tourane. Un charmant hôtel-restaurant aux allures de chalet. Décoration rustique et ambiance familiale. Chambres avec vue de 37 à 47€. Cuisine de montagne déclinée dans des menus de 14 à 28€. *21, rue de la Tourane 66120* ***Targassonne*** *(à 7km de Font-Romeu) Tél. 04 68 30 15 03 www.latourane.com Fermé mi-oct.-début déc.*

prix moyens

Hôtel Marty. Sous le règne de Marguerite Marty, dame de cœur et maîtresse femme (qui sert toujours au bar), l'art de tenir une pension de famille a atteint des sommets. Ses filles ont repris le flambeau avec brio, modernisant l'affaire juste ce qu'il faut, soucieuses du moindre détail. La clientèle revient, formant comme une grande famille d'habitués. Une terrasse sous la treille, des chambres ensoleillées avec la Cerdagne à vos pieds, un bar où circulent les nouvelles du village : oui, c'est une "pension extraordinaire". Les hommes sont en cuisine, se plaisant à mijoter le gibier (en saison). Menu du jour à 16€, ou formules à 28 et 35€ (hors-d'œuvre, entrée, poisson, viande, fromage et dessert). Chambres avec sdb et TV de 46 à 53€. *66760* ***Dorres*** *(à 17km de Font-Romeu) Tél. 04 68 30 07 52 Fermé mi-oct.-mi-déc.*

prix très élevés

☺ **L'Atalaya.** L'âme de cet endroit qui en a tant s'appelle Guylaine Toussaint. Est-elle une comtesse évadée de l'univers viscontien, un personnage de E. M. Forster ou de Fitzgerald ? Comme elle, son hôtel est romanesque, à commencer par le jardin qui dévore la façade en une incroyable profusion de plantes. Dans le salon panoramique, un jeu de miroirs démultiplie le ciel, les paysages et les bouquets d'inspiration Renaissance. Les meubles sont d'importation himalayenne, mais les fresques qui ornent le salon de jeux, bien françaises. Une piscine avec vue. Ce monde enchanté, bourgeoisement paradisiaque, est aussi un excellent restaurant. Chambres 93-145€, menu 31€. *66800* ***Llo*** *(à 15km de Font-Romeu) Tél. 04 68 04 70 04 Ouvert avr.-nov. ; vac. scol. de Noël (mais pas de restaurant)*

Dormir dans les environs

campings

Camping municipal Pla de Barrès. Un beau camping pour amateurs d'ambiances champêtres. Emplacement env. 8,50€. *Sur la route du lac des Bouillouses (à 2km de Font-Romeu) Tél. 04 68 04 26 04 Ouvert juin-sept.*

Camping à la ferme Le Mas Palau. Au bord du Sègre, un camping charmant. Emplacement env. 9,50€ et possibilité d'acheter les produits de la ferme. *66800 **Estavar** (à 10km de Font-Romeu) Tél. 04 68 04 72 75 jeantheresep@yahoo.fr Ouvert mi-juin-mi-sept.*

très petits prix

Villa Roselande. Dans une fière bâtisse qui fut un lieu de villégiature pour des religieuses puis une maison d'accueil pour enfants, un couple de jeunes Cerdans a installé des appartements avec 1, 2 ou 4 chambres qu'ils louent au week-end (à partir de 45€ pour 2 pers.) ou à la semaine. Plus rudimentaires – avec douche sur le palier – mais assorties d'une cuisine en gestion libre, les chambres seules sont vraiment abordables : 18€/nuit/2 pers. Au-delà des prix, la Villa Roselande possède d'autres attraits non négligeables : la vue et le parc. *66760 **Angoustrine** (à 10km de Font-Romeu) Tél. 06 71 61 00 67 www.roselande.com Ouvert tte l'année*

prix moyens

Planotel. Loin de la nationale, ce petit immeuble à l'architecture typiquement 1970 a finalement beaucoup d'atouts. On y est bien accueilli, il est très confortable et agréable à vivre avec ses salons de jardin, son parc, sa piscine et son espace "remise en forme". Chambres de 48 à 63€. *66800 **Saillagouse** (à 12km de Font-Romeu) Tél. 04 68 04 72 08 Ouvert pendant les vac. scol.*

prix élevés

La Volute. Une maison installée dans – et sur – les remparts de Mont-Louis, avec un jardin privé qui domine la situation. Belle vue sur les fortifications et sur le four solaire qu'embrasent les feux du soleil couchant. Ces anciens casernements aux murs rustauds (mais c'était tout de même la maison du gouverneur) ont fait l'apprentissage de l'élégance : déco entre rusticité de bon ton et touches exotiques (quelques idées et objets rapportés du Maroc). Chambres au confort impeccable à 65€. *1, place d'Armes 66210 **Mont-Louis** (à 9km de Font-Romeu) Tél. 04 68 04 27 21 Ouvert tte l'année Réservation conseillée*

GEOREGION

Trait d'union entre Méditerranée et Gascogne, le pays de Carcassonne est celui du passage : commerçants de toutes les époques, envahisseurs barbares, croisés, voyageurs… tous ont emprunté ce couloir, aujourd'hui jalonné de forteresses, de bastides et d'abbayes, commandé par la plus célèbre des villes fortes, la Cité aux cinquante-quatre tours, que Viollet-le-Duc sauva de l'oubli. Le long de ce sillon audois coule le canal du Midi, alimenté par les eaux de la Montagne noire qui le borde d'un côté, tandis que de l'autre les terres agricoles du Razès et du Quercorb conduisent en douceur vers la haute vallée de l'Aude et ses reliefs pyrénéens.

À ne pas manquer La Cité de Carcassonne, les châteaux de Lastours, le donjon d'Arques, le gouffre de Cabrespine et le pic de Nore dans la Montagne noire

Et si vous avez le temps…
Ne manquez pas le festival du cassoulet de Castelnaudary, le carnaval de Limoux ni le vivant musée du Quercorb à Puivert

Carcassonne et ses environs

GEOMEMO

Département	Aude (11), 6140km² (309770 hab.)
Ville principale	Carcassonne (43 950 hab.)
Informations touristiques	CDT 04 68 11 66 00 OT Carcassonne 04 68 10 24 30
Principaux cours d'eau	canal du Midi, Aude

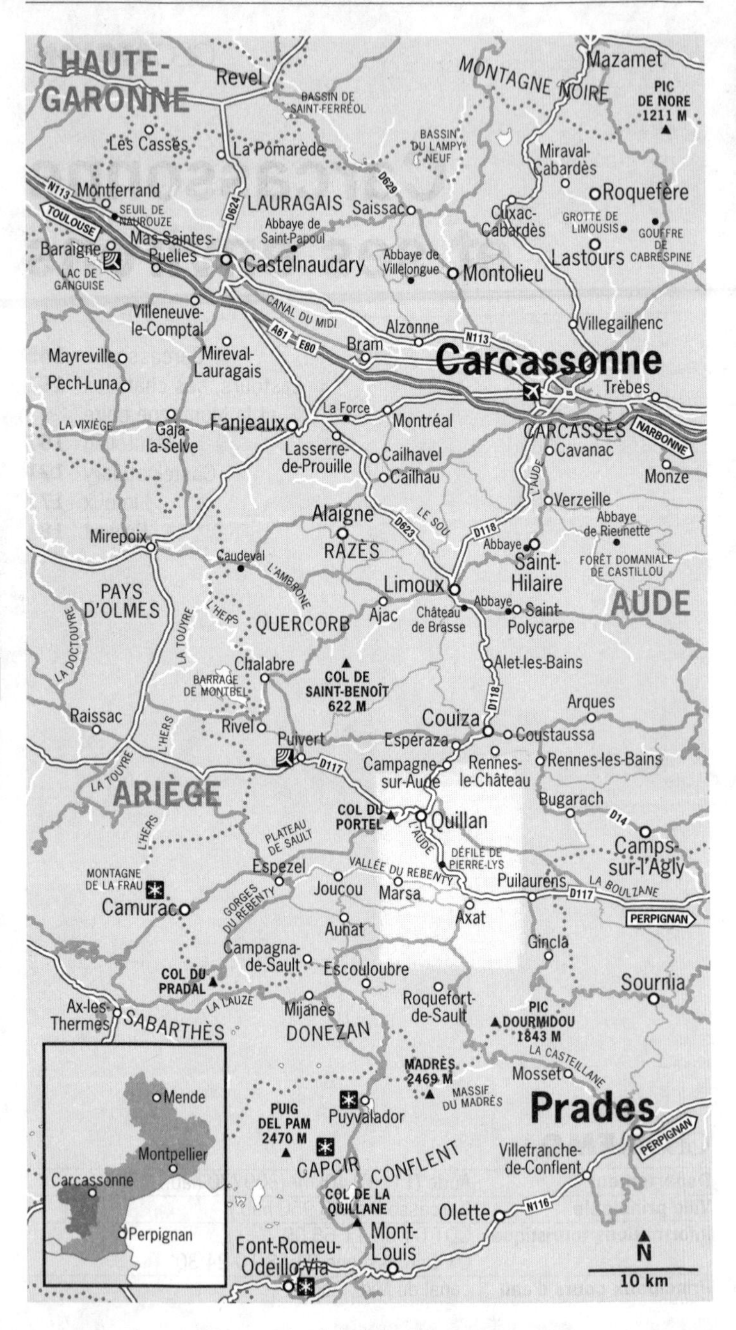

CARCASSONNE ET SES ENVIRONS

GEOREGION

Carcassonne

11000

De Carcassonne, on connaît surtout sa cité médiévale juchée sur une butte, au milieu d'une plaine, long couloir qui tire une diagonale entre l'Atlantique et la Méditerranée. On traverse les continents pour venir y déambuler, s'immerger dans un Moyen Âge ici encore bien vivant. Pas moins de cinquante-quatre tours et des kilomètres de remparts ciselés à la perfection en font un ouvrage d'art des plus impressionnants, la fierté de tous les Carcassonnais, un joyau qui brille, scintille, et attire à lui les visiteurs par millions. Car Carcassonne ne serait qu'une bourgade si elle n'avait su remettre d'aplomb sa Cité. Grâce aux restaurations de Viollet-le-Duc et de ses successeurs, c'est le pôle touristique moteur de tout un département. Ses amateurs et promoteurs mettent en valeur ses 2500 ans d'histoire, sa ville haute et sa ville basse – la bastide Saint-Louis –, autant de traces que l'on peut lire à ciel ouvert, au sein même de la pierre.

UN CARREFOUR Les archéologues sont formels : les premiers Carcassonnais occupent, entre 3500 et 550 av. J.-C., le plateau de Carsac. Puis ils bâtissent leur village sur la butte voisine, site de l'actuelle Cité. Surplombant l'Aude, cet *oppidum* est idéalement placé pour surveiller les plaines environnantes. Sa situation lui permet également de contrôler et de tirer profit de tout le trafic commercial qui transite à ses pieds : ici se croisent les routes nord-sud et est-ouest. Des Cornouailles descend l'étain, nécessaire à la fabrication du bronze, et du sud remontent les productions grecques, étrusques et carthaginoises.

UN POSTE FRONTIÈRE Au IVe siècle de notre ère, la menace revient sous les assauts de bandes armées : la cité doit se protéger, et les premières murailles sont construites. Après 300 ans de règne des Wisigoths, se succèdent invasions arabes (719) et franques (759). Le calme ne revient qu'au début de la période carolingienne qui voit la population augmenter, et la construction de deux nouveaux faubourgs au pied de la colline. Mais à nouveau des tensions apparaissent et le Carcassonnais est mis à feu et à sang lors de la croisade des Albigeois (1209). La volonté d'éradication de la religion cathare vient s'ajouter à des conflits très politiques et économiques (cf. GEOPanorama, Histoire). En 1240, alors que Carcassonne est devenue possession royale, les Trencavel tentent de la reprendre avec l'appui de la population, mais ils échouent. Saint Louis se venge en faisant expulser tous les habitants des faubourgs, et rase une à une leurs maisons. L'extension de la ville ne se fait qu'à la fin du XIIIe siècle, sous la forme d'une bastide, une ville créée sous l'impulsion du roi qui en confie l'administration à des consuls, sous la surveillance de son bailli. Jusqu'en 1659 – date de la signature du traité qui repousse la frontière franco-espagnole aux Pyrénées – elle reste la pièce principale du dispositif de défense du royaume. Aux XVIIe et XVIIIe siècles, la bastide prend la place de la Cité qui, devenue inutile, est désertée. À cette époque, Carcassonne s'enrichit du commerce du drap de haute qualité, avant qu'une nouvelle crise économique la plonge à nouveau dans un sommeil profond. Aujourd'hui, le tourisme lui redonne des ailes pendant qu'une viticulture de qualité revigore ses environs.

Carcassonne, mode d'emploi

accès

EN AVION L'aéroport le plus proche et le mieux desservi est Toulouse-Blagnac. Il est cependant possible d'arriver directement à Carcassonne en provenance de Bruxelles (Charleroi) et de Londres (Stansted) avec Ryanair.
Aéroport de Toulouse-Blagnac. *À environ 100km au nord-ouest de Carcassonne Tél. 0825 380 000 www.toulouse.aeroport.fr*
Aéroport de Carcassonne. *Tél. 04 68 71 96 46* ***Ryanair*** *Tél. 04 68 71 96 65 www.ryanair.com*

EN TRAIN Comptez environ 7h30 en provenance de Paris-Montparnasse en corail ou entre 5h30 et 6h en provenance de Paris-Gare de Lyon par TGV, avec un changement à Montpellier ou Narbonne. Par le réseau des TER, Narbonne est à environ 30min et Perpignan entre 1h et 1h40 en fonction des trains. ***Gare SNCF*** *(plan 3, B1) Avenue du Mal-Joffre* ***SNCF*** *Tél. 3635 www.voyages-sncf.com*

EN CAR La compagnie TransAude dessert les principales localités de l'Aude. *Départ des lignes régulières : bd de Varsovie Tél. 04 68 25 13 74*

EN VOITURE On accède à Carcassonne depuis Toulouse (50min) ou Narbonne (35min) par l'autoroute A61, ou bien par la RN113, ou la D118 en venant du sud.

Carcassonne et ses environs

(en km)	Carcassonne	Lastours	Montolieu	Limoux	Puylaurens
Lastours	18				
Montolieu	17	23			
Limoux	26	44	39		
Puylaurens	60	59	43	75	
Gruissan	73	88	90	101	147

location de voitures

Europcar (plan 1, B1). *Agence aéroport Tél. 04 68 72 23 69*
Hertz (plan 1, B1). *33, bd Omer-Sarraut Tél. 04 68 25 41 26*

orientation

Composée de deux entités bien distinctes – la Cité au sud et la bastide Saint-Louis au nord – Carcassonne s'aborde, d'un côté comme de l'autre, à pied. En centre-ville vous trouverez des parkings sur les boulevards périphériques, ainsi qu'à l'intérieur de la bastide (près du marché couvert, plan 1, B2). Une fois votre véhicule garé, vous pourrez facilement rejoindre les nombreux points d'intérêt de la ville basse comme de la Cité : il vous suffira de traverser le pont Vieux pour remonter, par la rue Trivalle, vers la ville médiévale (plan 2). C'est dans cette même rue que, de bonne heure le matin, vous pourrez trouver un stationnement gratuit et bien commode – l'idéal, à notre avis. Sinon, de vastes parkings (env. 6€/jour) vous attendent devant la porte principale de la Cité (plan 2, B1).

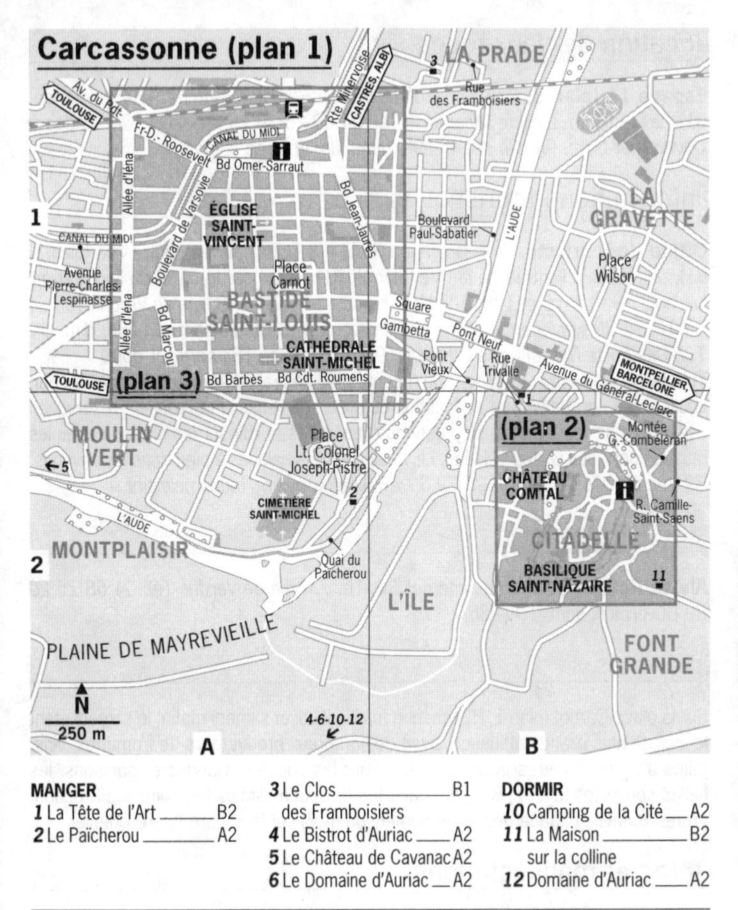

MANGER
1 La Tête de l'Art ______ B2
2 Le Païcherou ______ A2
3 Le Clos des Framboisiers ______ B1
4 Le Bistrot d'Auriac ______ A2
5 Le Château de Cavanac A2
6 Le Domaine d'Auriac ______ A2

DORMIR
10 Camping de la Cité ______ A2
11 La Maison sur la colline ______ B2
12 Domaine d'Auriac ______ A2

La cité médiévale Perchée au sud de la ville, sur la rive droite de l'Aude, la cité médiévale, avec ses remparts, ses ruelles entrelacées et son château, rappelle l'histoire d'une forteresse au système défensif réputé invincible.
La bastide Saint-Louis Rive gauche, la bastide Saint-Louis ou ville basse, au tracé hérité du XIIIe siècle, est le centre historique de la ville moderne où se concentre l'activité commerciale.

se déplacer en ville

BUS Une dizaine de lignes régulières en ville et à la périphérie. Ticket à l'unité 1,50€. De mai à mi-octobre, les navettes Agglo Bus et Touc relient les principaux sites touristiques. ***Bus urbains*** *Tél. 04 68 47 82 22* ***Navettes*** *Rens. à l'office de tourisme Tél. 04 68 10 24 30*

location de deux-roues

Espace 11 (plan 3, B1). Location de vélos 8€ la demi-journée, 13€ la journée, 61€ la semaine. *3, route Minervoise Tél. 04 68 25 28 18 espace.11@wanadoo.fr Ouvert mar.-sam. 9h-12h et 14h-19h, dim., lun. et j. fér. sur rdv*

informations touristiques

Office de tourisme. Trois antennes, dont une principale en centre-ville (plan 1, B1), une autre à l'entrée de la Cité (plan 2, B1) et une sur le canal du Midi (ouvert juil.-août : 9h-13h15 et 14h15-19h ; avr.-oct. : 14h-18h). *28, rue de Verdun Tél. 04 68 10 24 30 www.carcassonne-tourisme.com Ouvert lun.-sam. 9h-18h, dim. 9h-13h Cité-Porte Narbonnaise Ouvert tlj. 9h-19h (17h ou 18h hors juil.-août)*
Tourisme et loisirs. L'association met sur pied des rallyes-découverte pour les particuliers, en car, en voiture de location ou avec son véhicule personnel : réservation d'hôtels et de restaurants, suggestions d'itinéraires et rdv sur les sites ou dans les musées pour des visites guidées. Le week-end, des balades à pied dans les environs. *32, rue Barbès Tél. 04 68 25 79 09 www.cathares.org/tourismeloisirs*

accès Internet

Alerte Rouge. Connexions Internet 3€/1h. *73, rue de Verdun Tél. 04 68 25 20 39 Ouvert lun.-sam. 10h-23h*

marchés

Sur la place Carnot (plan 1, B2) chaque mardi, jeudi et samedi matin, le samedi étant le jour de plus grande affluence, avec de nombreux producteurs de fromages, vins, pains d'épice et autres gourmandises. Pour les volailles, viandes et poissons, les halles couvertes (plan 1, B2) sont ouvertes tlj. sauf le dimanche. Foire à la brocante professionnelle chaque deuxième samedi du mois sur le square André Chenier.

fêtes et manifestations

Festival de Carcassonne. En juillet, programme de théâtre, variétés, danses, concerts et festival de la Bastide avec animations et spectacles de rues. Un spectacle tous les soirs, dans le théâtre en plein air de la Cité ou bien en salle, dans la bastide Saint-Louis. *Rens. au 04 68 11 59 15 www.festivaldecarcassonne.com*
Spectacle pyrotechnique. L'embrasement de la Cité a lieu le soir du 14 juillet, à partir de 22h30. À ne pas manquer…
Les Estivales d'orgues de la Cité. Concerts en la basilique Saint-Nazaire, de fin juin à mi-septembre, dimanches et jours fériés à 17h.
Les Vents d'anges de mai. En août, orgues, orchestres et ensembles vocaux au sein de la bastide Saint-Louis. *Tél. 04 68 71 87 67*
Animations médiévales. De mi-juillet à fin août, tournois de chevalerie et grand spectacle son et lumière. *Tél. 04 68 77 74 67*
Semaine espagnole. Fin août, dans la bastide Saint-Louis, défilé de chevaux, calèches et *bandas*, spectacle équestre, danses sévillanes et corridas.
Fiesta y toros. Fin août, corridas dans les arènes espace Jean-Cau.

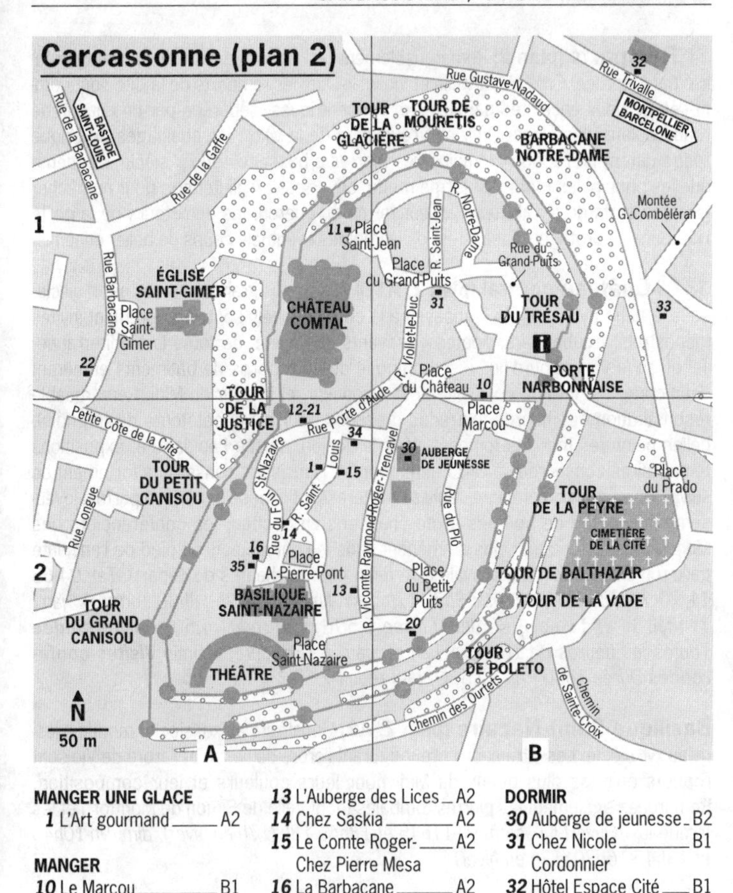

MANGER UNE GLACE
1 L'Art gourmand ___ A2

MANGER
10 Le Marcou ___ B1
11 Le Saint-Jean ___ A1
12 Au Jardin de la Tour ___ A2
13 L'Auberge des Lices ___ A2
14 Chez Saskia ___ A2
15 Le Comte Roger-Chez Pierre Mesa ___ A2
16 La Barbacane ___ A2

SORTIR
20 Le Bar à vins ___ B2
21 Au Jardin de la Tour ___ A2
22 La Bulle ___ A1

DORMIR
30 Auberge de jeunesse ___ B2
31 Chez Nicole Cordonnier ___ B1
32 Hôtel Espace Cité ___ B1
33 Hôtel Le Montmorency ___ B1
34 Hôtel Le Donjon-Les Remparts ___ A2
35 Hôtel de la Cité ___ A2

L'Astronaute. La salle de concerts de musiques actuelles (françaises ou *world*) du département. *Av. Jules-Verne (quartier du Viguier) Tél. 04 68 71 58 38*

☆ Découvrir la cité médiévale

☆ **À ne pas manquer** Les remparts, le château comtal **Et si vous avez le temps...** Assistez à un spectacle de fauconnerie aux portes de la Cité et sirotez une Trencavel au Bar à vins

☆ **Remparts (plan 2)** Remarquablement restaurés à la suite du sauvetage réalisé par Mérimée, Cros-Mayrevielle et Viollet-le-Duc, les remparts de la Cité sont composés de deux enceintes parallèles et concentriques, séparées par un chemin de ronde aplani : les Lices. On y suit l'évolution de la ville : les chaînages de brique rouge datent de l'époque romaine, les pierres à bossages du XIIIe siècle, de même que les principales tours : de forme ronde, ouvertes vers l'intérieur, pour empêcher les assaillants de s'y abriter. Par leur forme en éperon, les deux tours de la porte Narbonnaise protègent l'accès est de la ville des éventuels coups de bélier ennemis.

☆ ☺ **Château comtal (plan 2, A1)** Il vit ses plus grandes heures au XIIe siècle, sous la riche dynastie des Trencavel, à la cour desquels sont régulièrement invités ménestrels, troubadours, poètes et savants originaires de toute la Méditerranée. Tel qu'on le voit aujourd'hui, il se compose de deux corps de bâtiments entourant deux cours : la grande cour, dite cour d'honneur, et la cour du Midi. Remarquable reconstitution des hourds (estrades dressées pour les spectateurs de tournois), belles peintures murales romanes dans le donjon, musée Lapidaire et expositions temporaires consacrées à l'art contemporain. Nous vous conseillons fortement de suivre les visites-conférences : après un intéressant exposé historique parfois joyeusement ponctué de poèmes et de chansons en occitan, les conférenciers des Monuments historiques vous emmènent dans le château puis au pied de l'enceinte gallo-romaine et des tours royales (se rens. pour les heures de départ). *Tél. 04 68 11 70 77 Ouvert oct.-mars : 9h30-17h ; avr.-fin sept. : 10h-18h30 Fermé 1er jan., 1er mai, 1er et 11 nov., 25 déc. Entrée 6,50€, tarif réduit 4,50€* ***Visite guidée*** *Toutes les heures de 10h30 à 17h30, sauf à 13h, durée 40min* ***Visites-conférences*** *Durée 1h30 Prix 10,50€, tarif réduit 7,50€*

Basilique Saint-Nazaire (plan 2, A2) Construite au XIIIe siècle, modifiée jusqu'au XVIe siècle. Les vitraux du chœur figurant l'arbre de Jessé et l'arbre de Vie sont réputés être les plus beaux du Midi pour leurs couleurs et leur composition. Remarquez également les pierres tombales (dont celle de Simon de Montfort) et les tombeaux. *Ouvert lun.-sam. 9h-11h45 et 13h45-18h (17h en hiver), dim. 9h-10h45 et 13h45-16h30 (17h en hiver)*

Musée des Mémoires du Moyen Âge (plan 2, B1) Des reconstitutions de scènes historiques (vidéos et maquettes) et des techniques militaires d'attaque et de défense. *Face à la porte Narbonnaise Tél. 04 68 71 08 65 Ouvert tlj. 10h-19h (sauf Noël-1er jan.) Adulte 5€, tarif réduit 4€, enfant 3€*

Se distraire en famille

La Cité des oiseaux Spectacle de fauconnerie (à 11h et 17h) aux portes de la Cité, sur la colline du Pech Mary. Les loups sont eux en représentation à 10h30, 16h30 et 18h15. ***Autour de la Cité*** *Tél. 04 68 47 88 99 Ouvert tlj. juil.-août : 10h-12h30 et 14h-18h30 ; avr.-juin et sept.-oct. : 14h-18h30 Adulte 8,50€ Enfants 5€*

Pour les amateurs de tauromachie

☺ **Le Cercle taurin (plan 3, B2 n°1).** C'est le rendez-vous du samedi matin, pour tous les *aficionados* de la tauromachie et des vins. Le club invite chaque samedi un viticulteur du coin, et parfois quelques *bandas* viennent lui donner le son. Ambiance et convivialité garanties. Expos de peintures et de photos, et collection d'affiches anciennes, du temps où la corrida enflammait les arènes de la ville... Dégustation le samedi entre 11h et 13h. ***Autour de la Cité*** *Café Saillan 31, rue A.-Tomey Tél. 04 68 72 37 40 Ouvert tte l'année*

Où faire une pause déjeuner ?

Le Marcou (plan 2, B1 n°10). Tranquille aux heures creuses, la place s'anime dès l'heure du déjeuner et c'est un concert de voix et de fourchettes. Pour manger au calme, venez avant ou après le coup de feu... Les salades et les plats brasserie sont corrects, mais c'est surtout pour l'ambiance qu'on s'y installe ! *Place Marcou Tél. 04 68 47 37 48 Fermé hors saison : lun. ; mi-nov.-début fév.*

Où faire quelques achats ?

Gérard Sioen galerie (plan 2, B2). La galerie de Gérard Sioen, reporter, photographe, illustrateur, est installée dans une ancienne échoppe de peaussier du XIIe siècle, restaurée avec des faïences et des tomettes splendides. Les photos sont magnifiques : vues de Carcassonne et des environs, en vente en cartes postales... ou en grand format. *27, rue du Plô Tél. 04 68 25 99 10 www.sioen-photo.com Ouvert tlj. juin-fin oct. : 10h30-19h30 ; hors saison : 10h30-12h30 et 14h-18h30*

Complément d'objet (plan 2, B1). Un assortiment hétéroclite et recherché de souvenirs, cadeaux et objets de décoration, agencés de façon raffinée dans une petite boutique sobre et tranquille, posée à l'écart des hordes, face à l'entrée du Château comtal... *2, place du Château Tél. 04 68 25 36 76 Fermé 15 jan.-15 fév.*

Cellier des Vignerons de la Cité (plan 2, B1). De la ruelle on entend déjà les rires et les verres tinter... Une belle sélection de vins du Languedoc-Roussillon se cache dans ce petit caveau de vente... On peut venir s'approvisionner, ou tout simplement y goûter quelques raretés... La dégustation se fait alors au verre : 3€ le verre et 5€ les trois verres différents que l'on accompagnera d'une assiette de charcuterie ou de fromage. *13, rue du Grand-Puits Tél. 04 68 25 31 00 Ouvert tlj. 10h-19h (fermeture plus tardive en saison)*

Où déguster des glaces ?

L'Art gourmand (plan 2, A2 n°1). Il propose les meilleures glaces de la Cité, préparées à l'ancienne, avec des parfums de miel et de lavande, de *turrón*, de pain d'épice, de calisson et autres délices occitans ou catalans. La maison confectionne aussi des biscuits, fruits confits et pâtes de fruits à faire pâlir les gourmands... *13, rue Saint-Louis Tél. 04 68 25 95 33 Ouvert hors saison : 11h-19h ; été : 10h-23h*

Découvrir la bastide Saint-Louis

☆ **À ne pas manquer** Le centre de la Bastide **Et si vous avez le temps...** Guinchez au Païcherou sur les bords de l'Aude, trinquez le soir au pub O'Sheridan's

☆ Trop souvent dédaignée, oubliée au profit de sa rivale, la Cité, la ville basse cache pourtant dans son plan en damier des richesses plus sensibles, plus discrètes, mais non dénuées de charme. Elle naît à l'époque où de nombreuses autres bastides sont créées dans le Midi de la France : ces villes nouvelles permettent à leurs fondateurs – ici, le roi de France, Saint Louis – d'en tirer des revenus, d'y contrôler les populations et d'en faire des places frontières acquises à leur cause. Son plan suit le modèle d'urbanisation rationnelle en vogue à l'époque : l'échiquier, avec des rues se croisant à angle droit, autour d'une place centrale, ici la place Carnot. Ses fortifications datent de la guerre de Cent Ans, après le passage incendiaire du Prince Noir en 1355. On peut en voir encore quelques pans, grignotés par les maisons qui y prennent appui. Pour découvrir la Bastide, vous pouvez flâner au hasard des rues ou selon un circuit précis, commencer par faire le tour des anciennes fortifications ou entrer directement à l'intérieur par la rue de Verdun, son grand axe est-ouest, à l'angle du musée des Beaux-Arts (plan 1, B2). Le souvenir d'une ville drapière tout entière vouée au négoce flotte encore avec insistance dans ces rues. ***Visites guidées*** *de la Bastide mi-juin-mi-sept. : mar. et jeu. matin 9h30 Rens. à l'office de tourisme Adulte 5€, enfant de moins de 15 ans 2€*

Hôtels particuliers De la grande époque drapière subsistent encore de beaux immeubles dont le plan illustre parfaitement leur vocation première (rue de Verdun, rue Aimé-Ramon). Une grande porte cochère, sobre et aucunement ostentatoire, s'ouvre sur un ensemble plus profond que large (les impôts se calculent en mètres de façade !), qui peut totaliser jusqu'à 450m² habitables. On pénètre immédiatement dans une petite cour intérieure, destinée à l'entrepôt des ballots de matières premières : laine d'Espagne et des Corbières, teinture et huile d'olive (pour carder la laine). Une deuxième cour intérieure se devine dans le fond, plus privée que l'autre, avec, au milieu des deux, des appartements empilés les uns au-dessus des autres rejoignant les corps de logis de façade par les côtés. Ici le travail consiste surtout à redistribuer la laine à des sous-traitants de la vallée de l'Orbiel et de Lagrasse qui reviennent plus tard avec les draps finis, puis à assurer leur commercialisation sur place et à l'extérieur de la ville. D'autres maisons sont tout aussi remarquables : la maison dite du Sénéchal, datant du XIVe siècle, siège de l'actuelle Chambre d'agriculture (70, rue Aimé-Ramond, plan 1, A2) avec son puits du XVIe siècle dans la cour (les fontaines publiques n'apparaissent que deux siècles plus tard) ; l'hôtel de Rolland (siège de l'actuel hôtel de ville, plan 1, B2), construit au XVIIIe siècle par un riche marchand, Cavaillhès.

☺ **Maison des Mémoires (plan 3, B2)** Trois entités distinctes et complémentaires : le centre Joë-Bousquet et son Temps, à l'étage où l'écrivain carcassonnais (1897-1950) a vécu la dernière partie de sa vie après avoir été blessé à la guerre de 14-18 ; le Centre d'études cathares et le Groupe audois de recherche et d'animation ethnographique doté d'une bibliothèque passionnante. Le lieu accueille notamment de remarquables expositions qui font dialoguer peinture et littérature. *53, rue de Verdun Tél. 04 68 72 45 55* ***Centre d'études et groupe audois*** *Ouvert lun.-ven. 9h-12h et 14h-17h30* ***Expositions*** *Ouvert mar.-sam. 9h-12h et 14h-18h*

Musée des Beaux-Arts (plan 3, B2) Situé dans les étages de l'ancien présidial de la ville, un bâtiment splendide en soi. Vous pourrez y découvrir des œuvres de peintres régionaux et nationaux du XVIIe au XIXe siècle. *À l'angle du 1, rue de*

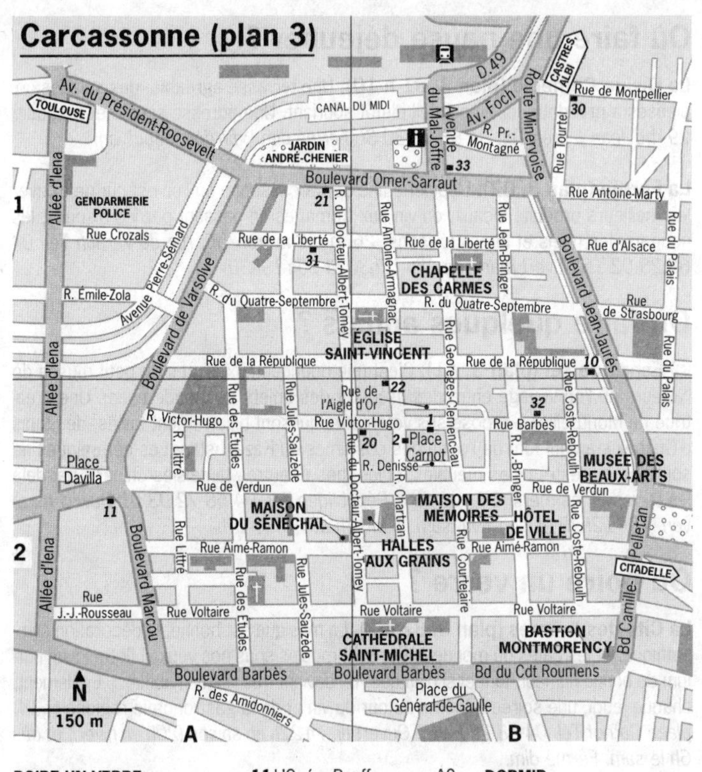

BOIRE UN VERRE
1 Le Cercle taurin ____ B2
2 La Cité des Arômes __ B2

MANGER
10 La Divine Comédie __ B1

11 L'Opéra Bouffe ____ A2

SORTIR
20 Pub O'Sheridan's ____ B2
21 Le Café de nuit ____ A1
22 Le Pop Bar ____ B2

DORMIR
30 Hôtel Astoria ____ B1
31 Hôtel de la Bastide __ A1
32 Bastide Saint-Louis __ B2
33 Hôtel ____ B1 du Soleil Terminus

Verdun et du square Gambetta Tél. 04 68 77 73 70 Ouvert mi-juin-sept. : tlj. 10h-18h sauf 14 juil. et 15 août ; oct.-mi-juin : mar.-sam. 10h-12h et 14h-18h et le 1er dimanche du mois 14h30-17h30

Aller à la piscine

Piscine du Païcherou. Sur les berges de l'Aude, un grand bassin en plein air. *Tél. 04 68 72 02 36 Ouvert mi-juin-mi-sept. Téléphoner pour les horaires*

Piscine de Grazailles. Piscine couverte équipée d'un toit ouvrant. *Stade de Grazailles, rue du Moulin-de-la-Seigne Tél. 04 68 47 81 83 Téléphoner pour les horaires Fermé juil.-août*

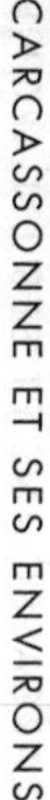

Où faire une pause déjeuner ?

La Divine Comédie (plan 3, B1 n°10). Une terrasse agréable, des salades copieuses à prix doux, et un accueil plutôt souriant. Une adresse simple et pratique. *29, bd Jean-Jaurès Tél. 04 68 72 30 36 Fermé dim. ; fin-déc.-début jan.*

La Ferme (plan 3, B2). L'épicerie fine de Carcassonne où l'on est sûr de trouver les meilleurs produits locaux, du vin aux fromages en passant par les biscuits, les nougats, les miels et les saucissons. *26, rue Chartran/55, rue de Verdun Tél. 04 68 25 02 15 Ouvert mar.-sam. 8h-12h30 et 15h-19h30*

Où faire quelques achats ?

☺ **Esprit de sel (plan 3, A1).** C'est une boutique aux allures de petit musée de l'ailleurs où l'on voyage entre des tissus et des objets du monde entier. Une créatrice de Montpellier y expose ses vêtements qui sont bizarrement taillés, des tapis d'Ouzbékistan qui font de l'œil à des costumes du Kazakhstan. Les céramiques ne sont pas en reste, ni les meubles, ni les thés et autres fantaisies chinées par-delà les terres et les mers. *10, rue de la République Tél. 04 68 72 03 01 Ouvert mar.-ven. 10h-12h30 et 14h-19h, sam. 10h-13h et 14h30-19h*

Où boire un verre ?

La Cité des Arômes (plan 3, B2 n°2). La musique est bonne, la décoration sympathique, et les cafés du monde entier sont moulus sous nos yeux. Il flotte ici un parfum de bonne humeur, tant et si bien que l'on devient très vite un habitué… Également, chaque jeudi, une soirée à thème autour du vin et de la gastronomie régionale. *14, place Carnot Tél. 04 68 26 56 85 Ouvert tlj. 7h-22h en saison (20h en hiver), et dès 6h le sam. Fermé dim.*

Découvrir les environs

Faire une minicroisière sur le canal du Midi

Lou Gabaret. Cette péniche part du port de Carcassonne et vogue en direction de Toulouse pour une balade d'1h45 ou de 2h30 selon l'option choisie. *Tél. 04 68 71 61 26 ou 06 80 47 54 33 Circule juil.-août : départs à 10h, 14h, 16h et 18h ; 15-30 juin et 1er-15 sept. : départs à 10h et 14h30 ; 16 sept.-14 juin : départ à 14h30 Fermé sept.-juin : lun.*

Calabrun. Croisière de 1h45 en juil.-août au départ de Trèbes. *Tél. 06 61 93 63 47 Départ tlj. à 15h et 17h sauf sam. Adulte 8€, moins de 13 ans 6€*

Passer l'après-midi au bord d'un lac

Lac de La Cavayère À 3km au sud de la ville, ce site – magnifique – vous promet du calme, de la verdure et, surtout, de l'eau ! Location de pédalos. *Bus direct (lignes 1 et 2) Tél. 04 68 47 82 22*

Centre équestre du lac de La Cavayère. Au cœur de l'arboretum, des stages pour les enfants, avec le matin découverte de l'équitation et l'après-midi baignades, activités et jeux, avec le déjeuner au milieu ! *Tél. 04 68 71 05 03 ou 06 72 60 23 52 www.equitationcarcassonne.com Ouvert tte l'année*

Manger à Carcassonne

N'oubliez pas de consulter également les rubriques Où faire une pause déjeuner ? des différents quartiers de la ville, où vous retrouverez des adresses de restauration à petits prix.

petits prix

☺ **Le Saint-Jean (plan 2, A1 n°11).** La terrasse sur le château est exceptionnelle, du matin jusqu'au soir, mais l'intérieur est tout aussi sympathique : on s'y sent très vite comme chez soi avec, aux fourneaux, des jeunes gens aussi accueillants que compétents. Des salades gourmandes de 12 à 17€, à midi des formules à 11€ avec cassoulet, des salades vertes et du vin, le soir des formules à 15€ avec tartine et cassoulet. Autres menus à 18,50 et 23€, et une carte du jour avec des plats entre 12 et 17€. ***Cité*** *1, place Saint-Jean Tél. 04 68 47 42 43 Ouvert en saison : tlj. 9h-2h ; hors saison : lun. et mer.-dim. 9h-15h et 19h-23h*

La Tête de l'Art (plan 1, B2 n°1). Ici le patron affiche haut et clair ses spécialités : le cochon et la bonne humeur ! La cuisine est simple et bonne, mijotée à partir de produits du terroir, donc de qualité, et de caractère. À la fois restaurant, bar, café et salle de concert, le lieu mérite plus qu'un détour pour prendre la température du milieu de l'art dans la région. ***Autour de la Cité*** *37 bis, rue Trivalle Tél. 04 68 47 36 36 Ouvert tlj. mai-oct. : 10h-0h ; nov.-avr. : 9h-22h*

☺ **Le Païcherou (plan 1, A2 n°2).** C'est la guinguette des bords de l'Aude, où l'on vient manger, boire un thé et, bien sûr, danser ! ***Autour de la Bastide*** *Quai du Païcherou Tél. 04 68 25 12 05 Ouvert mars-nov. : dim. et j. fér.*

prix moyens

☺ **Au Jardin de la Tour (plan 2, A2 n°12).** À travers la ville entière, on ne parle que de lui : les Carcassonnais s'y pressent, en font leur quartier général, leur cantine… Les objets et meubles que Biquet, le maître des lieux, a conservés de son métier précédent – l'antiquité – donnent au lieu un charme fou. Les choix d'Élodie en matière de cuisine viennent prendre corps dans le décor, et font des assiettes de vraies promesses de bonheur. Le cassoulet figure ici parmi les spécialités, mais il faut aussi goûter aux produits de la mer. Menus de 22 à 28€. ***Cité*** *11, rue Porte-d'Aude Tél. 04 68 25 71 24 Ouvert le soir uniquement Fermé dim. et lun. hors saison ; nov.-mi-déc.*

L'Auberge des Lices (plan 2, A2 n°13). Les produits frais sont ici à l'honneur, et ils sont mis en valeur par le talent d'un jeune chef de qualité. Réputé pour être, entre autres, l'un des "maîtres en cassoulet" de l'année, il fait tout lui-même, du pain aux biscuits, et compose des menus de gourmets pour 17, 24, 31 ou 50€. ***Cité*** *3, rue Raymond-Roger-Trencavel Tél. 04 68 72 34 07 Fermé mar.-midi et mer. midi en saison ; mar. midi, mer. et jeu. midi hors saison ; 2e quinz. jan.*

L'Opéra Bouffe (plan 3, A2 n°11). Du parquet en bois sombre, des tentures de velours rouge et des fauteuils, des canapés, des étoffes et des bougies qui vacillent au moindre courant d'air… Quelle atmosphère ! On peut y boire seulement, mais aussi y déguster des poissons à la plancha et des grillades au feu de bois. ***Bastide Saint-Louis*** *7, place Davilla Tél. 04 68 71 18 03 et 06 13 02 34 17 Ouvert en saison : lun.-ven. midi et soir, sam.-dim. le soir (jusqu'à 2h) ; hors saison : tlj. 20h-2h*

prix élevés

☺ **Le Clos des Framboisiers (plan 1, B1 n°3).** Il faut tout d'abord le trouver, caché derrière la voie ferrée, de l'autre côté du port, pas très loin du canal… Mais en principe, c'est fléché, et il suffit de téléphoner ! D'ailleurs, il est prudent de réserver : la cuisine de monsieur ravit les Carcassonnais, et la déco de Patricia est un plaisir. L'été, le dîner se prend au jardin, au bord d'une piscine dont la couleur du fond aime elle aussi à changer. Bleu, mauve ou rose : quelle sera la tendance de l'été ? Pour 27€, le menu du soir s'articule autour des envies du chef. Très souvent, le foie gras côtoie le coulis de framboises ou d'abricots, quand ce n'est pas la confiture de vin ou d'oignons… ***Autour de la Bastide*** *8, rue des Framboisiers Tél. 04 68 47 41 17 Ouvert le soir du mar. au sam.*

☺ **Chez Saskia (plan 2, A2 n°14).** L'annexe de l'Hôtel de la Cité, dans une maison du XIIIe siècle. Plus économique que son grand frère la Barbacane, la cuisine n'en reste pas moins sympathique, surtout lorsqu'elle est servie dans le petit jardin de l'Évêché en surplomb… Plats du jour de terre ou de mer, et menu à partir de 26€. ***Cité*** *Rue Saint-Louis Tél. 04 68 71 98 71 Fermé déc. et fév.*

☺ **Le Comte Roger-Chez Pierre Mesa (plan 2, A2 n°15).** Quelques marches à monter et les tables sont là, dressées sous la tonnelle, autour d'un puits baroque à souhait. L'intérieur est très épuré, ponctué de quelques notes acidulées. On sent la présence des designers, de Stark et de ses héritiers. La cuisine y est fine et parfumée : des poissons cuits à la perfection, des saveurs discrètes et des portions plus qu'honnêtement composées… Une très bonne adresse dans la Cité. Menus à 33 et 43€. ***Cité*** *14, rue Saint-Louis Tél. 04 68 11 93 40 Fermé dim.*

prix très élevés

La Barbacane (plan 2, A2 n°16). Jérôme Ryon est le nouveau chef du restaurant de l'hôtel de la Cité (cf. Dormir à Carcassonne). Ce jeune professionnel a rapporté de ses nombreux voyages un goût certain pour l'exotisme même s'il se considère comme un héritier de la tradition française. Passionné par les herbes aromatiques et les parfums discrets, il privilégie une cuisine simple, authentique et raffinée : le turbot est rôti au beurre demi-sel, la piperade s'accompagne de jambon pata negra… et la crème brûlée est parfumée à la noisette. Menus à partir de 65€. ***Cité*** *Place Auguste-Pierre-Pont Tél. 04 68 71 98 71 Ouvert le soir uniquement Fermé mar.-mer. ; déc. et fév.*

Manger dans les environs

petits prix

☺ **Château de Pennautier.** Bar à vins et bistrot. Des assiettes gourmandes, des plats du jour, des tartines et des desserts maison, servis au frais dans la salle ou en terrasse. À marier avec des vins servis au verre, sur les conseils cordiaux du sommelier confirmé. *11610 **Pennautier** (à 5km de Carcassonne) Tél. 04 68 25 63 48 Ouvert juil.-août : tlj. sauf dim. soir et lun. soir ; sept.-juin : lun.-sam. à midi, ven. soir et sam. soir*

prix moyens

Le Moulin de Trèbes. Il faut traverser Trèbes, enjamber le pont et longer le canal vers l'est sur quelque 200m pour atteindre la petite maison du Moulin. La terrasse donne sur l'eau, la cuisine est bonne, le service chaleureux. Un menu à 15€ (à midi en semaine) avec un buffet de crudités, une grillade et un dessert, ou une formule buffet à 12€ avec un dessert et un verre de vin, et d'autres menus (le soir et le week-end) à 23 et 33€. *2, rue du Moulin 11800 **Trèbes** (à 5km de Carcassonne) Tél. 04 68 78 97 57 Fermé nov.-mars*

Le Bistrot d'Auriac (plan 1, A2 n°4). Face au trou n°1 du golf de Carcassonne, on peut grignoter un sandwich, une salade, une grillade ou un plat du jour, pour une somme modique dans un cadre… plutôt sympathique ! *Domaine d'Auriac Route de Saint-Hilaire Tél. 04 68 25 37 19 Ouvert oct.-avr. : mar.-dim. le midi et ven.-sam. le soir ; mai-sept. : mar.-sam. et dim. midi Fermé dernière semaine de nov.*

prix élevés

Le Château de Cavanac (plan 1, A2 n°5). La formule est alléchante et demande de jeûner pendant les quelques jours qui précèdent votre venue… Menu unique à 40€ tout compris, de l'apéritif à la tisane en passant par les plats du terroir et les vins du domaine à volonté. Du foie gras chaud poêlé à la figue, du cochon de lait au miel, des fromages et des pâtisseries maison… De quoi vraiment vous faire tourner la tête, dans un cadre de qualité, restauré avec goût entre tradition et modernité. La maison propose également des chambres de 65 à 155€ pour 2 personnes. *11570 **Cavanac** (à 7km de Carcassonne) Tél. 04 68 79 61 04 Fermé jan.-fév. et 15 premiers jours de nov.*

prix très élevés

Le Domaine d'Auriac (plan 1, A2 n°6). Philippe Ducos, qui a pris la suite de Bernard Rigaudis, a su conserver à cet établissement son étoile au Michelin. Il prépare une cuisine raffinée, savoureuse et plantureuse servie sur une terrasse enchanteresse en été. Les desserts du pâtissier sont une pure merveille : on tremble encore longtemps au souvenir d'un gâteau au chocolat coulant sur une glace fine à la confiture de lait… Un menu "régional" et un menu "carte du domaine", tous les deux à 65€, et un menu "découverte" à 90€ (avec accord mets et vins à 140€).

***Sud-ouest de la ville** Rte de Saint-Hilaire Tél. 04 68 25 72 22 Fermé en saison : lun.-mer. à midi ; hors saison : dim. soir et lun. ; jan. ; 1 sem. en nov. ; 1 sem. en mai*

Sortir à Carcassonne

Où boire un verre le soir ?

☺ **Le Bar à vins (plan 2, B2 n°20).** C'est l'endroit où aller. Certains Carcassonnais montent à la Cité rien que pour y boire un verre. Son secret ? Un jardin gigantesque croulant sous la verdure, une vue sur un bout de muraille et une basilique que l'on devine là, derrière ; des tables et chaises en métal rouillé juste comme il faut, quelques tonneaux et un bar ouvert, en plein air, avec des vins, bien sûr au verre (2€) ou à la bouteille (14€). L'hiver, il est tout aussi plaisant de goûter à la bière locale – la Trencavel – au coin d'une cheminée copieusement alimentée. Assiettes de tapas pour grignoter, glaces et sandwichs variés. ***Cité** 6, rue du Plô Tél. 04 68 47 38 38 Fermé mi-nov.-début fév.*

Au Jardin de la Tour (plan 2, A2 n°21). Avant ou après dîner, la tente berbère du Jardin est un autre des passages obligés de la Cité. On attend l'été avec hâte pour voir le décor s'installer… Tapas et apéritifs en pagaille, vins au verre et mille et un cocktails maison. ***Cité** 11, rue Porte-d'Aude Tél. 04 68 25 71 24 Ouvert tlj. tte l'année*

Pub O'Sheridan's (plan 3, B2 n°20). Outre le fait de proposer une sympathique sélection de bières et de whiskies, il est en plus ouvert tous les soirs, ce qui est plutôt appréciable dans une ville déserte l'hiver… ***Bastide Saint-Louis** 13, rue Victor-Hugo Tél. 04 68 72 06 58 Ouvert tte l'année 17h-2h*

Le Café de nuit (plan 3, A1 n°21). Comme son nom l'indique, ce café-là reste ouvert tard dans la nuit… Deux étages, au choix : le rez-de-chaussée pour les plus de 30 ans, et le sous-sol pour ceux qui sont encore en dessous. Essayez de voir où l'on vous place, juste par curiosité… ***Bastide Saint-Louis** 31, boulevard Omer-Sarraut Tél. 04 68 72 43 38 Ouvert 21h-3h et plus, Fermé dim.*

Où danser toute la nuit ?

La Bulle (plan 2, A1 n°22). Une discothèque où les nuits sont chaudes en été, à grand renfort de soirées à thème variées… Pour faire une pause et quitter quelques instants le bain de foule et la danse frénétique, un restaurant vous propose de grignoter dans le parc tout au long de la nuit… ***Cité** 115, rue Barbacane Tél. 04 68 72 47 70 Ouvert tte l'année Fermé lun. et mar.*

Le Pop Bar (plan 3, B2 n°22). Passé 22h, c'est le lieu de rendez-vous des étudiants carcassonnais revenus chez leurs parents pour le week-end ou les vacances… On y danse fort, mais jusqu'à 2h seulement, réglementation oblige. Avant, on peut y prendre l'apéritif tranquillement, en découvrant l'expo photo du moment. ***Bastide Saint-Louis** 5, rue Armagnac Tél. 04 68 71 50 21 Ouvert tte l'année Fermé dim. et lun. soir*

Dormir à Carcassonne

camping

Camping de la Cité (plan 1, A2 n°10). Deux cents emplacements au sud-ouest de la ville. Verdure, espace et tranquillité. Comptez 16€ pour deux personnes avec voiture (22€ en juillet et en août). ***Sud-ouest de la ville*** *Route de Saint-Hilaire (accès en navette) Tél. 04 68 25 11 77 Ouvert 15 mars-15 oct.*

petits prix

Hôtel Astoria (plan 3, B1 n°30). Aux abords de la gare et du canal du Midi, l'établissement mêle accueil chaleureux et fonctionnalité, avec des chambres assez spacieuses. Doubles de 25€ (avec douche) à 45€ (avec douche et WC). Les petits déjeuners (6€) se prennent au sous-sol, dans une pièce malheureusement sans fenêtre. Tarifs minorés de 10% hors saison. Parking et garage. ***Bastide Saint-Louis*** *18, rue Tourtel Tél. 04 68 25 31 38 Fermé fév.*

Auberge de jeunesse (plan 2, B2 n°30). C'est incroyable mais pourtant bien vrai : l'auberge est située en plein cœur de la Cité, autour d'un jardin intérieur charmant. Chambres de 4 et 6 lits (16,50€ la nuit avec petit déj. et les draps). ***Cité*** *Rue du Vicomte-Trencavel Tél. 04 68 25 23 16 Ouvert 24h/24 Accueil 8h-12h et 15h-23h Fermé mi-déc.-mi-jan.*

Hôtel de la Bastide (plan 3, A1 n°31). Le hall paraît peu avenant et pourtant l'accueil est vraiment charmant. Les 28 chambres (12 avec a/c) sont toutes propres et pratiques, dans un quartier calme. Doubles de 38 à 50€, petit déjeuner 5,30€. ***Bastide Saint-Louis*** *81, rue de la Liberté Tél. 04 68 71 96 89 Ouvert tte l'année*

prix moyens

Chez Nicole Cordonnier (plan 2, B1 n°31). Vous serez logés au cœur d'une vieille maison de la Cité, dans des chambres indépendantes munies de kitchenette et parfois même de terrasse… Double de 40 à 57€ selon la saison et de 67 à 77€ pour 4 ou 5 pers. ***Cité*** *8, pl. du Grand-Puits Tél. 04 68 25 16 67 Ouvert tte l'année*

Hôtel Espace Cité (plan 2, B1 n°32). Ses abords manquent peut-être d'un peu de charme, mais il présente tout le confort rêvé pour des tarifs on ne peut plus abordables au vu de la proximité de la Cité. Chambres avec air conditionné de 55 à 75€ selon la saison. ***Autour de la Cité*** *132, rue Trivalle Tél. 04 68 25 24 24 hotel-espace-cite@wanadoo.fr Ouvert tte l'année*

prix élevés

Bastide Saint-Louis (plan 3, B2 n°32). Des chambres d'hôtes de charme, à la décoration majestueuse, d'un autre temps. Chambre double à partir de 63€ (petit déjeuner compris) ***Bastide Saint-Louis*** *42, rue Barbès Tél. 04 68 72 34 81 Ouvert tte l'année Fermé à Noël*

☺ **La Maison sur la colline (plan 1, B2 n°11).** C'est un véritable bonheur que de poser ses valises ici, le temps d'une ou plusieurs nuits. La Cité n'est pourtant qu'à 1km, mais très vite on se retrouve perdu dans des collines qui n'ont rien à envier à la Toscane. Les oiseaux babillent jour et nuit, la piscine chauffe doucement au soleil, pendant que madame Galinier sort du four des gâteaux auxquels on ne résiste pas… Une maison qui est accueillante et généreuse. Six chambres doubles de 65 à 110€. Table d'hôte sur réservation (30€). ***Autour de la Cité*** *Lieu-dit Chemin de Sainte-Croix Tél. 04 68 47 57 94 www.lamaisonsurlacolline.com Fermé mi-déc.-mi-fév.*

Hôtel Le Montmorency (plan 2, B1 n°33). Il fait partie des hôtels de sa catégorie les mieux situés, juste à l'entrée de la Cité, avec son parking privé, sa piscine et ses chambres rénovées avec moult couleurs. Préférez celles de l'annexe si vous aimez les décorations plus actuelles (les autres sont plus… traditionnelles). Doubles de 65 à 92€ selon le confort et 15 chambres de 130 à 350€. Accès gratuit à Internet. ***Autour de la Cité*** *2, rue Camille-Saint-Saëns/Montée Gaston-Combéléran Tél. 04 68 11 96 70 www.lemontmorency.com Ouvert tte l'année*

prix très élevés

Hôtel du Soleil Terminus (plan 3, B1 n°33). Ambiance rétro : les boiseries de l'accueil, la salle de réception, le grand escalier… Construit en 1913, le Terminus n'a que discrètement rénové ses 110 chambres : venez-y pour l'atmosphère merveilleuse plus que pour le confort. Doubles de 76 à 178€ et petit déjeuner 10€. ***Bastide Saint-Louis*** *2, av. du Mal-Joffre Tél. 04 68 25 25 00 Ouvert toute l'année*

☺ **Hôtel Le Donjon-Les Remparts (plan 2, A2 n°34).** Sa façade semble bien austère mais une fois à l'intérieur le charme opère : les chambres sont agréables, rénovées avec goût et dotées de tout le confort souhaitable. Double de 90 à 155€, selon le confort et la saison. Petit déjeuner-buffet 10€. ***Cité*** *2, rue du Comte-Roger Tél. 04 68 11 23 00. www.bestwestern-donjon.com Ouvert tte l'année*

Hôtel de la Cité (plan 2, A2 n°35). Il s'agit assurément du plus bel établissement de la ville – qui plus est le seul 4-étoiles – installé tout contre la basilique Saint-Nazaire. Ses premières pierres ont été assemblées sur le site de l'ancien palais épiscopal en 1909. Restauré il y a peu de temps, il est resté, jusqu'à aujourd'hui encore, une escale favorite des grands de ce monde. Les 40 chambres de luxe (de 275 à 525€ selon la saison) et les 21 suites et junior suites de standing (de 425 à 1 250€), dont certaines avec jardin privatif, ont été entièrement redécorées. ***Cité*** *Place Auguste-Pierre-Pont Tél. 04 68 71 98 71 www.hoteldelacite.com Fermé fin nov.-fin déc. et fin jan.-début mars*

Dormir dans les environs

prix élevés

Domaine des Castelles. Ici, vous dormirez dans un ancien domaine viticole, dans un manoir recouvert de vigne vierge, au cœur d'un parc immense. Chambres doubles très spacieuses de 60 à 65€ la nuit avec petit déjeuner. *Isabelle Puaud 11170*

***Caux-et-Sauzens** (à 5km de Carcassonne) Tél. 04 68 72 03 60 Ouvert tte l'année sur réservation*

prix très élevés

Domaine d'Auriac (plan 1, A2 n°12). La propriété de ce Relais et Châteaux est splendide, bordée d'arbres centenaires. En haute saison, les chambres doubles standard vont de 170 à 450€ selon le confort. Les plus chères sont situées dans des corps de bâtiment récemment rénovés : la maison du Boulanger, de l'Écuyer et du Meunier. On y passe assurément un séjour confortable, à l'écart de la foule et au bord d'un océan de verdure : le golf de Carcassonne. Forfaits golf privilégiés. ***Sud-ouest de la ville** Route de Saint-Hilaire Tél. 04 68 25 72 22 Fermé dim. soir et lun. hors saison ; jan. ; 1 sem. en nov. et 1 sem. en mai*

Lastours

11600

De Carcassonne il faut monter et grimper à flanc de montagne pour les apercevoir, impassibles et fières, au détour d'un chemin : les tours, Lastours. Quatre châteaux voisins de quelques dizaines de mètres, chacun piqué sur un sommet comme des pions sur un drôle de damier. Ils ont été reconstruits de nombreuses fois, mais à l'origine ils étaient les résidences de la famille des seigneurs de Cabaret, un comté puissant du Moyen Âge, peu enclin à se soumettre aux volontés du roi de France, et plutôt protecteur des cathares. Ses châteaux furent attaqués, confisqués, puis récupérés, comme tous les autres, par Simon de Montfort et ses tristes sires. Aujourd'hui, le village compte à peine une cinquantaine de maisons, toutes tournées vers les tours, le long de la rivière – l'Orbieu. Aux siècles précédents, c'est elle qui a nourri la vallée : on y installa des usines, pour approvisionner l'industrie et le commerce de la draperie. Puis les marchés se sont effondrés, et les habitants se sont repliés sur leurs activités traditionnelles, l'élevage et la viticulture.

☆ **LA MONTAGNE NOIRE** C'est ici la partie la plus méridionale de la Montagne noire, qui s'épaissit en remontant vers Mazamet. Les forêts y sont plus claires – la garrigue les a grignotées – et le climat oscille sans cesse entre influence atlantique et méditerranéenne. Cela donne des vins intéressants, les vins du Cabardès, dont les cuvées s'appellent tantôt "Vent d'est", tantôt "Vent d'ouest". Sur les hauteurs, on récolte les châtaignes, le miel si parfumé, et on peut laisser paître les moutons sans crainte de les voir s'affamer. À toutes les saisons la montagne est le royaume des promeneurs, chercheurs de fossiles ou de champignons, amoureux d'une nature sauvage, d'une architecture rude et belle. Aux châteaux qui ont abrité des cathares s'opposent des églises aux clochers fortifiés, splendides et censées rassurer, ramener dans le droit chemin des populations égarées. Ce dialogue-là se suit pas à pas, la main sur la rampe de l'Histoire, au fil des vallées, le long des chemins.

Lastours, mode d'emploi

accès

EN VOITURE À 20km au nord de Carcassonne par la D101, direction Mazamet.

EN BUS Contactez la compagnie ***Teissier*** *Tél. 04 68 47 35 07*

orientation

Au débouché d'une route sinueuse mais magnifique apparaissent les premières maisons de Lastours. Garez-vous sur les premiers parkings le long de l'Orbiel, et continuez à pied. La visite des châteaux s'effectue au départ de l'ancienne usine Rabier dont on voit la cheminée dépasser.

informations touristiques

Lastours. Pas d'office de tourisme à Lastours, néanmoins vous trouverez toute la documentation touristique et de précieux conseils à l'accueil des quatre châteaux. *Tél. 04 68 77 56 02*
Syndicat d'initiative du Haut-Cabardès. *11380 Mas-Cabardès Tél. 04 68 26 32 12 sihcabardes@orange.fr Ouvert juil. : dim.-mer. 12h-17h ; août : dim.-jeu. 12h-17h ; hors saison : lun.-mar. et jeu.-ven. 13h30-17h*
Communauté de communes du Haut-Cabardès. Pour toutes les informations sur les randonnées et des fiches détaillées sur les circuits du Haut-Cabardès. *Roquefère Tél. 04 68 26 31 24 sivom-du-rieutort@wanadoo.fr Ouvert lun.-ven. matin 9h-12h et 14h-18h*
Maison de la Montagne noire. *Sur la D118 vers Caudebronde Tél. 06 09 69 46 05 Ouvert juil.-août : tlj. 11h-20h*
Villages perchés en Montagne noire. 150km de sentiers balisés. *Tél. 04 68 26 63 65 ou 04 68 26 32 97 http://villagesperches.free.fr*
GRAAL. Pour les informations sur les randonnées autour du village de Castans. *Tél. 04 68 26 63 65 ou 04 68 26 33 85*

marchés

Pas de marché à Lastours, il faut se rendre à Saissac (24km) le jeudi matin et le dimanche en été.

Découvrir Lastours

☆ **À ne pas manquer** La Montagne noire, les quatre châteaux de Lastours, le gouffre de Cabrespine **Et si vous avez le temps…** Explorez la grotte de Limousis, promenez-vous à cheval dans la Montagne noire avec la Goutarende

☆ ☺ **Les châteaux de Lastours** Au départ de l'ancienne usine de textile Rabier, vous verrez une exposition sur les fouilles archéologiques du site, et un sentier aménagé vous mènera jusqu'aux quatre châteaux, en passant par l'ancienne chapelle, tout au bord de la falaise (comptez 1h45 environ). Une belle promenade dans les siècles, entre cyprès et garrigue. *Tél. 04 68 77 56 02 Ouvert juil.-août : tlj. 9h-20h ; avr.-juin et sept. : tlj. 10h-18h ; oct. : tlj. 10h-17h ; nov.-mars : week-end et vac. scol. 10h-17h Fermé jan.*

Le Belvédère D'ici vous aurez une vue splendide sur les quatre châteaux et en été, vous pourrez assister à un son et lumière, à 22h tous les dimanches et jeudis (9 juil.-20 août). *Tél. 04 68 77 56 02*

Découvrir les environs

☺ **Villages de la Montagne noire** En voiture ou à vélo, il faut prendre les petites routes qui farfouillent dans la montagne, à la recherche des villages quasi abandonnés, des chapelles cachées et des châteaux qui jouent encore, malgré leur grand âge, à chat perché. Il faut remonter jusqu'à Mas-Cabardès, voir les maisons médiévales sur la place et la drôle de petite statue fichée tout en haut du clocher. Puis continuer sur Miraval-Cabardès, et monter les marches menant au château où le troubadour Raimond de Miraval a composé des vers, enfermé dans son antre solitaire. Puis il faut traverser La Tourette-Cabardès, observer son étonnante église aux chevet, nef et clochers dispersés, imbriqués dans les maisons du village. Mais il faut également monter jusqu'au village de Roquefère, goûter le miel de l'année et les autres produits de la saison – des fruits peut-être, des amandes. Puis il faut remonter jusqu'à la cascade de Cupserviès, à pied, par l'un des sentiers, et continuer jusqu'à la chapelle Saint-Sernin, pour écouter les oiseaux chanter sur son toit de lauzes, s'allonger quelques instants dans son jardin. Avant de continuer la route vers d'autres villages, d'autres hameaux oubliés… Et arriver enfin au sommet de la montagne : le pic de Nore, et embrasser de là-haut une vue à 360°, du Massif central à la mer, de l'Aquitaine aux Pyrénées.

Explorer les profondeurs de la terre

☆ ☺ **Gouffre géant de Cabrespine** La partie souterraine, la plus grande du patrimoine mondial, est vraiment spectaculaire : magnifiques concrétions, coloris étonnants, galeries… Visite accessible à tous. Vous pouvez aussi vous inscrire pour un "safari souterrain" et passer ainsi une demi-journée sous terre, cheminer dans le lit de la rivière souterraine et explorer les entrailles les plus profondes (39€ avec matériel fourni). *11160* ***Cabrespine*** *(à 15km environ de Lastours par la D111 puis la D112) Tél. 04 68 26 14 22 Ouvert juil.-août : 10h-18h30 ; avr.-mai et juin-sept. : 10h-12h et 14h-18h ; oct. : 10h-12h et 14h-17h30 ; fév.-mars et nov. : 14h-17h30 Fermé déc.-jan. Visite 45min* ***Safaris souterrains*** *Organisés sur réservation tte l'année Tél. 04 67 66 11 11*

Grotte de Limousis Une première salle impressionnante avec son plafond creusé par l'eau, puis le clou du spectacle : un lustre d'aragonite de 4m de haut et de 10m de large que l'on découvre dans la huitième et dernière salle ! *11600* ***Limousis*** *(à 5km au nord-est de Lastours) Tél. 04 68 77 50 26 Visite nov. : dim. et j. fér. 14h30, 15h30 et 16h30 ; 15-31 mars et oct. : tlj. 14h-17h30 ; avr.-juin et sept. : tlj. 10h-12h et 14h-18h ; juil.-août : tlj. 10h-18h*

Monter à cheval

☺ **La Goutarende.** Ici, les cavaliers de tous niveaux sont acceptés, avec sourire et bonne humeur, car tous les types de monture, du cheval très tranquille au plus vivant, sont mis à leur disposition. Promenades dans la Montagne noire et randonnées en pays cathare, vers Lagrasse ou le bord de mer, sur plusieurs journées. Balade le dimanche sur réservation, à la demande les autres jours (le sam. en été). Cours particuliers d'initiation et de reprise collective, stages d'équitation à cheval et à poney… env. 15€/heure ou 40€ la journée pour les poneys et 50€ pour les chevaux (tarifs réduits pour les enfants). Téléphonez pour vous renseigner. *Village du cheval-La Goutarende 11390* ***Cuxac-Cabardès*** *(à 12km de Lastours) Tél. 04 68 26 66 49 ou 04 68 26 62 09 Ouvert tte l'année*

Voir des animaux étranges

Les lamas de la Montagne noire. De retour de leur grand tour du monde, Hélène et Jean-Louis ont rapporté d'étonnants animaux du Pérou. Leurs lamas font, depuis, partie intégrante de la vie locale, et attirent les enfants à tour de bras… Surtout à la période des naissances des bébés lamas ! Minirandonnées avec lamas (8€/ pers., minimum 4 pers.) *Route de Pradelles 11160* ***Castans*** *(à 25km de Lastours) Tél. 04 68 26 60 11 Visite adulte 4,50€ et gratuite pour les enfants accompagnés. Ouvert dès 9h pendant les vacances scolaires, uniquement l'après-midi en période scolaire*

Où déguster des produits locaux ?

Ferme "Le Colombier". Une agricultrice produit des fromages de chèvre naturels absolument délicieux. Vente du fromage à la ferme de préférence le matin. *Cécile Hollard 11390* ***Fontiers-Cabardès*** *(à 17km de Lastours) Tél. 04 68 26 66 17*

Société Conrié. Ici l'oignon est cultivé en petites parcelles, au fond de l'étroite vallée. Semé en mai, il est récolté en août, quand le temps est très sec. Il se conserve alors jusqu'en janvier-février. Goûtez absolument à l'oignon doux confit, ou bien encore aux petits oignons grelots marinés dans le vinaigre… Vente de fruits également (cerises, pommes…), au naturel ou en jus, en confitures ou en bocaux. *28, avenue de l'Argent-Double 11160* ***Citou*** *(à 25km de Lastours) Tél 04 68 78 00 55 Ouvert tlj. 10h-18h*

Manger à Lastours

prix moyens

Restaurant Le Puits du Trésor. Pour boire un verre et déjeuner sur la terrasse. L'Orbiel coule à grand fracas et le bruit à lui seul est déjà rafraîchissant. Ardoise du jour avec les produits du marché. Même souci de qualité que dans la partie gastronomique (à côté), mais recettes plus simples. Comptez environ 20€ pour un repas complet. *21, route des Quatre-Châteaux Tél. 04 68 77 50 24 Fermé lun. (sauf juil.-août) et vac. scol. Toussaint*

prix élevés

☺ **Le Puits du Trésor.** Le tout jeune chef Jean-Marc Boyer a le vent en poupe. Ses improvisations du jour sont subtiles et savoureuses. Avec des produits simples et frais, il s'amuse à tenter des miracles et on ne peut que l'en remercier : c'est un délice, depuis les amuse-bouches jusqu'aux financiers et truffes au café. La salle est reposante, géométrique et japonisante avec quelques tableaux mais pas trop, et des miroirs pour réfléchir la lumière. Menu gastronomique à 37€, menu dégustation à 52€, menu "Carte blanche au chef" à 75€ et plats à la carte 20-30€. *21, route des Quatre-Châteaux Tél. 04 68 77 50 24 www.lepuitsdutresor.com Ouvert mer.-sam. le soir et dim. midi Fermé vac. scol. fév.*

Manger dans les environs

prix moyens

Ferme-auberge de Combestrémière. Toute la production maison se découvre à table ! Menu des randonneurs à 20€, avec charcuteries ou salade, saucisse maison, poulet ou grillade d'agneau, vin compris. Menu campagnard à 25€, avec cette fois canard, gigot ou coq au vin. Menu du dimanche à 32€ avec foie gras mi-cuit en entrée. Accueil cordial, visite de l'exploitation. Quelques chambres en été. *11600* ***Salsigne*** *(à 2km à l'ouest de Lastours) Tél. 04 68 77 06 97 Ouvert week-end et j. fér. Fermé déc.-mi-mars*

☺ **Le Sire de Cabaret.** Cachée dans le village de pierre de Roquefère, une auberge rurale qui fait rêver les mordus de charcuterie : servie à volonté, sur des planches de bois abondamment garnies de saucissons et terrines, jambon sec ou petit salé, boudin maison et autres régals. Mais aussi du magret de canard, des cassolettes d'écrevisses à la rouille de piments, du navarin d'agneau... Et pour finir, le plateau de chèvres de la ferme avec le miel de châtaignier du village... Un grand moment ! Menus de 20 à 36€ ; formule à 15€ (en été) après 14h avec charcuterie, fromage, café et pichet de vin, un cabardès bien entendu. *Carmen et Patrick Malié 11380* ***Roquefère*** *(à 7km de Lastours) Tél. 04 68 26 31 89 Fermé mer. et dim. soir (sauf juil.-août) ; jan.-mi-fév. Réserver en hiver*

Le Club 620. C'est un des lieux préférés des habitants des environs. On vient même depuis Carcassonne pour y passer la soirée. Restauration simple mais surtout soirées café-concert avec voix et jazz au piano-bar, toute l'année. Billard et terrasse en été. Menus à 11€ (le midi en semaine), 15,50, 18,50 et 25€. *10, av. Le Bosquet 11390* ***Fontiers-Cabardès*** *(à 17km de Lastours) Tél. 04 68 26 53 48 Fermé lun. soir ; mi-sept.-juin*

L'Oustal à Citou. Une petite salle à manger comme à la maison, chaleureuse et bien aménagée, où l'on vous propose de dîner ou déjeuner autour de recettes traditionnelles élaborées avec les meilleurs produits de saison. Réservez, car la salle est vraiment petite ! *31, av. de l'Argent-Double 11160* ***Citou*** *(à 25km de Lastours) Tél. 04 68 78 08 99 Ouvert juil.-sept. : le soir (sauf mer.), sam. midi et dim. midi ; hors saison : ven. soir-dim.*

Dormir dans les environs

très petits prix

La Royale. Camping à la ferme et gîte rural à la semaine. Une grande prairie permet de planter sa tente où l'on en a envie, à l'ombre ou pas. Sanitaires tout neufs dans la cour de la maison principale et petite épicerie. Comptez 8€ la nuit. *11600 **Villardonnel** (à 8km de Lastours) Tél. 04 68 77 51 13 Ouvert mai-sept.*

Gîte d'étape de Castans. Simplement 2 chambres de 4 pers. à 10€ la nuit (mai-sept.), cheminée, cuisine équipée, douche chaude et WC. Propre et bien tenu. Dîner à 12€ sur réservation et petit déjeuner à 3€. *11160 **Castans** (à 25km Lastours) Tél. 04 68 26 19 63 www.multimania.com/graalcastans Ouvert tte l'année*

petits prix

Douce escale. Une petite maison de poupée en surplomb de la vallée de Castans. Chambre sous les toits avec petit salon à disposition. Bibliothèque pour lire autant qu'il vous plaira, bien installé au soleil du jardin… 40€ la double avec petit déjeuner montagnard. Et possibilité de repas maison à 12€. *2, camin del Verdié Laviale 11160 **Castans** (à 25km de Lastours) Tél. 04 68 26 16 46 www.multimania.com/doucescale Fermé nov.-mars*

prix moyens

Domaine de la Calm. La maison a été rénovée avec soin, en pierres rejointoyées en façade et murs enduits sobrement de blanc dans les chambres fraîches et lumineuses. Seules les fresques du hall surprennent au premier abord… Accueil simple et paisible. Table d'hôte sur réservation. Initiation au tir à l'arc par le maître de maison. Animaux non admis. Doubles à 43€ (petit déjeuner inclus). *Éric Martin 11600 **Villardonnel** (à 8km de Lastours) Tél. 04 68 26 52 13 ou 06 23 07 19 28 lacalm@free.fr Ouvert tte l'année*

prix élevés

☺ **Domaine de la Bonde.** Passez le grand porche d'entrée et vous serez instantanément conquis… par le charme du lieu, assurément, par l'accueil de Nathalie, tout aussi certainement, par sa cuisine ou son vin d'orange maison… Ou encore par le volume des chambres – immenses –, leur décoration ou leurs salles de bains en pierre de Bourgogne, douce sous les pieds… À moins que cela ne soit la piscine… Difficile de trancher ! Doubles de 62 à 66€ (personne supplémentaire 16€), et table d'hôte 26€/personne, vins compris. Cours de cuisine de 16h à 20h : 49€/personne (cours et repas compris). Aussi agréables que les chambres, deux gîtes immenses peuvent recevoir 4 à 5 personnes : comptez de 600 à 750€/semaine hors saison et de 800 à 950€/semaine en saison. *Nathalie et Alain Grandin 30, route de Caudebronde 11390 **Cuxac-Cabardès** (à 12km de Lastours) Tél. 04 68 26 57 16 et 06 30 26 81 63 www.labonde-cuxac.com Ouvert tte l'année, l'hiver sur demande*

☺ **Abbaye de Capservy.** La bâtisse, à l'origine une abbaye cistercienne du XIIe siècle transformée en charretterie puis, à la Révolution, en poste de hussards, a été entièrement restaurée de fond en comble. Désormais, les chambres sont non seulement pleines de charme mais en plus confortables… L'accueil est vif et chaleureux, et les vins du domaine excellents ! Doubles de 60 à 70€, petit déjeuner inclus, et table d'hôte à 23€ (3 soirs par semaine sur réservation). Piscine de rêve et 30ha autour pour se balader. *Denise et Daniel Meilhac 11600* ***Villardonnel*** *(à 8km de Lastours) Tél. 04 68 26 61 40 Ouvert mars-nov.*

☺ Montolieu *11170*

Il est connu à travers l'Europe entière : c'est un des derniers-nés des Villages du Livre, un village tout entier truffé de papier, de livres par milliers. Sur l'impulsion d'un passionné d'origine britannique, un puis deux puis dix puis vingt libraires se sont installés à Montolieu et ont commencé à faire vivre cette étrange communauté. Désormais les collectionneurs affluent du monde entier pour trouver le livre tant convoité… Les maisons ont été restaurées et l'on se croirait à la fin du Moyen Âge, dans un village à la fois simple et sophistiqué, mais jamais pompeux ni prétentieux.

Montolieu, mode d'emploi

accès

EN VOITURE À 17km de Carcassonne, prendre la N113, direction Castelnaudary, jusqu'à Pézens, puis la D629 vers le nord.

orientation

Une rue principale traverse le village de Montolieu, passe par une place au pied de l'église et continue dans la Montagne. Arrêtez-vous sur le premier petit parking que vous rencontrerez, et continuez votre exploration à pied, de ruelle en ruelle et de librairie en librairie…

informations touristiques

Office de tourisme. *Tél. 04 68 24 80 80 Ouvert juil.-août : tlj. 10h-12h30 et 14h30-19h ; Pâques-juin et sept.-mi-oct. : mar.-dim. 10h-12h30 et 14h-18h30 ; horaires réduits hors saison*

fêtes et manifestations

Salon du livre ancien. Chaque week-end de Pâques, une grande foire aux livres anciens et d'occasion avec de nombreuses autres animations, et tout au long de l'année, des rencontres, des débats, etc. autour des diverses librairies du village.
Marché aux livres. De mai à octobre : le troisième dimanche du mois.

Découvrir Montolieu

☆ **À ne pas manquer** Les librairies de Montolieu **Et si vous avez le temps...** Découvrez les techniques de pierres sèches à Aragon, fabriquez vous-même votre papier au moulin de Brousses en été, allez prendre un goûter en famille à la Ferme de la Bastide à Saissac

☆ Si vous êtes à la recherche d'un livre précis, faites le tour de toutes les librairies du village : vous finirez bien par retrouver sa trace. De même, vous pourrez essayer de vendre vos éditions rares, ou du moins les faire expertiser par des professionnels. Si vous êtes plutôt poète et que vous aimez les livres pour les voyages auxquels ils vous convient, vous trouverez aussi quelques escales appropriées.

Atelier du Livre Ici vous pourrez vous initier aux techniques traditionnelles du papier, de l'imprimerie, de la gravure et du papier marbré. Visite libre de l'atelier et stages à la demi-journée, journée ou sur plusieurs jours. *Impasse de la Manufacture Tél. 04 68 24 84 27 www.atelierdulivre.net Ouvert juil.-août : lun.-ven. 10h-18h*

Se promener en roulotte

Attelages de la Montagne noire. L'association APRERIE (Association pour la revitalisation de l'espace rural et l'initiative écologique) organise des randonnées contées à la journée, à la demi-journée ou à l'heure, en carriole, avec un meneur. *Rue de la Mairie Tél. 04 68 24 85 58 Ouvert tte l'année*

Où voir et acheter des cactus ?

Cactuseraie d'Escaïre-figue Sur une ancienne parcelle de vigne croissent aujourd'hui plus de 2 000 variétés de cactus et plantes grasses multiformes et multicolores. Visite libre ou guidée, dans la serre et vente de plantes assortie de conseils (culture, arrosage, etc.) de la part du "cactophile" des lieux, Nicolas Rouger. *Route de Carcassonne (à la sortie de Montolieu) Tél. 04 68 24 86 59 ou 06 64 79 80 25 Ouvert mer.-ven. les a.-m. et week-end toute la journée*

Découvrir les environs

☺ **Aragon** À 11km de Montolieu, un village plein de charme, sur une crête rocheuse au milieu des vignes, des amandiers et des oliviers. Ici vécut l'évêque cathare Bernard de Simorre, parmi les maisons de pierre et les petits jardins, dans un lieu qui incite à la contemplation et à la méditation. Ne pas manquer non plus le site d'interprétation, petit jardin en terrasse, aménagé par l'association "Pierre sèche en Montagne noire" sur les collines, au pied du prieuré, où l'on peut découvrir toutes les techniques de pierres sèches possibles et imaginables utilisées par le passé : capitelles, murets, etc. Aragon compte aussi quelques départs de randonnées intéressantes dont le sentier Pierre sèche et garrigue (7km/3h, balisage jaune) ou, plus facile, le sentier botanique du vallon de la Vallette (départ de la Maison du Cabardès, boucle de 4,5km, comptez 1h30 de balade). Au départ d'Aragon, plus de 400km de sentiers VTT ont été balisés et sont désormais labellisés par la Fédération française de Cyclotourisme ***Association Pierre sèche*** *Tél. 06 81 03 90 45 Site d'interprétation en libre accès* ***Balades*** *Rens. et descriptifs auprès de la mairie Tél. 04 68 77 17 87 www.aragon-cabardes.com.fr* ***Association cyclisme ATAC*** *Tél. 04 68 77 04 00*

Abbaye de Villelongue À la fois cistercienne – donc quelque peu austère – mais aussi résolument gothique, avec les chapiteaux sculptés du cloître en particulier, au style inventif et élégant, typiques du gothique languedocien. Au printemps et à l'automne, fête des jardins et cucurbitacées (rens. auprès de Jean Éloffe, tél. 04 68 76 92 58). *Association des Amis de Villelongue 11170* ***Saint-Martin-le-Vieil*** *(à 10km de Montolieu) Visites libres ou guidées de l'abbaye mai-oct. et vac. scol. : tlj. 10h-12h et 14h-18h30 ; hors saison : sur rdv Entrée 4€*

Château de Saissac Le village fait une demi-ronde sur la montagne, ses plus belles maisons du XIIe au XVIe siècle se donnant la main. Le château, lui, s'avance dangereusement dans la vallée, il la domine jusqu'à trop se pencher, en trois terrasses successives reconstruites après le passage de la croisade contre les Albigeois. *11310* ***Saissac*** *(à 7km de Montolieu) Tél. 04 68 24 46 01 Ouvert tlj. avr.-juin : 10h-18h ; juil.-août : 9h-20h ; sept. : 10h-18h ; oct. : 10h-17h ; hors saison : week-end et vac. scol. Fermé jan. Adulte 3,50€, enfant 2€*

En savoir plus sur le canal du Midi

Chemins de l'eau Un itinéraire utile pour comprendre comment Riquet s'y prit pour réussir à maintenir en eau un canal là où il n'y a pas d'eau… Mais en plus c'est une très agréable promenade à la lisière de forêts grandioses, entre tapis de mousses, chants d'oiseaux et murmures aquatiques. Toutes les eaux des rivières de la Montagne noire sont amenées par des rigoles, jusqu'à un point précis : le seuil de Naurouze, lieu de partage des eaux entre le côté Atlantique et le côté Méditerranée. Barrages et réserves d'eau assurent un approvisionnement tout au long de l'année. On suit ainsi le chemin de l'eau depuis la prise d'Alzeau, près du village de Lacombe (10km de Montolieu par la D8 puis la D53). Du barrage des Cammazes, en pleine forêt, on passe par le bassin du Lampy Neuf puis par celui de Saint-Ferréol, à Revel, avant de redescendre dans la plaine lauragaise en suivant la rigole de la Plaine, entre La Pomarède et Montmaur. On arrive alors au seuil de Naurouze, sur les berges du canal (cf. Découvrir Castelnaudary). Des sentiers de randonnée parfaitement balisés permettent de longer la rigole de la montagne à pied ou à vélo. *11310* ***Saissac*** *(à 7km au nord de Montolieu) Des fiches sont disponibles auprès du syndicat d'initiative de* ***Saissac*** *Tél. 04 68 24 47 80 ouvert en juil.-août uniquement ou auprès de la mairie Tél. 04 68 24 40 22*

Fabriquer son papier

Moulin à papier de Brousses Au bout d'un petit chemin qui longe la rivière, on découvre dans ce moulin toutes les étapes de la fabrication du papier, et l'on peut soi-même, en été, concocter son propre papier. Une visite instructive. Vente et exposition de papiers. *11390* ***Brousses-et-Villaret*** *(à 7km de Montolieu). Tél. 04 68 26 67 43 Ouvert juil.-août : 11h-18h ; sept. : 11h-12h et 14h30-17h30 ;*

oct.-juin : j. fér., week-end et vac. scol. 11h-12h et 14h30-17h30 Visite guidée toute l'année à 11h et 15h30

Galoper dans la Montagne noire

Domaine de l'Albéjot. Promenades à cheval dans la Montagne noire, de 1 à 5h. Comptez 10€/h pour les adultes (9€ pour les enfants) et 45€ la journée (38€ pour les enfants). *André et Valérie Arredondo 11310* ***Saissac*** *(à 7km au nord de Montolieu) Tél. 04 68 24 44 03 Ouvert tte l'année*

Où prendre un goûter à la ferme ?

La Ferme de la Bastide. Pour un goûter de crêpes ou de beignets et de confitures maison, avec la visite de la ferme et de l'élevage bio de moutons, comptez 7€/pers. (5€ pour les enfants de moins de 12 ans). *11310* ***Saissac*** *(à 7km de Montolieu) Tél. 04 68 24 48 34 Ouvert toute l'année sur réservation 15h-18h*

Manger à Montolieu et dans les environs

petits prix

Château de Pennautier. Des tartines, du magret de canard, du *crumble*, dans un chai de pierre, de bois et de métal rénové. *11610* ***Pennautier*** *Tél. 04 68 25 63 48 Ouvert juil.-août : tlj. sauf dim. soir et lun. soir ; sept.-juin : lun.-sam. à midi, ven. soir et sam. soir*

prix moyens

☺ **Le Bout du Monde.** Ici les produits de la ferme sont mitonnés avec passion, des poulets aux cochons en passant par les agneaux, les canards et les chapons… Recettes savoureuses et très copieuses. N'y venez pas avec un petit appétit ! Repas à l'intérieur ou sur la terrasse en été, au milieu d'un parc arboré. Il faut absolument réserver, car c'est souvent complet ! La maison fait aussi camping… *11400* ***Verdun-en-Lauragais*** *entre Saissac et Revel, prendre à gauche sur la D903 Tél. 04 68 94 20 92 Ouvert tous les soirs, dim. midi et soir, j. fér. à midi sur réservation*

Auberge de Villelongue "Le Garde-Piles". Juste derrière l'abbaye, l'une des meilleures tables rurales et gourmandes de l'Aude. Produits de la ferme exclusivement : canards, pintades, poulets et coqs. Menus de 16 à 30€. Cassoulet pour les amateurs. *11170* ***Saint-Martin-le-Vieil*** *(à 10km de Montolieu) Tél. 04 68 76 04 74 Ouvert été : tlj. le soir et dim. midi ; hors saison : sur réservation*

☺ **Le Marque-Page.** Une très bonne table, jeune et créative, pour déjeuner sur la place de l'église ou dîner à l'abri. Produits frais et locaux, accommodés avec finesse et simplicité. Goûtez la tarte tatin à la tomate et au romarin, c'est une pure merveille… Menu à 18€, plats à la carte de 12 à 15€. *Place de la Liberté 11170*

***Montolieu** Tél. 04 68 24 76 72 Fermé juil.-août : lun.-mar., dim. soir ; sept.-oct. : dim.-soir ; nov.-juin : lun.-mar.*

Dormir dans les environs

petits prix

☺ **Le Bout du Monde.** Des emplacements aux noms de Salamandre, Sauterelle, Coccinelle, Fouine ou Renard, disséminés dans la forêt (de 17 à 20€ pour deux personnes avec une voiture). Un site magnifique : lac pour pêcher, ruisseau, animaux de la ferme, poneys... S'y cachent également quelques chalets en bois (50€ pour 2 personnes et 62€ pour 4 personnes hors saison, 480€ la semaine pour 4 ou 6 personnes en saison) et une piscine... De nombreuses activités telles que la poterie, la spéléologie, l'escalade ou encore le VTT sont proposées. *11400 **Verdun-en-Lauragais** entre Saissac et Revel, prendre à gauche sur la D903, vers Verdun-en-Lauragais Tél. 04 68 94 20 92 ou 04 68 94 95 96 Ouvert tte l'année*

prix moyens

Abbaye de Villelongue. Les quatre chambres ont été aménagées dans ce qui était l'ancien dortoir des moines. La plus sobre est celle du fond qui est toute blanche avec deux grands lits de bois. Les autres sont plus petites et plus simples, rénovées "maison" par le maître des lieux, Jean Éloffe. Peut-être un peu farouche au départ, il sera plus prolixe si vous lui parlez du jardin, sa passion. Si vous lui inspirez confiance, il vous montrera peut-être sa collection incroyable de cucurbitacées... 60€ la nuit avec petit déjeuner *11170 **Saint-Martin-le-Vieil** (à 10km de Montolieu) Tél. 04 68 76 92 58 Fermé fin sept. et parfois à Noël*

Castelnaudary *11400*

Des collines à perte de vue, des hectares et des hectares de champs cultivés ou pâturés, du vert tendre ou du jaune paille, de l'ocre sombre sur de l'émeraude, des tournesols parmi les cyprès, les oliviers : tel est le paysage du Lauragais, large ruban pastoral cernant Castelnaudary. Au XVe siècle, le pays s'enrichit du commerce du pastel et devient pays de cocagne, où "plus on dort, plus on gagne"... Exagéré, voire mensonger, car la culture de cette plante demande une attention de tous les instants, depuis sa cueillette jusqu'à la fabrication des boules de feuilles séchées, broyées puis compactées, les coques ou "cocagnes". Mais très vite les négociants se lassent ; le marché s'effondre et les moulins retournent à leur farine...

CÉRAMIQUE ET CASSOULET Outre le pastel, une activité domine depuis longtemps déjà la région de Castelnaudary : la poterie – depuis l'époque gallo-romaine, avec un pic de production industrielle au tournant des XIXe et XXe siècles. Pour résister aux variations thermiques d'utilisation,

les récipients culinaires sont réalisés avec des terres pauvres en calcaire, comme celle d'Issel, au pied de la Montagne noire, avec l'intérieur émaillé ou vernissé. Selon les modèles, on retrouve des influences aquitaines (le pot à graisse de porc ou d'oie), espagnoles ou méditerranéennes (gargoulette, cruchon et plongeon), indices précieux pour ce qui est de la tradition et des habitudes culinaires.
Un plat singulier est cependant créé ici : le plat à cassoulet. À l'origine appelé "cassole", il a donné son nom à la recette désormais bien connue du monde entier. Les grandes fabriques de Castelnaudary produisent également de nombreuses céramiques d'architecture : certains épis de faîtage sont particulièrement soignés, de même que certains quatre-vents de cheminée et briques décoratives en terre émaillée, fabriquées récemment ou récupérées avant démolition sur des maisons des siècles derniers.

Castelnaudary, mode d'emploi

accès

EN VOITURE Par la N113 ou l'A61 en venant de Carcassonne, sortie 21. Comptez environ 20min.

EN TRAIN Castelnaudary est située sur la ligne de TER Toulouse (40min)-Carcassonne (20min)-Narbonne (1h15). Plusieurs trains par jour, de 6h à 19h. ***SNCF*** *Tél. 3635 www.voyages-sncf.com*

EN BUS TransAude assure la liaison avec les villes voisines, au départ de la caserne Lapasset (à 200m de la place de la République). *Tél. 04 68 25 13 74*

informations touristiques

Office de tourisme. Documentation abondante sur Castelnaudary et ses environs et, comme il se doit tout sur la "Route du cassoulet" – fermes, élevages et restaurants consacrés à la spécialité régionale… *Pl. de la République-Halle aux grains. Tél. 04 68 23 05 73 www.tourisme.fr Ouvert en saison : lun.-ven. 9h-12h et 14h-17h, sam. 9h-12h, dim. 10h-12h30 et 15h-18h ; hors saison : lun.-sam. 9h-12h et 14h-17h*
ADATEL. Cette association vous aide à choisir et à préparer vos itinéraires de randonnée (pédestre, équestre et VTT) et met à votre disposition toute sa documentation. *19, cours de la République BP 91403 11494 Castelnaudary Cedex Tél. 04 68 23 46 56*

marché

Le grand jour du marché à Castelnaudary est le lundi : le centre de la ville regorge alors de senteurs et de victuailles.

fêtes et manifestations

Fête du cassoulet. Fin août, foire gourmande, repas cassoulet et animations musicales.
Foire au gras. 1er dimanche de décembre.

Découvrir Castelnaudary

☆ **À ne pas manquer** L'abbaye de Saint-Papoul **Et si vous avez le temps...** Participez à la fête du cassoulet fin août, visitez le moulin de Cugarel dans la vieille ville, faites une croisière sur le canal du Midi à bord du Saint-Roch

Laissez la ville moderne en bas et montez, montez vers les sommets : c'est là que se trouvent les vieux quartiers. Tout au bord de la falaise le moulin de Cugarel repose ses ailes : au XVIIe siècle, il broyait le grain de toute la population. En redescendant, passez sous le clocher-tour de l'église Saint-Michel (XIVe siècle), continuez jusqu'à la chapelle Notre-Dame-de-la-Pitié et finissez votre tour par le présidial : il a gardé trois belles fenêtres à meneaux de son XVIe siècle d'origine. S'il vous reste encore quelque énergie, descendez à pied jusqu'au Grand Bassin et faites-en le tour en traversant les passerelles sur le canal du Midi. C'est calme et reposant, et en plus c'est charmant. ***Moulin de Cugarel*** *Visites juil.-sept. : mar.-sam. 10h-12h30 et 15h-18h30, dim.-lun. 15h-18h30 ; hors saison sur rdv Rens. à l'office de tourisme*

Musée du présidial Rien de tel pour comprendre l'évolution de l'implantation humaine sur le site, depuis la protohistoire jusqu'à l'époque moderne. De très beaux exemples de poteries en provenance de Castelnaudary. *Tél. 04 68 23 00 42 Ouvert juil.-sept. : mar.-sam. 10h-12h30 et 15h-18h30, dim.-lun. 15h-18h30 ; Visite guidée toute l'année sur rdv au 04 68 23 05 73 Entrée gratuite*

☺ **Visites guidées autour et alentours** Toute l'année, l'office de tourisme vous emmène à la découverte de l'histoire des quartiers et monuments de Castelnaudary et de ses environs. *Réservation à l'office du tourisme Tél 04 68 23 64 23 Vente des tickets 1h avant la visite en saison à l'office de tourisme*

Longer le canal du Midi à pied ou à vélo

Berges du canal Vous pouvez partir à pied depuis Castelnaudary et faire une boucle d'une rive à l'autre du Grand Bassin, en une heure ou deux, ou plus. Vous pouvez également opter pour le vélo.

Seuil de Naurouze Il est ici un site à ne pas manquer : c'est le lieu de partage des eaux entre le versant Atlantique et le versant Méditerranée. Situé à l'ouest de Castelnaudary, au pied des collines de Montferrand et au débouché de la rigole d'alimentation de la plaine, l'ouvrage de Riquet s'alimente des eaux de la montagne puis les répartit. Profitez de l'arboretum et des chemins de randonnées balisés qui passent auprès de l'ancienne minoterie.

Parcourir le canal du Midi en bateau

Le Saint-Roch. Embarquez sur le quai du Port pour une promenade sur le Grand Bassin de Castelnaudary et le long du bief de la Planque, en direction de Toulouse. *Tél. 04 68 23 49 40 ou 06 62 03 49 40 Circule avr.-fin oct. tlj. 9h-18h plus quelques sorties nocturnes en été sur réservation Tarifs 4€ (enfant 3€) pour 30min, 7€ (enfant 5€) pour 1h de balade et 10€ (enfant 8€) pour 2h*

Castel nautique. Location à l'heure de bateaux électriques (2-8 pers.) et de vedettes habitables sans permis, au week-end ou à la semaine. Possibilité également de location de VTT. *Port de Bram (à 20km de Castelnaudary) Tél. 04 68 76 73 34 www.castelnautique.com Ouvert mars-mi-nov.*

Où acheter des produits du terroir ?

La Ferme du Pays d'Oc. Cette grande boutique propose une sélection des meilleurs produits de la région : cassoulet frais et en bocaux, pâtés et terrines, huiles, fruits et légumes, etc. Vous pourrez également vous y procurer votre indispensable plat à cassoulet, le souvenir local par excellence… *36-38, cours de la République Tél. 04 68 23 56 12 Ouvert lun.-sam. 9h-12h30 et 14h30-19h30, dim. 9h-12h30 et 14h30-19h30 (en été), 9h-12h30 (en hiver)*

Découvrir les environs

☆ **Abbaye de Saint-Papoul** Cette petite abbaye bénédictine fut fondée au VIIIe siècle et dédiée à saint Papoul, évêque évangélisateur du Lauragais. C'est la tombe de saint Béranger, un moine ascète toulousain qui, depuis le XIe siècle, y attire les foules. La prospérité vint et, très vite, l'abbaye se retrouva à la tête d'un patrimoine conséquent (en terres essentiellement). Elle s'enrichit également de sculptures magnifiques – certains visiteurs ne viennent ici que pour voir les chapiteaux sculptés du maître de Cabestany, à l'extérieur du chevet. Le chœur de l'église est décoré de chapiteaux romans avec, sur les côtés, des chapelles du XIVe siècle. La toiture, également exceptionnelle, inspirée des écailles de poisson de la toiture des cuisines de l'abbaye de Fontevraud, n'a été découverte que par hasard, sous un revêtement de tuiles plus récent ! En sortant, faites un tour dans le village : construit aux abords de l'abbaye, sur le site d'une ancienne carrière d'argile, il a conservé quelques belles maisons à colombages et encorbellements. *11400* ***Saint-Papoul*** *(à 7km de Castelnaudary) Tél. 04 68 94 97 75 Visites avr.-oct. : tlj. 10h-11h30 et 14h-17h30 (16h30 en oct. et 10h-18h30 non stop en été, avec visites accompagnées sur demande) ; hors saison : sam.-dim. 10h-11h30 et 14h-16h30 ou sur rendez-vous pour une visite guidée Fermé dim. matin, jan. Adulte 3,50€*

Villages du Lauragais Le surprenant village de Monferrand, haut perché sur la plaine du Lauragais, d'où l'on s'enivre de panoramas, est dominé par le phare aéronautique construit en 1927, l'un des premiers à baliser la ligne de nuit de Toulouse à Dakar d'abord, puis ensuite jusqu'à Santiago du Chili. Par Belflou l'on reprend la route par Pech-Luna, Fonters-du-Razès et La Cassaigne, pour atteindre enfin Fanjeaux. Depuis le belvédère du Seignadou, on a vraiment la plus belle vue sur tout le Lauragais. Pas étonnant que saint Dominique y ait eu sa vision la plus célèbre, celle qui lui intima de fonder son monastère sur le site de Prouille, en contrebas. *11270* ***Fanjeaux*** *(à 19km de Castelnaudary) Informations et exposition de photos dans l'hôtel de Gramont (mairie) Rens. communauté de communes de la Piège et du Lauragais Tél. 04 68 24 75 45*

☺ **Les Cassès** Les croix ou stèles discoïdales sont des monuments funéraires à caractère religieux originaux, datant des premiers siècles du Moyen Âge, taillés dans la pierre, sculptés et ornés de différentes représentations. Aux Cassès (20km de Castelnaudary), vous pourrez voir neuf spécimens de croix et stèles, dont une particulièrement étonnante avec son personnage en oraison. Vous pourrez admirer à Baraigne (5km de Castelnaudary), une stèle remarquable dans l'église Sainte-Marie et de nombreuses autres dans le cimetière, ou fixées au mur sur le pourtour de l'église. *11320 **Les Cassès** (à 15km de Castelnaudary)*

☺ **Villages fortifiés** Entre Castelnaudary et Limoux, on retrouve encore quelques traces des villages fortifiés du Moyen Âge, spécifiques au Languedoc et à l'implantation étonnante. Ces plans ronds, premiers plans d'urbanisation raisonnée que l'on connaisse en France, sont antérieurs ou contemporains aux bastides en damier. Ils découlent parfois des *castras* des temps plus anciens et bien souvent ils s'adaptent au relief du site choisi. On y entre par une porte massive, et les maisons ne sont munies d'aucune fenêtre extérieure, pour empêcher toute intrusion. Commencez votre tour par Bram – un des mieux conservés – puis Montréal, La Force, Lasserre-de-Prouilhe, Villeneuve-les-Montréal, Cailhavel, Cailhau et enfin, Alaigne. Dégustez en passant quelques crus du Malepère, au domaine de Cazes par exemple (à Alaigne) : le syndicat du cru a élu domicile dans ce domaine viticole expérimental, fort intéressant. ***Syndicat du cru** Maison des terroirs Domaine de Cazes 11240 **Alaigne** (à 30km de Castelnaudary) Tél. 04 68 69 95 10 www.vins-malepere.com*

Voir des moulins à vent

Outre le moulin de Cugarel (Castelnaudary), de nombreux autres moulins à vent – de plus en plus souvent restaurés – subsistent dans le Lauragais. Ouvrez l'œil du côté de Belflou, de Mas-Saintes-Puelles, de Villeneuve-le-Comptal, de Mireval-Lauragais (les moulins de Saint-Jean), de Villasavary, etc. Des sentiers de randonnée ont été aménagés autour de ces sites, à Villeneuve-le-Comptal notamment (12km/3h30 à partir de la place Carnot, balisage jaune) où l'on bénéficie de points de vue superbes sur les montagnes qui s'élèvent à l'horizon.

Découvrir les poteries du Lauragais

Atelier Jean-Michel Campagne. Démonstration de tournage à l'atelier sur rdv. *Méric 11240 **Belvèze-du-Razès** (à 29km de Castelnaudary) Tél. 04 68 69 02 02*

Poterie Not Frères. *11400 **Mas-Saintes-Puelles** (à 8km de Castelnaudary) Tél. 04 68 23 17 01 Ouvert lun.-ven. 8h-12h et 14h-18h Fermé août*

Faire un stage de musique ancienne et de théâtre médiéval

Abbaye de Saint-Papoul. La première semaine de juillet, un stage thématique ouvert aussi bien aux adultes qu'aux enfants à partir de cinq ans, quel que soit le niveau musical. Un accompagnement de qualité et une approche à la fois érudite et pédagogique. 260€ et 130€ pour les adolescents. *Conseil général de l'Aude, inscriptions auprès de l'ADDMD 11 Tél. 04 68 11 69 96 Renseignements auprès de l'ensemble Convivencia Tél. 03 88 23 28 40*

Se baigner, faire de la voile

Lac de la Ganguise Les eaux de ce grand lac artificiel prennent par beau temps une teinte turquoise qui le fait ressembler à un lagon très exotique... Quelques points d'accès pour la baignade, à dénicher au bout des sentiers, et une base nautique où l'on peut louer des dériveurs et des catamarans, des planches à voile et des canoës. ***Club de voile de Castelnaudary*** *École française de voile 11410* ***Belflou*** *(à 18km à l'ouest de Castelnaudary) Tél. 04 68 60 35 68 www.ganguise.com Ouvert mars-20 déc. et stages à l'année*

Où goûter des glaces au lait de brebis ?

☺ **La Ferme du Bosc.** Châtaigne, cerise griotte, pêche ou même nature : les parfums des glaces Audeline sont un délice pour le palais. On les vend à travers tout le département, on se les arrache presque tellement elles sont savoureuses, légères et onctueuses... Il faut absolument venir ici les goûter, et découvrir en même temps une remarquable exploitation fermière. *11420* ***Mayreville*** *(à 19km de Castelnaudary) Tél. 04 68 60 67 07 Vente et goûter juil.-août : mar.-mer. et ven.-sam. 16h-19h ; hors saison sur rdv*

Manger dans les environs

prix élevés

☺ **Château de La Pomarède.** Un grand moment de bonheur vous attend dans la salle d'apparat du château médiéval de La Pomarède... En cuisine œuvre Gérald Garcia, un maître de la gastronomie fine et des audaces les plus subtiles. Des produits du terroir ou de la mer : tête de porc, ris d'agneau, pigeonneau, anchois frais, crabe et bar, homard en association avec quelques épices, jamais trop, des légumes croquants et parfois une purée de pommes de terre aux éclats d'olive, très onctueuse... Le tout servi dans une vaisselle créée tout spécialement par une artiste voisine. Assurément l'une de nos tables préférées dans la région ! Le premier menu est à 26€, le "menu du château" à 46€ et le "menu dégustation" à 80€ *11400* ***La Pomarède*** *(à 12km de Castelnaudary) Tél. 04 68 60 49 69 www.hostellerie-lapomarede.fr Fermé lun.-mar. ; nov.*

Dormir dans les environs

On ne vous conseille pas particulièrement de rester dormir à Castelnaudary : le choix des hébergements est maigre et vraiment peu attrayant. Vous trouverez plus facilement votre bonheur dans les environs de Castelnaudary ou à Carcassonne, qui n'est qu'à 20min.

campings

Camping La Chevaline. Un camping de 6 emplacements avec des blocs sanitaires. Piscine à disposition dans le parc d'une ferme du XVIIIe siècle. La maison propose également des gîtes à louer à la semaine, et un terrain de badminton, car elle reçoit beaucoup d'Anglais… Tranquille et sympathique. Comptez 15€ pour 2 personnes avec voiture de juin à août. *11270 **Fanjeaux** (à 19km de Castelnaudary) Tél. 04 68 24 75 33 www.lachevaline.com Fermé oct.-mars*

Camping Le Cathare. Une vingtaine d'emplacements au bord du lac de la Ganguise. Minigolf, bar et plats à emporter. Chalets et mobile homes. *La Barthe 11410 **Belflou** (à 18km de Castelnaudary) Tél. 04 68 60 32 49 Ouvert mars-nov.*

prix moyens

La Castagne. Une escale en pleine nature, à l'abri d'un domaine paisible et perdu dans les collines du Lauragais. Une chambre d'hôtes simple à 60€ la nuit pour deux avec petit déjeuner. Des randonnées à pied et à cheval à proximité. VTT prêtés gracieusement par la maison. *Willy et Gerda Vanderzeypen 11320 **Montmaur** (à 14,5km de Castelnaudary) Tél. 04 68 60 00 40 Fermé nov.-mi-fév.*

prix très élevés

Hostellerie du château de la Pomarède. Dans cette hostellerie de grand confort, toutes les chambres ont été rénovées avec beaucoup de raffinement, dans des teintes sombres et élégantes, selon un design très contemporain. Une bonne surprise dans un bâtiment de près de dix siècles d'âge ! Six chambres doubles à 85 et 110€, une suite à 170€ : toutes sont très bien équipées (baignoire, TV, téléphone, minibar et penderies). Petit déj. 15€. *11400 **La Pomarède** (à 12km de Castelnaudary) Tél. 04 68 60 49 69 www.hostellerie-lapomarede.fr Fermé lun. et mar. toute l'année et nov.*

Limoux

11300

La ville de Limoux est une étape pour qui descend le long de l'Aude, une halte pour déjeuner ou goûter ce fameux vin pétillant et raffiné, la blanquette, et faire trois pas dans des rues tranquilles. De son histoire, il reste à Limoux quelques immeubles, quelques églises, quelques façades de maisons. Une place centrale autrefois encerclée de couverts, aujourd'hui encore bordée d'édifices anciens. Si ses bulles lui ont valu une renommée internationale il y a quelques dizaines d'années, aujourd'hui ce sont ses vins tranquilles, issus des cépages de chardonnay en particulier, qui font parler d'elle au-delà des frontières de son appellation. La gamme des vins sélectionnés par le jury de gastronomes et d'œnologues du festival "Toques et clochers" promet de grands moments de dégustation…

LE CARNAVAL C'est à partir de janvier que la ville s'anime tout à fait. Pendant dix semaines (en suivant le calendrier liturgique du Carême), tous les dimanches, la foule limouxine sort déguisée dans les rues, visage masqué, confettis et "carabène" à la main. Parmi les "fécos" (les carnavaliers), les pierrots et les clowns se mêlent aux Fennas et aux Piotos, des bandes de femmes audacieuses, parées de perles et de tissus multicolores. Ce sont au total vingt-quatre bandes différentes, quatorze le samedi et dix le dimanche, qui exécutent un étrange et fascinant ballet au fil d'une mise en scène soigneusement étudiée et respectée. Dans le plus grand secret, le thème des costumes est revu et corrigé chaque année pour que la surprise soit totale lors de l'irruption dans la ville… S'il est un moment où se rendre à Limoux, c'est bien à cette période-là !

Limoux, mode d'emploi

accès

EN VOITURE Par la D118 en venant de Carcassonne (20min) et la D117 au départ de Perpignan (55min). De Castelnaudary, prendre la D623 (30min).

EN TRAIN Carcassonne-Limoux en 30min de trajet, sans changement, par TER sur la ligne Carcassonne-Quillan Plusieurs trains par jour, du matin au soir. ***SNCF** Tél. 3635 www.voyages-sncf.com*

EN CAR Les cars Teissier relient Carcassonne, Limoux, Quillan… *Tél. 04 68 47 35 07*

informations touristiques

Service tourisme. À l'intérieur du musée Petiet. Visites accompagnées de la ville à la demande et fiches de randonnées à disposition. *Promenade du Tivoli Tél. 04 68 31 11 82 Ouvert juil.-août : tlj. 9h-19h ; hors saison : lun.-ven. 9h-12h et 14h-18h, sam.-dim. 10h-12h et 14h-17h Fermé Noël, jour de l'an et 1er mai*

accès Internet

Cyberpl@net. Accès Internet à haut débit, service fax. *17, rue Toulzane Tél. 04 68 31 28 70 Ouvert lun.-sam. 10h30-12h30 et 14h-20h, dim. 14h-20h*

marchés

Grand marché tous les vendredis sur la place de la République et sur la place du général-Leclerc. Tous les ans, fin novembre, a lieu la foire au gras, avec de nombreux éleveurs et producteurs locaux. D'autres foires viennent ponctuellement animer la promenade du Tivoli et l'avenue Fabre-d'Églantine tout au long de l'année.

fêtes et manifestations

Carnaval. Il a lieu tous les samedis et les dimanches entre début janvier et et le milieu du mois d'avril.
Festival du conte. En mars-avril, une semaine de spectacles et de stages, les années paires.
Toques et clochers. Au printemps, pour le dimanche des Rameaux, une vente aux enchères annuelle de vins de grande qualité.

Festival de folklore en Pyrénées audoises. Fin juillet, des concerts de musique du monde entier.
Festival Nouveaux Auteurs en haute vallée de l'Aude. Fin juillet-début août, un festival de théâtre.

Découvrir Limoux

☆ **À ne pas manquer** Les abbayes de Saint-Hilaire, de Saint-Polycarpe et de Rieunette **Et si vous avez le temps...** Assistez au défilé des "fécos" pendant le carnaval de Limoux, visitez les caveaux Sieur d'Arques et dégustez blanquette et autres crus de Limoux

En savoir plus sur les cathares

Catharama Un audiovisuel simple et vivant, pour mieux comprendre l'histoire troublée des cathares et de leur répression. Programmes enfants diffusés en même temps que les programmes adultes, dans une salle à côté. *47, av. Fabre-d'Églantine 11300* ***Limoux*** *Tél. 04 68 31 48 42 Ouvert tlj. juil.-août : 10h-12h et 14h-18h ; Pâques-juin et sept.-Toussaint : 10h-12h et 14h-18h ; hors saison sur réservation (pour groupes seulement) Début des séances 1h avant la fermeture Entrée 6€, enfant 5€*

Visiter une cave

Caveaux Sieur d'Arques. "La" cave à visiter à Limoux. Qualité d'accueil, qualité des produits : Sieur d'Arques est une maison historique, qui a beaucoup fait pour la renommée des vins de Limoux dans le monde entier. De grandes cuvées, dont l'AOC limoux rouge "Toques et clochers terroir méditerranéen" 2003 (11€) et le Blason rouge (10€), pétillant et frais. Visite guidée, dégustation gratuite et vente directe. *Deux adresses à Limoux : avenue du Mauzac Tél. 04 68 74 63 46 et avenue de Carcassonne Tél. 04 68 31 01 87, Ouvert tlj. juil.-août : 10h-12h et 14h-18h ; Fermé sept.-juin : dim. matin, Noël et jour de l'an*

Passer l'après-midi dans les arbres

Accro'Parc. Des balades dans les arbres, avec quatre niveaux de difficulté. Adulte de 10 à 18€ et enfant de 8 à 15€. *À 100m du Casino Tél. 04 68 69 94 86*

S'imprégner des parfums de la nature

Jardin aux plantes La Bouichère Bel aménagement de plantes méditerranéennes, plantes aromatiques et jardin aquatique. Grande collection de plantes parfumées et de plantes oubliées du Moyen Âge. Volière d'oiseaux exotiques. Atelier de jardinage sur rendez-vous hors saison (et pour les gourmets des ateliers de confitures !). *Domaine de Flassian Tél. 04 68 31 49 94 www.labouichere. com Ouvert juin-août : mer.-dim. 10h-18h ; mai et sept.-14 oct. : mer.-dim. 13h-18h Entrée 6€ Enfant 3€*

Découvrir les environs

Alet-les-Bains Sur la berge, des pierres roses flamboient au soleil : ce sont les ruines de Notre-Dame d'Alet. Avant de devenir une petite station thermale du pied des Pyrénées (cf. Prendre un bain de jouvence), Alet était le siège d'une importante abbaye bénédictine, possédant au XIIe siècle Saint-Papoul et Saint-Polycarpe. À côté, un village étire ses ruelles en étoile autour d'une place centrale et l'on y déambule, une fin d'après-midi ensoleillée, au fil d'une mélancolie légère... *11580* ***Alet-les-Bains*** *(à 9km de Limoux)*

☆ **Abbaye de Saint-Hilaire** Bénédictine depuis le IXe siècle, elle rayonne un temps puis s'éteint, ruinée. En 1531, les quelque vingt moines restants y font l'expérience du vin laissé en fermentation : la blanquette est née ! À ne pas manquer : le sarcophage sculpté par le maître de Cabestany, et la chaire de lecture du réfectoire donnant sur deux salles. *11250* ***Saint-Hilaire*** *(à 12km de Limoux) Tél. 04 68 69 62 76 Ouvert tlj. 10h-12h et 14h-17h (18h avr.-juin et sept.-oct. ; 10h-19h juil.-août) Fermé vac. scol. Noël Adulte 4€, enfant 2€*

☆ **Abbaye de Saint-Polycarpe** De cette abbaye bénédictine installée sur le site d'un ancien monastère, il ne reste qu'une église à simple nef, des fresques romanes figurant l'Apocalypse de saint Jean, et deux autels romans avec tresses et torsades. Un sentier permet de faire le tour du site par les lignes de crête et l'arboretum (environ 8km à parcourir en 2h45 en suivant le balisage jaune). *11300* ***Saint-Polycarpe*** *(à 5,5km de Limoux) Tél. 04 68 31 14 31 Pour la visite guidée de l'église, rens. au 04 68 31 65 84*

☆ **Abbaye de Rieunette** Il ne reste de l'époque de la création de cette abbaye cistercienne (XIIe siècle) que l'église abbatiale, massive et sobre, sans sculptures ni décorations. Depuis 1994 y sont installées des moniales de l'abbaye de Boulaur, dans le Gers. *11250* ***Ladern-sur-Lauquet*** *(à 17km de Limoux) Tél. 04 68 69 69 06 Visites guidées juin-oct. : lun.-sam. 10h-12h et 16h30-19h, dim. 15h-17h ; nov.-mai : lun.-sam. 10h-12h et 16h30-17h, dim. 15h-17h*

Faire du canoë, du kayak

FFCK Limoux. Base de location de canoës au bord de l'Aude. Descentes de 10 et 17km, de 10 à 25€ (7€ l'heure sur le plan d'eau). *Tél. 06 86 57 80 68 Départ tlj. du camping municipal de Limoux*

Alet Eau Vive. Kayak, hydrospeed, canoë dans la vallée de l'Aude : comptez 19€ les 2h de canoë sans guide et 25-40€ la matinée de descente en rafting. *11580* ***Alet-les-Bains*** *(à 9km de Limoux) Tél. 04 68 69 92 67*

Prendre un bain de jouvence

Thermes d'Alet-les-Bains. Forfaits "Découverte" avec trois soins, cartes à thèmes détente, mal de dos, minceur et beauté. *11580* ***Alet-les-Bains*** *(à 9km au sud de Limoux) Tél. 04 68 69 90 27 Ouvert mai-oct.*

Manger, dormir à Limoux

camping

Camping Val d'Aleth. Une quarantaine d'emplacements au bord de l'eau, dans un camping accueillant et bien tenu. Comptez pour 2 pers. environ 12€. *Le Village Tél. 04 68 69 90 40 Ouvert tte l'année*

prix élevés

Hôtel Moderne et Pigeon. C'est le seul hôtel digne de ce nom à Limoux. Le hall d'entrée fait tourner la tête, avec ses peintures et vitraux étirés jusqu'au plafond. Ils datent de la fin du XVIIe siècle, quand le beau-frère de la comtesse du Barry – le propriétaire d'alors – les a fait réaliser. Les chambres, de 75 à 132€, ont été rénovées à la perfection. Petit déjeuner 14€. Restaurant de qualité, avec un menu saisonnier à 30€, un menu gourmand à 49€. *1, place du Général-Leclerc Tél. 04 68 31 00 25 Fermé 15 déc.-jan. Restaurant fermé sam. midi, dim. soir, lun. et mar. midi*

Manger, dormir dans les environs

prix moyens

L'Escalette. Cette maison ancienne dans le village d'Alet propose trois chambres spacieuses à 40€ la nuit pour deux, petit déjeuner inclus. *Catherine et Gérard Arnoux-Courrieu Rue Calvière 11580* ***Alet-les-Bains*** *(à 9km de Limoux) Tél. 04 68 69 99 25 Ouvert tte l'année (sept.-juin sur réservation)*

Domaine de Pommayrac. Au sommet de la colline, passé un petit bois de pins, vous trouverez quelques chambres tranquilles, au sein d'un environnement serein. Doubles 50€, avec le petit déjeuner. Sur place, élevage de volailles et d'agneaux et potager. Location de VTT, canoës et promenades à cheval. Menu 22€. *11250* ***Verzeille*** *(à 15km de Limoux) Tél. 04 68 69 49 60 www.pommayrac.com Ouvert avr.-sept. Ferme-auberge Ouvert ven.-dim. le soir, et juil.-août le soir (sauf dim.)*

Hostellerie de l'Évêché. Cette grande bâtisse perdue dans un parc, au bord de la rivière et à l'arrière de l'ancienne abbaye d'Alet ne manque pas de charme. Un peu désert mais si reposant ! Doubles de 54 à 60€. Petit déj. 9€. *Av. Nicolas-Pavillon 11580* ***Alet-les-Bains*** *(à 9km Limoux) Tél. 04 68 69 90 25 Ouvert avr.-oct.*

Puivert

11230

Quand on arrive des contrées voisines, plus rocailleuses, plus escarpées, l'œil n'en revient pas, il cligne et recligne pour s'assurer de son état : dans des champs de bosses tout verts, quelques taches orange. Ce sont les toits de tuiles des quelques maisons perdues dans

les vallons, et les rares chevaux qui sont laissés là, tranquilles, à paître et secouer leur crinière dans le vent. De l'herbe à perte de vue, loin, très loin vers l'horizon. On arrive au village et, une fois passé le lac, on promène encore son regard et là, l'œil le voit : le château de Puivert, planté en haut d'une butte toute verte, forcément. On croirait entendre comme une musique, les voix des troubadours, mais c'est sans doute un vilain tour de notre imagination... Puivert, aujourd'hui, est devenu un paradis pour les poètes et les marcheurs, les naturalistes et les amateurs d'histoire. Tout autour, montagnes et pics, gorges et vallées tentent d'étouffer le bruit du monde, pour n'en garder que son chant.

LE QUERCORB C'est un pays de 25km de long, sur la rive droite de l'Hers, que l'on l'appelle "pays privilégié" ou "terre de privilèges", pourtant ici les gens semblent vivre bien modestement, et ce depuis longtemps. En réalité, le Quercorb est passé dans le domaine du roi après la croisade contre les Albigeois, et pour s'assurer de la collaboration de la population dans la défense de ce qui est devenu une marche frontière du royaume de France face à l'Aragon, un statut particulier lui est octroyé. Avant cela, il était plutôt partisan des cathares, d'ailleurs la famille des Congost, du château de Puivert, y adhérait entièrement, comme nombre de familles du comté. La forêt toute proche permet à la population d'y puiser de nombreuses ressources et matières premières : le bois bien sûr, le minerai, le jais... Tout un artisanat remarquable se développe au fil des siècles et, bien qu'il soit en train de disparaître aujourd'hui, il imprime encore fortement l'âme du pays.

Puivert, mode d'emploi

accès

EN VOITURE À 53km de Carcassonne par la D118 puis par la D117 de Quillan, comptez environ 1h.

informations touristiques

Mairie de Puivert. *2, place de l'Église Tél. 04 68 20 08 04 Ouvert lun.-ven. 10h-12h et 17h-18h*
Musée du Quercorb. Il possède toute la documentation touristique utile, les renseignements de terrain en prime (cf. Découvrir Puivert)
Office de tourisme intercommunal du Quercorb. *Cours d'Aguesseau 11230 Chalabre Tél. 04 68 69 65 96 (à 8km de Puivert) www.quercorb.com*
Maison des Pyrénées du pays cathare. *Ront-point du Pont d'Aliès 11140 Axat (à 28km de Puivert) Tél. 04 68 20 59 61*

location de deux-roues

Thomas Loisirs. Location de VTT. *ZA Pastabrac 11190* **Couiza** *Tél. 04 68 74 10 97 Ouvert lun.-sam. 9h-12h et 14h-19h*

marchés, fêtes et manifestations

Marché. Le mercredi soir en juillet et août à Puivert, le samedi matin à Chalabre, le dimanche à Espéraza, et le lundi à Mirepoix.
Festival Souriez c'est pour rire. En août sur le Quercorb. Théâtre, chanson, parade, marionnettes, ateliers.

Découvrir Puivert

☆ **À ne pas manquer** La salle des musiciens du château de Puivert, le domaine de l'Abbé-Saunière à Rennes-le-Château, le château de Puilaurens **Et si vous avez le temps...** Achetez du miel au château d'Arques, guettez l'ours dans le pays de Sault, randonnez sur les sentiers des Capitelles, plongez au cœur de la grotte de l'Aguzou à Escouloubre

☆ **Château de Puivert** C'est un château dit de "plaisance", à l'architecture de transition entre le style défensif médiéval et l'esthétisme confortable de la Renaissance. En l'honneur de son passé de lieu de rendez-vous des poètes et troubadours (dès le XIIe siècle), de splendides personnages ont été sculptés dans la salle dite des Musiciens. La finesse des détails permet de reconnaître les instruments en vogue au XIVe siècle : cornemuse, flûte, tambourin, rebec, luth, psaltérion, viole à archet, guiterne et orgue portatif. *Tél. 04 68 20 81 52 Ouvert saison : 9h-19h ; hors saison : 10h-17h*

En savoir plus sur le Quercorb

☺ **Musée du Quercorb** Passionnant : on plonge la tête la première dans les traditions du pays. Les reconstitutions d'intérieurs sont pleines de vie et la scénographie est des plus chaleureuses : la marmite bout sur le feu, le forgeron martèle à tout rompre et l'on entendrait presque les copeaux de bois du tourneur tomber à terre. Les collections d'outils, de cloches, de bijoux de jais sont éloquentes, élégamment mises en valeur avec du verre et des lumières. On y comprend ainsi toute l'économie d'un pays, son organisation sociale qui marque encore aujourd'hui le territoire, en lien avec les contrées voisines du Tarn, de l'Ariège et de la Haute-Garonne. *16, rue du Barry-du-Lion Tél. 04 68 20 80 98 www.quercorb.com/musee Ouvert avr.-14 juil. et sept. : 10h-12h30 et 14h-18h ; 15 juil.-août : 10h-19h ; oct.-début nov. : 14h-17h Adulte 4€, enfant 1,60€*

Sentiers d'interprétation du Quercorb Pour mieux connaître et percevoir ce qu'est le pays de Puivert, suivez les bornes explicatives du sentier des Métiers et des Hommes (*départ parking du lac, arrivée musée du Quercorb, 500m*), ainsi que celles du sentier des Troubadours *(départ parking du château, arrivée musée du Quercorb, 1,5km)*

Passer l'après-midi au bord de l'eau

Lac de Puivert En été, toute la famille sera ravie d'y passer un moment de détente : pique-niquer à l'ombre des acacias, se baigner dans l'eau fraîche, jouer au bord des plages... Baignade surveillée, location de pédalos (3€/30min), de canoës-kayaks, jeux pour enfants, terrain de volley et boulodrome. *À 500m du village*

Faire une promenade contée

☺ **Sorties nature-le Chant des bois** Une à deux fois par mois, cette association d'éducation à l'environnement propose une activité autour de la nature : une balade contée, un atelier de construction de hutte en osier, une soirée autour de l'ours (avec contes, expos et diapos à la clé), une sortie botanique ou géologique, ou encore un atelier mosaïque et un jardin pédagogique... On rêverait de rester ici plus longtemps pour pouvoir tout découvrir, tout essayer (cf. Dormir à Puivert). *Ferme La Peyrouse Tél. 04 68 20 24 19*

Découvrir les environs

Chalabre Ce bourg est une bastide du XIIIe siècle, avec d'anciennes halles en bois, belles à s'en renverser les yeux, et de vieilles maisons à colombages et pans de bois. Sur les hauteurs de la ville, on aperçoit le château de Chalabre. Il se visite mais pas n'importe comment, avec spectacles, animations (buvettes sur place), etc. En fait, c'est un parc de loisirs historique. *11230* ***Chalabre*** *(à environ 8km de Puivert) Tél. 04 68 69 37 85 www.chateau-chalabre.com Ouvert week-end de l'Ascension ; vac. scol. Pâques et juil.-août : tlj. sauf sam. 12h-18h30 Tarif adulte 12,50€ la journée, enfant 8€ la journée*

Musée de la Chapellerie Le petit bourg d'Espéraza est spécialisé depuis le Moyen Âge dans la confection de chapeaux de feutre – utilisant pour cela une laine très fine, l'agneline, issue de moutons mérinos. Ce musée rend hommage à cette activité qui a fait en son temps le renom de la vallée. *11260* ***Espéraza*** *(à 17,5km de Puivert) Tél. 04 68 74 00 75 Ouvert tlj. 10h-12h et 14h-18h (10h-19h en saison)*

Dinosauria La haute vallée de l'Aude a connu des peuplements très, très anciens : on y retrouve sans cesse des fossiles, des œufs de dinosaure et autres indices précieux et émouvants... *11260* ***Espéraza*** *(à 17,5km de Puivert) Tél. 04 68 74 26 88 ou 04 68 74 02 08 www.dinosauria.org Musée ouvert tlj. juil.-août : 10h-19h ; hors saison : 10h-12h et 13h30-18h Adulte 7€, enfant 5€*

☆ ☺ **Rennes-le-Château** C'est une poignée de maisons jetées du haut du ciel sur une butte, avec une église, une tour étrange et un château. Mais on y vient surtout pour le Domaine de l'Abbé-Saunière, du nom d'un abbé mystérieux, sinon scandaleux. Nommé curé du village en 1885, François Béranger Saunière entreprend, en 1891, de restaurer l'église, à sa manière, avec des vitraux et des sculptures étranges, un diable de bénitier effrayant. Il aime aussi à recevoir, et pour cela il construit une villa de style Renaissance, la villa Béthania. Au fond du jardin, il bâtit une tour pour sa bibliothèque, la tour Magdala, et un belvédère agrémenté d'une verrière. L'ensemble est étonnant, la vue sur la vallée majestueuse. Reste l'origine mystérieuse de ses fonds : l'abbé se voit accuser d'avoir détourné les deniers de l'Église, ce qui lui vaut d'être déchu de ses fonctions sacerdotales en 1915. Selon d'autres rumeurs, il aurait découvert un trésor : trésor de Jérusalem rapporté par un roi wisigoth, trésor des Templiers, trésor des cathares ou celui de nobles enfuis pendant la Révolution... *11190* ***Rennes-le-Château*** *(à 26km de Puivert)* ***Domaine de l'Abbé-Saunière*** *Tél. 04 68 74 72 68 Ouvert mai-15 sept. : 10h-18h ; 16 sept.-14 nov. : 11h-17h ; 15 nov.-15 mars : sam.-dim. et j. fér. 11h-16h ; 16 mars-avr. : 11h-16h Adulte 4,25€, enfant à partir de 12 ans 3,20€*

☺ **Rennes-les-Bains** Ce bourg est installé dans une vallée boisée, le long de la Salz – dont les eaux sont réputées bienfaitrices pour leur salinité. On vient ici pour se faire du bien, d'ailleurs il suffit de regarder autour de soi le nombre d'établissements proposant remise en forme, santé, épanouissement et bien-être : point de bâtiments en béton gris comme dans certains centres de cure, non, ici les couleurs sont jaunes ou roses, les intérieurs rénovés et accueillants. Les Romains, à leur époque, l'avaient pressenti : ils se pressaient ici auprès des cinq sources d'eau chaude – de 34 à 44°C – et l'on ne peut résister à cette envie d'y plonger aussi... *11190* ***Rennes-les-Bains*** *(à 26km de Puivert)* ***Régie Patrimoine communal thermal et touristique*** *Tél. 04 68 74 71 00 Propose des cures au week-end*

Arques Donjon du XIIIe siècle magnifique, bâti au bord de la forêt de chênes et hêtres de la Rialsesse. À l'intérieur, une remarquable voûte gothique posée sur des culs-de-lampe sculptés. Sur place, production de miel savoureux. Village médiéval et maison de Déodat Roché, grand "réveilleur" du catharisme. *11190* ***Arques*** *(à 39km de Puivert)* ***Musée*** *Tél. 04 68 69 82 87* ***Château*** *04 68 69 84 77 www.chateau-arques.fr Ouvert juil.-août : 9h30-19h30 ; sept. : 10h-18h ; oct.-nov. et mars-juin : 10h30-12h30 et 13h30-17h Fermé mi-nov.-fév. Adulte 5€, Enfant 2€*

☆ **Château de Puilaurens** Comme de nombreux châteaux des environs, Puilaurens a été au XIIIe siècle occupé par des Parfaits cathares puis récupéré par la royauté qui s'est chargée de les fortifier de façon plus défensive encore – frontière oblige. De là-haut, la vue est renversante – vers la Boulzane et les Fenouillèdes. *11140* ***Puilaurens*** *(à 34km de Puivert) Tél. 04 68 20 65 26 Ouvert juil.-août : 9h-20h ; avr.-juin et sept. : 10h-18h ; oct. : 10h-17h ; vac. scol. (sauf Noël) 10h-17h Adulte 3,50€, enfant 1,50€*

Minexpo Musée de minéraux et de fossiles. *11190* ***Cubières-sur-Cinoble*** *(à 59km au sud-est de Puivert) Tél. 04 68 69 89 85 Ouvert juil.-août : tlj. 10h-19h ; hors saison : sur rendez-vous. Adulte 2€, gratuit pour les enfants*

Sur les traces de l'ours des Pyrénées

Gorges de l'Aude Passé Quillan, au sud d'Espéraza, on franchit la frontière entre l'aire du chêne et celle des sapinières : avec l'altitude, les forêts s'épaississent, se gonflent de cèdres et d'épicéas. La route s'infiltre dans les gorges de l'Aude, mais aussi, plus étroites, celles de la Pierre Lys et de Saint-Georges, ou encore celles du Rebenty. Par Cailla, Joucou, Escouloubre, Feuilla et Roquefort-de-Sault, vous traverserez le plateau, splendide et austère à la fois, du pays de Sault... La brume enveloppe les villages minuscules, et l'on se sent transporté très loin de tout. En hiver, vous y trouverez la neige et, en été, la fraîcheur et la tranquillité, au fil de longues marches à travers les landes, les buis et les genévriers. La flore y est splendide – on y compte jusqu'à cinquante espèces d'orchidées différentes –

et les cerfs, chevreuils, fouines et sangliers y vivent tranquilles. On peut avoir la chance d'y observer deux ours mâles de passage autour de Marsa, ou bien un rapace tout aussi fascinant : le gypaète barbu. *Renseignements à l'office de tourisme du pays de Sault à Belcaire Tél. 04 68 20 75 89* ***Localisation des ours*** *Équipe technique tél. 05 62 00 81 08 pour signaler vos éventuelles observations. Répondeur précisant la localisation des animaux tél. 05 62 00 81 10 www.ecologie.gouv.fr ou www.paysdelours.com*

Marcher dans la haute vallée de l'Aude

Sentiers des Capitelles Entre Couiza, Coustaussa et Cassaignes, de nombreux abris de berger ont été restaurés ; ils ponctuent les sommets des collines de cette vallée envoûtante et sont de radieux prétextes à randonnées. ***Départ*** *Chemin des Oliviers 11190* ***Couiza*** *À gauche en venant de Limoux avant le feu* ***Durée*** *2h30* ***Parcours*** *Boucle, balisage jaune* ***Conseil*** *procurez-vous le descriptif complet auprès de la communauté de communes du pays de Couiza Tél. 04 68 74 02 51 ou dans les offices de tourisme des environs*

Sentier cathare La portion la plus spectaculaire de cet itinéraire aménagé à travers l'Aude se trouve dans les environs de Puivert. Par tronçons, on peut quitter le littoral, traverser les Corbières, passer au pied des châteaux et pics de renom, jusqu'à Montségur en Ariège (cf. GEODocs Bibliographie).

La Roche Tremblante Rennes-les-Bains a aménagé pour les marcheurs un sentier idéal pour apprécier les paysages environnants. Balade vers les anciennes carrières de grès et parcours en forêt. ***Départ*** *Au centre du village de* ***Rennes-les-Bains*** ***Durée*** *2h* ***Parcours*** *Boucle, balisage jaune* ***Conseil*** *Consultez la fiche pratique n°11 du topo-guide* L'Aude pays cathare

Spéléo et parcours géologique

Grotte de l'Aguzou Une merveille de stalactites, stalagmites et concrétions, à découvrir en une journée. Départ dès 9h pour une descente assez sportive, mais sans grande difficulté. Retour à 17h, les yeux et les muscles comblés ! *11140* ***Escouloubre*** *(à 45km au sud de Puivert) Tél. 04 68 20 45 38 www.grotte-aguzou.com Ouvert toute l'année sur réservation, 50€ la journée, 30€ la demi-journée Tarif réduit pour les enfants*

Parcours géologique Ce circuit de randonnée part de Rennes-les-Bains et va vous permettre de mettre en pratique vos nouvelles connaissances... Départ à l'escalier du chemin de la Bernède. Balisage avec trait ou pastille jaune (11km/3h).

Monter à cheval

Domaine de Blanchefort. Promenades magiques sur les crêtes ou dans les vallées, à la découverte de la faune mais aussi de l'architecture : on se passionne beaucoup pour les capitelles, que l'on restaure avec passion. 10€/1h et 17€/2h. *Sylvie Clervoix 11190* ***Cassaignes*** *(à 33km de Puivert et à 5km de Couiza) Tél. 04 68 74 06 42*

Les Chevaliers du sel. Randonnées à cheval ou avec des ânes, de 1 à 10 jours, voire de 2 ou 3h seulement. *11190* ***Sougraigne*** *(à 35km de Puivert) Nicole et Jean-Louis Socquet-Juglard www.leschevaliersdusel.com Tél. 04 68 69 42 35 ou 06 86 69 41 72*

Centre équestre de Camurac - Relais équestre du Ternairols. Promenades à cheval de 15€/h à 65€/jour. *Rens. au camping Les Sapins 11340* ***Camurac*** *(à 28km de Puivert) Tél. 04 68 20 38 11*

Randonner avec un âne

Zig'ânes. Partez avec un âne à travers les gorges, les villages et les forêts. *11140* ***Cailla*** *(à 30km de Puivert) Tél. 04 68 20 57 73 ou 06 74 91 95 08 www.ziganes.com*

Se balader en raquettes, à vélo

Randonnées accompagnées. Balades en raquettes, à pied ou à vélo avec le PAS à Belcaire, à travers le plateau de Sault. Circuits de 2 à 21 jours. *Tél. 04 68 20 77 38 www.randonnee-cathare.com*

Pratiquer le ski

Station de Camurac La station haute est à 1 800m et la station basse à 1 400m. C'est sauvage, tranquille et authentique, sans frime ni agitation. *11340* ***Camurac*** *(à 28km de Puivert)* ***Station haute*** *Tél. 04 68 20 32 27* ***Station basse*** *Tél. 04 68 20 32 11* ***Accès*** *Par navette-autocar Vidal Quillan/ Belcaire/Camurac pendant vac. scol. Tél. 04 68 24 73 67 Météo Montagne, à consulter avant de partir… Tél. 08 92 68 02 09 (Saint-Girons)* ***Location de skis*** *à Camurac Sports Tél. 04 68 20 35 57*

Faire de l'escalade

Roc Aqua. Pour vous procurer sensations fortes et plaisir intense, Mathieu s'occupe de tout à la perfection : il vous emmène en escalade, vous apprend le rafting et vous fait découvrir l'hydrospeed, à votre rythme, selon votre niveau. Sorties de 27 à 37€. Gîte, restaurant et buvette sur place (au Rebenty). *11140* ***Axat*** *(à 28km de Puivert) Tél. 04 68 20 43 64 et 06 70 80 08 26 www.rocaqua.com*

Où goûter le “tougnol” de Chalabre ?

Parfumé à l'anis, le tougnol est le pain traditionnel de Chalabre. Vous le trouverez dans les deux boulangeries du village, Corlet et La Tougnoleraie : l'un est plus brioché que l'autre, à vous de comparer !

Corlet. *24, cours Colbert 11230* ***Chalabre*** *(à environ 8km de Puivert) Tél. 04 68 69 30 60 Fermé mer. après-midi (toute la journée en hiver) et dim. après-midi*

La Tougnoleraie. *2, rue du Capitaine-d'Anjou (dans la Bastide) 11230* ***Chalabre*** *(à environ 8km de Puivert) Tél. 04 68 69 20 87 Fermé dim. a.-m. et lun.*

Où faire une pause sucrée ?

☺ **Confiserie Lumiel.** Médaillée du trophée Aude gourmande à plusieurs reprises, la confiserie est incontournable pour qui se pique de gourmandise raffinée. De bons produits, préparés avec amour et passion, dans du matériel de tradition. Ne repartez pas sans un sachet de pralines au chocolat : vous manqueriez quelque chose de redoutablement bon... Les nougats à l'anis donnent aussi quelques frissons intenses. *Zone commerciale Plage sud 11500* ***Quillan*** *(à environ 16km de Puivert) Tél. 04 68 74 02 92 Ouvert tte l'année tlj.*

Manger à Puivert et dans les environs

petits prix

La Buvette du lac. Ce petit snack saisonnier, installé au bord de l'eau, propose des grillades et des salades sans d'autre prétention que de vous fournir de quoi grignoter et de quoi passer une journée tranquille, loin des foules de l'été. *Le lac 11230* ***Puivert*** *À environ 300m du village Tél. 04 68 20 82 76 Ouvert juin-août*

Stella Pizza. Bonne ambiance dans cette pizzeria perdue dans les ruelles de la bastide de Chalabre. Rénovée dans des teintes ocre et brique, sans aucune trace de "faux rustique" comme c'est si souvent le cas par endroits... *11230* ***Chalabre*** *(à environ 8km de Puivert) Tél. 04 68 69 24 84 Fermé lun. (et mer. hors saison)*

L'Atelier Café. Un atelier de poterie qui fait aussi crêperie. Déco agréable. *22, avenue de la Gare 11260* ***Espéraza*** *(à 17,5km de Puivert) Tél. 04 68 74 16 06 Ouvert juin-mi-sept. : mar.-dim. 10h30-14h et 19h-21h ; hors saison : mer.-dim. 10h30-14h et 19h-21h*

prix moyens

☺ **L'Auberge du Faby.** "La" bonne adresse de la région ! La cuisine est fameuse, sans être hors de prix : les plats sont à moins de 15€. "Menu Sentier des plâtriers" à 22€ avec assiette catalane, entrecôte au grill ou filet de sandre et glace artisanale au lait de brebis. Menu "L'emboulot" env. 25,50€ avec assiette du terroir : foie gras, carré d'agneau, magret de canard, desserts maison... Que de promesses gourmandes ! *11260* ***Rouvenac*** *(à 10km de Puivert) Tél. 04 68 74 35 42 Ouvert avr.-oct. : mar.-dim. Service à 12h et 19h30 Pas de CB*

Dormir à Puivert

camping

Camping municipal. Soixante-deux emplacements en pleine nature. Comptez 11€ pour deux avec branchement électrique. *Tél. 04 68 20 00 58 Ouvert mai-sept.*

prix moyens

☺ **Ferme La Peyrouse.** La maison est posée là, au bord d'une colline, et autour rêvassent quelques aigles, quelques chevaux, suspendus entre ciel et terre, dans le vent. À l'intérieur, les chambres respirent le calme et la sérénité, et sur le feu mijotent quelques repas, des légumes jetés dans l'eau, peut-être, tout simplement. Une bibliothèque abondante veille sur tout cela. Avant d'être agricultrice, Hélène Bouillon était libraire, près de Paris. Ici elle savoure une autre vie, palpite au rythme de la nature, et se plaît à le partager. De ses fruits rouges elle fait des confitures, et dans la grange elle stocke des livres sur la nature. Son association Le Chant des bois organise aussi des sorties sur les traces des fleurs, des insectes ou des papillons (cf. Découvrir Puivert). Chambres 41,50€ par nuit pour 2 personnes avec petit déjeuner, 13,50€ par personne en gîte, repas 16€ et goûter à la ferme 6,50€. *La Peyrouse Tél. 04 68 20 24 19 http:// membre.lycos.fr/peyrousebarbe Ouvert tte l'année*

L'Irénée. Monique et Patrice Salerno sont artisans d'art. Ils ont aménagé deux chambres attenantes à leur maison et atelier pour recevoir des hôtes de passage, et leur faire partager leur passion du pays. Table d'hôte sur réservation 18€. Chambres de 45 à 50€, petit déjeuner inclus. *2, rue du Chemin-des-Rondes Les Arnoulats (vers Lavelanet) Tél. 04 68 20 95 79 Ouvert tte l'année*

Dormir dans les environs

très petits prix

La Bernède. Une trentaine d'emplacements dans ce petit camping 2 étoiles, au sein d'un environnement plaisant, tranquille et verdoyant. *11190* ***Rennes-les-Bains*** *(à 36km de Puivert) Tél. 04 68 69 86 49 ou 04 68 74 09 32 Ouvert mai-mi-oct.*

☺ **Les Sapins.** Un toit du monde à la française, moins haut qu'au Tibet mais aussi envoûtant. Du camping, la vue s'envole jusqu'aux vallées voisines… De 12 à 17,50€ pour 2 personnes avec voiture. Également des chambres et bungalows, en dortoir à 13€/pers. ou à 35€ la chambre pour 2 pers. Piscine, snack et crêperie. *11340* ***Camurac*** *(à 28km de Puivert) Tél. 04 68 20 38 11 Ouvert tte l'année*

petits prix

Auberge du Rébenty. Une auberge providentielle au milieu de ce désert d'eau et de pierre… Accueil cordial, décoration simple et sobre, et en plus, on peut manger sur place, ce qui est appréciable, surtout après une journée de rafting ! Chambres doubles à partir de 35€. Location de gîtes à la semaine. *11140* ***Axat*** *(à 28,5km de Puivert) Tél. 04 68 20 50 78 Fermé 11 nov.-mi-déc. et mi-jan.-mars*

☺ **Gîte de la Bastide.** À notre avis, l'un des plus beaux endroits des environs, au bord du pech de Bugarach, suspendu entre ciel et terre. Quatre dortoirs de 6 ou 8 pers. à 10,50€ la nuit et chambres doubles à 36€ (39-42€ avec sdb). Repas 15,50€, apéritif de bienvenue offert. Ambiance rurale et chaleureuse, accueil simple et sincère. *Néli Busch et Richard Le Masson 11190* ***Camps-sur-l'Agly*** *(à 48,5km de Puivert) Tél. 04 68 69 87 57 Fermé lors des fêtes de fin d'année*

prix élevés

La Maison du Chapelier. Dans cette gigantesque bâtisse du début du XXe siècle, un jeune couple d'Anglais a aménagé des chambres d'hôtes. Spacieuses et confortables, elles sont louées 65€ pour 2 personnes et, pour les plus grandes, 120€. Certaines demandent à être encore un peu habitées pour se "réchauffer". *Andrew Richardson 7, rue Élie-Sermet 11260* ***Espéraza*** *(à 17,5km de Puivert) Tél. 04 68 74 22 49 www.esperazabedandbreakfast.com Ouvert avr.-nov. et sur réservation le reste de l'année*

prix très élevés

☺ **Château des Ducs de Joyeuse.** Le seul Relais et Châteaux des environs, dans un bâtiment magnifique. Classé par les Monuments historiques, remanié aux siècles précédents, il a cependant conservé tout son charme. Trente-cinq chambres de 95 à 198€, petit déjeuner 13€. Un restaurant au rez-de-chaussée vous permet de survivre ici sans sortir de l'enceinte ! *11190* ***Couiza*** *(à 21km de Puivert) Tél. 04 68 74 23 50 Fermé mi-nov.-mi-mars*

GEOREGION

Fidèle compagnon, le vent dans le pays de Narbonne souffle sur tous les tons. Il s'engouffre à Gruissan dans les voiles des bateaux de plaisance ; à Bages, il couche les roseaux des étangs où nichent des oiseaux migrateurs ; il agite doucement, parmi les vignes, les pins centenaires des domaines patriciens ; il emporte jusqu'à la mer les senteurs de thym et de romarin qu'il a cueillies ici et là dans les garrigues des Corbières. Il hurle à Quéribus, à Aguilar, à Peyrepertuse, ces forteresses de l'impossible dressées au sommet de pics exigus. Il murmure encore le soir sous les platanes lorsqu'est venu le moment de goûter aux vins du Minervois.

À ne pas manquer Le complexe épiscopal de Narbonne, Minerve sur son éperon rocheux, les abbayes de Fontfroide et de Lagrasse, les châteaux cathares

Et si vous avez le temps... Visitez les salins de l'île Saint-Martin à Gruissan, chevauchez sur la plage des Coussoules

Narbonne et ses environs

GEOMEMO

Département	Aude (11), 6 138km^2 (309 770 hab.)
Ville principale	Narbonne (46 510 hab.)
Informations touristiques	CDT 04 68 11 66 00 OT Narbonne 04 68 65 15 60
Espace protégé	parc naturel régional de la Narbonnaise en Méditerranée
Lieux de baignade	plage du Grazel (Gruissan), plage de Mateille (Gruissan), plage de la Vieille-Nouvelle (Gruissan), plage entre Saint-Pierre et les Cabannes-de-Fleury (Saint-Pierre-sur-Mer).

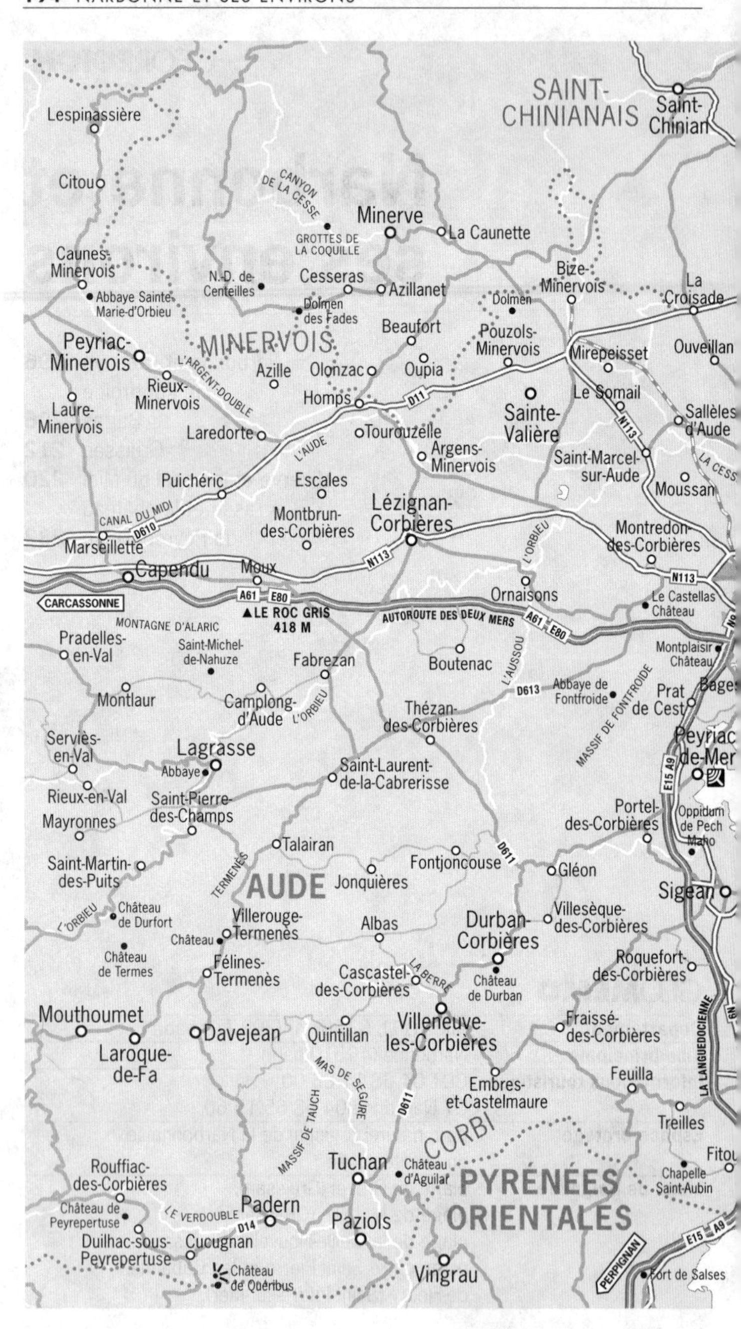
SAINT-CHINIANAIS
Saint-Chinian
Lespinassière
Citou
CANYON DE LA CESSE
Minerve
La Caunette
GROTTES DE LA COQUILLE
Caunes-Minervois
Abbaye Sainte-Marie-d'Orbieu
N.-D. de-Centeilles
Cesseras
Azillanet
Dolmen des Fades
Dolmen
Bize-Minervois
La Croisade
Peyriac-Minervois
MINERVOIS
Beaufort
Pouzols-Minervois
Mirepeisset
Ouveillan
L'ARGENT-DOUBLE
Azille
Olonzac
Oupia
Rieux-Minervois
Homps
D11
Sainte-Valière
Le Somail
Laure-Minervois
Sallèles-d'Aude
Laredorte
Tourouzelle
N113
L'AUDE
Argens-Minervois
Saint-Marcel-sur-Aude
LA CESSE
Puichéric
Escales
Moussan
CANAL DU MIDI
D610
Lézignan-Corbières
Montbrun-des-Corbières
L'ORBIEU
Montredon-des-Corbières
Marseillette
N113
Capendu
Moux
N113
CARCASSONNE
A61
E80
Ornaisons
LE ROC GRIS 418 M
AUTOROUTE DES DEUX MERS
A61
E80
Le Castellas Château
MONTAGNE D'ALARIC
Pradelles-en-Val
Saint-Michel-de-Nahuze
Fabrezan
Boutenac
L'AUSSOU
Montplaisir Château
Montlaur
D613
Abbaye de Fontfroide
Camplong-d'Aude
L'ORBIEU
Thézan-des-Corbières
MASSIF DE FONTFROIDE
Prat de Cest
Bages
Serviès-en-Val
Lagrasse
Abbaye
Peyriac-de-Mer
Saint-Laurent-de-la-Cabrerisse
E15 A9
Rieux-en-Val
Saint-Pierre-des-Champs
Portel-des-Corbières
Oppidum de Pech Maho
Mayronnes
Talairan
Fontjoncouse
D611
Saint-Martin-des-Puits
TERMENÈS
Gléon
AUDE
Jonquières
Sigean
Château de Durfort
L'ORBIEU
Villerouge-Termenès
Albas
Durban-Corbières
Villesèque-des-Corbières
Château
Château de Termes
Félines-Termenès
Cascastel-des-Corbières
LA BERRE
Château de Durban
Roquefort-des-Corbières
Mouthoumet
Laroque-de-Fa
Davejean
Quintillan
Villeneuve-les-Corbières
Fraissé-des-Corbières
N9
MAS DE SEGURE
LA LANGUEDOCIENNE
Embres-et-Castelmaure
Feuilla
D611
MASSIF DE TAUCH
CORBI
Treilles
Rouffiac-des-Corbières
Tuchan
Château d'Aguilar
PYRÉNÉES ORIENTALES
Fitou
Chapelle Saint-Aubin
Château de Peyrepertuse
LE VERDOUBLE
D14
Padern
Paziols
Duilhac-sous-Peyrepertuse
Cucugnan
Château de Quéribus
Vingrau
PERPIGNAN
E15 A9
Fort de Salses

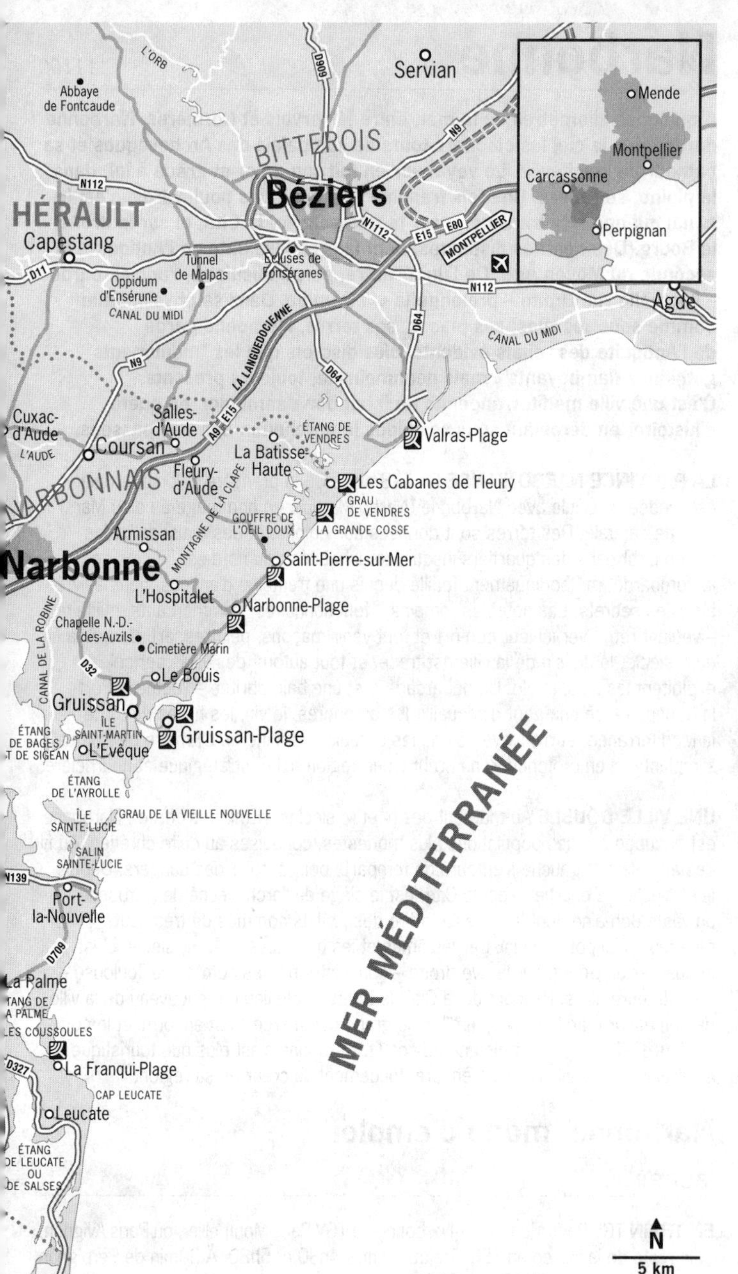

Servian
Mende
Montpellier
Carcassonne
Perpignan
Agde
Abbaye de Fontcaude
L'ORB
BITTEROIS
Béziers
HÉRAULT
Capestang
N112
N9
N1112
E15
E80
MONTPELLIER
D909
D11
D64
Tunnel de Malpas
Écluses de Fonsérannes
Oppidum d'Ensérune
CANAL DU MIDI
LA LANGUEDOCIENNE
A9
Cuxac-d'Aude
L'AUDE
Coursan
Salles-d'Aude
Fleury-d'Aude
ÉTANG DE VENDRES
La Batisse-Haute
Valras-Plage
Les Cabanes de Fleury
GRAU DE VENDRES
LA GRANDE COSSE
GOUFFRE DE L'OEIL DOUX
NARBONNAIS
MONTAGNE DE LA CLAPE
Armissan
Narbonne
Saint-Pierre-sur-Mer
L'Hospitalet
Narbonne-Plage
CANAL DE LA ROBINE
Chapelle N.-D.-des-Auzils
Cimetière Marin
D32
Le Bouis
Gruissan
ÎLE SAINT-MARTIN
Gruissan-Plage
ÉTANG DE BAGES ET DE SIGEAN
L'Evêque
ÉTANG DE L'AYROLLE
ÎLE SAINTE-LUCIE
GRAU DE LA VIEILLE NOUVELLE
SALIN SAINTE-LUCIE
N139
Port-la-Nouvelle
MER MÉDITERRANÉE
D709
La Palme
ÉTANG DE LA PALME
LES COUSSOULES
D327
La Franqui-Plage
CAP LEUCATE
Leucate
ÉTANG DE LEUCATE OU DE SALSES
N
5 km

Narbonne

11100

À quelques kilomètres de la mer, entre Minervois et Corbières, Narbonne darde dans le ciel les clochers-tours de son palais des Archevêques et sa cathédrale inachevée. Le voyageur en fait son amer et grâce à lui, dans la plaine, se repère. Une fois franchie l'enceinte des boulevards, c'est le canal qui opère la transition ; sur la rive gauche, la Cité, et sur la droite, le Bourg. Deux entités distinctes, dont la première date de l'Antiquité, la seconde du Moyen Âge. De l'un à l'autre, perpendiculaire, l'ancien cardo – l'actuelle rue Droite – prolonge la *via Domitia*. Dans sa physionomie comme sous ses rues, ses places, ses terres, Narbonne garde de l'Antiquité des reliefs évidents, plus discrets que les "monuments gothiques flamboyants", mais néanmoins là, toujours présents. C'est une ville méditerranéenne où il fait bon déambuler, en quête d'histoire, en déroulant sous ses pieds le parchemin des vies passées.

LA PROVINCE NARBONNAISE En 118 av. J.-C., la première colonie romaine est fondée en Gaule avec Narbonne (*Narbo Martius*, en hommage au dieu Mars) comme capitale. Des terres sont données aux colons, et des maisons bâties petit à petit dans des quartiers jusqu'alors inhabités : au nord-est, le clos de la Lombarde, méthodiquement fouillé depuis une trentaine d'années, nous a livré bien des secrets. Les notables romains – fonctionnaires, commerçants, militaires – veulent retrouver ici leur confort et font venir maçons, peintres, artisans. À la fin du Ier siècle, le dessin de la ville est tracé, et tout autour, des villas agricoles exploitent les sols, le blé. Un débarcadère et une baie abritée – l'actuelle Port-la-Nautique – se chargent d'accueillir les amphores, le vin, les huiles de toute la Méditerranée, et d'envoyer là-bas les céréales, le minerai. L'Empire de Rome s'implante ici en profondeur, au cœur d'une région riche, stratégique et nourricière.

UNE VILLE DOUBLE Au tournant des IIIe et IVe siècles, l'Empire s'effrite : Narbonne est occupée par des populations plus modestes, conquises au culte chrétien. Au fil des ans, sa rive gauche s'entoure de remparts pour s'isoler des dangers. Depuis le IXe siècle, ce quartier, appelé Cité, est le siège de l'archevêché de Narbonne – un vaste domaine dont la richesse attire des prélats nommés de très haut, parachutés ici pour administrer les âmes et les monnaies… Au XIIe siècle, c'est le quartier de Bourg, sur la rive droite – administré par les comtes de Toulouse – qui s'entoure alors. Pendant de la Cité, le Bourg est le lieu du renouveau de la ville, de son essor marchand. Aujourd'hui, le grand commerce s'est endormi et le cours du fleuve – l'Aude – s'est éloigné de son lit. Narbonne n'est plus que touristique et tertiaire, mais elle rayonne encore doucement au cœur de sa région.

Narbonne, mode d'emploi

accès

EN TRAIN TGV Paris-Montpellier-Narbonne ou TGV Paris-Montpellier, ou Paris-Avignon, et le reste de la liaison en TER. Trajets : entre 4h30 et 5h30. À 30min de Perpignan et de Carcassonne. ***SNCF*** *Tél. 3635 www.voyages-sncf.com*

EN CAR Très peu de liaisons autobus entre les villes du Languedoc, et encore moins à l'intérieur du Narbonnais.
TransAude. De 3 à 5 bus par jour depuis et vers Bages, mais également à travers tout le département. *Tél. 04 68 41 40 02*
Transports Michau. Depuis et vers le Minervois en particulier (Saint-Marcel, Le Somail, Ginestas). *Tél. 04 68 42 06 28*

EN VOITURE À l'intersection de l'A61 venant de Toulouse (1h45) et Carcassonne (30min), et de l'A9 rejoignant Perpignan (45min) au sud et Montpellier (1h30) au nord. Les N9 et N113 suivent en parallèle le tracé des autoroutes.

Narbonne et ses environs

(en km)	Narbonne	Gruissan	Minerve	Lagrasse	Cucugnan
Gruissan	15				
Minerve	32	51			
Lagrasse	43	55	41		
Cucugnan	71	84	80	41	
Montpellier	96	103	114	132	160

orientation

La ville s'étend de part et d'autre du canal de la Robine. Son centre historique est entouré d'une série de boulevards périphériques : une première rangée avec Joffre, Frédéric-Mistral, De-Gaulle, Gambetta, Dr-Ferroul, Dr-Lacroix, et une seconde rangée traversant les zones commerciales. La traversée de la ville le long du canal peut s'avérer difficile aux heures de pointe (de bureau ou de plage) : privilégiez le contournement par les extérieurs, ou bien le stationnement (gratuit, près de la gare et du square Blum en particulier) sur les premiers boulevards. Huit parkings payants vous permettent également de laisser votre voiture à l'abri. Actuellement la ville de Narbonne réorganise le stationnement et vient de créer un parking av. de la Mer (1,50€/j.). À partir du parking on peut prendre gratuitement un vélo, les navettes et l'ensemble des lignes urbaines TAN. Le centre se parcourt très facilement à pied, d'une rive à l'autre.

location de voitures

Avis. *Gare SNCF Tél. 04 68 32 43 36*
Europcar. *À 200m de la gare SNCF 52, bd Frédéric-Mistral Tél. 04 68 32 34 54*

location de scooters et motos

Charlie-Motos. Louer un scooter ou une moto peut s'avérer bien pratique pour éviter les bouchons vers les plages, et profiter des petites routes, du Minervois à La Clape... *18, bd Maréchal-Joffre Tél. 04 68 42 21 20*

transports urbains

TAN. Quatre lignes régulières et trois navettes gratuites circulent dans Narbonne, et 18 lignes régulières desservent les villages de l'agglomération narbonnaise. ***Point***

***d'accueil TAN** Belvédère Bd du Général-de-Gaulle Tél. 04 68 90 18 18 Ouvert lun.-ven. 9h-12h et 13h30-18h*

informations touristiques

Office de tourisme (plan B2). *Place Roger-Salengro Tél. 04 68 65 15 60 Ouvert mi-sept.-avr. : lun.-sam. 8h30-12h et 14h-18h ; mai-mi-sept. : lun.-sam. 8h-19h, dim. et j. fér. 9h30-12h30*

visites guidées

Visites guidées du centre historique. Elles sont programmées pendant les vacances scolaires du lundi au vendredi. Le rendez-vous et la billetterie se situent à l'accueil de l'hôtel de ville, au palais des Archevêques. *Tél. 04 68 90 30 66 www.mairie-narbonne.fr pour la programmation des visites*

accès Internet

Versus Internet Café (plan B3). Accès Internet (et jeux en réseau) 5€/h et 3€/h pour les adhérents. *60, rue Droite Tél. 04 68 32 95 27 Ouvert lun.-ven. 10h-21h, sam. 14h-2h, dim. et j. fér. 14h-20h*

marchés

Sous les halles couvertes (plan B4) tous les matins, les meilleurs produits du Languedoc : fougasses à l'anis, pélardons, saucissons et charcuteries variées, fruits de mer et poissons, volailles et légumes, tapas et vins au verre…

fêtes et manifestations

Festa Latina. De fin juin à fin août, des concerts, expos, visites guidées, dégustations et animations diverses, toutes gratuites.
Théâtre Scène nationale de Narbonne. Suivez sa programmation à l'année. Avenue Domitius (au bout du quai Victor-Hugo vers les plages) *Tél. 04 68 90 90 20*
Festival national de théâtre amateur. De fin juin à début juillet. *Pour plus de renseignements tél. 04 68 90 45 65*

Découvrir Narbonne

☆ **À ne pas manquer** Le palais des Archevêques à Narbonne, l'abbaye de Fontfroide **Et si vous avez le temps…** Buvez un verre sur la terrasse du Petit Moka face au palais des Archevêques, laissez-vous porter sur le canal de la Robine avec les Coches d'eau du Patrimoine, découvrez les richesses du parc naturel régional de la Narbonnaise

Narbonne s'appréhende de part et d'autre du canal de la Robine, d'un côté par le centre-ville – la Cité – et de l'autre par le Bourg, quartier des Halles, de la basilique Saint-Paul-Serge et de quelques maisons médiévales.

Découvrir la Cité

L'idéal est de s'y rendre de bon matin, avant que la foule ne l'ait investie, et de rentrer le premier dans l'enceinte du Palais neuf et du Palais vieux. À côté, les gargouilles du cloître se réveillent à peine… Les musées n'ouvrent qu'à 9h30 ou 10h : vous avez le temps de vous promener, de vous imprégner les sens d'une histoire qui s'avère mouvementée… *Un billet commun pour les 4 musées de la ville (archéologique, d'Art et d'Histoire, lapidaire et Horreum) est valable pendant 3 jours Tarif 5,20€ Enfant 3,70€ Il existe également un Pass qui comprend les 4 musées ci-dessus ainsi que le Donjon Gilles-Aycelin et le Trésor de la cathédrale Tarif 7,50€ Enfant 5,50€ Disponibles sur l'ensemble des sites*

☺ **Cathédrale Saint-Just-et-Saint-Pasteur (plan B3)** Le symbole, bien sûr, de la puissance d'un archevêché. Sa construction commence au XIVe siècle – l'âge d'or de Narbonne – en même temps que le Palais neuf et de nombreuses églises, hôpitaux et ponts. Mais en 1354, les travaux s'arrêtent : un conflit oppose le chapitre cathédral aux consuls, qui refusent de laisser percer le mur d'enceinte de la ville. Il n'y aura donc ni transept ni nef… mais des voûtes de plus de 40m de haut. Sur le retable aux reliefs sculptés, les visages expriment tour à tour l'effroi et la paix, l'angoisse et la béatitude – magnifiquement restauré, il nous montre un splendide exemple du style gothique rayonnant méridional : les drapés enroulés des vêtements, les foules étagées et les bouches béantes dans la charrette des damnés – autant de détails qui témoignent de l'imagination fertile des artistes, et de leur immense talent. Les vitraux ont été rénovés en 2006. *Ouvert tlj. 9h-12h et 14h-18h (10h-19h en juil.-sept.)*

☆ ☺ **Palais des Archevêques (plan B3)** Collé tout contre le cloître, il y a d'abord le Palais vieux, avec, à l'extérieur, quelques beaux vestiges médiévaux – l'intérieur se visite par le Musée archéologique. De l'autre côté du passage de l'Ancre, on trouve la cour d'honneur du Palais neuf : les premières pierres du XIVe siècle se mêlent aux éléments des XVIIe et XVIIIe siècles, tandis que la façade de l'actuel hôtel de ville porte les marques néogothiques d'un Viollet-le-Duc entreprenant. Ce Palais neuf est né de l'irritation des archevêques, incommodés par le bruit de la construction interminable de la cathédrale. Outre la mairie, il abrite en ses murs le musée d'Art et d'Histoire, qu'il faut donc visiter pour pénétrer dans les appartements.

☺ **Musée archéologique (plan B3)** Trésors de peintures romaines et médiévales ou même néolithiques. Dans les premières salles, présentation des vestiges des maisons de l'Antiquité – du clos de la Lombarde en particulier : mosaïques et peintures méticuleusement reconstituées. Dans les salles suivantes, peintures murales de l'ancienne chapelle haute de la Madeleine (des motifs jusqu'alors camouflés, badigeonnés au début du XXe siècle). Multitude de stèles, pierres et linteaux, réutilisés dans les remparts du XVIe siècle et donc préservés. Visite libre ou guidée. Dans tous les cas, ne comptez pas y passer moins d'une demi-journée… *Palais des Archevêques Tél. 04 68 90 30 54 Ouvert avr.-sept. : tlj. 9h30-12h15 et 14h-18h ; oct.-mars : mar.-dim. 10h-12h et 14h-17h Fermé j. fér.*

Musée d'Art et d'Histoire (plan B3) Au fond de la cour du Palais neuf, une fois gravies les marches du grand escalier à balustres, on ouvre une lourde porte

BOIRE UN VERRE
1 Le Petit Moka ______ B3
2 Le Café de la Poste __ C3

SORTIR
10 Le Boulevard Café ___ B4
11 Le Bal Masqué ______ B3

MANGER
20 La Brioche du Moulin _ B3
21 Le Taj Mahal _______ C3
22 La Fringale ________ B2
23 L'Agora ___________ B3
24 L'Aladin ___________ A3
25 Brasserie _________ B4
de l'Estagnol

DORMIR
30 Centre international __ B2
de séjour
31 Hôtel Le Régent ____ C3
32 Hôtel La Résidence __ B3

Narbonne

Quai de Lorraine
Quai d'Alsace
Rue de la Paix
Rue des Passerelles
Route de Cuxax
Rue de la Tonellerie
Rue du Commerce
Rue de Cuxax
CANAL DE LA ROBINE
Rue Manuel
R. de Mascara
Rue de Tlemcen
Rue Simon-Castan
Boulevard Léon-Augé
Boulevard
Avenue Charles-Trenet
R. du Port
Pont de la Concorde
Pont Voltaire
Rue
MAISON DE CHARLES-TRENET
Avenue des Pyrénées
Boulevard Maréchal-Joffre
Quai Dillon
Rue Turgot
Rue Voltaire
Rue Kléber
Place Voltaire
Av. des Cévennes
CARCASONNE, TOULOUSE
Place des Pyrénées
Rue Arago
Rue de Strasbourg
Rue d'Aigues-Vives
Rue de la Parerie
24
Rue Marceau
R. des Fours à Chaux
BASILIQUE SAINT-PAUL-SERGE
CIMETIÈRE PALÉO-CHRÉTIEN
Rue Rabelais
R. Hoche
CIMETIÈRE DE BOURG
Place Cassaigno
Avenue Général-Leclerc
Rue de l'Hôtel-Dieu
MAISON DES TROIS NOURRICES
HÔTEL-DIEU
Boulevard du Docteur-Lacroix
Place V.-Hyspa
JARDIN DES MARTYRS DE LA RÉSISTANCE
Rue de Mazagran
Rue du Bourget
PERPIGNAN
1
2
3
4
A

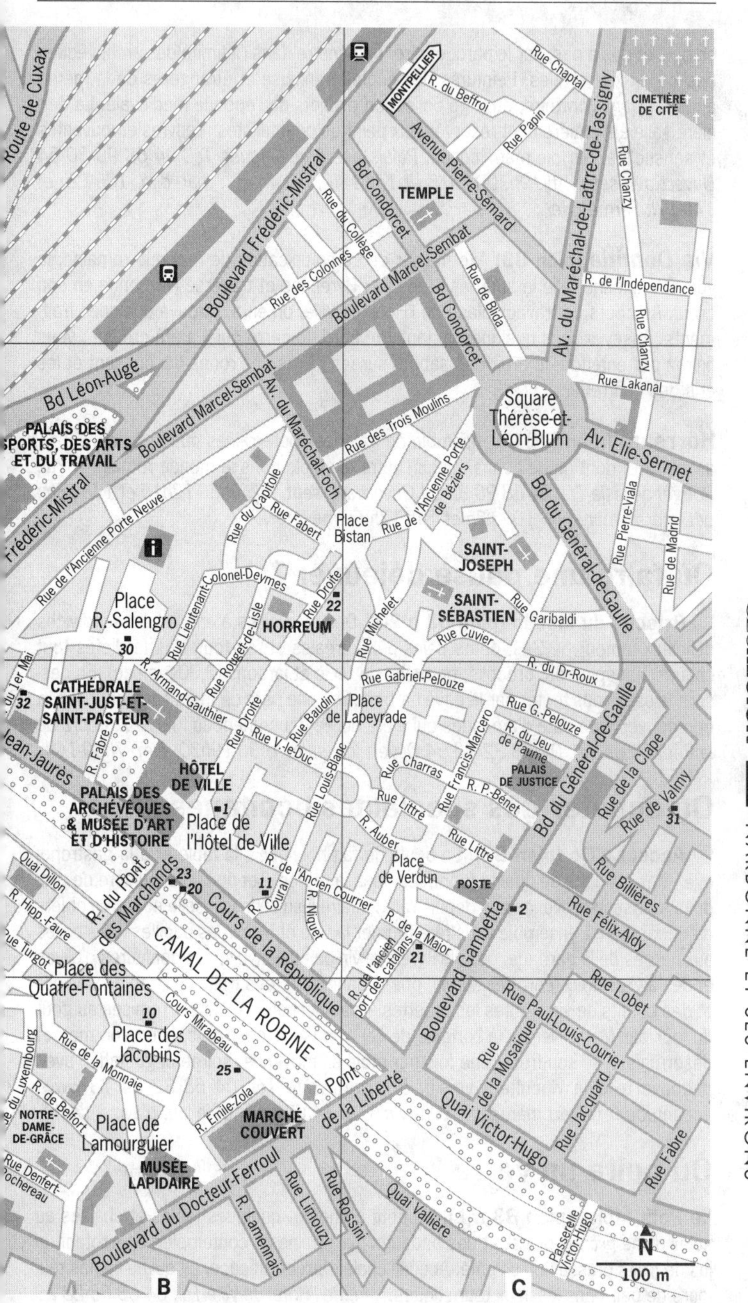
Route de Cuxax
MONTPELLIER
R. du Beffroi
Rue Chaptal
Rue Papin
Avenue Pierre-Sémard
Av. du Maréchal-de-Latrre-de-Tassigny
CIMETIÈRE DE CITÉ
Rue Chanzy
Boulevard Frédéric-Mistral
Bd Condorcet
TEMPLE
Rue du Collège
Rue des Colonnes
Boulevard Marcel-Sembat
Rue de Blida
R. de l'Indépendance
Rue Lakanal
Bd Léon-Augé
Boulevard Marcel-Sembat
Av. du Maréchal-Foch
Rue des Trois Moulins
Square Thérèse-et-Léon-Blum
Av. Elie-Sermet
PALAIS DES SPORTS, DES ARTS ET DU TRAVAIL
Frédéric-Mistral
Rue de l'Ancienne Porte Neuve
Rue du Capitole
Rue Fabert
Place Bistan
Rue de l'Ancienne Porte de Béziers
Bd du Général-de-Gaulle
Rue Pierre-Viala
Rue de Madrid
SAINT-JOSEPH
Rue Lieutenant-Colonel-Deymes
Rue Droite
22
Place R.-Salengro
30
HORREUM
Rue Rouget-de-Lisle
Rue Michelet
SAINT-SÉBASTIEN
Rue Garibaldi
Rue Cuvier
R. du Dr-Roux
du 1er Mai
32
CATHÉDRALE SAINT-JUST-ET-SAINT-PASTEUR
R. Armand-Gauthier
Rue Gabriel-Pelouze
Rue G.-Pelouze
Place de Lapeyrade
Rue Baudin
Rue V.-le-Duc
Rue Louis-Blanc
Rue Francis-Marcero
R. du Jeu de Paume
PALAIS DE JUSTICE
Rue de la Clape
Rue de Valmy
31
Jean-Jaurès
R. Fabre
HÔTEL DE VILLE
PALAIS DES ARCHEVÊQUES & MUSÉE D'ART ET D'HISTOIRE
1
Place de l'Hôtel de Ville
Rue Charras
Rue Littré
R. P.-Bénet
R. Auber
Rue Littré
Place de Verdun
POSTE
Rue Billières
Quai Dillon
R. du Pont des Marchands
23
20
11
R. Coural
R. de l'Ancien Courrier
R. Niquet
R. de la Major
21
R. de l'ancien port des catalans
Boulevard Gambetta
2
Rue Félix-Aldy
R. Hipp.-Faure
Rue Turgot
Place des Quatre-Fontaines
CANAL DE LA ROBINE
Cours de la République
Cours Mirabeau
Rue Lobet
Rue Paul-Louis-Courier
10
Place des Jacobins
Rue de la Monnaie
25
Rue du Luxembourg
R. de Belfort
NOTRE-DAME-DE-GRÂCE
Place de Lamourguier
R. Émile-Zola
MARCHÉ COUVERT
Pont de la Liberté
Rue de la Mosaïque
Quai Victor-Hugo
Rue Jacquard
Rue Fabre
MUSÉE LAPIDAIRE
Rue Denfert-Rochereau
Boulevard du Docteur-Ferroul
R. Lamennais
Rue Limouzy
Rue Rossini
Quai Vallière
Passerelle Victor-Hugo
N
100 m
B
C

en bois et pas à pas, sur le parquet ciré, on pénètre dans l'intimité des archevêques des XVIIe et XVIIIe siècles. Peintures des écoles française et étrangères de la même époque. Dans l'oratoire, étrange collection d'objets de l'époque médiévale. La dernière salle est entièrement réservée aux peintres orientalistes : œuvres émouvantes et sensuelles, parfois magnifiques. *Palais des Archevêques Tél. 04 68 90 30 54 Ouvert avr.-sept. : tlj. 9h30-12h15 et 14h-18h ; oct.-mars : mar.-dim. 10h-12h et 14h-17h Fermé j. fér.*

***Via Domitia* (plan B3)** Axe majeur de communication de l'époque romaine, la voie Domitienne relie le sud des Alpes aux Pyrénées et traverse Narbonne en son cœur. Au cours de travaux place de l'Hôtel-de-Ville, on en a retrouvé quelques fragments. Asseyez-vous quelques instants au bord du carré qui y a été creusé : vous finirez par entendre le bruit des sabots sur les pavés, les roues qui crissent et les cris des charretiers...

Horreum (plan B2) Un ensemble de galeries souterraines du Ier siècle av. J.-C. assez rare, dont on ne connaît aucun autre exemple dans le monde romain. *7, rue Rouget-de-Lisle Tél. 04 68 90 30 54 Ouvert avr.-sept. : tlj. 9h30-12h15 et 14h-18h ; oct.-mars : mar.-dim. 10h-12h et 14h-17h Fermé j. fér.*

Où faire une pause déjeuner ?

La Brioche du Moulin (plan B3 n°20). Des merveilles à emporter : sandwichs délicieux (autour de 3€), petits pains aux céréales et, surtout, des feuilletés tout chauds aux épinards, brocolis, pommes de terre et lardons (2,30€ pièce). En dessert, laissez-vous tenter par le pavé narbonnais : une pâte de fruits finement hachée et recouverte de pâte d'amandes qui a été dorée doucement au four... *2, cours de la République Tél. 04 68 32 12 54 Ouvert lun.-sam. 7h30-19h30, dim. 7h30-14h*

Où acheter des spécialités occitanes ?

☺ **Accent d'Oc (plan B2).** La boutique fait honneur à la table et à la gastronomie : des produits de qualité fabriqués dans la région – et non un simulacre de produits touristico-provençaux – depuis l'alimentaire jusqu'à la vaisselle et autres objets de décoration. L'ensemble vous fera tourner la tête et frémir les papilles : des huiles aux herbes de la garrigue, des vinaigres de vin ou au banyuls, des confitures d'olives et des aigres-doux (carottes-cumin, poire-cannelle...), des fruits au sirop de vinaigre et des confits de vin. Toutes les recettes – traditionnelles – ont été remises au goût du jour par Marie Neirac, à l'origine de l'entreprise Accent d'Oc, avec son mari et désormais avec son frère. Une fois par mois en moyenne, soirée dégustation avec découverte d'un viticulteur voisin. *56, rue Droite Tél. 04 68 32 24 13 www.accentdoc.fr Ouvert mar.-sam. 10h-12h30 et 14h30-19h (et le lun. d'avr. à sept.)*

Où boire un verre ?

Le Petit Moka (plan B3 n°1). Un petit comptoir, quelques tables et chaises au soleil d'une grande place, et des badauds par dizaines à contempler, en sirotant un jus de fruits pressés ou un café. Accueil chaleureux et efficace, ce qui ne va pas toujours de pair dans les lieux touristiques... *Pl. de l'Hôtel-de-Ville Tél. 04 68 65 28 29*

Le Café de la Poste (plan C3 n°2). On vient boire un café ici en sortant de la poste, entre deux visites ou deux rendez-vous, ou bien encore pour une partie de Café Philo… Farid et Sylvie ont fait de ce lieu un bar de quartier où l'on aime à se retrouver pour lire la presse, discuter de l'actualité ou du contenu du prochain fanzine en cours de rédaction… On y mange aussi, à midi, des salades (environ 9€), des plats du jour et même, le jeudi, du couscous maison. *30, bd Gambetta Tél. 04 68 32 11 28 Ouvert lun.-ven. 8h-20h*

Où sortir le soir ?

Le Boulevard Café (plan B4 n°10). Un bar de nuit où l'on finit assurément par danser, mais où l'on peut également, plus sagement, dîner, dans une ambiance disco… *Place des Jacobins Tél. 04 68 65 13 64 Ouvert tte l'année*

Le Bal Masqué (plan B3 n°11). L'un des seuls bars vivants de Narbonne passé 22h. Déco, musique et accueil sympa. Salsa effrénée chaque vendredi, karaoké le mardi soir, et soirées à thème. *6, rue Marcelin-Coural Tél. 04 68 65 35 55 Ouvert tte l'année Cours de salsa ven. 8h30-10h*

Découvrir le Bourg

Pour passer côté Bourg, il faut franchir le pont des Marchands (plan B3), longer les vitrines des commerçants, bifurquer, plonger à gauche vers le marché couvert et remonter à droite par les rues désertées…

Marché couvert (plan B4) Son architecture vaut à elle seule le déplacement : construite au début du XXe siècle dans le style des pavillons Baltard des anciennes halles de Paris, son armature est toute de métal, avec des piliers et des portes en pierre. Lors de sa récente rénovation, les vitres ont été par endroits recouvertes de photos géantes représentant le peuple narbonnais au début du XXe siècle. *Cours Mirabeau, face au pont de la Liberté*

Musée lapidaire (plan B4) Dans l'église Notre-Dame-la-Mourguié, une construction des XIIIe et XIVe siècles représentative du plus pur style gothique méridional abrite des frises, stèles et inscriptions funéraires. *Place Lamourguié Tél. 04 68 90 30 54 Ouvert avr.-sept. : tlj. 9h30-12h15 et 14h-18h ; oct.-mars : mar.-dim. 10h-12h et 14h-17h Fermé j. fér.*

Naviguer sur le canal de la Robine

☺ **Les Coches d'eau du Patrimoine.** Plusieurs itinéraires sont proposés : 1 ou 2h dans Narbonne (environ 6€) ou un parcours jusqu'à Port-la-Nouvelle "Sur la route des étangs" (18€). Aller ou retour en bus. *Cours Mirabeau Tél. 04 68 90 63 98 Ouvert juil.-15 sept.*

Embarcadère de Narbonne. Location de bateaux électriques sans permis. *Promenade des Barques Tél. 06 03 75 36 98 www-mairie.narbonne.fr Ouvert mi-juin-mi-sept. : 11h-18h (19h en juil.-août)*

Découvrir les environs

☆ ☺ **Abbaye de Fontfroide** La plus belle abbaye cistercienne de la région, à une vingtaine de kilomètres de Narbonne. Le site, un vallon calcaire couvert de garrigue, la pierre, un grès ocre, parfois rosé, et l'atmosphère recueillie sans être austère : Fontfroide est un lieu d'émotion. Un couple de particuliers, les Fayet – Languedociens éclairés, amis des artistes, peintres, musiciens – la rachète au début du xxe siècle et s'attelle à sa restauration. Leur jubilation créatrice s'exerce avec goût, et l'on retrouve intactes les perles architecturales de l'art roman, à une période où s'amorçait la transition des temps gothiques. Voir en particulier le cloître, la salle capitulaire et ses chapiteaux de feuilles et roseaux, mais aussi le réfectoire et le dortoir des moines, tous deux à l'acoustique exemplaire – il s'y donne tous les ans des concerts de chants grégoriens pendant la Semaine sainte ou de violoncelle, au début de l'été. La visite guidée est menée par des conférencières passionnées. Un sentier permet ensuite de monter au sommet de la colline et d'observer à la fois les Corbières aux alentours et l'abbaye en contrebas (10min de montée). Bar et restauration sur place, à La Table de Fonfroide, de mars à novembre pour le repas de midi (menu du jour 14€ et autre menu à 20€. *Tél. 04 68 45 11 08 www.fontfroide.com* ***Visites*** *10 juil.-août : tlj. 10h-18h (départ toutes les 30min sauf 13h) ; avr.-9 juil. et sept.-oct. : 10h-12h15 et 13h45-17h30 (toutes les 45min) ; le reste de l'année : 10h-12h et 14h-16h (toutes les heures) Visite adulte 9€, enfant (10-18 ans) 2€*

Randonner à vélo

Base VTT. Trois itinéraires de 17 à 34km sont suggérés à la journée : vers le Somail, vers Gruissan et vers l'île Sainte-Lucie : 8€/demi-journée, 12€/journée, 22€/2 jours. Pour les parcours à la semaine ou au mois, il est nécessaire de réserver. Gardiennage du vélo à la journée gratuit. *Quai Victor-Hugo 11100* ***Narbonne*** *Tél. 06 21 49 61 95 www.mairie-narbonne.fr Ouvert juil.-août : tlj. 7h30-19h30 ; avr.-juin et sept. : tlj. 9h-19h 6€/2h,*

En savoir plus sur la faune et la flore

Parc naturel régional de la Narbonnaise Un pôle d'informations sur le patrimoine naturel des environs de Narbonne, qui édite un petit guide des sites et sorties Nature et Patrimoine, avec calendrier des découvertes accompagnées, sentiers de randonnée, sites et musées, manifestations et expositions… *Domaine de Montplaisir (RN9) 11100* ***Narbonne*** *Tél. 04 68 42 23 70 www.parc-naturel-narbonnaise.fr*

Narbonne Environnement. Pour découvrir la flore et la faune du littoral aux garrigues, en passant par les salins. *6, rue des Colonnes 11100* ***Narbonne*** *Tél. 04 68 65 11 31 pour le calendrier d'inscriptions*

Bardane. Nombreuses randonnées à thème dans la région : sur les traces du renard ou des abeilles, parmi les vignes ou le long des rivières… *2-4, quai Vergniaud 11110* ***Coursan*** *(à 8km au nord de Narbonne) Tél. 04 68 20 07 65*

Manger à Narbonne

N'oubliez pas de consulter également les rubriques Où faire une pause déjeuner ?, où vous retrouverez des adresses de restauration à petits prix.

très petits prix

Le Taj Mahal (plan C3 n°21). Une avalanche de currys, *vindaloos, naans* au fromage et autres régals... Menus du soir à 14,50 et 23€. Formules déjeuner à 6,10 et 8,40€. *13, rue de la Major Tél. 04 68 32 56 22 Fermé dim. en hiver*

petits prix

La Fringale (plan B2 n°22). Un petit restaurant sans prétention qui propose des plats de qualité, bien présentés, à des tarifs imbattables ! Quelques tables en terrasse. Menu environ 12€ avec plat du jour tout frais, petites ou grandes salades et carte saisonnière. *66, rue Droite Tél. 04 68 65 23 55 Service 12h-14h et 19h15-22h Fermé dim. (et le soir quand il n'y a personne !)*

L'Agora (plan B3 n°23). Sur la place principale de Narbonne, presque au-dessus de la *via Domitia*, ce restaurant fourmille de monde. La bonne raison, c'est que l'on y mange bien, que les assiettes sont gaies et bien garnies et que le service est à la fois efficace et souriant. Menus, plats du jour et grandes assiettes-repas à moins de 15€. *2, place de l'Hôtel-de-Ville Tél. 04 68 90 10 70 Ouvert tte l'année*

prix moyens

L'Aladin (plan B3 n°24). Spécialités marocaines de qualité : *briouats*, salades de l'Atlas et, bien sûr, couscous et tagines succulents, le tout pour moins de 20€. *51, rue de la Parerie Tél. 04 68 42 17 44 Fermé dim. soir et lun.*

Brasserie L'Estagnol (plan B4 n°25). Un incontournable narbonnais, en bordure du canal de la Robine. Ici, on privilégie, dans une ambiance de brasserie, les spécialités régionales comme les seiches à la sétoise ou la succulente brandade du chef Meynadier. La rapidité du service est appréciable ! Plats : environ 17€. Vous pouvez aussi essayer juste "En face", de l'autre côté du canal, un vrai "bouchon" à la narbonnaise qui appartient aux mêmes propriétaires. Nappes à carreaux rouges et blancs pour déguster un superbe cassoulet maison ou une bourrique de seiche. *5 bis, cours Mirabeau Tél. 04 68 65 09 27 Fermé dim. et lun. soir*

Dormir à Narbonne

très petits prix

Centre international de séjour (plan B2 n°30). Vraiment pas cher et bien situé sur une place très calme, à côté de l'office de tourisme. Hall et cafétéria lumineux, accueil souriant. Chambres individuelles de 24 à 28€, petit dortoir et chambres collectives de 15 à 18€. Le seul inconvénient : quand il n'y a pas de groupes en séjour, le centre ferme ses portes, donc prévenez de votre arrivée. *Pl. Roger-Salengro Tél. 04 68 32 01 00 www.cis-narbonne.com*

prix moyens

Hôtel Le Régent (plan C3 n°31). À deux pas du centre, de l'autre côté des boulevards extérieurs, donc plus calme, un excellent rapport qualité-prix, la bienveillance souriante de l'accueil en prime. Quelques chambres avec terrasse privée sur le jardin, et accès à la terrasse sur le toit ! Doubles de 38 à 48€ (33-38€ avec WC sur le palier). Petit déj. 5,50€. Navette gare-hôtel gratuit. *50, rue Mosaïque et 15, rue Suffren Tél. 04 68 32 02 41 www.leregentnarbonne.com Ouvert tte l'année*

prix élevés

Hôtel La Résidence (plan B3 n°32). Calme et central à la fois, ce 3-étoiles tranquille a été joliment rénové ces derniers mois. Aménagées dans un immeuble de style XIXe siècle, les chambres sont confortables et reposantes, toutes pourvues de meubles de qualité. Accueil chaleureux. Chambres doubles avec bain et WC de 78 à 96€, avec douche et WC de 62 à 68€. Petit déjeuner 8€. Garage 7€. *6, rue du 1er-mai Tél. 04 68 32 19 41 Fax 04 68 65 51 82 Fermeture annuelle variable*

Dormir dans les environs

Domaine du château de Jonquières. À deux pas du massif de Fontfroide, dans un superbe domaine viticole, 4 jolies chambres et 2 gîtes au milieu des vignes et des pins. Mobilier ancien et décoration soignée dans les chambres et le salon. Tennis, piscine et sauna. Chambres 96€/nuit petit déj. compris et gîtes 325-495€/sem. *Tél. 04 68 42 70 01 ou 06 30 74 10 98 www.chateaudejonquieres.com Ouvert tte l'année*

☺Bages

11100

Les maisons se sont accrochées à la roche, elles ont joué à saute-mouton pour gagner le sommet de la butte, occuper tout l'espace sans qu'aucune ne soit oubliée ni rejetée. Le village fait face à l'étang, mais avant, c'était la mer, la grande, qui jusqu'ici venait faire gronder ses flots. L'Aude se déversait tout près, vers Port-la-Nautique, puis elle s'en est allée plus haut, laissant des tonnes d'alluvions. Alors la terre a repris le dessus, s'est refermée sur des îlots, claquant des langues de sable sur l'horizon. À Bages, les pêcheurs sont restés. Ils ont appris à titiller l'anguille en plus des loups et des dorades. Et depuis des siècles, ici, l'on vient se régaler de poissons et de fruits de mer – d'huîtres, moules et autres coquillages qu'ils continuent à élever. Sur l'étang, le vent souffle en rafale, et entre deux nuages le soleil fait miroiter dans l'eau turquoise et émeraude, ardoises et reflets nacrés... On ne s'étonnera pas qu'à Bages les artistes aussi se soient arrêtés, le temps d'une exposition ou tout au long de l'année. Il y flotte un air

tenace qui incite à créer : sont-ce les embruns rapportés de la mer – par des oiseaux migrateurs de l'ailleurs, grands voyageurs– ou bien les effluves de vase noire que des pas errants ont foulée ?

LES CORBIÈRES MARITIMES Ces Corbières-là ont plus d'un accès à la mer : trois étangs littoraux leur offrent chacun autant de tremplins vers le large. Le plus grand est l'étang de Bages-Sigean : il descend vers Port-la-Nouvelle sur plus de 15km de long. Là, tout en bas, le grau de La Nouvelle ouvre son chenal aux navires qui sortent en mer. Puis il y a l'étang de La Palme, plus petit, bordé de salines sur ses flancs, et enfin l'étang de Salses-Leucate, à la frontière entre l'Aude et les Pyrénées-Orientales. Autant d'espaces sauvages où la faune jouit d'une grande tranquillité, cohabitant avec l'homme au gré de ses activités. Depuis le Moyen Âge, voire depuis l'Antiquité, la région des Corbières maritimes vit autour de ses étangs, entre production de sel, pêche et navigation.

Bages, mode d'emploi

accès

EN VOITURE Sortie autoroute Narbonne-sud, N9 direction Perpignan pendant 2km, puis à gauche par la D105. À 5km au sud de Narbonne.

informations touristiques

Syndicat d'initiative de Bages. *8, rue des Remparts Tél. 04 68 42 81 76 Ouvert juil.-août : tlj. 14h-20h ; sept.-juin : mer.-dim. 14h-19h*

marchés

Mardi et vendredi à Sigean, mercredi et samedi à Port-la-Nouvelle.

fêtes et manifestations

Outre les fêtes locales de l'été, ne manquez pas les expositions artistiques. **Rencontres Écrire en mai.** Le dernier week-end. *Tél. 04 68 41 10 56*

Découvrir Bages et ses environs

☆ **À ne pas manquer** L'étang de Bages **Et si vous avez le temps...** Parcourez les sentiers de l'île Sainte-Lucie, galopez sur la plage des Coussoules avec le ranch Chez Jeannot, découvrez en famille la réserve africaine de Sigean

Les étangs et les villages littoraux

☺ **Peyriac-de-Mer** Un entrelacs de ruelles tourne puis descend vers l'étang : les pêcheurs de Peyriac n'ont qu'un pas à faire pour sauter dans leur barque et parcourir les coins et recoins de l'étang de Doul. À pied, vous pourrez longer ses rives et même, sur quelques plages, vous baigner. Des sentiers de promenade (balisage jaune) en font le tour. De belles pièces présentées au musée des Corbières à Sigean témoignent de son passé de comptoir maritime réputé depuis l'Antiquité pour son commerce avec les Grecs et les Carthaginois. *11440* ***Peyriac-de-Mer***

Sigean Allez voir l'*oppidum* de Pech Maho occupé entre le VIe et le IIIe siècle av. J.-C., alors étape sur les routes commerciales reliant l'Espagne et la Grèce. Huile, vin et vases étaient apportés en échange des produits locaux : céréales, sel, minerai des Corbières – vous pouvez voir les quelques pièces au musée des Corbières. Au IIIe siècle, la population s'est déplacée sur les hauteurs de l'actuelle Sigean, dont un circuit urbain permet de retracer l'évolution au fil des siècles. *11130* ***Sigean*** *(à 15km de Bages)* ***Syndicat d'initiative*** *Tél. 04 68 48 14 81 Ouvert juil.-août : lun.-ven. 9h-12h et 16h-19h, sam.-dim. 10h-12h ; hors saison : se rens. pour connaître les horaires d'ouverture* ***Musée des Corbières*** *Place de la Libération Ouvert sur demande au syndicat d'initiative situé en face En saison visite du musée et de l'oppidum le mer. de 9h à 12h Adulte 7€ TR 4€*

☺ **Port-la-Nouvelle et l'île Sainte-Lucie** Sur cette côte plate et basse, les cargos dressent leur silhouette avec panache. Les grues crissent et les poulies glissent, le trafic bat son plein quand, tout à côté, sur la plage, l'huile solaire dégouline le long des maillots de bain. Un contraste délicieux… Les Coches d'eau du patrimoine font une escale sur l'île lors de leur croisière entre Narbonne et Port-la-Nouvelle (tél. 04 68 90 63 98). Il existe aussi, en été, un petit train des Lagunes qui part de Port-la-Nouvelle. Mais Sainte-Lucie se découvre surtout à pied ou à vélo : une petite boucle vous conduit sur 3km (1h) et une plus grande (7km, 3h) vous fait faire le tour de l'île. Vous y verrez de nombreux oiseaux en étape sur la route de la migration ou en cours de nidification, des sternes pierregarins, des avocettes, des échasses, ainsi que quelques bécasseaux, petits gravelots, hôtes familiers des vasières et salins, picorant leur pitance parmi les touffes de salicornes, obiones et autres plantes halophiles. Et si le courage vous donne des ailes, vous pourrez remonter le sentier qui suit le canal de la Robine jusqu'au nord de l'étang, voire jusqu'à Narbonne ! *11210* ***Port-la-Nouvelle*** *(à 29km de Bages) Se rens. à l'office de tourisme 04 68 48 00 51*

☺ **Sentier du Golfe antique** Ce grand sentier de 75km met en réseau 7 sentiers de petite randonnée (PR©). Il peut être parcouru à pied en 3 ou 7 étapes de 3 à 6h chacune, ou bien à vélo en 1 ou 2 étapes. La signalétique jaune est visible partout : impossible de vous égarer ! La FFRP et le parc naturel régional de la Narbonnaise éditent un topo-guide complet (4,50€).

Découvrir l'art sous toutes ses formes

Étang d'art La galerie expose les meilleurs artistes contemporains du moment, tous d'une grande qualité créative, avec un humour parfois piquant mais toujours revigorant. Des stages d'arts plastiques sont aussi proposés aux enfants et adolescents. *8, rue de l'Ancien-Puits 11100* ***Bages*** *Tél. 04 68 42 81 11 www.etangdart.fr.st Ouvert juil.-août : tlj. 15h-20h ; sept.-juin : hors vac. scol. mer.-dim. 14h-19h, vac. scol. tlj. 14h-19h Fermé mi-jan.-mi-fév.*

Ateliers de la Maison du Roy Expositions de peintures et sculptures tout au long de l'année. Stages de lithographie et de gravure à la demande ou pendant les vacances scolaires. *Rue de la Barbacane 11130* ***Sigean*** *(à 15km de Bages) Tél./fax 04 68 48 88 92 maisonduroy@wanadoo.fr Ouvert tte l'année*

LAC Une ancienne cave viticole transformée par le peintre hollandais Piet Moget en Lieu d'art contemporain : Karel Appel, Geer Van Velde, Ralph Goings... Ce magnifique espace propose des expositions de grande qualité et un accès original aux œuvres. *Hameau du Lac 11130* ***Sigean*** *(à 15km de Bages) Tél. 04 68 48 83 62 www.lac.narbonne.com Ouvert avr.-mi-juin : 14h-18h ; mi-juin-août : 15h-19h ; sept.-oct. : 15h-17h. Fermé mar. Expositions parfois hors saison : w.-e. 14h-17h*

Pratiquer les sports nautiques

Base nautique Port-Mahon. Stages agréés par l'École française de voile. Tous âges et tous publics. *11130* ***Sigean*** *(à 15km de Bages) Tél. 04 68 48 44 52*

Navivoile. Croisières sur catamaran de 1h30 à une ou plusieurs journées, avec skipper, repas, planche à voile, masque et tuba compris (15 à 75€/pers.). Pêche côtière (adulte 29€, enfant 26€). *Réservations : office de tourisme de* ***Port-la-Nouvelle*** *(à 29km de Bages) Place Paul-Valéry Tél. 04 68 48 00 51 ou 04 68 40 32 21*

Adrénaline. Initiation au kite surf. *19, av. de la Méditerranée 11370* ***La Franqui*** *(à 40km de Bages) Tél. 04 68 45 74 60 www.adrenaline-kitesurf.com*

Prendre un galop sur la plage

Ranch Chez Jeannot. Pour faire des promenades à cheval sur la longue plage des Coussoules, le matin ou au crépuscule, ou faire grimper les enfants à poney. *11370* ***La Franqui*** *(à 40km de Bages) Tél. 04 68 91 45 51 ou 06 07 45 98 11 Ouvert avr. et juil.-sept. : tlj. ; mai-juin : sam.-dim. et j. fér.*

Cheval de Traverse. Promenade à l'heure (13€), à la demi-journée (34€) ou à la journée (55€), autour des étangs de Bages-Sigean, à Fontfroide... Circuits de 2 à 7 jours vers Villerouge et Lagrasse. Pour cavaliers de niveau intermédiaire et confirmé. *"Les Carettes" 11490* ***Portel-des-Corbières*** *(à 11km de Bages) Tél. 04 68 48 29 25 Ouvert tte l'année sur réservation*

Se distraire en famille

Réserve africaine de Sigean. 300ha de nature et plus de 3800 animaux : lions, ours, girafes, rhinocéros, alligators, zèbres en liberté... Visite en voiture avec escale à la ferme ou au restaurant et à pied. *11130* ***Sigean*** *(à 15km de Bages) Tél. 04 68 48 20 20 www.reserveafricainesigean.fr Ouvert tlj. 9h-18h30 (16h30 en hiver)*

Se baigner

La Franqui À 40km au sud de Bages, à la frontière de l'Aude et des Pyrénées-Orientales, à la pointe nord de l'étang de Salses-Leucate, tournée vers le nord, la

Franqui veille, solitaire. C'est une station balnéaire, mais une station d'antan, sans enseignes criardes ni couleurs tapageuses, sans le brouhaha et la foule fluorescente, sans le monoï ni les podiums, sans cirques, sans bruit. Juste du vent. D'ailleurs en avril les champions de la glisse internationale s'y retrouvent pour le Mondial du vent. *11370* ***La Franqui*** *(à 40km de Bages)*

Manger à Bages

prix moyens

☺ **Le Portanel.** Jean-Christophe Rousseau excelle à préparer les produits de la mer. Menu "Autour des étangs" à 24€ avec cappuccino de cranquettes (petites étrilles), étuvées de poissons et mille-feuille de crêpes au Grand-Marnier. Menu "passion et découverte" à 32€, menu dégustation d'anguilles autour de 38€ vin compris. En semaine un petit menu à 18€ est proposé à midi. Les pâtisseries sont également la spécialité du chef : ses gourmandises des garrigues sont délicates et savoureuses… Réservez votre table dans la véranda, avec la vue sur l'étang. *La placette Passage du Portanel Tél. 04 68 42 81 66 Fermé hiver : dim. soir et 2 sem. fin-nov.*

prix élevés

La Table du Pêcheur. Petit restaurant gastronomique, mais intime, avec vue sur l'étang. Un accueil sympathique et une cuisine qui met en valeur les produits locaux de façon originale : moules farcies au foie gras, dos d'espadon aux trois parfums, marmite du pêcheur, dessert "entre garrigue et étang"… Menu à 32€, plat à la carte à environ 18€. *21, rue de l'Ancien-Puits. Tél. 04 68 41 15 11 Fermé mar. soir et mer.*

Manger dans les environs

très petits prix

☺ **Le Golf.** On pourrait se méfier de la décoration touristico-banale mais on aurait tort, car on y mange vraiment bien, et l'accueil y est des plus chaleureux. Pendant le Mondial du Vent, vous y croiserez les kite surfeurs les plus foudroyants ! Poissons et pizzas maison, aux parfums des garrigues et aux fromages locaux, mais aussi des crêpes et des galettes. Minigolf. *11370* ***La Franqui*** *Tél. 04 68 45 70 24 Ouvert en saison uniquement : tlj. sauf mar.*

petits prix

Le Café du centre. Un café sans prétention qui concocte un cassoulet maison du tonnerre et une réjouissante assiette de seiches à la rouille. La gentillesse des patrons fait qu'on y revient vite. Menus à 11 et 16€. *3, place de la Mairie 11440* ***Peyriac-de-Mer*** *Tél. 04 68 41 49 42 Ouvert juil.-sept. : tlj. 7h-0h ; oct.-juin : mar.-jeu. 7h-19h30, ven.-sam. 7h-22h30*

prix moyens

Le Sainte-Anne. Une salle lumineuse et une terrasse tranquille, à l'ombre des arbres. Menu du déjeuner à 12,50€ avec entrée, plat, dessert et verre de vin. À la carte, des viandes finement préparées et des poissons fondants, avec des légumes du jardin. Menus de 18 à 29€. *3, av. Michel-de-L'Hospital 11130* ***Sigean*** *Tél. 04 68 48 24 38 Ouvert tte l'année*

☺ **Le Calamar en folie.** Une bodega au bout du monde où vous mangerez des tapas, des sandwichs, des salades et des paellas mais aussi, bien entendu, des calamars à toutes les sauces ou à la plancha. *11370* ***La Franqui*** *Tél. 04 68 45 63 66 Fermé nov.-mars*

La Cave d'Agnès. Ici les murs sont en pierre et, au milieu, une tige de fer forgé est tendue pour y suspendre quelques toiles et bâches originales. Des menus de 21 à 29,50€. Parmi les plats : huîtres de Leucate gratinées à la blanquette de Limoux, foie gras cuit au torchon gelée au muscat de Rivesaltes, médaillon de lotte rôtie avec sauce homardine, suprême de pintade grillée aux girolles... 11510 ***Fitou*** *Tél. 04 68 45 75 91 Ouvert mi-mars-mi-nov. Fermé mer. et jeu. midi*

Dormir dans les environs

campings

Camping de la Côte Vermeille. 270 emplacements où planter sa tente auprès de la mer, direction La Palme à Port-la-Nouvelle. Une petite partie du camping est réservée aux naturistes. *Chemin des Vignes 11210* ***Port-la-Nouvelle*** *Tél. 04 68 48 05 80 www.camping-cote-vermeille.com Ouvert juin-sept.*

Les Coussoules. Plus de 250 emplacements de camping en pleine nature, sur le sable et à l'ombre des tamaris. Arrimez bien votre tente par grand vent... Chemin des Coussoules *11370* ***La Franqui*** *Tél. 04 68 45 74 93 Ouvert 15 mai-15 sept.*

La Grange neuve. Un camping plutôt familial dans un parc planté de pins, tout près des étangs. Location de caravanes et de bungalows. *Route de la Réserve africaine 11130* ***Sigean*** *Tél. 04 68 48 58 70 Ouvert tte l'année*

prix moyens

Le Sainte-Anne. Un hôtel-restaurant paisible à l'entrée de Sigean, parmi les arbres et le gazouillement des oiseaux. Les chambres viennent d'être refaites. Doubles de 49 à 94€. *3, av. Michel-de-L'Hospital 11130* ***Sigean*** *Tél. 04 68 48 24 38*

La Milhauque. Au milieu de la garrigue, la Milhauque vous assure le calme absolu. Quatre chambres aménagées au fil des travaux et brocantes, et une table d'hôte sympathique, avec anguilles de l'étang en exclusivité. Si la pêche vous intrigue, demandez au maître des lieux de vous en parler : c'est son métier ! Peut-être vous emmènera-t-il avec lui relever quelques filets ou casiers... Doubles de 52 à 70€ avec petit déjeuner. Repas 20€, vin compris. *Gérard et Florence Barbouteau 11440* ***Peyriac-de-Mer*** *Tél. 04 68 41 69 76*

☺ **Maison d'hôtes Leclercq.** Quatre chambres rénovées dans une maison de bourg à l'abri des ruelles de Sigean. Ici l'esthétique se conjugue avec simplicité. Entre deux tableaux – le maître des lieux est artiste peintre – vous serez accueilli avec douceur et discrétion. Après vous être installé, vous pourrez descendre lire au jardin, ou chercher à retrouver Ali, la tortue voyageuse de la maison. Les petits déjeuners se prennent dans le jardin et il faut se rappeler qu'il y a, dehors, beaucoup de choses à visiter, pour se convaincre de quitter les lieux... VTT à disposition. Doubles à 54€ petit déjeuner compris. Repas sur réservation 22€. Une adresse sympathique. *36, rue de la Liberté 11130* ***Sigean*** *Tél. 04 68 48 62 75*

prix élevés

Les Palombières d'Estarac. La maison est récente mais son aménagement lui confère tout le charme que l'on peut souhaiter, au milieu d'un grand parc. Doubles de 68 à 130€ petit déjeuner inclus. Dîner 25€. *Michel Penseyres et Sébastien Aeby 11100* ***Prat-de-Cest*** *(à 3km Bages) Tél. 04 68 42 45 56*

☺ **Domaine de la Pierre Chaude.** C'est dans un ancien chai du XVIIIe siècle que les Pasternak vous reçoivent avec chaleur et bonne humeur. La décoration est originale, les environs calmes et arborés, les chambres entièrement rénovées, fraîches et lumineuses, et les confitures du petit déjeuner, elles, sont à se damner. Un séjour agréable en perspective (75€ la chambre Rose, 78€ l'Orientale, et 78 et 85€ les deux autres). *Myriam et Jacques Pasternak Les Campets 11490* ***Portel-des-Corbières*** *Tél. 04 68 48 89 79 www.lapierrechaude.com Fermé jan.-fév.*

Gruissan

11430

À certaines heures, la descente sur Gruissan s'avère spectaculaire ; des hauteurs de la Clape on aperçoit soudain une peau verte tachetée de bleu – à moins que cela ne soit l'inverse, une peau bleue tachetée de vert – striée par endroits de sable et de blanc. De l'écume peut-être, de longs oiseaux blancs, aigrettes garzettes ou flamants. L'étang de l'Ayrolle, au loin, et là, tout devant, celui de Gruissan, avec quelques hameaux tout au bord et tout en haut, une butte, avec dessus, une tour : la tour Barberousse. Tout autour, enroulé, un village : Gruissan-Village, le noyau historique, refuge des pêcheurs. Peu de boutiques, peu de vacarme, juste quelques ruelles, quelques gargotes populaires. Derrière le village, c'est l'île Saint-Martin, les pinèdes et garrigues qui défilent jusqu'à l'autre étang – le grand, celui de Bages-Sigean – et sur la mer, immenses carrés argilés, les salins. Au-delà du port, on remonte sur les pentes boisées, épicées, d'une Clape préservée...

☆ **MASSIF DE LA CLAPE** Il se dresse à 214m au-dessus de la mer, montrant son visage de parois gris clair, piqueté de vert. Garrigue et forêts, canyons et plateaux : l'ensemble attire et intrigue. Son histoire commence il y a plusieurs dizaines de milliers d'années. Dans ses grottes, au fond de ses trous, ses tunnels de calcaire, l'on retrouve encore des traces, des ossements d'animaux du Paléolithique et du Néolithique. La Clape était alors une île. Son réseau souterrain regorge d'eau, à plus de 40m en dessous du sol, et parfois elle remonte, creuse des résurgences, des gouffres – celui de l'Œil Doux en particulier. Mais contrairement aux marécages, le massif est protégé des moustiques : très vite les Romains en font leur domaine de prédilection. Il semble que la vigne y ait été cultivée dès le IIe siècle av. J.-C., mais on y pratique aussi la pêche, la récolte des fruits de l'olivier et de ceux du chêne. La flore se développe ici sous de multiples facettes, selon l'orientation, la nature des sols –vallons marneux, surfaces abruptes de calcaire – et elle attire à elle une faune tout aussi variée. La Clape est le paradis des naturalistes et des promeneurs, des sportifs et des contemplatifs.

Gruissan, mode d'emploi

accès

EN VOITURE Direction Narbonne, par l'A61 ou la N113 en venant de Carcassonne, l'A9 ou la N9 de Perpignan ou de Béziers , suivez la sortie Narbonne est puis direction "les plages". Gruissan est à 14km de Narbonne par la D168 et la D32.

EN CAR Liaisons régulières avec Narbonne. ***TransAude*** *Tél. 04 68 41 40 02*

orientation

Au premier abord, tout semble confus, avec trois entités qui s'enchevêtrent parmi une forêt de ronds-points : Gruissan-village (sur la droite en arrivant, plan A2), Gruissan-Port (sur la gauche, plan A1) et Gruissan-Plage au milieu (plan B1-2), avec la plage des Chalets tout au bout. L'important est de bien suivre les panneaux… pour ne pas vous retrouver garé à l'opposé de l'endroit où vous vouliez aller !

informations touristiques

Office municipal de tourisme. Vous pourrez vous y procurer des fiches détaillées de balades nature et patrimoine dont certaines aménagées par le parc naturel régional de la Narbonnaise. *Bd du Pech-Maynaud Tél. 04 68 49 09 00 Ouvert juil.-août : tlj. 9h-20h ; sept.-juin : 9h-12h et 14h-18h Fermé le dim. à partir du 1er oct.*

location de deux-roues

Luc Malleins. *Zone artisanale lot n°1 à Gruissan-Plage Tél. 04 68 49 49 52*
Cycle Aventure. *Les Marines 2, rue de l'Astrolabe à Gruissan-Port. Tél. 04 68 49 17 26*

marché

Les lundis, mercredis et samedis matin, au vieux village de Gruissan, se tient un petit marché très coloré, idéal pour se faire des sandwichs et partir pour la plage.

fêtes et manifestations

Fête de la Saint-Pierre. Fête du saint patron des pêcheurs, avec une messe, une procession et un bal (le 29 juin). La veille au soir, le 28 juin, a lieu la sérénade des pêcheurs.
Pèlerinage à Notre-Dame-des-Auzils. Lundi de Pâques, lundi de Pentecôte, et 15 août dès 10h30, le rendez-vous de tous les Gruissanais.

Découvrir Gruissan

☆ **À ne pas manquer** Le massif de la Clape, le cimetière marin de Gruissan **Et si vous avez le temps...** Découvrez le salin de l'île Saint-Martin à Gruissan, dégustez d'excellents corbières au château l'Hospitalet, initiez-vous à la planche à voile avec Gruissan Windsurf

☆ ☺ **Chapelle Notre-Dame-des-Auzils et le cimetière marin** C'est peut-être le plus bel endroit de la Clape, le plus émouvant assurément. Il faut y aller par temps clair, prendre le temps de gravir une à une les marches de l'allée qui mène jusqu'au sommet. Nombreuses pierres messagères, des cénotaphes à la mémoire des disparus en mer, comme autant de livres ouverts sur des vies entières. Et si l'on monte à la chapelle un jour de permanence de Jean Carbonel, le doyen des pêcheurs gruissanais et sauveteur en mer enflammé – qui se dit lui-même la “mémoire de la mer” et “vieux gréement de 78 ans” –, l'on comprendra comment on peut vouloir mourir en mer, pour avoir ici sa pierre, plutôt que de finir ordinairement au cimetière... *Ouvert 15 juin-15 sept. : lun.-ven. 10h-12h30 et 15h-19h30 (et certains week-ends) ; hors saison, demandez à l'office de tourisme si Jean Carbonel a prévu de monter, l'un ou l'autre des jours suivants...*

Observer la nature

Sorties botaniques Sorties d'initiation et de perfectionnement à la botanique, entre garrigues et bordures maritimes. Balades dans la Clape et au bord des étangs. ***Société botanique des Amis du Pech Maynaud*** *1 sorties par mois (sauf juil.-août) Tél. 04 68 49 18 82*

☺ **Sorties ornithologiques** Lieu privilégié de halte migratoire et de nidification, l'île Saint-Martin à Gruissan abrite également les locaux de la Ligue pour la protection des oiseaux. Vous y trouverez de nombreux documents et informations, ainsi que le programme des sorties d'observation – sur l'île, dans les salins, sur l'étang de Campignol, sur la Clape ou le long des étangs littoraux, à l'aube ou au crépuscule, à l'heure où les sternes, gravelots et autres oiseaux partent en quête de nourriture. ***LPO Aude*** *Route de Tournebelle Tél. 04 68 49 12 12 Ouvert juin-août : 14h-18h Se rens. le reste de l'année*

Visiter un salin en activité

Salin de l'île Saint-Martin Visites guidées sur la propriété de la compagnie des Salins (adulte 6,60€ et enfant 3,90€). *Route de l'Ayrolle Tél. 04 68 49 59 97*

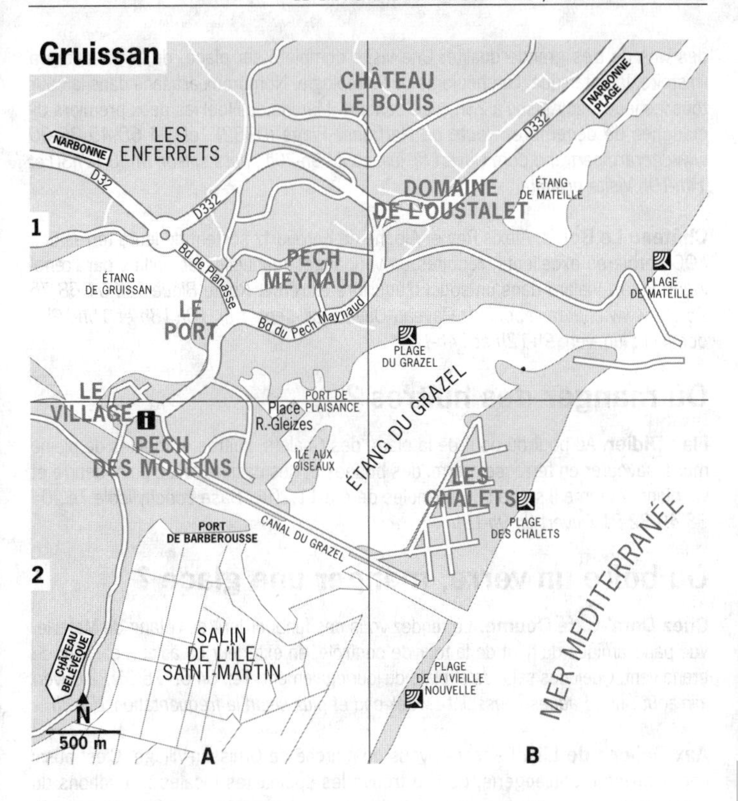

Écomusée et boutique *Ouvert juil.-août : 9h30-13h et 14h-19h ; mars-juin et sept.-mi-nov. : 9h30-12h30 et 14h-18h Fermé dim.* ***Visites guidées*** *juil.-août : 9h30, 11h, 14h30, 16h, 17h30 ; mars-juin et sept.-mi-nov. : 10h30 et 14h30*

Se baigner

Sans aller très loin, vous pouvez vous baigner sur la plage du Grazel, dans l'avant-port. L'eau y est peu profonde et les enfants pourront y jouer sans aucun danger. Vous pouvez aussi continuer jusqu'à la mer et vous baigner sur la plage de Mateille, au bout de l'avenue des Plages, au pied de vastes étendues de sable à perte de vue. Mais la plage la plus sauvage et la plus agréable est celle de la Vieille Nouvelle, devant les salins. On y accède en voiture en traversant le pont de Port Barberousse et en longeant le canal du Grazel, puis à pied.

Où déguster du vin ?

☺ **Château L'Hospitalet.** Gorgé de soleil mais rafraîchi par l'altitude et les vents marins, le terroir de la Clape produit des vins qui figurent parmi les plus équilibrés de la région. À 150m d'altitude, les vignes du domaine de L'Hospitalet donnent ainsi des vins de très grande qualité. Une visite complète sur place, de la viticulture à l'histoire, la botanique, l'archéologie ou la géologie. Nombreux artisans dans la cour tous les jeudis soir jusqu'à 23h avec concert. Marché de Noël les deux premiers dimanches de décembre. *Route de Narbonne-Plage (D332) Tél. 04 68 45 36 00 www.gerard-bertrand.com Ouvert tlj. juil.-août : 9h-20h ; hors saison 9h30-12h30 et 14h-19h Visite gratuite*

Château Le Bouïs. Alexis Rey et Albane de Keroüartz sortent de leurs terres des AOC corbières excellents, récoltés en vendanges manuelles et vinifiés par l'œnologue Pierre Vialard dans un souci d'équilibre extrême. *Route Bleue Tél. 04 68 75 25 25 www.chateaulebouis.fr Caveau Ouvert juil.-sept. : tlj. 10h-13h et 15h-19h ; oct.-juin : lun.-ven. 9h-12h et 14h-18h*

Où manger des huîtres ?

Illac Didier. Au bout du bout de la plage des Chalets, huîtres et moules de pleine mer à savourer en terrasse, parmi des bouées et des casiers, avec pain, beurre et vin blanc, comme il se doit ! 6 formules de 4 à 11,20€. *Base conchylicole Tél. 04 68 49 32 91 Ouvert tlj. 9h-19h*

Où boire un verre, manger une glace ?

Chez Dom'-Café Doumé. Le rendez-vous des funboarders de l'étang de Mateille. Vue panoramique du haut de la tour de contrôle, en extérieur ou à l'abri par jour de grand vent. Quelques salades et plats du jour également. *Tél. 04 68 75 01 22 Ouvert juin-août : tlj. ; Pâques-Toussaint : week-end et plus selon la fréquentation 10h-2h*

Aux Délices de Lily. Le rendez-vous du marché de Gruissan-Village. C'est aussi une excellente boulangerie, où l'on trouve les spécialités locales : bouchons du Languedoc, croquants de Gruissan, tartes aux pignons maison et *brownies* succulents… Quelques tables en terrasse. *Place Général-Gibert Tél. 04 68 49 64 33 Ouvert tte l'année, tlj. 7h-13h et 15h30-19h30*

Où sortir le soir ?

☺ **Le Bouïs Bar.** Un bar à vins sur les hauteurs de la Clape, avec vue plongeante sur la mer au loin – les vignes en tremplin. Le bâtiment est magnifique, la terrasse à ne plus jamais vouloir la quitter, et la musique d'une grande qualité : concerts de jazz et de musique latine tout au long de la saison, choisis par le maître des lieux, selon sa sensibilité. On peut venir y boire un verre seulement, ou prendre un repas complet. *Château Le Bouïs Route de Narbonne-Plage Tél. 04 68 75 25 25 www.chateaulebouis.fr Ouvert mai-juin et sept. : jeu.-sam. à partir de 18h ; juil.-août : mar.-sam. à partir de 18h Pour dîner, réservation conseillée une semaine avant la date des concerts*

Théâtre de l'Entresort. Théâtre de poche dans une maison du village. Spectacles dès 21h le soir et à 15h en matinée. *2, rue Espert Gruissan-Village Tél. 04 68 75 02 73 Se rens. pour les jours de représentation Tarifs 15€ pour les adultes, 10€ les enfants de moins de 12 ans. Réservation conseillée*

Le Raffiot. Ce bar, sur le port, organise de nombreuses soirées, dont certaines très années 1980 avec U2 et Dépêche Mode à pleins tubes. Musique variée en semaine, plus *groovy*... *Quai Barberousse Gruissan-Port Tél. 04 68 49 11 83*

Découvrir les environs

Faire de l'escalade

Hors Sentier. Éducateur sportif diplômé d'État, David Foissier vient de Béziers pour vous initier à l'escalade sur les parois de la Clape, mais également pour vous accompagner dans les parcours aventure, les via ferrata et le canyoning. Séances canyoning tlj. en été pour les plus de 12 ans (à partir de 30e/demi-journée, matériel fourni). *Tél. 04 67 62 97 32 ou 06 85 34 14 54 www.horssentier.com*

André Berché. Ce professionnel vous emmènera aussi sur les parois-écoles pour vos premières ascensions. Comptez 25€ la séance, 100€ les 5, dès 12 ans. *Réservations auprès de l'office de tourisme de Gruissan Tél. 04 68 49 09 00 ou 06 86 73 72 10 www.sudsportsnature.com*

Monter à cheval

Manade Tournebelle. Randonnées à cheval et à poney. Même si vous êtes débutant, et à n'importe quel moment de l'année. Vous ferez la visite d'un élevage de taureaux camarguais à cheval ou en calèche (15€ la balade). Spectacle traditionnel Camargue (avr.-nov. 10h-17h) ou journée traditionnelle Camargue : jeux au pré, repas... (avr.-nov. 10h-17h, adulte 27€, enfant 13€). *Mme Ribes Écluse de Mandirac (le long du canal de la Robine) Tél. 04 68 49 47 83 www.tournebelle.com Ouvert tte l'année*

☺ **Centre de tourisme équestre "La Clape".** Nombreuses promenades au cœur de la Clape jusqu'à la chapelle des Auzils organisées en soirée par niveau d'équitation et avec un encadrement très professionnel (25€ pour 2h). Balades d'1h (15€), locations de poneys (5€/15min) et certains jours, randonnées d'une demi-journée (55€ repas compris). *M. et Mme Cereso Route de Narbonne-Plage (D332) Tél. 04 68 49 20 53 ou 06 15 51 23 29 Ouvert avr.-sept. : tlj. ; hors saison : sur rdv*

Se baigner

Nous vous recommandons vivement de vous baigner sur les plages situées entre Saint-Pierre et les Cabanes-de-Fleury, en garant votre voiture devant le camping naturiste "La Grande Cosse" et en continuant à pied à travers les marais de l'étang de Pissevaches. En revanche, les plages de Narbonne-Plage et Saint-Pierre-sur-Mer sont quelque peu plus fréquentées en été : évitez de vous y engouffrer...

Pratiquer des sports d'eau et de vent

Gruissan Windsurf. L'École française de voile dispense ici des cours et des stages de planche, fun, catamaran, optimist et char à voile. À partir de 74€ les 3 jours d'optimist et de 105€ les 3 jours de catamaran. Location de matériel (petits catamarans) à partir de 17€. ***Base de l'étang de Mateille*** *(pour la planche à voile et le char à voile) Tél. 04 68 49 88 31* ***Base des Chalets*** *Tél. 04 68 49 33 33*

Gruissan Kite Passion. Pour connaître tous les sites de pratique et l'ensemble de leurs caractéristiques, mais aussi pour s'initier ou encore se perfectionner (à partir de 80€/3h). ***Club de kite surf*** *Jérôme Serny 4, rue Pasteur 11430* ***Gruissan*** *Tél. 06 74 91 94 39 www.gruissankitepassion.com*

Club ULM Occita. Des balades et des baptêmes au-dessus de la Clape, tous les jours sur rendez-vous (ou le soir à partir de 18h). Sensations garanties. À partir de 25€. *11560* ***Fleury-d'Aude*** *Tél. 04 68 33 73 75, 04 68 32 77 22 et 04 68 93 63 90 (aux heures des repas)*

Pêcher en mer

☺ **Défi pêche.** Cette association s'adresse aux amoureux de la pêche respectueux de la nature. Elle permet aux jeunes et aux moins jeunes de pouvoir pratiquer la pêche à des tarifs abordables. Le bateau – une vedette de 10m – part du port de Cabanes de Fleury-d'Aude (si le bateau est prêt !), et vous emmène sur les traces des maquereaux, rougets, dorades, etc. ***Réservations*** *auprès de M. Frugier Hôtel des Pins Port-Cabanes 11560* ***Fleury-d'Aude*** *Tél. 04 68 33 60 39*

Manger à Gruissan

très petits prix

☺ **Illac.** Fruits de mer à déguster directement chez le producteur, au bout de la plage des Chalets. Formules à 3,90€ avec six huîtres, à 6,20€ avec six huîtres, six moules et six palourdes et à 11,20€ avec douze de chaque. Chaque formule comprend un verre de blanc, du pain, et du beurre ! Terrasse de rêve parmi les bouées et casiers, sur le quai. *Base conchylicole Tél. 04 68 49 32 91 Dégustation tlj. 9h-19h30 et vente à emporter*

prix moyens

☺ **Les Quatre Coins.** Ici l'on mélange les saveurs de la terre ainsi que celles de la mer avec des épices indiennes – cumin, muscade, paprika... La salle, toute d'orange et d'ocre, est parée de masques et palmiers, et la terrasse, sous la paillote, est bercée par les cris des goélands et des sternes. De l'autre côté du chenal palpitent les lumières des chalets... Accueil souriant, cuisine agréable. Menus à 18 et 25€, salades à la carte 7-11€. *Place du Cadran-Solaire (au bout du port, vers la plage de Grazel, après le panneau Immovac) Tél. 04 68 49 65 04 Ouvert le soir (sauf lun. hors saison), sam.-dim. et j. fér. à midi. Fermé mi-nov.-mi-mars*

☺ **La Cranquette.** Une petite rue du vieux village, un comptoir et des tables sur des planches, dans une petite salle où se pressent les Narbonnais, les Gruissanais, pour déguster des anchois marinés et des seiches à la plancha, des scipions, des moules, et des carpaccios de thon - et la spécialité maison : la soupe de crabes – un délice ! Également un cassoulet de seiches – plus consistant – et des vins au verre. *Gruissan-Village Tél. 04 68 75 12 07 Fermé déc.-mars*

Le Souquet's. Au cœur de la Clape, dans une grande propriété surplombant la montagne. Terrasse sous les arbres et vue plongeante dans le décor, baies panoramiques à l'intérieur. Expos de peinture contemporaine aux murs, en pierres apparentes et bois. Menus à partir de 25€. Poissons grillés simples et excellents. *Domaine de la Pierre Droite (à droite sur la route remontant à Narbonne) Tél. 04 68 49 13 23 Ouvert Pâques-mi-sept. : le soir et dim. midi*

L'Estagnol. Au bord de la rue qui longe l'étang, une terrasse d'ombre et de lumière pour goûter aux fruits de mer. Plateaux complets à 18€. Premier menu à 15€ à midi en semaine, avec salade du marché, marinière de coquillages au safran et dessert. Menus à 24 et 30€ avec poissons grillés et desserts maison : pêches confites au jus de menthe, amandines chaudes aux figues confites… Bonne cuisine, fraîche, fine et légère. *Av. de Narbonne Gruissan-Village Tél. 04 68 49 01 27 Ouvert Pâques-oct. : mar.-dim. Fermé en saison : lun., mar. midi ; hors saison : dim.-soir, lun.*

Dormir à Gruissan et dans les environs

On ne peut pas dire que l'offre d'hébergement de Gruissan soit très alléchante. Les hôtels sont à la limite du style stalinien – des blocs de béton bien carrés – et parfois non rénovés, avec une déco des années 1970 qui a mal vieilli… L'office de tourisme propose une liste de studios, d'appartements et de maisons à louer à la semaine.

camping

☺ **Aux hamacs.** Le camping le plus éloigné de la foule, le long de l'Aude et sur la route des Cabanes de Fleury. Un emplacement pour 2 pers. et une voiture de 15 à 24€. Accueil sympathique. Piscine. *Prendre la route des cabanes 11560* ***Fleury-d'Aude*** *Tél. 04 68 33 22 22 www.campingauxhamacs.com Ouvert avr.-sept.*

prix moyens

☺ **Hôtel du Port.** Un peu plus de 42 chambres et cinq suites rénovées dans des teintes lumineuses et gaies. Bonne humeur et accueil aimable. Salle de restaurant à la marocaine, avec meubles de bois et fer forgé, tons ocre. Piscine sur la terrasse. Chambres de 50 à 63€ selon la saison. Petit déjeuner 7,50€. *Boulevard de la Corderie 11430* ***Gruissan*** *Tél. 04 68 49 07 33 www.gruissan-hotel-du-port.com Fermé nov.-fin mars*

prix élevés

☺ **Domaine La Bâtisse.** On ne peut rêver de site plus sauvage pour se reposer, et monter à cheval si le cœur vous en dit ! Balades au bord de l'Aude et dans les marais alentours, ou par le pont vers Cabanes-de-Fleury. Visite de la manade (élevage de taureaux) des propriétaires. Chambres à partir de 70€. *11560* ***Fleury-d'Aude*** *(traverser le pont vers Béziers, puis tout de suite à droite le long de l'Aude) Tél. 04 68 33 77 01 www.la-batisse.com Ouvert tte l'année*

Hôtel du Casino-Le Phœbus. Trois étoiles pour ce nouvel hôtel de la chaîne Best Western – malheureusement intégré dans le complexe du casino – au bord du plan d'eau de Pech Maynaud. Pratique d'accès pour partir sur la Clape et Narbonne. Chambres confortables donnant sur un jardin ou avec balcon de 70 à 90€ selon le confort. Petit déjeuner 9,50€. *Bd de la Sagne 11430* ***Gruissan*** *Tél. 04 68 49 03 05 www.phoebus-sa.com Ouvert tte l'année*

prix très élevés

Château de l'Hospitalet. Les bâtiments ont été restaurés de façon splendide, avec des matériaux sobres et de qualité. Les chambres "classiques" coûtent de 75 à 100€ pour 2 pers. selon la saison, et les "supérieures" de 90 à 135€. Quelques suites en duplex de 95 à 150€. Petit déj. 10€. *Route de Narbonne-Plage (sur la Clape) 11430* ***Gruissan*** *Tél. 04 68 45 28 50 Ouvert tte l'année*

Minerve

34210

L'eau est descendue du causse, a creusé sa trace au creux de la roche, son profond sillon, et depuis des millénaires, les canyons s'élargissent, se polissent, voient déferler tour à tour torrents et sécheresses, poissons et galets, oiseaux ou êtres humains, pacifiques ou casqués, parfois même armés jusqu'aux dents... Les premiers chasseurs se sont installés ici il y a 170 000 ans, puis ce fut la légion romaine qui y dressa probablement son campement. Au xe siècle, la vicomté de Minerve s'est plantée là, inaccessible, sur un éperon rocheux au milieu des eaux, entre le Briant et la Cesse. Elle n'est plus reliée à la terre que par un mince pont de pierre – en cas d'attaque elle peut être très isolée, à la fois vulnérable et protégée. Un certain 22 juillet 1210, l'armée des croisés prend Minerve après sept semaines de siège : plus de cent cinquante Parfaits cathares sont alors condamnés au bûcher. On peut voir encore, au pied de la cité, le chemin couvert et le puits Saint-Rustique qui était censé les approvisionner en eau, les tours de défense et quelques créneaux de l'ancien château. Une malvoisine – ou trébuchet – a été reconstruite sur la falaise d'en face, et à force de l'entendre raconter, on finit par entendre le cliquetis des armes et le crépitement des flammes... Il faut vite s'ébrouer, cligner deux fois des yeux et remonter dans les ruelles de l'actuel village, beau à en sourire d'apaisement. Des artisans ont essaimé dans les petites maisons, et on flâne de l'un à l'autre, comme hors du temps.

LE MINERVOIS, TERRE DE VIGNOBLES Bordé au nord par la Montagne noire, au sud par le canal du Midi, c'est d'abord un paysage, un territoire qui ravit les pupilles avant même de parler aux papilles. Des collines délicates, bardées de villages, de murets, de chapelles et de vignes, bien sûr. Terre à cailloux que les hommes ont arrachés, jetés sur le côté, puis rassemblés en murs, en cabanes – les capitelles, abris des vignerons et bergers. À l'ouest, l'Atlantique envoie encore son humidité, à l'est c'est le temps sec de la Méditerranée, et parfois quelques centaines de mètres font tout changer : climat, topographie et nature des sols conditionnent les vins, impriment leur marque au creux de leur chair. À l'extrême nord, la terre s'en est allée et c'est dans la pierre que pousse la vigne : le muscat donne un vin tout en citronnelle et acacia, complexe et frais à la fois – le fameux muscat de Saint-Jean-du-Minervois. Mais Grenache et Carignan font eux aussi des merveilles, à La Livinière en particulier. Dans la plaine les cépages sont encore nombreux : ils se marient entre eux : en blanc, rouge ou rosé, avec des parfums de cassis et de vanille, d'agrumes et de fleurs.

Minerve, mode d'emploi

accès

EN VOITURE À 35km environ au nord-ouest de Narbonne (à 45km si vous prenez l'A9, sortie Lézignan-Corbières).

orientation

En arrivant près de Minerve, des pancartes vous indiquent où vous garer (parkings aux abords de la cité). N'essayez pas de vous rapprocher : il n'y a pas d'autre endroit où s'arrêter ! La cité se trouve alors juste en face (50m à pied).

informations touristiques

Syndicat d'initiative de Minerve. *Cité historique Tél. 04 68 91 81 43 Ouvert toute l'année 9h-12h et 14h-18h, mais les horaires varient suivant la saison, se rens.*
Pays touristique Corbières Minervois. *24, bd Max-Dormoy Lézignan-Corbières Tél. 04 68 27 57 57 www.tourisme-corbieres-minervois.com*

marchés

Deux marchés principaux : le mardi à Olonzac et le mercredi à Lézignan.

fêtes et manifestations

Fête de l'olivier. À Bize-Minervois, mi-juillet.
Festival de Fontcalvy. À Ouveillan, fin juillet-fin août, dans les ruines de l'ancienne dépendance de Fontfroide – la grange de Fontcalvy – un spectacle historique et un festival de musique à travers le canton. *Tél. 04 68 33 73 00 Repas et spectacle*
Fête de la vigne et du vin. À Aigne, le dernier week-end de mai. *Tél. 04 68 91 22 47 (mairie)*
Fête du pin'art. À Azillanet, le dernier dimanche de juillet, pour conjuguer art du vin et peinture. *Cave coopérative Les Trois Blasons Tél. 04 68 91 22 61*

Minerve au cœur de la pierre. Conférences, balades, ateliers autour de la composition géologique du site. Création de Land-Art dans le lit asséché de la rivière. Repas et concert. Le premier dimanche d'août.

Découvrir Minerve

☆ **À ne pas manquer** L'abbaye de Caunes-Minervois, le canal du Midi, l'église Saint-Saturnin de Pouzols, l'église Sainte-Marie de Quarante **Et si vous avez le temps...** Partez à la découverte des potiers de l'Antiquité à Sallèles-d'Aude, dégustez les vins et vins doux du Minervois à la Cave de Pouzols-Minervois, allez manger exotique à La Guinguette au bord du canal du Midi à Argens-Minervois

Musée archéologique C'est la clé d'entrée dans l'histoire de Minerve. D'importantes collections archéologiques retracent le chemin de l'implantation humaine sur le site, en parallèle à l'histoire des mouvements climatiques et tectoniques planétaires. Dans le lit du Briant, on a découvert les plus anciens terrains fossilifères (550 millions d'années) et dotés de quantité de trilobites et crustacés primitifs. Puis ce sont des restes d'ours, de chevaux, de rennes, des outils en silex et des gravures rupestres. *Tél. 04 68 91 22 92 (mairie) Ouvert tlj. avr.-oct. : 10h-12h30 et 13h30-18h ; vac. scol. de fév. et de Noël : 12h30-17h Fermé nov.-mars Entrée 1,70€ Moins de 10 ans 1€*

Pour tout savoir sur les cathares

Musée Hurepel Premier musée français à présenter l'histoire des croisades, le musée Hurepel raconte aussi la tragique épopée des cathares occitans. Un diorama reconstitue batailles, faits d'armes, luttes et bûchers... Les santons sont réalisés en argile et les décors construits à partir de matériaux naturels. Une installation à la fois pédagogique, ludique et artistique pour une visite passionnante. *5, rue des Martyrs Tél. 04 68 91 12 26 Ouvert tlj. juil.-aout : 10h-13h et 14h-19h ; avr.-juin, et sept.-Toussaint : 10h30-12h30 et 14h-18h Adulte 2,50€ Gratuit moins de 14 ans*

Où boire un verre au frais ?

Café Abad. Sur une petite place de Minerve, une vingtaine de tables face aux canyons de la Cesse, offertes à tous les vents... Accueil cordial et piscine à disposition des clients. Snack à midi. *Cité historique Tél. 04 68 91 22 94 Ouvert mai-sept. : tlj. 9h30-19h ; hors saison : 10h30-19h Fermé mer. hors saison*

Découvrir les environs

Les villages du Minervois

Il faut y séjourner quelques jours, prendre le temps de s'imprégner de l'atmosphère des villages, des paysages. Voir le soleil se lever sur des collines, chasser la brume enrubannée sur le causse, là-bas, tout au nord, et venir cingler contre la roche, tailler encore le val de Cesse, évaporer toute son eau. Il faut rentrer dans les villages en escargot, passer des portes séculaires et tourner, tourner entre les maisons. Goûter les vins dans la pénombre puis ressortir en pleine lumière, euphorisé par les parfums, les couleurs. S'asseoir enfin à l'ombre d'une place, fermer les yeux et écouter les battements de cœur de Cesseras, Siran, Aigne ou Beaufort, Oupia ou encore Sainte-Vallière... Puis les rouvrir et partir à la découverte des chapelles, petites églises romanes ou gothiques, isolées ou épicentres animés de villages de caractère. Parmi les plus touchantes, nous avons retenu l'église **Sainte-Marie de Quarante** et ses arcatures lombardes, l'église Saint-Jean-l'Évangéliste d'Ouveillan, l'église **Saint-Saturnin de Pouzols**, l'église Notre-Dame de La Caunette (près de Minerve), toutes pourvues de bandes lombardes au chevet, de minces cordons de basalte noir qui soulignent avec élégance les courbes et les lignes des bâtiments. Il en est d'autres encore, comme Notre-Dame de Centeilles au-dessus de Siran, Saint-Germain auprès de Cesseras, Saint-Martin d'Escales et encore Notre-Dame-du-Combier à Montbrun-des-Corbières... Ici le premier art roman méridional dévoile ses charmes avec beaucoup de pudeur, derrière d'amples rideaux de pins, de vignes, de cyprès...

Rotonde de Rieux-Minervois Quelques œuvres du maître de Cabestany, cet artiste itinérant du XIIe siècle au style si remarquable. Les visages étirent leurs yeux en amande, ils se gonflent sous l'effet du marteau, avant d'être percés d'un coup de trépan. Les mains s'allongent, les paumes se déroulent et ainsi caractérisent la griffe du Maître : sur les chapiteaux, la Vierge s'envole de sa mandorle aussi haut que les anges ailés des côtés. *11160 **Rieux-Minervois** (à env. 14km de Minerve) Tél. 04 68 78 13 98 Visites libres ou commentées de l'église, se rens. auprès du **syndicat d'initiative** Tél. 04 68 78 13 98*

☆ **Abbaye de Caunes-Minervois** On suit l'évolution de l'abbaye depuis sa fondation au VIIIe siècle : traces de l'église préromane, fondations de l'église primitive, pavements du XIIe siècle sous le cloître en petits galets de rivière. Beau portail sculpté (XIIIe), autels taillés dans le marbre renommé des carrières alentour. De l'abbaye est né un village, dont il subsiste aujourd'hui de splendides maisons et hôtels particuliers en marbre. 11160 ***Caunes-Minervois** (à 25km de Minerve) Tél. 04 68 78 09 44 Ouvert tlj. oct.-mars : 10h-12h et 14h-17h (18h avr.-juin et sept.) ; juil.-août : 10h-19h Entrée 4,50€ (enfants 2€)*

En savoir plus sur les potiers de l'Antiquité

Amphoralis Le musée des Potiers gallo-romains, sur le site même des fouilles archéologiques, retrace le circuit de l'époque : extraction, fabrication, cuisson et exportation. Moderne et lumineux. *Allée des Potiers 11590 **Sallèles-d'Aude** (à 25km env. de Minerve) Tél. 04 68 46 89 48 Ouvert juil.-sept. : tlj. 10h-12h et 15h-19h ; hors saison : mar.-ven. 14h-18h, sam.-dim. 10h-12h et 14h-18h Fermé jan. Adulte 4€, enfant 2,50€*

☆ Le canal du Midi

En voiture, à pied, à cheval, à vélo ou en bateau : tout est possible pour découvrir le charme des villages du canal, la douceur de vivre autour de ses ports, à l'écart du bruit, en dehors du temps. Le Somail en est l'une des haltes phares : une petite chapelle à l'angle du pont, une librairie, avec ses rayonnages du sol au plafond, extraordinaire ! Puis c'est Ventenac-en-Minervois, Paraza, Roubia, Argens-Minervois, Homps et enfin, La Redorte, l'ancienne Dînée du canal où l'on s'arrêtait déjeuner, autrefois, et faire le réassort de chevaux frais. Vous étudierez à loisir la grande variété des ouvrages du canal : pont-canal ou aqueduc, écluses et épanchoir… Vous retracerez le chemin de l'eau parmi toutes les rivières, de la Cesse à l'Argent-Double, en passant par le plus artificiel canal de jonction, joint ultime d'avec la Robine qui permet, par Sallèles-d'Aude, de rejoindre Narbonne et, tout en bas, Port-la-Nouvelle. Étudiez les topo-guides pour connaître les sentiers, ou bien montez à bord et laissez-vous guider (cf. GEOPratique, tourisme fluvial et GEODocs, Bibliographie)…

Naviguer sur le canal du Midi

Les Croisières du Midi. Croisières de 2h (adulte 10,70€, enfant 5,90€). Trois départs par jour en juillet-août. *35, quai des tonneliers 11200* ***Homps*** *(à 11km de Minerve) Tél. 04 68 91 33 00 Ouvert avr.-nov. Réservation vivement recommandée*

La Capitane. À bord d'une gabare, excursion à la journée sur le canal de la Robine ou sur le canal du Midi (20€/jour). *11120* ***Le Somail*** *(à 20km de Minerve) Tél. 04 68 46 37 98 Tél. www.naviratous.com Ouvert avr.-oct.*

Le Comptoir Nature. Location de bateaux électriques à 22€/h. *11120* ***Le Somail*** *(à 20km de Minerve) Tél. 04 68 46 01 61*

☺ **Minervois Cruisers.** Les plus beaux bateaux, de style ancien. *11120* ***Le Somail*** *(à 20km de Minerve) Tél. 04 68 46 28 52 Location : 1 sem. minimum*

Longer le canal du Midi à cheval

Ferme équestre. Promenade pour cavaliers de tous niveaux, adultes et enfants. Balades le long de la Cesse et du canal, baignade avec les chevaux, location de poneys et week-ends en pays cathare. Accueil très chaleureux : on se sent tout de suite en confiance… 15€/h, 35€/demi-journée, 53€/journée avec repas. *Jean-Pierre Rancoule 11120* ***Mirepeisset*** *(à env. 20km de Minerve) Tél. 04 68 46 31 11 Ouvert tte l'année*

Faire une excursion en train historique

Autorail touristique du Minervois Petit train historique, conduit et animé par des bénévoles, de Narbonne à Sallèles-d'Aude, Amphoralis, Oulibo et Bize-Minervois. Circulation libre, vélos acceptés. AR pour Sallèles 5,50€ ; AR pour Bize 9,50€ (enfant tarif réduit). ***Lézignan-Corbières*** *Tél. 04 68 27 05 94 Circule juil.-mi-oct. : sam. et dim. (en sept. et oct. seulement dim.)*

Rencontrer artistes et artisans

À Minerve, allez voir le sculpteur et peintre Jean-Luc Séverac (atelier Saint-Rustic tél. 04 68 91 37 53), à Aigne ne manquez pas Pascal Migeon (tél. 04 68 91 12 66) qui lui aussi imprime une âme si particulière à la pierre. Pour ceux que la frontière entre abstraction et expression séduit, contactez Patrick Païcheler à Cesseras (tél. 06 30 57 72 25) : s'il n'est pas au Maroc ou ailleurs encore, il vous ouvrira la porte de son atelier.

Participer à un atelier d'écriture

☺ **Cépages d'encre.** Nombreuses lectures à voix haute et ateliers d'écriture : avec Henri et Françoise, vous serez emporté par les mots. Chaque mois, de nouvelles dates, de nouvelles activités, en partenariat avec d'autres, au cours de festivals, de journées à thème et de rencontres croisées, autour de l'art, autour du vin, autour du monde, etc. *3, av. d'Homps 34210* ***Olonzac*** *(à 10km env. de Minerve) Tél. 04 68 91 84 15*

Se baigner

Pour vous rafraîchir, vous pouvez opter pour la rivière à Bize-Minervois, le lac de Jouarres, ou bien encore les bords du canal à Mirepeisset. Il existe également des piscines à Argeliers, Pouzols et Trèbes, et – mais c'est un secret – au café d'Abad à Minerve (cf. Où boire un verre au frais ?)

Où faire une pause déjeuner au bord de l'eau ?

☺ **Le Comptoir Nature.** Des produits frais et bio, des assiettes pleines de couleurs et de saveurs, sur une terrasse au bord de l'eau. Parfaitement idéal, voire idéalement parfait... Tartine du pays (5€), salade de chèvre et magret (7€), viande à la plancha (15€), assiettes de dégustation (15€). Glaces au lait de brebis du Lauragais. Du 15 juin au 15 septembre, soirées jazz à 20h : réservez votre table ! *11120* ***Le Somail*** *(à 20km de Minerve) Tél. 04 68 46 01 61 Ouvert juin-sept. : tlj. Fermé 1 jour/sem. de Pâques à mai, se rens.*

☺ **La Guinguette.** Une quinzaine de tables en teck sur une terrasse de graviers, à l'ombre des arbres, tout au bord du canal : le décor est planté. En régie, Isabelle et Patrick. Dans sa petite cabane de bois, la cuisinière fait des merveilles. Des recettes inventées ou rapportées de voyage, indiennes, thaïlandaises, sucrées-salées ou traditionnelles. Plat à la carte de 8,50 à 15€, entrées de 4,50 à 6,50€. Concerts certains soirs, et des chambres d'hôtes (60€ petit déj. compris), là-haut, dans leur maison. *Rue de la Fontaine-Fraîche 11200* ***Argens-Minervois*** *Tél. 04 68 27 55 73 Ouvert Pâques-sept. tlj. sauf quand il pleut !*

Où déguster les vins du Minervois ?

Avant de partir à la découverte des producteurs, deux adresses pour tout savoir de l'appellation, les terroirs, les cépages, les producteurs et leurs coordonnées.

Syndicat du cru minervois. *34210* ***Siran*** *(à 12km de Minerve) Tél. 04 68 27 80 00*

Chai-Port-Minervois. *11200* ***Homps*** *(à 11km de Minerve) Tél. 04 68 91 18 98*

Pech d'André. Une splendide propriété, entretenue avec passion. *Route d'Olonzac 34210* ***Azillanet*** *(à 4,5km de Minerve) Tél. 04 68 91 22 66*

Château Festiano. *11200* ***Tourouzelle*** *(à environ 17km de Minerve) Tél. 04 68 91 23 44*

Domaine Piccinini. Au cœur d'une des aires les plus prestigieuses de la région : minervois la livinière, la première appellation village du vignoble languedocien. *34210* ***La Livinière*** *(à 15km env. de Minerve) Tél. 04 68 91 44 32*

Cave de Pouzols-Minervois. Vous rencontrerez peut-être une vigneronne incontournable du secteur, Anne Chardonnet-Torres, engagée et passionnée à 200%, et entendrez quelques "paroles de vigneron", tous les mercredis en juillet et août. *11120* ***Pouzols-Minervois*** *(à 15km de Minerve) Tél. 04 68 46 13 76*

SCA "Le Muscat". Si enfin une envie de sucré vous étreint, montez tout droit à Saint-Jean-de-Minervois. Variés et typés, les vins parlent des terres à cailloux, mais aussi parfois des terres rouges, des terrasses d'Aude et de bien d'autres encore… *34360* ***Saint-Jean-de-Minervois*** *(à env. 20km de Minerve) Tél. 04 67 38 03 24*

Petit Domaine de Gimios. Ses muscats Petits Grains et Moelleux de muscat sont un régal total… *Anne-Marie Lavaysse-Gimios 34360* ***Saint-Jean-de-Minervois*** *(à env. 20km de Minerve) Tél. 04 67 38 26 10 Sur rdv*

Où acheter des produits gastronomiques ?

La Péniche épicière. Tamata est d'origine hollandaise mais en polynésien son nom veut dire "tenter". À leur retour de voyage, les propriétaires de cette péniche ont ouvert une épicerie flottante, très originale ! *11120* ***Port du Somail*** *(à 20km de Minerve) Tél. 04 68 46 95 11 Ouvert avr.-oct. 8h-13h et 16h-20h*

GAEC de Combebelle. Des fromages exceptionnels (chèvre frais, écu cathare…), dans une vallée majestueuse, mais aussi les amandes du domaine, des fruits de saison. Les restaurateurs des plus grandes tables se pressent ici pour commander leur ration et, s'il en reste, vous aussi pourrez vous en procurer. *"Le Petit Camelot" 11120* ***Bize-Minervois*** *(à 14km de Minerve) Tél. 04 67 38 05 38 Ouvert mars-oct. : 10h30-12h et 16h-19h (traite à 17h). Fermé lun. a.-m.*

Pain d'épice Andrivet. Moelleux dedans, nature ou fourré aux abricots, aux fruits de saison (13 variétés au total), les pains d'épice de Dominique Andrivet sont une douceur qui ne se refuse pas. *Allée des Raisins 11160* ***Caunes-Minervois*** *(à 25km de Minerve) Tél. 04 68 26 13 80 www.pain-d-or.com Vente sur les marchés ou à domicile Téléphoner pour connaître les jours de présence sur les marchés des environs ou pour prendre rendez-vous.*

L'Oulibo. L'incontournable coopérative oléicole, pionnière dans la région et désormais fort bien organisée. Évitez la visite avec les groupes. Dégustation d'olives lucques (les meilleures), de tapenade et d'huile. *Hameau de Cabezac 11120* ***Bize-Minervois*** *(à 14km de Minerve) Tél. 04 68 41 88 88 Ouvert lun.-ven. 8h-12h* *et 14h-19h (18h en hiver) Ouverture à 9h le sam. et 10h le dim. Visite gratuite, et guidée l'été de 10h30 à 17h*

Moulin de Geyssière. Une petite exploitation oléicole bien dissimulée dans les collines qui produit une huile très fine et des olives succulentes. *Mas de Geyssière Chemin communal n°120 (sortir de Narbonne par la D607, puis dir. Moussan-Malvesy par la D169 et à 400m à gauche) Tél. 04 68 42 36 95 Ouvert uniquement sur rnedez-vous*

Où faire une pause rafraîchissante ?

La Porte minervoise. Un ancien relais sur le canal du Midi, à l'ombre des grands pins parasols, où l'on peut se baigner, prendre le frais, et déguster diverses boissons, du jus de fruits au muscat de Saint-Jean-du-Minervois à l'apéritif. Vente de vins et de produits locaux. *11120 **Mirepeisset** (à env. 20km de Minerve) Tél. 04 68 46 29 65 Ouvert avr.-oct. : 9h30-20h Fermé sam. matin*

Café de la Place. Sur la route qui monte à Minerve, le petit village de La Caunette, taillé dans la roche, invite à une halte à l'ombre des arbres, en quête de courants d'air. Ce café-là est idéal, et en plus on y mange bien (les andouillettes y font fureur !). Pizzas et salades également. *Place de l'Ormeau 34210 **La Caunette** (à 4km de Minerve) Tél. 04 68 91 26 24 Fermé lun. et mi-déc.-mi-jan.*

Manger à Minerve

N'oubliez pas de consulter la rubrique Où faire une pause déjeuner ?, où vous retrouverez des adresses de restauration à petits prix.

très petits prix

Céline et Thierry. Quelques tables en terrasse, en plein soleil, pour boire un café et grignoter quelques biscuits au miel. Lorsqu'il commence à faire chaud, les parasols se déploient et on passe aux choses sérieuses : produits du terroir, pâtés en bocaux que l'on achète à la boutique et qui arrivent avec un couteau, du pain et une assiette. Simple et délicieux. Des plats du jour, des tartines exquises, de très bonnes crêpes… *Grand-rue Tél. 06 63 28 56 76 Ouvert tte l'année*

prix moyens

Ferme-auberge Le Bouys. Ici vous basculez instantanément dans un autre espace- temps : les bâtiments du XIIe siècle ont survécu presque intacts : il reste des voûtes romanes dans les salles du restaurant et une chapelle telle quelle, à peine remaniée. Les maîtres des lieux vivent presque comme aux temps médiévaux, autour de leurs bêtes – oies, canards et autres volailles caquetantes. On y mange des plateaux de charcuteries locales, des omelettes, des crudités puis des grillades, encore… Menus à partir de 18€. *Au nord-ouest, par la D147 Tél. 04 67 97 05 92 Ouvert juil.-août : midi et soir ; hors saison sur réservation : sam. midi et dim. midi Fermé sept.-oct.*

Relais Chantovent. Des baies vitrées, on plonge sur la Cesse, les yeux plantés dans la roche, à même la paroi du canyon. Une cuisine douce et savoureuse, qui, on le sent, est pleine d'attentions. Légumes de saison et viandes locales, produits du terroir, poissons et desserts raffinés (le chaud-froid de fraises... quel délice !). Menus à 19, 25 et 35€. Intéressante sélection de vins du Minervois, à tous les prix. Impossible d'y résister. Accueil souriant, simple et courtois. *17, Grand-Rue Tél. 04 68 91 14 18 Fermé dim. soir-lun. et 15 déc.-15 mars*

Manger dans les environs

petits prix

Le Picou. Des tables bleues sur la pelouse, au soleil ou à l'ombre des arbres, des menus à 12,50€ (à midi en semaine), 16, 20 et 27€ le soir, une carte avec des plats de la Méditerranée, à base de produits locaux. De la très bonne cuisine. Le Picou, c'est en fait le grand-père qui, en captivité pendant la Première Guerre mondiale, a échangé son chocolat contre des roubles anciens et s'est acheté cette bâtisse. La 4e génération est toujours là ! *Rue de la Poterie 34210* ***La Caunette*** *(à 4km de Minerve) Tél. 04 68 91 21 30 Fermé hors saison : mar.-mer. ; mi-nov.-mi-fév.*

prix moyens

Auberge de la Croisade. Cette escale est vraiment charmante, dans un virage langoureux du canal, sous les arbres ou dans la véranda joliment meublée. De la Tour d'Argent au Crillon, du Dorchester au Claridge's, les deux Bruno de la maison ont fait de leur table un repaire de gastronomes avertis... Menus du jour à 15 et 19,50€ (hors week-end), menu surprise à 35€. À la carte, plats de 13 à 18€. *Port Sériège Hameau de la Croisade 34310* ***Cruzy*** *(sur la route d'Ouveillan à Saint-Chinian, dans l'Hérault) Tél. 04 67 89 36 36 Fermé hors saison : mar. et mer. ; 10 jours en nov. et 3 sem. en fév.*

Auberge de l'Arbousier. Adresse calme et élégante au bord du canal, avec salle de restaurant lumineuse, terrasse de rêve et prix très doux. Menu à 16€ à midi en semaine. Menus à 21, 27, 36€, confectionnés avec des produits frais et selon l'humeur du jour par un chef inspiré. *11200* ***Homps*** *Tél. 04 68 91 11 24 Fermé été : lun.-mar. midi ; hors saison : dim. soir-mar. midi ; fin oct.-début déc. ; mi-fév.-mi-mars*

Lo Cagarol. Une petite terrasse sur la place d'Aigne, une salle simple et accueillante et des plats préparés avec soin. Menu découverte à 24€, gourmand à 33€, gastronomique à 44€. Menu du jour à 13,50€. Goûtez les vins d'Yves Bru, le voisin du domaine Sainte-Luchaire : ils accompagnent les plats – magret de canard grillé aux figues – à la perfection. *Place de la Fontaine 34210* ***Aigne*** *(à 8km de Minerve) Tél. 04 68 27 84 22 Fermé mer. (et jeu. hors saison) ; jan.-mi-fév.*

prix élevés

☺ **La Bastide Cabezac.** Au bord de la route menant à Minerve, une grande bâtisse fraîchement rénovée, parée d'enduits multicolores. Cuisine inventive et intuitive – un régal pour les palais les plus fins. Menu "des Capitelles" à 25€, menu "des Salines" à 46€ avec rouleaux d'aubergines confites, filets de daurade et charlotte aux fraises. À la carte, produits de la mer et de la terre, en association subtile avec des herbes, épices et parfums du monde entier. La carte des vins se découvre comme un livre... Chambres de qualité de 75 à 130€, petit déjeuner 10€. *18-20, hameau de Cabezac 11120* ***Bize-Minervois*** *(à 14km de Minerve) Tél. 04 68 46 66 10 Fermé avr.-oct. : lun. midi, mar. midi et mer. midi ; nov.-mars : sam. midi, dim. soir et lun.*

Dormir à Minerve et dans les environs

très petits prix

Gîte d'étape de Minerve. Une chambre indépendante à 20€ pour deux personnes ou 5,50€ la nuit, dans un dortoir prévu pour douze : difficile de trouver moins cher, surtout dans une petite cité de caractère ! Possibilité de location de draps. Également des gîtes ruraux, de 170 à 320€/sem. pour 4 personnes. *34210* ***Minerve*** *Mairie de Minerve Tél. 04 68 91 22 92 ou gîtes communaux Tél. 04 68 91 12 60*

petits prix

Les Auberges. Un petit camping de 19 emplacements. Location de chambres et gîtes également. 11120 ***Pouzols-Minervois*** *(à 15km de Minerve) Tél. 04 68 46 26 50 Ouvert tte l'année*

prix moyens

☺ **Relais Chantovent.** Quelques chambres en face du restaurant, et d'autres – plus belles encore – à quelques ruelles de là. Murs blanchis à la chaux, tomettes et bois, perché au-dessus des toits de Minerve. Demandez la plus haute, avec la terrasse et les poutres apparentes. Très simple mais sublime. 40€ la double (50€ avec sdb), 5,50€ le petit déjeuner. *34210* ***Minerve*** *Tél. 04 68 91 14 18 Fermé dim. soir-lun. et 15 déc.-15 mars*

L'Ancienne Boulangerie. Dans une petite ruelle de Caunes, une maison étroite et haute, une terrasse abondamment fleurie, une ambiance très conviviale, et toute la gentillesse d'un couple d'Américains. Chambres à 45€ avec salle de bains sur le palier et 65€ avec salle de bains privée, avec petit déjeuner. Location d'appartements à la semaine et de vélos. *Rue Saint-Genes 11160* ***Caunes-Minervois*** *(à 25km de Minerve) Tél. 04 68 78 01 32 www.caunes-minervois.com Ouvert tte l'année sur réservation*

Le Neptune. Sur le quai, une vaste maison tout en hauteur avec des chambres spacieuses, aménagées simplement. Chambres à 48€, petit déjeuner compris (60€ pour 3 pers.). *M. et Mme Depré Allée des Cyprès 11120* ***Le Somail*** *(à 20km de Minerve) Tél. 04 68 46 04 74 Ouvert mai-sept.*

☺ **Chambres d'hôtes d'Étournelle.** Trois chambres dans la maison très tranquille d'un petit village tout aussi charmant. Denis Tournel a fait de cette ancienne grange et cave à vin un relais de calme où l'on peut enfin boire son thé préféré en toute tranquillité : Darjeeling, Tuocha, thé vert à la menthe, vous n'aurez que l'embarras du choix ! Petit déjeuner dans le jardin, accompagné par le chant des mésanges. Doubles à 48€ (12€ par pers. supplémentaire). Table d'hôte possible (15€). *18, chemin de Bize 11120* ***Sainte-Valière*** *(sur la route de Ginestas à Pouzols, à 15km de Minerve) Tél. 04 68 46 04 01 Ouvert sur réservation Fermé oct.-mai*

☺ **Crèva Tinas.** Au pied de la pinède et au milieu des vignes, la maison, toute de pierre, bois et argile a été entièrement restaurée et il y flotte un air familier, quelque chose qui fait que l'on se sent très vite comme chez soi. Chaque chambre dispose d'un accès indépendant, et à pied ou en VTT on peut partir à la découverte des vignes, le cœur léger. Location de VTT. Chambres de 49 à 51€ avec petit déjeuner. Table d'hôte sur réservation 19€. Également un gîte pour 4-6 personnes. *1, chemin de Saint-Valière 11120* ***Pouzols-Minervois*** *(à 15km de Minerve et à 3km du Canal) Tél. 04 68 46 38 69 anne.chardonnet-torres@wanadoo.fr Ouvert tte l'année*

L'Aur blanc. Au bord du canal, une longue bâtisse s'étire, perpendiculaire. Les chambres viennent d'être entièrement rénovées, peintes de couleurs vives et gaies, et l'on s'y sent bien, prêt à rebondir vers d'autres chemins – le long du canal, par exemple : il n'y a qu'un pas. Poussez le portail et vous y êtes, à l'ombre des frênes et peupliers. Doubles à 50€, petit déjeuner inclus. Table d'hôte sur réservation 20€ (seulement hors saison), pique-nique à emporter 8€. *Dominique et Gilles Pascal 135, rue de la Bergerie 11120* ***Le Somail*** *(à 20km de Minerve) Tél. 04 68 46 28 08 Ouvert tte l'année sur réservation*

Le Picou. Cinq chambres et deux suites pleines de charme restaurées dans un ancien atelier de potier auprès du village ; 50€ la double hors saison, 60€ en été. Piscine. *Rue de la Poterie 34210* ***La Caunette*** *(à 5km de Minerve) Tél. 04 68 91 21 30 Ouvert sur réservation Fermé hors saison : mar.-mer. ; mi-nov.-mi-fév.*

Auberge de l'Arbousier. Au bord du canal, des chambres entièrement rénovées, dans des teintes douces et reposantes, pour écouter l'eau couler au fil de la nuit… Chambres de 50 à 80€, selon la taille et l'orientation. Le petit déjeuner vous coûtera 6€. *11200* ***Homps*** *(à 11km de Minerve) Tél. 04 68 91 11 24 Ouvert tte l'année sur réservation*

Les Dinedourelles. Récemment rénovées, les chambres d'Isabelle et Jean-Pierre donnent sur les collines minervoises, rien que pour vous enchanter… Une chambre double à 55€, un petit gîte pour 4 pers. à 100€, loué également à la semaine (500€) avec son poêle à bois et son panier d'accueil du terroir (pain d'épice, vin, etc.) et un grand gîte pour 6 pers. (610€ la semaine en été) *Impasse des Pins 11200* ***Escales*** *(à 23km de Minerve, sur la D65 entre Moux et Homps) Tél. 04 68 27 68 33 et 06 78 52 25 04 lesdinedourelles@wanadoo.fr Ouvert tte l'année sur réservation*

☺ **Le Voyageur immobile.** Ici les écrivains ont leur chambre et ils vous invitent à venir plonger dans leur univers, le temps d'une nuit ou plusieurs. Nicolas Bouvier, Blaise Cendrars, Jean-Marie Le Clézio : leurs livres sont là, sur l'étagère, et vous n'aurez qu'une envie – rester jusqu'à les avoir tous épuisés, un par un... La maison s'y prête : vaste et calme, empreinte d'un cachet hors du temps, presque mystérieux, avec des chambres entièrement rénovées, lumineuses et tranquilles. Si l'écriture vous tente, parlez-en à Henri. Un atelier d'écriture se tient peut-être ce soir-là dans le salon... Chambres à 60€, petit déjeuner inclus. *Henri Migaud 3, av. d'Homps 34210* ***Olonzac*** *(à 10km env. de Minerve) Tél. 04 68 91 17 70 ou 06 80 47 46 78 Ouvert tte l'année sur réservation*

prix élevés

☺ **Les Volets bleus.** Quand Isabel et Nick ne sont pas à la montagne – leur passion l'hiver – ils dévorent livre sur livre dans leur grande maison du canal, entre deux petits déjeuners et trois conversations. Passé le grand hall et l'immense escalier, un large couloir dessert des chambres spacieuses, dont certaines ont une vue magique sur les collines du Minervois. Doubles de 60 à 70€ avec petit déjeuner. Repas 24€ sur réservation. *Isabel Evans 43, quai d'Alsace 11590* ***Sallèles-d'Aude*** *(à 25km env. de Minerve) Tél. 04 68 46 83 03 Ouvert tte l'année*

La Bastide des Aliberts. Cinq gîtes de charme dans une résidence de rêve, suspendue entre les vignes et les parois de la Cesse. Ici, l'on perd tous ses repères pour voyager au gré des atmosphères, du mobilier rapporté de voyage. Tous les ans, des artistes viennent y exposer : des peintres, des sculpteurs, des modeleurs de couleurs ou de matières. Selon les disponibilités, location à la nuit (100€), au week-end (230€ pour 4 pers. pour 2 nuits) ou à la semaine (650€ au printemps, 1 150€ en juil.-août). Gîtes pour 4, 6 ou 8 pers. ***Les Aliberts*** *(entre Minerve et Azillanet) Tél. 04 68 91 81 72 Ouvert tte l'année sur réservation*

Le Savonnier. Immense, cette construction attire l'œil jusqu'à l'autre bout de la place de Quarante, derrière l'église Sainte-Marie que l'on vient juste de visiter, à la recherche de ses arcatures lombardes sur le chevet, sur les côtés. Le temps de trouver, posez vos valises chez les Wolff. Vous y passerez un séjour mémorable, entre les chambres (gigantesques), le jardin (merveilleux), la piscine et les confitures maison... Double à 65€. En été, réservez absolument. *24, Grand-Rue 34310* ***Quarante*** *(à 18km de Minerve, sur la route d'Ouveillan à Saint-Chinian) Tél. 04 67 89 34 72 Ouvert tte l'année sur réservation*

Domaine de la Grangette haute. Ne vous fiez pas à votre première impression devant cette maison relativement quelconque. À peine entré, on est emporté : la qualité de l'atmosphère, la décoration sobre et soignée, la vue sur le jardin et sur les collines du Minervois... La maîtresse de maison se passionne pour l'histoire de la région : demandez-lui de vous organiser une petite soirée spéciale troubadours... Doubles de 70 à 75€ avec petit déj. Piscine. *Mme Renoux-Meyer 11590* ***Ouveillan*** *(à 26km de Minerve) Tél. 04 68 46 86 24 www.domainegrangette-haute.com Ouvert tte l'année sur réservation*

Château de Siran. Trois étoiles pour cet hôtel raffiné, qui a été restauré avec grand soin, sans luxe tapageur mais avec toute la distinction que l'on espère y trouver. De grands volumes, literie spacieuse, ainsi que des couleurs douces et lumineuses. Séjour agréable assuré. De 75 à 130€ la chambre. Petit déjeuner complet

10€. Le restaurant propose également une cuisine élaborée. *Av. du Château 34210* ***Siran** (à 10km environ de Minerve) Tél. 04 68 91 55 98 Fax 04 68 91 48 34 www.chateau-de-siran.com Fermé mi-oct.-mi-déc. et mi-jan.-mi-fév.*

☆Lagrasse *11220*

C'est au pied de cette montagne, entre Alaric et Corbières, que – selon des historiens partagés – Charlemagne aurait donné, au VIIIe siècle, des terrains pour la fondation d'un monastère. Aux IXe et Xe siècles, terres et donations affluent : des châteaux, des villages, des églises par dizaines, par brassées. À l'aube du XIIe siècle, ce sont quelque vingt-cinq prieurés, une dizaine de monastères et près de cent églises qui dépendent de Lagrasse, alors en plein âge d'or. Comme toutes les puissances, Lagrasse est ainsi jalousée et respectée, crainte et détestée. S'y mêlent des passions contradictoires, entre catholiques et cathares, entre villageois et abbés. Car dans l'ombre de l'abbaye vit un village d'artisans et de commerçants. Ils élisent eux-mêmes leurs consuls, mais restent soumis au droit de justice – fort peu apprécié – de l'abbé. Aujourd'hui encore il flotte dans l'air une étrange atmosphère, celle d'un village endormi qui s'éveille par à-coups au rythme de l'afflux des touristes. Le site de l'abbaye est magnifique, pôle d'attraction de toute une région.

LES CORBIÈRES La route s'infiltre entre les parois de calcaire et quand la nuit commence à tomber, on se croirait sur une terre lunaire, mouchetée de vert. Après la pluie les odeurs font les fières : le thym, le romarin, toute la garrigue s'en mêle et agit comme un philtre – un envoûtement puissant. Le lendemain, le soleil a bravé le brouillard et avec lui on se sent chez soi en ces terres, enraciné aux Corbières. Pour peu que l'on se prenne à les aimer, ces silhouettes de crêtes et d'oliviers, de vignes en damier, et l'on se met à sillonner frénétiquement le territoire. D'un domaine à un autre, d'une cave à une autre, pour comprendre comment, par quel miracle du sol, du raisin, de l'air, ce vin-là est-il plus poivré que celui-là, et tel autre plus citronné, presque abricoté… Parfois quelques brebis, quelques abeilles viennent apporter une variété à cette agriculture proche de la monoculture. Mais contrairement à certaines terres à blé, les champs de vin crient à tue-tête leurs différences, leur caractère.

accès

EN VOITURE Par la D212 au départ de Lézignan, la D3 de Carcassonne et la D613 de Narbonne (30min de route, de chaque côté).

informations touristiques

Syndicat d'initiative du canton de Lagrasse. *6, bd de la promenade Tél. 04 68 43 11 56 www.lagrasse.com Ouvert juil.-août : tlj. 10h30-12h30 et 14h30-19h ; hors saison : lun.-sam. 10h30-12h30 et 14h30-17h30*

orientation

En arrivant, garez-vous sur la promenade principale ou bien sur l'un des parkings fléchés : vous serez alors au cœur du village et vous n'aurez plus qu'à passer de l'autre côté de la rivière pour rejoindre l'abbaye Sainte-Marie-d'Orbieu, à flanc de colline et les pieds dans l'eau.

marchés

Les producteurs locaux se donnent rendez-vous le samedi matin sous la halle.

fêtes et manifestations

De nombreux spectacles et fêtes locales à Lagrasse et dans les villages environnants : fêtes des vignerons, soirées chansons, marchés fermiers…
Festival Les Abracadagrasses. Fin juillet. L'abbaye de Lagrasse s'anime avec de la musique et des spectacles. Bonne soirée garantie. *Tél. Artkissonn' 06 88 24 49 40 ou 06 22 33 31 03*
Médiévales de Peyrepertuse. Aux alentours du 15 août. Grand marché de producteurs avec repas et animations. *Tél. 06 71 58 63 36 ou 04 68 45 40 55 www.chateau-peyretuse. com*
Banquet du livre. Goût du vin et de la parole. Colloques, lectures publiques, rencontres littéraires, ateliers de philosophie et aussi promenades, projections vidéo et bistro. À la mi-août pendant une semaine.

Découvrir Lagrasse

☆ **À ne pas manquer** Le village de Lagrasse, les châteaux de Peyrepertuse, Quéribus et Villerouge-Termenès **Et si vous avez le temps…** Flânez dans le jardin botanique de Durban, survolez le château de Peyrepertuse en parapente avec Didier Trocquemé, faites un voyage gourmand dans le temps à la rôtisserie médiévale du château de Villerouge-Termenès, dégustez du vin au Domaine Grand Guilhem à Cascastel et passez-y la nuit

☆ ☺ Le village de Lagrasse a la forme d'un losange, posé tout contre la rivière – l'Orbieu. Du Moyen Âge, il a gardé le tracé de ses ruelles, ses petites places carrées, ses halles de bois où, sur une poutre, on retrouve les armes de la corporation des pêcheurs et des poissonniers (deux poissons sculptés). À côté, sur la place, il reste la maison Maynard, échappée presque intacte du XIVe siècle. Du XVe siècle on peut encore voir, rue des Mazels, la maison Lautier et, plus loin, le presbytère : aujourd'hui il abrite la maison du Patrimoine. Vous pourrez y admirer les plafonds peints du XVe siècle, peuplés de monstres et de fleurs, d'animaux, de blasons et de portraits. Tout à côté, entrez dans l'église Saint-Michel pour voir les clés de voûte en ogives aux emblèmes des corporations : sabots des savetiers, forces des tondeurs, navettes des tisserands et ciseaux des cardeurs – témoins d'un passé de ville drapière. ***Église et maison du Patrimoine*** *Tél. 04 68 43 15 99 Ouvert tlj. juil.-août : 10h30-18h15 ; juin et sept. : 10h30-11h45 et 14h-17h30 ; avr.-mai, oct. 10h30-11h45 et 14h-17h ; fév.-mars 14h-16h30 ; nov.-mi-déc. 14h-16h Adulte 4€ Enfant 6-15 ans 1€*

Abbaye Sainte-Marie-d'Orbieu L'abbaye se découvre en deux visites séparées. On pénètre tout d'abord dans une petite cour pleine de charme, plantée en son cœur d'un gigantesque cyprès : le palais Vieux. Cette partie a été construite au XIIIe siècle par l'abbé Cogenx et abrite les quatorze fragments d'un portail sculpté sans doute par les ateliers du maître de Cabestany, mais aussi le carrelage et les fresques de la chapelle. Pour être à peu près sûr de vous y retrouver dans le dédale des pierres et des herbes folles, suivez la visite guidée ! On accède à la seconde partie, habitée par les religieux qui travaillent à la restauration des bâtiments, par le grand portail de la cour d'honneur pour y découvrir le grand cloître de grès rose, l'église abbatiale gothique du XIIIe siècle, des absidioles romanes du XIe siècle et la tour monumentale. Le jardin médiéval et un musée lapidaire sont en cours d'aménagement. *4, rive gauche* ***Palais vieux*** *Tél. 04 68 43 15 99 Ouvert juil.-août : tlj. 10h30-18h15 ; juin et sept. : tlj. 10h30-11h45 et 14h-18h ; avr.-mai et oct. : tlj. 10h30-11h45 et 14h-17h30 ; fév.-mars et nov.-mi-déc. : tlj. 14h-16h30 ; 15-30 jan. : sam.-dim. 14h-16h30 (heures de la dernière entrée) Fermé mi-déc.-mi-jan.* ***Religieux*** *Tél. 04 68 58 11 58 Fax 04 68 58 11 52 Se renseigner sur les horaires de visite*

Où trouver des produits du terroir ?

L'Olivière. Huile des hautes Corbières, tous les samedis matin sur le marché de Lagrasse, avec quelques olives vertes à picorer de concert. À moins de sonner directement chez les producteurs… *Béatrice et Hervé Pasquiet 2, rue des Tineries Tél. 04 68 43 13 90 Ouvert tte l'année sur rdv ; vente sur le marché de Lagrasse le sam. matin Boutique ouverte juin-sept. : 10h-12h et 16h-20h*

La Maison du terroir. Une belle sélection de produits, de la mer comme de la terre. Anchois marinés et calamars à la catalane de chez Blot, sablés au miel de Montséret, fromages de chèvre du canton et jus de raisins de tous les cépages : carignan, cinsault, mauzac, muscat… *Rue de la Promenade (sous l'office de tourisme) Ouvert avr.-oct. : tlj. 10h-12h30 et 15h-19h ; nov.-mars : ven.-dim., j. fér. et vac. scol. 10h-12h30 et 15h-19h*

Découvrir les environs

Les citadelles du vertige

☆☺ **Château de Peyrepertuse** Un léger frisson passe dans l'entrebâillement de l'Histoire… Forteresse royale, clé du système de défense contre les troupes espagnoles, en 1659 le traité des Pyrénées lui ôte son utilité. Le site est resté splendide, toutes ruines aux vents. *11350* ***Duilhac-sous-Peyrepertuse*** *(à 47km de Lagrasse) Tél. 06 71 58 63 36 Ouvert tlj. juil.-août : 9h-20h30 ; avr.-juin et sept. : 10h-19h ; oct.-mars : 10h-17h Fermé jan. Adulte 5€, enfant 2€*

☆☺ **Château de Quéribus** Juché en haut sur la roche, à 750m, entre plaine du Roussillon et Pyrénées. Le donjon présente une voûte magnifique de style gothique primitif. La terrasse offre un panorama d'exception… *11350* ***Cucugnan*** *(à 41km de Lagrasse) Tél. 04 68 45 03 69 Ouvert tlj. juil.-août : 9h-20h ; avr.-juin et sept. : 9h30-19h ; oct. : 10h-18h30 ; nov.-jan. : 10h-17h ; fév. : 10h-17h30 ; mars :*

10h-18h Fermé 3 sem. en jan. Adulte 5€, enfant 3€ Le billet donne accès au spectacle de Cucugnan

☆☺ **Château de Villerouge-Termenès** Le village en tant que tel est déjà tout un poème, enroulé autour de son château et entièrement, magnifiquement, restauré. Ici le château était aux mains des archevêques de Narbonne, ambitieux et puissants. En 1321, ils y firent brûler le dernier Parfait cathare, Guillaume Bélibaste (cf. GEOPanorama, Histoire). *11330 **Villerouge-Termenès** (à 14km de Lagrasse) Tél. 04 68 70 09 11 Ouvert tlj. juil.-août : 9h30-19h30 ; avr.-juin et sept.-mi-oct. : 10h-18h ; fév.-mars et mi-oct.-déc. : certains sam.-dim. et j. fér. et certaines vac. scol. (dernière entrée 3/4 d'heure avant la fermeture) Adulte 6€, enfant 6-15 ans 2€ (tarifs incluant l'audioguide)*

Château de Termes Perdu dans les méandres des crêtes calcaires et cerné de buissons très verts… Il existe de belles randonnées aux environs, au cœur du Termenès et vers un autre château – celui de Durfort. *11330 **Termes** (à 21km de Lagrasse) Tél. 04 68 70 09 20 Ouvert tlj. juil.-août : 9h30-19h30 ; avr.-juin et sept.-mi-oct. : 10h-18h ; mi-oct.-nov. et mars : sam.-dim., j. fér. et vac. scol. 10h-17h Adulte 3,50€, enfant 1,50€*

Château d'Aguilar Au sud de Durban-Corbières, une butte tournoie au-dessus des vignes… À son sommet, un château. Ouvert à tous les vents et figé dans le temps. *11350 **Tuchan** (à 37km de Lagrasse) Rens. à la mairie Tél. 04 68 45 51 00 Adulte 3,50€, enfant 1,50€*

En savoir plus sur les plantes méditerranéennes

☺ **Jardin botanique de Durban** Retrouvez tous les étages de végétation de la garrigue à la forêt, parmi mille et une essences d'ici ou d'ailleurs, plantes succulentes ou Doigts de sorcière. *Maison botanique, route d'Albas 11360 **Durban-Corbières** (à 34km de Lagrasse) Tél 04 68 45 81 71 Visite libre tlj., 2,50€ Visite commentée sur rdv 4,60€*

Centre de Bonsaï des Corbières Une étonnante production de bonsaïs endémiques (plantes méditerranéennes, vigne). Stages. *M. Blervaque, la Capelle 11350 **Rouffiac-des-Corbières** (à 41km de Lagrasse) Tél. 04 68 45 00 81 Ouvert 9h-12h et 13h-17h mais il est préférable de téléphoner avant de s'y rendre*

Partir en balade dans les environs

☺ **Sentier sculpturel de Mayronnes** Depuis 1993, tous les ans, des artistes de sensibilités différentes laissent au vent des Corbières l'une de leurs œuvres. Un premier chemin parcourt la collection permanente, et un second l'entraîne vers les actualités de l'année. ***Départ** Un parking est situé à l'entrée de Mayronnes (à 12km de Lagrasse, par la D3) **Parcours** Boucle balisée rouge et blanc (GR© 36) puis trait jaune **Durée** Comptez 1h et 2h30 **Difficulté** Aucune sinon le peu d'ombre, programmez de préférence cette balade en début de matinée **Renseignements** Association Hérésie Tél. 04 68 43 12 37*

Montagne d'Alaric Roi des Wisigoths, Alaric II aurait été tué ici d'un coup d'épée de Clovis en 507 et, sur place, enfouis, seraient restés aussi les trésors, les statues, les bijoux et pierres précieuses dérobés un jour à Rome, lors d'un pillage réussi... De nombreux sentiers de randonnée se chevauchent au cœur de cet univers envoûtant (les GR®36 et 77 notamment). Depuis le four à chaux (entre Moux et Camplong-d'Aude) on monte vers Le Roc gris (l'extrémité nord du massif), le Signal d'Alaric (le point culminant, à 600m d'altitude et 5h de marche aller-retour), avec une incursion au sanctuaire de Saint-Michel de Nahuze (1h aller-retour depuis le Signal), au-dessus de la grotte de Congoust.

Galoper dans les garrigues

Ferme équestre de Cucugnan. Randonnées à la semaine (715€), mais aussi balade sur 2, 3 ou 4 jours en demi-saison, autour des châteaux ou dans les Pyrénées. *11350* ***Cucugnan*** *(à 41km de Lagrasse) Tél. 06 84 33 74 37 ou 04 68 45 05 37 www.chevalcathare.com Ouvert mai-Toussaint, sur réservation*

Les Corbières vues d'en haut

Didier Trocquemé. Pour un survol de Peyrepertuse en parapente comptez 65€. *Tél. 06 76 75 18 91 www.didier-trocqueme-parapente.com*

Lézi aviation. Pour une demi-heure au-dessus de Peyrepertuse, Bugarach, Galamus, Lagrasse... Compter 135€/3 pers. pour la demi-heure. Circuit à la demande *Tél. 04 68 27 32 57 www.lezignan-aviation.com*

Où trouver des produits du terroir ?

☺ **Miellerie du mont Saint-Victor.** Cet apiculteur-récoltant et sa femme passent leurs journées – leur vie entière – autour de leurs 300 ruches. Passionnés, ils le sont assurément, et c'est un grand moment que de découvrir avec eux l'univers extraordinaire des abeilles. Nombreuses médailles d'or pour le miel, mais aussi pour les pains d'épice – le "lavande et romarin" est une merveille. *Bernard Tricoire 11360* ***Fontjoncouse*** *(à 24km de Lagrasse) Tél./fax 04 68 44 06 28 Ouvert tlj. sauf lun. 9h-12h30 et 14h-18h30 Fermé fév.*

Michel Kauffman. Sa maison se trouve au pied des remparts de Durban. Vous trouverez miel, amandes et huile d'olive maison, tous plus exquis les uns que les autres. Mais attention, ne vous attendez pas à trouver ici de grandes quantités. Celles-ci dépendent de la production de Michel Kauffman et peuvent être très réduites, voire nulles les mauvaises années. *Rue des Remparts 11360* ***Durban-Corbières*** *(à 34km de Lagrasse) Tél. 04 68 45 99 36 Ouvert tte l'année sur rdv*

Où goûter des vins de caractère ?

☺ **SCV Castelmaure.** Patrick de Marien et Bernard Pueyo ont fait de cette coopérative un chaudron à vins de sélection : la Cuvée Pompadour (7,30€ la 2004) ou À la Comporte (6€ la 2005) séduisent tout autant. Cépages choisis avec minutie, vendange manuelle, pressurage ultramoderne et élevage étudié. *4, rte des Canelles*

La Maison carrée, Nîmes. Au cœur de Nîmes, cet ancien temple romain mire ses colonnes dans les baies de l'audacieux Carré d'art qui lui fait face.

Castelbouc, gorges du Tarn. D'Ispagnac au Rozier, le Tarn s'étrangle en un étroit défilé dont les falaises atteignent parfois 500m de hauteur.

Anchois de Collioure. S'il est désormais pêché à Port-Vendres, il est toujours salé à Collioure, dans les deux seules conserveries encore en activité.

Olives. À l'apéritif, pour accompagner une clairette ou un rivesaltes, rien de tel qu'une poignée d'olives, la verte pichouline du Gard ou la noire de Lucques.

Châtaignes. Fruits de l'"arbre à pain", consommées fraîches ou sèches, elles ont longtemps été la base de l'alimentation des Cévenols.

Banyuls. Le vieillissement de ce vin délectable commence en plein air dans des petits fûts sans ouillage ou dans des bonbonnes de verre paillées.

Pont du Gard. Ce vestige de l'aqueduc de 50km qui alimentait Nîmes en eau s'est enrichi d'un musée et d'un sentier-découverte.

Courses camarguaises. Le taureau camarguais est destiné à des jeux moins sanguinaires que son collègue espagnol : la course taurine.

Rond-point de la sardane, Perpignan. Cette sculpture évoque la sardane, danse fraternelle importée dans le Roussillon par les “exilés” du franquisme.

Fêtes médiévales de Carcassonne. En août, ces fêtes font revivre aux visiteurs l'époque des chevaliers et des croisades contre les Albigeois.

Joutes nautiques, Sète. Capitale de cette tradition, dont l'origine remonte à la création du port en 1665, Sète organise en été de spectaculaires tournois.

Cité de Carcassonne. Joyau médiéval revu au XIXe s. par Viollet-le-Duc, la cité règne sur la mémoire cathare et accueille des visiteurs venus du monde entier.

Église de Serralongue. Ce portail (XIIe) est emblématique du savoir-faire des artisans catalans qui travaillaient le fer extrait des flancs du Canigou.

11360 ***Embres-et-Castelmaure*** *(à 42km de Lagrasse) Tél. 04 68 45 91 83 Ouvert 10h-12h et 15h-18h Fermé 1er mai, 25 déc. et 1er jan.*

Domaine Haut-Gléon. Trente-cinq hectares de vignes dans la "Vallée du Paradis", avec un mélange habile de cépages – typiques des Corbières et extérieurs – pour concevoir des vins différents, en AOC ou en vin de pays, rouges, rosés et blancs. À découvrir aussi : la Carthagène, l'Extrait de Haut Gléon (famille des vins de paille), et le miel du domaine et sa toute nouvelle huile d'olive – un grand cru. *Villesèques des Corbières 11360* ***Durban-Corbières*** *(à 34km de Lagrasse) Tél. 04 68 48 85 95 www.hautgleon.com Dégustation-vente 9h-12h et 14h-17h30*

Domaine Serre-Mazard. Dans les yeux d'Annie et Jean-Pierre Mazard brille une étrange lueur : c'est la passion. Passion pour une terre, les Corbières, passion pour l'Histoire, les cathares, passion d'un fruit, le raisin, passion d'une vie – le vin. Et des orchidées, qu'ils vous emmèneront découvrir sur leur domaine, si vous leur demandez... Excellents vins rouges, et en blanc, une cuvée exceptionnelle : la Marie-Pierre, aux parfums de fleurs, citron... et orchidée, forcément. *Cellier Saint-Damien 11220* ***Talairan*** *(à 11km de Lagrasse) Tél. 04 68 44 02 22 Ouvert en saison tlj. 9h-19h Téléphoner avant de s'y rendre en hiver*

☺ **Domaine Maria Fita.** Une dizaine d'hectares saupoudrés entre garrigue et schiste, avec en ligne de mire les crêtes des Pyrénées. Grenache, carignan et syrah s'en donnent à cœur joie ! Travail des sols et élevage long (24 mois), sans artifices ni produits chimiques : un vrai bonheur de dégustation ! 12€ environ la bouteille de fitou 2004, 14,50€, et 9,50€ le vin de pays de la vallée du Paradis, le Schmitton 2005 *Earl Schmitt 12, av. du Pont-Neuf 11360* ***Villeneuve-les-Corbières*** *(à 29km de Lagrasse) Tél. 04 68 45 81 21 sur rdv*

Manger à Lagrasse

prix moyens

☺ **Les Trois Grâces.** Dans une toute petite salle aux murs de pierre, une formule du jour à 18€, avec entrée, plat et dessert maison. Le chef marie avec aisance les saveurs de la chair de tourteau à de petits navets émincés, sucrés-salés. Des grillades, des tajines d'agneau et de poulet et des plats du jour à moins de 17€. Vous pouvez également y passer la nuit (13€ en petit dortoir, ou chambres de 46 à 60€). *5, rue du Quai Tél. 04 68 43 18 17 Fermé été : 1 jour/sem., se rens. ; hors saison : mer. et jeu. ; jan.-mars*

☺ **Le Temps des Courges.** L'incontournable de Lagrasse. On y vient depuis Narbonne ou Carcassonne pour y passer la soirée. Apéritifs musicaux ou repas concerts, avec ambiance décapsulée à la clé. Menus autour de 20€, avec poissons, crustacés, viandes, légumes bio et fromages fermiers. *Laurent Jamois 3, rue des Mazels Tél. 04 68 43 10 18 Fermé mar. et mer. midi ; Toussaint.-mi-mars.*

L'Affenage. Dans la rue principale de Lagrasse, sa terrasse agit comme un aimant sur les passants... Salades à moins de 10€, assiettes "du terroir" à 15€ avec chèvre, magret, foie gras, menu à midi à 15€ (sauf sam.-dim. et j. fér.), menu végétarien à 22€ et terroir à 35€, avec, en dessert, du chèvre frais au pain d'épice et miel du pays... Mmm... *32, bd. de la Promenade Tél. 04 68 43 16 59 Ouvert avr.-sept. : tlj. (sauf dim. soir et lun.) ; oct.-mars : ouvert à midi, fermé le soir*

Manger dans les environs

prix moyens

Auberge de la Source. En redescendant du château de Peyrepertuse, vous aurez très certainement une grande faim : ici vous serez comblé de produits du terroir, frais et goûteux ! L'auberge de la Source mérite largement que l'on s'arrête. Menu à 19€ avec pain à la tomate, agneau grillé et fromage de chèvre au miel. Menu du midi en semaine à 12€. Menu à 23€ avec charcuterie, fricassée de porc et haricots blancs. Menu à 29€ avec foie gras et magret de canard. Plats à la carte de 10 à 19€. *11350* ***Duilhac-sous-Peyrepertuse*** *(à 47km au sud de Lagrasse) Tél. 04 68 45 02 17 Fermé hors saison :mar. soir-mer. ; jan.*

Le Clos des Souquets. De retour des Antilles, les cuisiniers ont entrepris de faire partager leurs souvenirs de voyages : la carte parle d'elle-même d'ailleurs, les épices se mêlent à une matière première purement languedocienne. Goûtez par exemple la dorade à la "sauce chien" ou les carpaccios de poissons et de viandes. Menus à 20, 28 et 34€. Réservez impérativement, au vu du succès de la maison ! *Av. de Lagrasse 11200* ***Fabrezan*** *(à 9km de Lagrasse) Tél. 04 68 43 52 61 Fermé dim. et nov.-fin mars*

prix élevés

Le Clos de Cascastel. Au bord de l'eau, dans une petite maison tranquille. Cuisine gastronomique et raffinée, à déguster sur la terrasse en été. Dommage que la carte des vins soit encore un tantinet limitée. Menu du marché à 25€, menu mets et vins à 39€, et formule au déjeuner (hors week-ends) à 13,50€ avec vin et café. *Quai de la Berre 11360* ***Cascastel*** *(à 27km de Lagrasse) Tél. 04 68 45 06 22 Fermé mar. et 2 dernières semaines de nov. et de mars*

☺ **La Fargo.** Une terrasse sous une treille, abritée et illuminée, le soir, de quelques lueurs qui vacillent tout contre les pierres, pendant que les cigales et les oiseaux entament leur dernier chant... Dans les assiettes des produits de choix, assemblés avec attention : asperges et artichauts violets au printemps, Saint-Jacques aux agrumes, épaule d'agneau rôtie à la sauge, grillade de thon rosé sauce gingembre... Carte à partir de 30€. *11220* ***Saint-Pierre-des-Champs*** *(à 5km de Lagrasse) Tél. 04 68 43 12 78 Ouvert juil.-août : tlj. midi et soir sauf lun. et mar.-midi ; hors saison : tlj. le soir plus sam. midi et dim. midi Fermé fin-oct.-dernier week-end de mars*

☺ **Rôtisserie médiévale.** Les recettes ont été élaborées par une médiéviste canadienne, à la suite d'années de recherche parmi les archives du monde entier : on déguste désormais des plats issus des XIIIe et XIVe siècles, mariant produits locaux et épices variées, dans une ancienne pièce d'apparat du château. Au bout des grandes tablées, Dame Jeanne, très élégante, sert en costume d'époque, dans un vocabulaire très étudié. La vaisselle elle aussi a été reconstituée, et l'on s'embarque vraiment pour un voyage "gourmand" dans le temps. Menu autour de 35€, gargoulette de vin comprise. *Marie-Jeanne et Michel Laplanche Château 11330* ***Villerouge-Termenès*** *(à 14km de Lagrasse) Tél. 04 68 70 06 06 Fermé dim. soir-lun. et jan.*

prix très élevés

Auberge du Vieux Puits. Deux étoiles Michelin se cachent ici, dans ce village minuscule tapi au creux des Corbières. Sacré meilleur ouvrier de France, Gilles Goujon propose "Quelques pas dans la garrigue" à 85€, mais aussi un menu du déjeuner (en semaine, sauf veille de fête) à 53€ avec ravioles de petits gris et filet de truite. À la carte, des entrées à 40€, des viandes (chevreau, cochon noir des Corbières) et du poisson à 45€ également, et des desserts à 19€. Parmi les délices : les fraises à la confiture d'olives, sorbet de thym et huile d'olive à la vanille. *11360* ***Fontjoncouse*** *(à 24km de Lagrasse) Tél. 04 68 44 07 37 Ouvert mi-juin-mi-sept. : tlj. sauf lun. midi ; hors saison : tlj. sauf dim. soir, lun. et mar. Fermé jan.-fév.*

Dormir à Lagrasse et dans les environs

très petits prix

Camping Boucocers Bachandres. Quarante emplacements surplombant le village de Lagrasse en contrebas. Boisé et tranquille, ouvert aux vents frais de l'été. 5,30€/pers. *Rte de Ribaute 11220* ***Lagrasse*** *Tél. 04 68 43 10 05 Ouvert mars-oct.*

petits prix

Hostellerie du mont Tauch. Entre les Pyrénées et le mont Tauch, en plein paradis des randonneurs, un petit hôtel très tranquille pour faire étape. Toutes les chambres sont à 30€, le petit déjeuner est à 5€, et vous pourrez trouver également de quoi manger au restaurant ou sur la terrasse ombragée. Propre, bien tenu et accueil chaleureux. *10, rue de la Gare 11350* ***Tuchan*** *(à environ 37km au sud de Lagrasse) Tél. 04 68 45 49 90 Hôtel Ouvert tte l'année Restaurant fermé mar. en hiver et jan.*

Le Relais d'Aguilar. Dix-sept emplacements à l'ombre d'une oliveraie centenaire, avec piscine et belle vue, au loin, sur le château d'Aguilar. Comptez 15€ pour 2 personnes avec voiture. Location de petites résidences meublées, du studio au 4 pièces ; 40€ pour 2 personnes en haute saison (30€ en basse saison). Des locations à la semaine, de 230 à 500€ selon la saison. Petit déjeuner à 5 ou 8€. Formule demi-pension, avec au restaurant des grillades gargantuesques. Un accueil chaleureux et des conseils nombreux pour aller marcher dans les environs. *11350* ***Tuchan*** *(à 37km au sud de Lagrasse) Tél. 04 68 45 04 94 www.relaisaguilar.com Fermé mi.-nov.mi.-mars*

prix moyens

☺ **Maison d'hôtes Guillot.** Vous trouverez ici quatre chambres élégantes et agréables pour poser vos valises et plonger dans l'histoire. Le lieu a du caractère, et il est idéal pour prendre le pouls du village. Chambres doubles à 55€ avec petit déjeuner (15€ par personne supplémentaire). *Jean-Hugues et Nicole Guillot 11, rue des Cancans 11220* ***Lagrasse*** *Tél. 04 68 43 14 54 Ouvert sur réservation*

L'Acanthe. Une maison du XVIIIe siècle, des tomettes au sol, des meubles anciens et des couleurs chaudes... Les chambres sont à 50€ petit déj. inclus (tarifs dégressifs, 90€ pour 2 nuits, et 185€ pour 5). Accueil très attentionné. *M. et Mme Lartigue 2, rue du Four-Communal 11200* ***Thézan-des-Corbières*** *(à 18km au sud de Lagrasse) Tél. 04 68 43 30 53 ou 06 30 87 15 27 Ouvert sur réservation*

prix élevés

Domaine Haut-Gléon. Six chambres de grand charme, dans les bâtiments anciens de l'exploitation viticole. Bois, pierre, tomettes et toiles d'artistes contemporains. Léon-Nicolas Duhamel accueille tous les ans un ou deux artistes en résidence, et choisit l'une des œuvres réalisées pour la garder sur les murs, en parer l'étiquette d'une cuvée spéciale, et l'exposer tout au long de l'été. Chambres de 60 à 70€ tout confort, petit déjeuner inclus, et gîte pour 4 pers. avec piscine (800€ la semaine en haute saison) *11360* ***Villesèque-des-Corbières*** *(à 32km de Lagrasse) Tél. 04 68 48 85 95 www.hautgleon.com Ouvert tte l'année sur réservation*

Le Clos des Souquets. Chambres de 65 à 90€, simples et confortables, au cœur du triangle touristique stratégique Carcassonne-Lagrasse-Narbonne. Idéal pour rayonner aux environs. *Av. de Lagrasse 11200* ***Fabrezan*** *(à 9km de Lagrasse) Tél. 04 68 43 52 61 www.le-clos-des-souquets.com Ouvert avr.-nov.*

☺ **La Fargo.** Six chambres à la décoration asiatique ou orientale, discrètement peuplées d'objets et de tapis d'ailleurs, entre des murs sobres et frais, dans des volumes séduisants – confort et design à la clé. Doubles de 69 à 79€. Restaurant donnant sur la terrasse, et jardin tout autour de la maison. Le site a accueilli une forge, d'ailleurs vous retrouverez les scories jusque dans les enduits de façade – petits éclats d'un noir de jais. 11220 ***Saint-Pierre-des-Champs*** *(à 5km de Lagrasse) Tél. 04 68 43 12 78 www.lafargo.fr Fermé fin-oct.-fin mars*

☺ **L'Embrésienne.** Un ancien domaine viticole réaménagé en gîtes et chambres d'hôtes avec beaucoup de goût. Les enduits sont lumineux – aux couleurs d'agrumes, pamplemousse, ocre et rosés –, le mobilier disséminé dans des volumes spacieux, et l'atmosphère accueillante et gaie. Brigitte aime assurément recevoir, et son mari est tout de même vice-consul de Patagonie... Pour en savoir plus, rendez-vous à l'Embrésienne ! Chambres doubles à 75€. *11, route de Villeneuve 11360* ***Embres-et-Castelmaure*** *(à 42km de Lagrasse) Tél. 04 68 45 81 74 Ouvert sur réservation*

prix très élevés

Domaine Grand Guilhem. Tout au bord du vignoble, la villa propose des chambres vastes et élégantes, meublées simplement, sans fleurs ni fioritures superflues...

C'est rare et quand on trouve une adresse telle que celle-là, on ne la quitte pas... Piscine, salon et thé à disposition des hôtes tout au long de la journée. Soirée dégustation de vins. Doubles à 82€ avec petit déjeuner, 20€ par personne supplémentaire. *Séverine et Gilles Contrepois 11360* ***Cascastel*** *(à 27km de Lagrasse) Tél. 04 68 45 86 67 www.grandguilhem.com Ouvert tte l'année sur réservation*

Auberge du Vieux Puits. Huit chambres splendides, décorées de façon originale – style à la fois épuré et gai, élégant et vivant. Accès à la piscine devant chaque terrasse. 150-170€ la double, 170-190€ la suite junior, et 215-230€ la suite. Petit déj. 17€. Située dans le village, une annexe a été créée avec des chambres doubles de 95 à 105€. *Marie-Christine et Gilles Goujon 11360* ***Fontjoncouse*** *(à 24km de Lagrasse) Tél. 04 68 44 07 37 Ouvert sur réservation Fermé mi-sept.-mi-juin : dim. soir-mar. ; jan.-fév.*

GEOREGION

Corridas, bodegas, concerts et spectacles de rue : **Béziers, la plus espagnole des villes du Sud,** a la réputation d'être aussi la plus fêtarde. Pourtant, en dehors de la féria d'août, la capitale du Biterrois est un havre de sérénité. Elle veille, du haut de son imposante acropole, sur la basse vallée de l'Orb et son fleuve, bientôt parvenu au terme de son voyage. Le paysage de la vigne s'anime en remontant la vallée, laissant la place à l'olivier, puis au châtaignier. On est alors dans l'arrière-pays, domaine des sangliers, des randonneurs et des ramasseurs de champignons.

À ne pas manquer Les allées Paul-Riquet de Béziers, la vieille ville d'Adge, le musée de l'Ephèbe au Cap-d'Agde, Pézenas et ses petits pâtés, l'abbaye de Valmagne

Et si vous avez le temps... Admirez l'oppidum d'Ensérune et l'étang asséché de Montady, les écluses de Fonséranes, voguez vers le fort Brescou au large d'Agde, baignez-vous l'été au bord de l'Orb

Béziers et ses environs

GEOMEMO

Département	Hérault (34), 6 101 km² (896 440 hab.)
Ville principale	Béziers (69 150 hab.)
Informations touristiques	CDT 04 67 67 71 71 OT Béziers 04 67 76 84 00
Espace protégé	parc naturel régional du Haut-Languedoc
Lieux de baignade	plage Richelieu (Cap-d'Agde), plage du Castellas (Marseillan-Plage), île des Pêcheurs (Cap-d'Agde) et étang de Thau

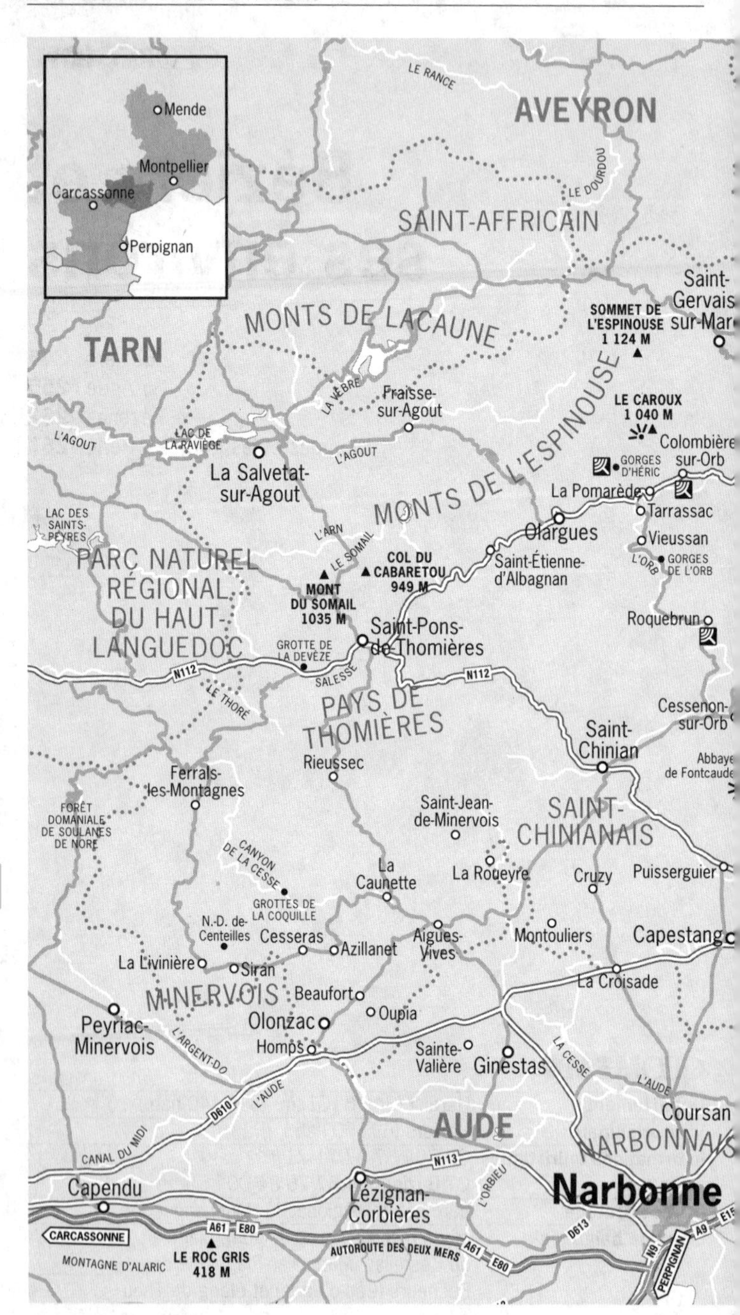

GEOREGION

BÉZIERS ET SES ENVIRONS

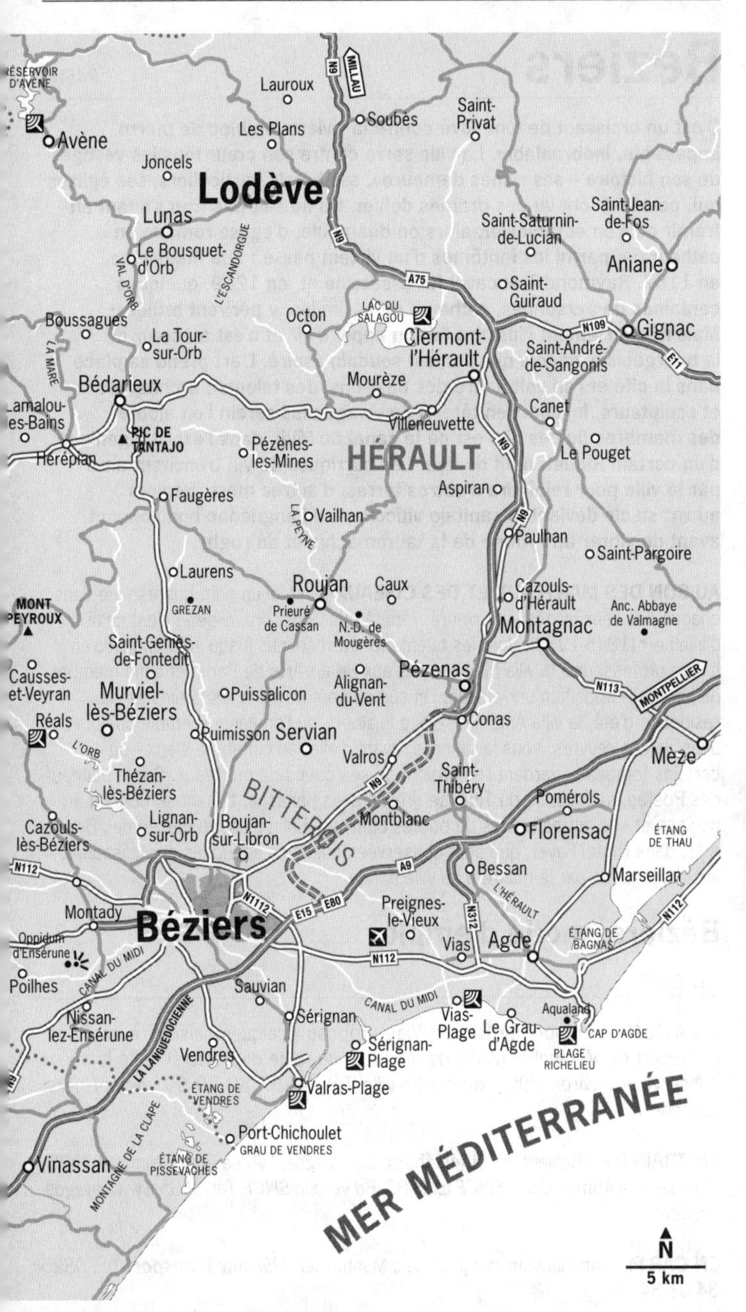

GEOREGION BÉZIERS ET SES ENVIRONS

Béziers

34500

C'est un croissant de lune lové contre la rivière, un bloc de pierre impassible, inébranlable. La ville serre contre son cœur tous les vestiges de son histoire – ses riches demeures, ses hôtels particuliers, ses églises qui, pourtant, ont vu des drames défiler. On ne sait pas trop s'il faut en frémir ou s'en émerveiller, alors on déambule, d'église romane en cathédrale, parmi les fantômes d'un violent passé : à la Madeleine, en 1167, Raymond Trencavel fut assassiné et, en 1209, quelques centaines de personnes, cathares ou assimilés, y périrent brûlées. Mais heureusement l'histoire fait un appel d'air et c'est au cœur de la bourgeoisie viticole que l'on est soudain aspiré. L'art prend sa place dans la cité et l'on voit naître des passions, des talents : architectes et sculpteurs, Injalbert en tête. À ce visage plus serein l'on ajoute des membres fluides ; ici est né le canal du Midi, dans l'esprit ingénieux d'un certain Riquet, natif du lieu. Les barriques de vin transitent ainsi par la ville pour rejoindre d'autres terres, d'autres mers. Béziers au XIXe siècle devient la capitale viticole d'un Languedoc bouillonnant, avant de vibrer au rythme de la tauromachie et du rugby.

AU SON DES MARTEAUX ET DES CISEAUX Il est ici un nom qui résonne dans chacun des lieux visités – murmuré, répété, placardé, brocardé –, c'est celui d'Injalbert (1845-1933), dont les talents furent reconnus jusqu'à Paris, jusqu'en Italie : professeur à la villa Médicis puis aux Beaux-Arts de Paris, et enfin membre du jury de l'Exposition universelle. On suit son ombre dans les jardins de sa résidence d'été, la villa Antonine, place Injalbert, où l'on flâne et étudie quelques-unes de ses œuvres, sous la tonnelle, avant d'aller au cimetière Vieux – où certains tombeaux gardent l'empreinte de ses coups de marteaux. Sur le plateau des Poètes, sa fontaine du Titan se dresse avec panache, toisant son Enfant au poisson et ses autres bustes de poètes biterrois. Enfin c'est au musée des Beaux-Arts, dans l'hôtel Fayet, que sont conservées quelques ébauches et réalisations finales, léguées par le maître à sa ville natale.

Béziers, mode d'emploi

accès

EN AVION L'aéroport de Béziers-Vias propose quelques liaisons avec Paris. L'aéroport de Montpellier-Méditerranée (à 1h de route de Béziers) reste le mieux desservi. *À environ 20km du centre-ville Tél. 04 67 80 99 09 www.beziers.aeroport.fr*

EN TRAIN Paris-Béziers direct (4h-4h15). Sur la ligne, Lyon à 2h30, Nîmes à 1h20, Montpellier à 45min. ***Gare SNCF*** *(plan B3) Bd Verdun* ***SNCF*** *Tél. 3635 www.voyages-sncf.com*

EN CAR Plusieurs liaisons par jour avec Montpellier. ***Hérault Transport*** *Tél. 0825 34 01 34*

EN VOITURE Accès par la N113 (très fréquentée), la N112 (moins chargée) ou encore par l'autoroute A9 (prenez la sortie ouest, plus fluide). Comptez environ 1h de Montpellier par l'A9, le double par la nationale, et 20 minutes de Narbonne.

Béziers et ses environs

(en km)	Béziers	Agde	Pézenas	Roquebrun	Sète
Agde	25				
Pézenas	24	25			
Roquebrun	30	54	51		
Sète	56	24	38	85	
Narbonne	30	54	60	51	84

orientation

En arrivant, suivez la direction centre-ville et garez-vous dans l'un des premiers parkings souterrains. En été, il est plus facile de trouver une place sur l'une des grandes avenues menant au centre. Ensuite, la visite du centre historique s'effectue à pied. Il faut remonter vers l'allée Paul-Riquet, la traverser et s'engouffrer dans les ruelles de la vieille ville pour trouver les musées et principaux centres d'intérêt.

se déplacer en ville

Bus occitan. Un réseau complet au cœur de la ville et vers la périphérie, ainsi qu'un petit train touristique en été et les week-ends de printemps. *Pl. du Gal-de-Gaulle Tél. 04 67 28 36 41*

Taxis. Stations au départ de la place de la Victoire, de la place Jean-Jaurès, de la place du Gal-de-Gaulle ou de la gare. *Tél. 04 67 35 00 85*

location de voitures

Ada. *23, bd de Verdun Tél. 04 67 62 65 39*

Europcar. *Hall de la gare SNCF Tél. 04 67 62 09 89*

Rent-a-car. *78, av. Gambetta Tél. 04 67 28 14 41*

informations touristiques

Office de tourisme (plan B2). *29, av. Saint-Saëns Tél. 04 67 76 84 00 Ouvert juil.-août : lun.-sam. 9h-19h (sept.-juin : 9h-12h et 14h-18h), dim. 10h-13h et 15h-18h*

marchés

Sous les halles, place Pierre-Sémard (plan A2), le matin, sauf lundi et place David-d'Angers le vendredi matin. Marché aux fleurs, allée Paul-Riquet, le vendredi 6h-19h.

fêtes et manifestations

Théâtre de Béziers. Dans le théâtre municipal ou dans celui des Franciscains, une programmation de très bonne qualité toute l'année, avec des spectacles très divers. En été, quelques journées de folie… *Tél. 04 67 36 82 82*

Festa d'Oc. En juillet, des rencontres, des spectacles et des concerts en occitan.
Feria. Autour du 15 août (cf. Découvrir Béziers, Sauter dans l'arène).

Découvrir Béziers

☆ **À ne pas manquer** Le musée des Beaux-Arts à Béziers, l'*oppidum* d'Ensérune
Et si vous avez le temps... Participez, en août, à la feria de Béziers, parcourez en été la vieille ville au rythme d'une visite théâtralisée, regardez les péniches franchir les écluses de Fonséranes sur le canal du Midi

☺ **Visites guidées** En juillet et août, l'office de tourisme organise un grand nombre de visites à thème pour découvrir la ville : "Béziers au fil du temps" (du Moyen Âge au XIXe siècle), 4,60€/réduit 2,55€, "En passant par les écluses" pour voir les principaux ouvrages d'art du canal du Midi (9€/réduit 6€), "Béziers l'Espagnole" pour aller des nouvelles arènes à l'espace taurin (4,60€/réduit 2,55€). Certains soirs, à 21h30, des visites théâtralisées sont organisées. *Renseignez-vous à l'office du tourisme pour connaître les dates (9€, tarif réduit 5€).*

Musée Injalbert-Hôtel Fayet (plan A2) Pour le bâtiment et les sculptures d'Injalbert. Belle plastique, expressions et postures sensibles, émouvantes parfois. *9, rue du Capus Tél. 04 67 49 04 66 Ouvert juil.-août : 10h-18h ; avr.-juin et sept.-oct. : 9h-12h et 14h-18h ; nov.-mars : 9h-12h et 14h-17h Les horaires sont susceptibles de changer en 2007. Se rens. Fermé lun., 1er jan., dim de Pâques, 1er mai, 25 déc. Entrée 3,20€ Le ticket donne accès aux 2 autres musées de Béziers*

☆ **Musée des Beaux-Arts-Hôtel Fabrégat (plan A2)** Tout près de l'hôtel Fayet, des collections de peinture et sculpture du XVe siècle à nos jours : quelques chefs-d'œuvre des écoles bolonaise, espagnole et hollandaise, une étude de cheval gris splendide par Géricault, un Delacroix mais aussi un Dufy et un De Chirico, des dessins de Jean Moulin (un artiste doué, en marge de sa "carrière" de résistant), ainsi que de belles verreries de Marinot. Dans l'escalier, d'immenses et impressionnantes toiles de Maurice Féguides sur le mythe d'Orphée. Pour les enfants, des séances pratiques en ateliers (dessin, sculpture) et un goûter (en juil.-août, 4€/séance, rens. à l'office de tourisme 04 67 76 84 00) *6, place de la Révolution Tél. 04 67 28 38 78 Ouvert juil.-août : 10h-18h ; avr.-juin et sept.-oct. : 9h-12h et 14h-18h ; nov.-mars : 9h-12h et 14-17h Les horaires sont susceptibles de changer en 2007. Se renseigner Fermé lun., 1er jan., dim. de Pâques, 1er mai, 25 déc. Entrée 3,20€ Le ticket donne accès aux 2 autres musées de Béziers*

Cathédrale Saint-Nazaire (plan A2) Avec une belle vue sur les environs depuis le parvis. *Place des Albigeois Ouvert hiver : 9h-12h et 14h30-17h30 ; été : 9h-17h30*

☺ **Espace Riquet (plan A2)** On entre ici dans une partie de chapelle d'un ancien couvent dominicain. Le plafond peint du début du XVIIe siècle compte parmi les plus beaux du sud de la France. L'artiste, Catayod, de l'école de peinture de Ribeira, y a représenté la vie de saint Dominique. Les volumes et l'atmosphère du lieu se prêtent à la perfection aux expositions qui y sont présentées (5 ou 6 par an). On y a vu

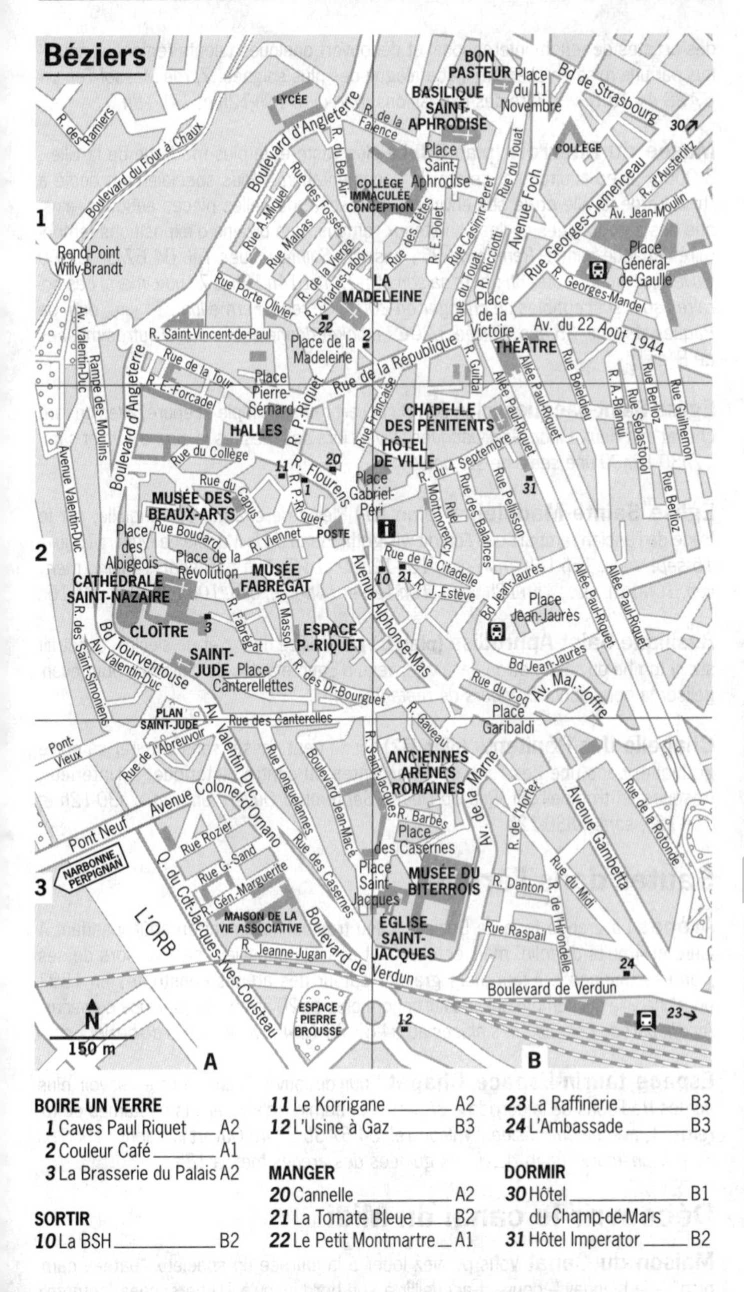

BOIRE UN VERRE
- *1* Caves Paul Riquet ____ A2
- *2* Couleur Café ____ A1
- *3* La Brasserie du Palais A2

SORTIR
- *10* La BSH ____ B2
- *11* Le Korrigane ____ A2
- *12* L'Usine à Gaz ____ B3
- *23* La Raffinerie ____ B3
- *24* L'Ambassade ____ B3

MANGER
- *20* Cannelle ____ A2
- *21* La Tomate Bleue ____ B2
- *22* Le Petit Montmartre ____ A1

DORMIR
- *30* Hôtel du Champ-de-Mars ____ B1
- *31* Hôtel Imperator ____ B2

des artistes de renom international et découvert quelques talents régionaux soutenus par une mise en scène et un catalogue des plus soignés. *7, rue Massol Tél. 04 67 28 44 18 Ouvert lors des expositions mar.-dim. 10h-12h et 14h-18h*

Musée du Biterrois (plan B3) Le plus vaste et le plus moderne de la ville : 3 000m² avec auditorium, centre de documentation… Plus spécialement dédié à l'histoire de la ville et de ses environs, il présente de belles pièces antiques, ainsi que des sarcophages et des chapiteaux romans. Une dizaine d'expositions temporaires chaque année. *Rampe du 96e, caserne Saint-Jacques Tél. 04 67 36 81 60 Ouvert juil.-août : 10h-18h ; hors saison : 9h-12h et 14h-18h (17h nov.-mars) Les horaires sont susceptibles de changer en 2007. Se rens. Fermé lun., 1er jan., dim. de Pâques, 1er mai, 25 déc. Entrée 3,20€ Le ticket donne accès aux 2 autres musées de Béziers*

Église Saint-Jacques (plan B3) Du bel art roman, simple et épuré, avec un rare chevet extérieur. *Place Saint-Jacques Ouvert lors des messes le dim. à 10h et sam. 17h30-19h30 une semaine sur deux*

Église Sainte-Madeleine (plan A1) Pleine de charme et tranquille, sur le tracé de l'ancien rempart que l'on dit wisigoth. *Place de la Madeleine Ouvert 15 juin-15 sept. : lun. 16h-18h, mar.-dim. 10h-12h30 et 16h-18h ; 16 sept.-14 juin : mer., ven. 10h-12h, jeu. ; 15h-18h, sam. 10h-12h et 14h-17h, dim. 10h-12h30 et 14h-16h*

Basilique Saint-Aphrodise (plan B1) Un édifice des XIIe et XIVe siècles, construit sur la tombe du saint patron de la ville, venu d'Égypte à dos de chameau pour évangéliser la population. *En cours de restauration*

Chapelle des Pénitents (plan B2) On ne peut passer sans admirer sa porte gothique, dans une des rues commerçantes du centre historique. À l'intérieur, fresques en trompe-l'œil. *Rue du Quatre-Septembre Ouvert lun.-ven. 7h30-12h et 14h-18h, sam. 7h30-12h*

Sauter dans l'arène

Arènes La grande feria de Béziers a lieu traditionnellement en août, pendant 4 jours et 4 nuits de folie, mais octobre voit aussi la poussière se lever lors de ses journées taurines… Il faut alors graviter autour des arènes construites en 1897 pour une ville qui compte aujourd'hui encore plus de 20 associations, clubs ou *peñas*. *Av. Claparède Location des places au 04 67 76 13 45 www.arenes-de-beziers.com*

Espace taurin-Espace Chapat Pour découvrir l'histoire et en savoir plus sur les traditions de la corrida à Béziers – et admirer d'étincelants costumes de toreros. *1, avenue du Président-Wilson Tél. 04 67 35 28 46 Ouvert juil.-août : 10h-18h Fermé lun.-mar. Départ de visites guidées des arènes mer. à 18h*

Découvrir le canal du Midi

Maison du Canal Vous pouvez louer à la journée un spacieux "bateau camping" – *le Wanday* – pouvant accueillir à son bord jusqu'à 10 personnes (comptez

180€). Location à la semaine de différents types de bateaux, de 2 à 10 personnes, à partir de 610€ la semaine en basse saison (séjours courte durée sur demande) et croisière en péniche-hôtel à partir de 1 350€/sem. Vous pourrez aussi louer des vélos à 9€ la demi-journée, 16€ la journée et 56€ la semaine. *Boutique et documentation sur les canaux 8, rue des Péniches au Port Neuf Tél. 04 67 62 18 18 www.lamaisonducanal.com Ouvert tte l'année*

Écluses de Fontséranes et pont-canal Pour franchir un dénivelé de plus de 25m, Pierre-Paul Riquet (1609-1680) a doté sa ville natale d'un ensemble d'exception : neuf écluses les unes à la suite des autres, sur 300m de long. Un lieu de promenade aujourd'hui bien agréable à parcourir à pied ou à vélo. Autre curiosité, le pont-canal, construit en 1857. Cet ouvrage d'art sur lequel les bateaux circulent librement enjambe le cours de l'Orb. *Suivre les panneaux au départ du centre-ville, en direction du sud-ouest, de l'autre côté de l'Orb. Visites guidées en bateau avec l'office de tourisme*

Où faire une pause déjeuner ?

Cannelle (plan A2 n°20). Fraîcheur, saveur et originalité sont les ingrédients de base de cette petite Cannelle-là. Les assiettes et salades mélangent des légumes crus, cuits ou marinés, du hoummos et du basilic, des textures et des couleurs à savourer avec un jus de fruits pressés ou bien une tasse de thé : le salon en propose toute une variété. Terrasse au soleil, sur des tables en bois recouvertes, pour le déjeuner, de tissus cerdans gais et bigarrés. Menu 12,70€, plat du jour 8,20€. *11, place Gabriel-Péri Tél. 04 67 28 06 01 Fermé dim. et pendant la feria*

Où faire son shopping ?

Au Paraverse (plan B2). Un surprenant bouquiniste, plein d'humour grinçant. Vous trouverez dans sa boutique des livres anciens, bien sûr, des cartes postales, des bandes dessinées, des affiches, mais aussi les messages du jour et tout un bric-à-brac aussi surprenant que réjouissant... *Rue des Anciens-Combattants Tél. 06 81 30 78 18 Ouvert 9h30-12h30 et 15h-19h30 Fermé les après-midi d'été Il vaut mieux téléphoner avant de s'y rendre*

Hélène (plan B2). Une boutique agréable, remplie de sacs, de lampions, de bijoux et de tissus bariolés, rayés – de Cerdagne sans hésiter. *21, rue du Quatre-Septembre Tél. 04 67 28 33 80*

Où boire un verre de vin ?

☺ **Clos Saint-Gabriel.** La cave à vins incontournable de Béziers, pour les amateurs éclairés ou les novices en quête de qualité. Une remarquable sélection, des conseils chaleureux et des soirées à thème tout au long de l'année – lecture, musique, gastronomie, autour d'un verre, uniquement pour le plaisir de partager. *Av. Joseph-Lazare (derrière le canal et la voie ferrée) Tél. 04 67 62 54 12*

Caves Paul Riquet (plan A2 n°1). Une cave moderne et bien fournie, avec un bar à vins à l'étage ouvert sur réservation proposant des tartines, des fromages, de la charcuterie… *7, rue Flourens Tél. 04 67 28 28 73 Ouvert 9h-12h30 et 15h-19h30 Fermé dim. a.-m. et lun. matin*

Où prendre un verre en terrasse ?

Couleur Café (plan A1 n°2). En face de l'église, un petit café tout blanc et brun qui a jeté sur la place une poignée de tables, en inox et bois, idéales pour le soleil du matin. Mais à midi les parasols se déplient et on peut aussi y grignoter quelques salades. *Place de la Madeleine Tél. 04 67 49 31 09 Ouvert tte l'année*

La Brasserie du Palais (plan A2 n°3). Face au palais de justice et au pied de la cathédrale Saint-Nazaire, une petite place ombragée avec des fauteuils confortables, des banquettes, pour siroter quelque boisson fraîche entre deux visites ou musées. *Place de la Révolution Tél. 04 67 28 29 20 Ouvert tlj été : 10h-0h ; hors saison : 8h-18h Fermé déc.-fév.*

Où sortir le soir ?

La BSH (plan B2 n°10). L'un des rares bars de la ville à ouvrir tous les jours (sauf dimanche), toute l'année : une performance dans une ville pourtant peu noctambule… Musique électro tranquille, plus rythmée selon les jours et les heures. *14, rue des Anciens-Combattants Tél. 04 67 28 22 09 Ouvert lun. 8h-19h30, mar.-sam. 12h-1h Fermé dim.*

Le Korrigane (plan A2 n°11). Dans le vieux Béziers, près des halles, un chaleureux pub irlandais ouvert, lui aussi, tous les soirs. Tout aussi précieux… *9, rue Paul-Riquet Tél. 04 67 28 69 23 Ouvert tte l'année*

L'Usine à gaz (plan B3 n°12). "La" boîte de nuit de Béziers. En bordure du fleuve, dans une ancienne usine : un site étonnant. *Rue du Lieutenant-Pasquet Tél. 04 67 11 07 41 www.lusineagaz.com Ouvert tous les week-ends*

Découvrir les environs

☆☺ **Oppidum d'Ensérune** Le site laisse apparaître des traces de vie d'avant notre ère (VIe siècle av. J.-C.) : émouvant de par sa beauté mais aussi de par la vue qu'il offre sur tous les environs, notamment sur l'étang asséché de Montady, une curiosité géométrique et agricole héritée du Moyen Âge. *34440 **Nissan** (à 11km de Béziers) Tél. 04 67 37 01 23 Ouvert mai-août : tlj. 10h-19h ; avr. et sept. : mar.-dim. 10h-12h30 et 14h-18h ; oct.-mars : mar.-dim. 9h30-12h30 et 14h-17h30 Fermeture des caisses 1h avant Adulte 6,50€, TR 4,50€*

Étang de Vendres Une faune et une flore protégées. Randonnées à cheval et cours d'équitation au ranch le Petit Sam à Sérignan-Plage, dans les salins, le long de l'étang, au coucher du soleil, pour les débutants ou les plus confirmés. *34350 **Vendres** (à 10km de Béziers) **Ranch le Petit Sam** 34410 **Sérignan-Plage** Tél. 04 67 32 57 08 www.ranchlepetitsam.com*

Abbaye de Fontcaude Le lieu est déjà une merveille : un hameau de pierre aux teintes douces, orangées, au milieu des vignes et de la garrigue. Quelques curiosités remarquables : une fonderie de cloches et un moulin à huile utilisé par les chanoines au XIIe siècle, mais aussi un musée du site. Cette visite est également l'occasion de jouir d'un beau point de vue sur la côte languedocienne. *34460 **Cazedarnes** (à 21km au nord-ouest de Béziers) Tél. 04 67 38 23 85 Visite juin-sept. : 10h-12h et 14h30-19h (juil.-août : 10h-19h) ; oct.-mai : 10h-12h et 14h30-17h30 Fermé dim. matin et jan. Adulte 4€ Enfant de 7 à 14 ans 2€*

Aller à la plage

De l'estuaire de l'Aude jusqu'à Agde, s'étire à perte de vue un long cordon dunaire au bord duquel se dessinent de belles plages, agréables au printemps et à l'automne mais surpeuplées en été. La plage de Sérignan, surtout dans sa partie naturiste, est de loin la plus sauvage, mais les extrémités de Vias-Plage (le plus loin possible des campings) ne sont pas sans charme, entre petits graus et roseaux.

Manger à Béziers

N'oubliez pas de consulter la rubrique Où faire une pause déjeuner ?, où vous retrouverez des adresses de restauration à petits prix.

petits prix

☺ **La Tomate bleue (plan B2 n°21).** Non, vous ne rêvez pas, tous les meilleurs vins du Languedoc sont là, dans la cave, et vous pouvez les déguster un par un, au verre, nature ou accompagnés de quelques plats : tapas, ardoise du jour ou formule déjeuner. Les produits viennent tout droit du marché voisin, les légumes sont de saison, les poissons tout frais pêchés et les assaisonnements, eux, sont simples et de bon ton. Très vite on s'y sent comme chez soi, entouré d'une prévenance délicate et décontractée. *23, rue des Anciens-Combattants Tél. 04 67 62 92 25 Fermé sam. midi, dim. et lun. Service tard le soir*

prix moyens

Le Petit Montmartre (plan A1 n°22). Un emplacement agréable – sur le grand parvis de l'église de la Madeleine – pour une table de bonne qualité, pas trop chère et surtout sans prétention. À midi, vous pourrez choisir les différentes formules à 15, 17 ou 21€ et choisir par exemple un flan de parmesan et noisettes ou une croustine de poivrons et chèvre, un poisson grillé et son risotto, et un dessert à l'anis étoilé… *2, place de la Madeleine Tél. 04 67 28 56 54 Ouvert midi et soir, tte l'année Fermé dim. et lun.-soir*

☺ **La Raffinerie (plan B3 n°23).** Une ancienne raffinerie de soufre, avec une terrasse idéale pour dîner le long du canal, dans l'ancien quartier des négociants en vin. Décoration contemporaine de métal et de matériaux bruts, éclairages discrets et étudiés, cuisine créative et savoureuse. Nous vous recommandons son excellent pot de chocolat presque cru… Formule avec 2 plats à 20€ et à 25€ avec 3 plats.

14, av. Joseph-Lazare Tél. 04 67 76 07 12 Ouvert midi et soir, tte l'année Fermé sam. midi, dim. et lun. ; 2 sem. en oct., 2 sem. en fév. et 2 sem. en mai

prix élevés

L'Ambassade (plan B3 n°24). "Le" restaurant gastronomique de Béziers. Cuisine classique de qualité, avec une carte des vins remarquable – des classiques de la région aux découvertes de l'année. Menus de 28 à 85€. *22, bd. de Verdun (face à la gare) Tél. 04 67 76 06 24 Fermé dim. et lun.*

Dormir à Béziers

Vous ne trouverez pas ici d'hôtels de charme mais des établissements fonctionnels, rénovés dans le meilleur des cas... Pour dépanner ou faire escale une nuit ou deux, à petits prix.

petits prix

Hôtel du Champ-de-Mars (plan B1 n°30). Les dix chambres donnent sur un jardin tranquille, de 31 à 50€ la double. Totalement non fumeurs. Garage privé à disposition à 8€ la nuit. Petit déjeuner 6€. *17, rue de Metz Tél. 04 67 28 35 53 Ouvert tte l'année*

prix élevés

Hôtel Imperator (plan B2 n°31). En plein cœur de la ville (donc plutôt bruyant), un hôtel du XIXe siècle remis à neuf, doté de chambres meublées de façon un peu lourde, mais confortables et climatisées. Comptez de 60 à 85€ pour une chambre double. Petit déjeuner 7€. Parking 9€. *28, allée Paul-Riquet Tél. 04 67 49 02 25 Ouvert tte l'année*

Dormir dans les environs

☺ **Château de Murviel.** De grandes chambres somptueuses dans un château du XVe siècle. Plafonds à la française, murs en pierres apparentes, parquets anciens et sdb modernes (85€ pour 2 personnes et au moins 2 nuits, petit déjeuner inclus, ou 510€ par semaine). *1, place Clemenceau 34490* ***Murviel-lès-Béziers*** *(à 15km au nord-ouest de Béziers) Tél. 04 67 32 35 45 www.chateau-de-murviel.com Ouvert tte l'année*

Où dormir au bord de l'eau ?

Aloha village. Terrain de camping 4 étoiles de 480 emplacements le long de la plage de Sérignan. De 17 à 43€ la nuit pour 2 personnes et une voiture selon la saison. Location de mobile homes (de 245 à 966€ pour 6 personnes la semaine) ou de petits chalets (de 245 à 868€ pour 6 personnes la semaine). *La Maïre 34410* ***Sérignan*** *(à 12km au sud-est de Béziers) Tél. 04 67 39 71 30 www.yellohvillage-aloha.com Ouvert mai-mi-sept.*

Agde

34300

Des Grecs, elle a gardé le nom (Agata, déesse lunaire ensorceleuse) et, sous ses eaux, elle a enfoui leurs vestiges, pièces, statues et bronzes antiques. L'Éphèbe, lui, après être parti au Louvre, est enfin revenu à la ville, et les activités portuaires se sont transformées. Le comptoir commerçant, encore bien en verve jusqu'au XVIIIe siècle – idéalement placé entre un fleuve, un canal et une mer –, est devenu une curiosité pour touristes, un point de départ de croisières en péniche aménagée. L'estuaire de l'Hérault a perdu son côté sauvage – au Cap-d'Agde il a presque disparu, au Grau-d'Agde et à la Tamarissière il transparaît encore par endroits... Mais le centre du vieil Agde abrite des richesses insoupçonnées : des hôtels particuliers des XVIe, XVIIe et XVIIIe siècles florissants, des ruelles pavées et escarpées, une cathédrale de pierre noire au clocher volcanique et imposant. Dans l'ancien quartier des pêcheurs, dans des maisons joliment délabrées, l'art a repris le flambeau et l'on peut s'y risquer en toute tranquillité...

Agde, mode d'emploi

accès

EN TRAIN Gare SNCF à Agde. À 15min de Béziers et à 4h10-4h30 de Paris. ***SNCF*** *Tél. 3635 www.voyages-sncf.com*

EN VOITURE Par l'autoroute A9, sortie 35, et par l'A75, sortie 59. Par la RN112 de Béziers (15km), par la N113 puis la N9 également de Montpellier (50km).

EN CAR Des bus relient Agde à Béziers (ligne 210), à Pézenas (lignes 276 et 277), à Sète (ligne 323) mais aussi à Marseillan (en été seulement). Fréquence relative, surtout hors période scolaire... ***Hérault Transport*** *Tél. 0825 34 01 34*

orientation

Un boulevard fait le tour du centre historique. Essayez de vous garer dès qu'une place apparaît ou bien optez pour les parkings payants (celui de la promenade ayant le mérite d'être ombragé). Pour rejoindre le Cap ou le Grau, il faut reprendre la voiture à moins de louer un vélo.

transports urbains

BUS. D'Agde au Cap-d'Agde (lignes 273 et 275) et au Grau-d'Agde (ligne 272).

informations touristiques

Office de tourisme. Il recense chaque année les chambres chez l'habitant. *Espace Molière Tél. 04 67 94 29 68 www.agde-herault.com. Ouvert en saison : lun.-sam. 9h-19h, dim. 10h-13h et 15h-18h ; hors saison : lun.-sam. 9h-12h et 14h-18h*

marchés

Tous les matins au marché couvert d'Agde (sauf le lundi), le jeudi sur la Promenade, le jeudi encore sur la place Gambetta et la place du Jeu-de-Ballon (fleurs). Un marché nocturne le mardi soir en été sur la Promenade. Jeudi et dimanche toute l'année au Grau-d'Agde (tous les matins en haute saison).

fêtes et manifestations

En été, ne ratez pas les joutes nautiques sur l'Hérault, la fête des Pêcheurs début juillet et les fêtes de la mer à la fin du mois... *Agenda complet sur le site Internet www.capdagde.com*

Découvrir Agde

☆ **À ne pas manquer** Le centre du vieil Agde, le musée de l'Éphèbe au Cap-d'Agde **Et si vous avez le temps...** Visitez en famille l'aquarium du Cap-d'Agde, découvrez l'étang de Thau et ses saveurs à bord de l'Étoile de Ménami, passez un après-midi sur la plage du Castellas

Visites guidées En juillet et en août visitez le **cœur historique** de la ville avec un guide conférencier (mar. et ven. à 10h, adulte 5€, enfant 3€). Visites guidées du fort de Brescou avec accès par navette bateau au départ du Cap-d'Agde tlj. 10h30 (sauf mer.) à 14h30 et 16h30 (adulte 3€, enfant 1,50€, sans le prix du trajet). En juil.-août, départ également du Grau-d'Agde à 14h30. *Réservations auprès de l'office de tourisme pour les groupes Tél. 04 67 94 29 68*

Musée agathois Un musée plein de charme, au cœur de la cité, logé dans un hôtel Renaissance et tenu par des passionnés. Vingt-six salles retracent l'histoire agathoise de l'Antiquité à nos jours, notamment son folklore, ses activités viticoles et marines, en abordant des thèmes variés. L'art tient une place importante grâce aux collections de dentelle, mobilier, faïence... De nombreuses reconstitutions témoignent de la vie quotidienne d'antan. *5, rue de la Fraternité* ***Agde*** *Tél. 04 67 94 82 51 Ouvert tlj. 9h-12h et 14h-18h, possibilité de visites guidées à partir de 10 pers. sur réservation Adulte 4€ TR 1,60€*

☆ **Musée de l'Éphèbe** La plus belle collection française de bronzes antiques qui ait été remontée à la surface par des plongeurs archéologues depuis plus de quarante ans... Reconstitution d'un atelier de bronzier et présentation des dernières découvertes, sous la forme de grandes expositions temporaires. *Mas de la Clape* ***Cap-d'Agde*** *(à 5,5km d'Agde) Tél. 04 67 94 69 60 Ouvert tlj. 9h-12h et 14h-18h Adulte 4€ TR 1,60€*

En savoir plus sur la vie marine

Aquarium Trente-deux bassins et 250 000 litres d'eau de mer renouvelée sans cesse offrent aux touristes une contemplation idéale et aux pensionnaires des conditions optimales. La visite commence avec des espèces locales puis tropicales : murènes, poulpes, rascasses tropicales et hippocampes mais aussi des balistes, requins, et d'étonnants coraux luminescents. Entre le poisson clown et l'anémone, le spectacle est toujours aussi saisissant. L'aquarium propose aussi des sorties autour de la vie marine et sous-marine des petits fonds rocheux, au pied des falaises sur la plage de la Grande Conque (à proximité de l'aquarium). Pour les 4-13 ans, sorties "pieds dans l'eau" en juillet-août du lundi au vendredi à 9h30 (6€ par enfant), accompagnement d'un adulte obligatoire et gratuit. *11, rue des Deux-Frères* **Cap-d'Agde** *Tél. 04 67 26 14 21 www.aquarium-agde.com Ouvert juil.-août : tlj. 10h-23h ; juin et sept. : tlj. 10h-19h ; oct.-mai : lun.-sam. 14h-18h, dim. 11h-19h Entrée adulte 6,50€ Enfant (6-12 ans) 4,50€*

Pratiquer des sports nautiques

Centre nautique du Cap-d'Agde. Stages et location de matériel : planche, catamaran, canoë. *Plage Richelieu-est (à 5,5 km d'Agde) Tél. 04 67 01 46 46*

Voguer en kayak

En juillet et août, initiation gratuite, pour les adultes et les enfants, sur la plage du Cap-d'Agde et au Grau-d'Agde *Office de tourisme Tél. 04 67 01 04 04 Service des sports Tél. 04 67 94 65 64*

Randonner à cheval

Ranch Luke. Balades à cheval sur la plage, de 8h au coucher du soleil – en été, de 19h à 21h : l'heure rêvée... *Route de la Tamarissière* **Agde** *(RN112, sortie La Tamarissière) Tél. 04 67 21 13 10 et 06 88 13 26 17 Ouvert avr.-sept.*

Où prendre un verre au bord de l'eau ?

Lézard Beach. Après l'île des Loisirs, tout au bout de la plage Richelieu, la musique résonne sur le sable désert : à l'heure de l'apéritif, l'endroit est vraiment magique... On oublierait presque les alentours ainsi que la foule qui, bientôt, va déferler sur les manèges, les palais du rire ou des miroirs et autres subtiles attractions... *Plage Richelieu-est* **Cap-d'Agde** *(environ 5,5km d'Agde) Tél. 04 67 01 75 36 Ouvert mars-déc.*

La Bodega. Sur le quai de l'Hérault, un bar à tapas animé où la musique retentit gaiement. Quelques salades également, du boudin créole, des grillades et des moules frites, au cas où... *7 bis, quai du Commandant-Méric* **Le Grau-d'Agde** *(à 4km d'Agde) Tél. 04 67 00 17 31 Fermé fin nov.-fin mars*

Où sortir le soir ?

La Plage du Golf. Ce bar musical propose tout un programme de soirées, avec des concerts de musique latine, africaine ou orientale, des DJ invités – presque tous les soirs, sauf le lundi– sur la plage Richelieu. Fait également restaurant et plage privée la journée. *Plage Richelieu-est Île des Loisirs* **Cap-d'Agde** *(à 8km d'Agde) Tél. 04 67 26 52 15 Fermé oct.-avr.*

Découvrir les environs

Explorer l'étang de Thau

Réserve naturelle du Blagnas Au bord de l'étang de Thau, une zone humide riche en roselières, en insectes et en oiseaux… Pour observer les échassiers et autres espèces limicoles, et peut-être quelques flamants, rendez-vous mardi et vendredi à 9h en été et jeudi à 20h en juillet et 19h en août. Autre calendrier de sorties prévu hors saison, autour des mares et des volcans. *ADENA Domaine du Grand Clavelet (dir. Marseillan-Plage et Sète) Tél. 04 67 01 60 23 Ouvert lun.-ven. 9h-17h*

L'Étoile de Mémani. Une vedette vous emmène à la découverte de l'étang de Thau, à partir du port de Marseillan. Certains jours, vous pourrez visiter un parc ostréicole, et même goûter à la brasucade de moules chez un exploitant – vous ne rentrerez alors qu'en fin d'après-midi, grisé par les saveurs et couleurs de l'étang… *Quai rive gauche 34340* ***Marseillan*** *(à 8km d'Agde) Tél. 04 67 77 28 23 et 06 03 23 73 65*

Partir en croisière

Les Bateaux du Soleil. Ces longues péniches vous promènent sur les voies d'eau des environs, au départ d'Agde, Béziers, Vias ou Marseillan, sur le canal du Midi et/ou sur l'étang. À l'heure (2h minimum) ou à la journée, avec le repas, au choix. *6, rue Chassefières* ***Agde*** *Tél. 04 67 94 08 79*

Aller à la plage

Les plages sont peu aménagées à La Tamarissière, très équipées au Cap-d'Agde sur la plage Richelieu – mais assez larges et de sable fin. On peut aussi se rapprocher de Sète et traverser les quelques dunes survivantes de la plage du Castellas, en évitant la foule de Marseillan-Plage. Entre le Grau-d'Agde et le Cap-d'Agde, quelques falaises, pour changer un peu de décor, puis au Cap, sur l'Île des Pêcheurs, des plagettes et baies les unes à la suite des autres, à aborder au printemps de préférence pour ne pas se retrouver coincé dans d'affreux bouchons… Le plus tranquille reste l'étang de Thau, sans plage véritable mais avec de l'eau – histoire de se rafraîchir quelque peu entre deux balades.

Pratiquer des sports nautiques

Cercle de voile de Marseillan. Location, cours et stages de planche à voile, de voile et de catamaran. *Quai de Toulon 34340* ***Marseillan*** *(à 8km d'Agde) Tél. 04 67 77 65 22*

Où déguster du vin, des alcools délicats ?

☺ **Vignobles Montreux de Fages.** Travaillées selon les règles de l'agriculture biologique, les vignes de Guy Rambier et Jacques Tournant sont réparties sur deux secteurs : au-dessus de l'étang de Thau et sur les terres volcaniques de Gabian. Le picpoul est léger et frais, agréable en bouche, et la cuvée Mariage en blanc est un vrai délice. Pour les vins rouges, les bouteilles de la récolte 2001 de la cuvée des Pères sont à boire et à garder… *Route de Mèze 34340* ***Marseillan*** *(à 8km d'Agde) Tél. 04 67 77 59 17 Ouvert tte l'année*

Noilly-Prat. Dans le chai de fabrication de cet apéritif renommé installé sur le port de Marseillan, vous suivrez tous les procédés de fabrication, depuis le vieillissement des vins jusqu'à leur macération au milieu des épices et plantes du monde entier qui donnent à ce breuvage son amertume légère et son sucre : camomille, coriandre, écorce d'orange amère ou noix de muscade. Une belle boutique vous propose, bien sûr, d'en rapporter quelques bouteilles. *34340* ***Marseillan*** *(à 8km d'Agde) Tél. 04 67 77 20 15 Ouvert tlj. mars-avr. et oct.-nov. : 10h-11h et 14h30-16h30 ; mai-sept. : 10h-11h et 14h30-18h*

Où prendre un verre au bord de l'eau ?

Le Château du Port. Le bar draine à lui tout le port, au rez-de-chaussée d'une grande demeure du XIXe siècle, tout en hauteur. On y prend l'apéritif au bord du quai, sans bruit, sans voitures, et on peut même y rester dîner (poissons et fruits de mer). Menus à 20 et 29€. *9, quai de la Résistance (quai rive droite). 34340* ***Marseillan*** *(à 8km d'Agde) Tél. 04 67 77 31 67 Fermé fin oct.-mars*

Manger à Agde

prix moyens

☺ **Larcen.** Une fois que l'on a réussi à trouver l'endroit, passé les perfides sens interdits du centre-ville et pris d'assaut le parking du cinéma Le Travelling, ce n'est que sourires radieux, détente et délices… Moderne, avec des meubles de bois sombre, profilés et élégants, le décor aère la tête et change agréablement des sempiternelles “salles à manger cossues d'un autre temps” ou, mieux encore, des gargotes sans âme des bords de quai. Les plats mêlent produits locaux et saveurs d'ailleurs, la selle d'agneau en crumble avec la mousseline d'aubergines cuisinée aux épices douces est absolument fondante. Les vins sont également très bien choisis, à tous les prix. Entrées et desserts autour de 8€, plats de 12 à 18€. *41, rue Brescou* ***Agde*** *Tél. 04 67 00 01 01 Fermé dim.-lun.*

Le Calamar. Accueil des plus souriants, décoration vraiment agréable, et terrasse tranquille sur l'eau ou en surplomb… L'ardoise du jour vous proposera ses actualités, et la carte des vins – un bijou de papiers découpés, collés, assemblés – vous emmènera vers d'autres voyages. Ce restaurant ressemble à une petite escale d'artistes, simple et sensible. *33, quai Théophile-Cornu* ***La Tamarissière*** *(à 4,5km d'Agde) Tél. 04 67 94 05 06 Fermé juil.-août : lun.-mar. et sam. le midi ; hors saison : lun.-mar. ; mi-nov.-mi-fév.*

prix élevés

☺ **Le Caladoc.** Encore un beau coup de cœur, cette fois en plein temple de l'artificiel : l'Île des Loisirs, un no man's land du raffinement… Et pourtant il se cache ici une très bonne table, dans un havre de paix, entouré de bambous et d'arbustes vert tendre, sur une terrasse en bois exotique, à la lueur de petites bougies discrètes, épurées comme le reste… L'intérieur mise aussi sur le design sobre et clair, la cave à vins est extraordinaire, tout en verre, et l'accueil y est des plus souriants, ni affable ni distant, naturel tout simplement. Menu à 30€ avec les suggestions du jour, ou bien à la carte – entrées de 11 à 22€, plats de 16 à 23€, desserts 7,50€. Présentation graphique et soignée, cuisson parfaite, produits exquis. *Île des Loisirs* ***Cap-d'Agde*** *(à 5,5km d'Agde) Tél. 04 67 26 87 18 Fermé à midi, jan.-fév.*

Manger au bord de l'étang de Thau

petits prix

La Maison de Camille. Des crêpes (de 3 à 7€) et des salades à 8€. Mais aussi des glaces, des thés excellents et toutes les boissons que l'on peut imaginer. Les tables sont en bois exotique, les fauteuils sertis de fer forgé et, le soir, les petites flammes des bougies vacillent dans le vent. La maison est aussi une boutique de décoration. *12 bis, quai Antonin-Gros (quai rive gauche) 34340* ***Marseillan*** *(à 8km d'Agde) Tél. 04 67 94 18 51 Fermé jeu. hors saison*

prix moyens

Ferme-auberge de Creyssels. Dans les vignes des coteaux de Thau, une vieille demeure qui a traversé les siècles rien que pour vous, pour que vous puissiez y dîner, dans la fraîcheur des pierres, auprès de la cheminée ou bien au jardin, en été. À la carte : exclusivement des spécialités régionales. *34140* ***Mèze*** *(à 21km d'Agde) Tél. 04 67 43 80 82 Ouvert sam. soir, dim. midi et j. fér. à midi*

Côté Sud. Ses parents sont les mêmes que ceux de Camille (cf. petits prix), à côté, et l'on y retrouve le bon goût, à la fois dans les assiettes comme dans la décoration. Spécialités de la mer, poissons grillés, etc. *18, quai Antonin-Gros (quai rive gauche) 34340* ***Marseillan*** *(à 8km d'Agde) Tél. 04 67 01 72 42 Fermé mar.-mer. hors saison ; mi-nov.-mi-mars*

Auberge de la Mandoune. Dans la salle aux murs de pierre relevés de quelques notes de couleurs, de métal et de bois, les produits de la région viennent faire la sarabande pour vous réjouir les papilles : coquillages de l'étang de Thau, poissons de Sète ou d'Agde et viandes, légumes, fruits des coteaux… Les menus seront composés selon la saison, selon 3 formules de 18 à 27€. Il est fortement recommandé de réserver 48h à l'avance. L'établissement dispose également de 4 chambres d'hôtes. *Domaine de la Mandoune Route de Mèze 34340* ***Marseillan*** *(à 11km d'Agde) Tél. 04 67 77 21 14 Ouvert en saison : mar.-sam. le soir et dim. midi ; hors saison : week-ends Fermé jan.-fév.*

prix élevés

☺ **Chez Philippe.** Notre plus joli coup de cœur dans les environs… On ne sait d'ailleurs plus quoi mettre en avant en premier : l'accueil, la terrasse, l'intérieur, les assiettes, le goût, la simplicité, l'originalité ? Pour faire sobre, disons que l'on passe chez Philippe un excellent moment, au déjeuner comme au dîner, dans une atmosphère conviviale. Pleine d'audace, la cuisine concocte des alliances mystérieuses entre des ingrédients tout simples et des herbes, des épices, des moelleux et des croustillants… Sensoriel, sensuel assurément. Menu à 26€ avec, au choix, 5 entrées, 5 plats, 5 desserts. *20, rue de Suffren (rive gauche) 34340* ***Marseillan*** *(à 8km d'Agde) Tél. 04 67 01 70 62 Fermé lun.-mar. ; mi-nov.-mi-fév.*

Dormir à Agde et dans les environs

camping

Domaine Sainte-Cécile. À peu près 200 emplacements, au bord de la plage, dans un grand parc. De 15 à 26,50€ pour 2 pers. et une voiture. Location de mobile homes et de bungalows à la semaine. *Vias-Plage 34450* ***Vias*** *(à 8km d'Agde) Tél. 04 67 21 63 70 Ouvert avr.-sept.*

petits prix

Hôtel de l'Éphèbe. Sur le quai de l'Hérault, ce petit hôtel familial propose des chambres simples, avec ou sans douche, certaines avec vue sur la mer, d'environ 30 à 67,50€ (selon la saison, le confort et la situation). Forfaits "Soleil" 5 jours en basse saison, de 180 à 255€. *12, quai du Commandant-Méric* ***Le Grau-d'Agde*** *(à 4km d'Agde) Tél. 04 67 21 49 88 Ouvert 15 mars-15 nov.*

Hôtel des Arcades. Cet ancien couvent se tortille entre les murs, offre une chambre au rdc, quelques autres aux étages sur rue (un peu bruyant) ou sur cour… On y est accueilli avec chaleur, et pour une somme vraiment modeste : 35€ avec douche et WC sur le palier, 43€ avec douche et 48€ avec tout. Petit déj. 6€. *16, rue Louis-Bages* ***Agde*** *Tél. 04 67 94 21 64 Ouvert tte l'année*

prix moyens

Le Château vert. Une grande maison au bord du quai, dont les chambres sont disposées tantôt sur l'eau, tantôt à l'ombre d'un vaste parc (plus reposant en été). Doubles avec douche de 36 à 50€ ; de 50 à 60€ avec douche et WC, et de 60 à 70€ avec terrasse. Petit déj. 6€. *25, quai du Commandant-Méric* ***Le Grau-d'Agde*** *(à 4km d'Agde) Tél. 04 67 94 14 51 Ouvert avr.-sept.*

prix élevés

Domaine Font de Rey. Un ancien domaine viticole, un grand parc où les cigales, au plus fort de la chaleur, crissent et crient, une piscine au fond de mosaïque et une maison aux pierres et tomettes magnifiques : tel sera le décor de votre séjour ici. Les chambres sont tranquilles et leurs petits hublots ouvrent tantôt sur le parc, tantôt sur les vignes. La nuit, vous sentirez soudain une brise venue de nulle part – de la mer peut-être – venir balayer les vignes et rafraîchir vos songes... Doubles de 55 à 95€ avec petit déj. *34810* ***Pomérols*** *(à 10km au nord-est d'Agde) Tél. 04 67 77 08 56 Ouvert tte l'année*

prix très élevés

☺ **Hôtel du Golf.** Îlot d'élégance au sein d'un univers de fritaille, l'hôtel du Golf fait de la résistance et parvient à offrir un séjour de rêve à ses hôtes qui, une fois installés, n'auront plus aucune raison de s'aventurer au-dehors... La piscine au milieu des arbres est un délice, le restaurant un supplice de saveurs, et un petit chemin malin mène à la plage, un espace privé, bien sûr, retranché derrière ses rangées de parasols et matelas. Fermez les yeux sur les environs, et détendez-vous... Doubles à partir de 95€ hors saison et jusqu'à 158€ en été. Petit déjeuner de 12 à 15€ (continental ou buffet). *Île des Loisirs* ***Cap-d'Agde*** *(à 5,5km d'Agde) Tél. 04 67 26 87 03 www.hotel-du-golf.com Fermé jan.-fév.*

☆ Pézenas *34120*

On croirait y entendre le frou-frou des étoffes, le bruit des petits pas pressés, apercevoir la silhouette d'un gentilhomme, tout de velours pourpre ou grenat habillé... Les trois coups ont déjà été frappés, le rideau coulisse, glisse sur le plancher... Les hôtels particuliers sont vides, tous sont désormais installés : le théâtre a eu ici ses heures de gloire et, encore aujourd'hui, il crie ses dernières volontés. Festivals et représentations s'égrènent tout au long de l'année, renouant avec une tradition apportée par Molière, qui, en son temps, fut invité à séjourner ici, avec toute sa petite troupe, par le prince de Conti. Il avait pour mission de divertir la bonne compagnie, de distraire les notables de leurs états généraux (qui ont longtemps siégé ici) et autres administrations. À l'ombre des vieux murs, on trouve encore des artisans, costumiers ou décorateurs, pour prouver que le théâtre, à Pézenas, est encore vivant, hors du temps.

Pézenas, mode d'emploi

accès

EN VOITURE Par la N9 au départ de Béziers à l'ouest (25km), par la N113 puis la N9 également en venant de Montpellier à l'est (50km).

EN CAR Liaison au départ de Béziers (ligne 216), de Montpellier (lignes 103, 216, 403) et de Clermont-l'Hérault (ligne 304). ***Hérault Transport*** *Tél. 0825 34 01 34*

orientation

Le centre historique de Pézenas est exclusivement piéton. Vous pouvez vous garer aux abords sur les parkings (un seul payant) ou bien dans les rues plus éloignées.

informations touristiques

Office de tourisme de Pézenas-Val d'Hérault. Bureau SNCF, visites guidées, réservations de spectacles, affaires culturelles… *1, place Gambetta Tél. 04 67 98 36 40 www.ot-pezenas-valdherault.com Ouvert juil.-août : lun.-sam. 9h-19h (mer. et ven. jusqu'à 22h), dim 10h-19h ; horaires réduits hors saison*

location de deux-roues

Cycles Garin. Location de vélos à la journée, pour parcourir villages et vignobles à volonté… Demandez la carte VTT du pays de Pézenas, avec des idées de circuits aux environs. *Av. Émile-Combes Tél. 04 67 98 34 04*

marchés

Le samedi toute la journée.

fêtes et manifestations

Festival Boby Lapointe. En avril.
Mirondela dels Arts. Théâtre, musique et expos de juin à septembre. *Tél. 04 67 98 36 40 www.mirondeladelsarts.com*
Musique et Vins. Certains vendredis soir en saison haute : une visite de la ville, un concert et une dégustation de vins. Avis aux amateurs de bonnes soirées. *Tél. 04 67 98 36 40*

Découvrir Pézenas

☆ **À ne pas manquer** L'abbaye de Valmagne **Et si vous avez le temps…** Découvrez la ville les soirs d'été avec les visites théâtralisées, goûtez le petit pâté de Pézenas chez Lallemand

Visites guidées Du lundi au samedi à 17h en saison, avec un guide conférencier spécialisé, et certains jours hors saison (se renseigner à l'office de tourisme). L'été, des visites théâtralisées ont lieu en nocturne le mardi à partir de 20h30. Pour les enfants, des visites sont prévues les mercredis en saison de 16h30 à 18h30, avec un goûter et une animation contée. *Office de tourisme Tél. 04 67 98 36 40* ***Visites guidées*** *5€* ***Visites théâtralisées*** *12€ TR 9€ Enfant 6€*

Musée de la Porte et de la Ferronnerie Un musée original, situé dans une vieille demeure de la ville, qui réjouira les amateurs d'artisanat d'art. *17, rue Montmorency Tél. 04 67 98 35 05 Ouvert juin-sept. : 10h30-12h30 et 15h30-19h (nocturnes juil.-août mer. et ven. 21h-23h) ; hors saison : 10h-12h et 14h-17h Fermé dim.-matin et lun.*

Maison des Métiers d'art Une mine d'informations sur les nombreux artisans d'art de la ville et des environs : ferronniers, fabricants de costumes, créateurs de vêtements, de bijoux, de lampes, etc. Expositions temporaires de grande qualité.

6, place Gambetta Tél. 04 67 98 16 12 Fax 04 67 90 14 69 Ouvert juil.-août : mar.-dim. 10h-19h ; hors saison : 10h-12h et 14h-19h Entrée libre

Se baigner dans une source d'eau chaude

Espace aquatique. Vous aurez le choix entre trois bassins d'eau chaude. *Avenue Paul-Vidal-de-la-Blache Tél. 04 67 09 44 88 Ouvert en été : tlj. 12h30-18h30 (sauf dim., 14 juil. et 15 août) ; hors saison : service des sports Tél. 04 67 90 41 13*

Où goûter des berlingots parfumés ?

Confiserie Boudet. Multicolores, oblongs, ronds comme des billes ou torsadés : les couleurs de ces berlingots viennent de la violette, de la carotte, de la chlorophylle ou de la betterave, et les meilleurs se vendent à la confiserie Boudet. *5, place Gambetta Ouvert en saison tlj. 10h-12h et 14h-18h* ***Visite de la fabrique*** *Chemin de Saint-Christol Tél. 04 67 98 16 32 Ouvert lun.-ven. 9h-11h30*

Où déguster les petits pâtés de Pézenas ?

Chez Lallemand. On y confectionne de célèbres petits pâtés sucrés-salés, dont la recette a été rapportée au XVIIIe siècle par les cuisiniers de lord Clive, vice-roi des Indes, qui était en séjour à Pézenas. *19, rue des Chevaliers-Saint-Jean Tél. 04 67 98 81 98 Fermé lun.*

Où sortir le soir ?

☺ **Cardamone Café.** Les meilleurs crus de café du monde entier, fraîchement torréfiés, à déguster sur place en feuilletant la *Blablabla* – une nouvelle feuille d'informations "positive et constructive"... Des appartements de charme à louer à la semaine (de 1 000 à 1 500€ pour 4/6 pers.), dans un ancien couvent des Ursulines. *10, rue des Chevaliers-Saint-Jean Tél. 04 67 37 79 93 Ouvert mar.-sam.*

L'Aparté. Parmi quelques milliers de bouquins anciens surgissent des tables, des tasses et une grande variété de thés, à déguster en papivore, le nez entre les lignes... *13, rue de la Foire Tél. 04 67 98 03 04 Ouvert juil.-août : mar.-sam. 10h-12h et 15h-19h, dim.-lun. 15h-19h ; hors saison : mar.-dim. 15h-19h*

Découvrir les environs

☆ **Abbaye de Valmagne** Cistercienne et pleine de charme, toute de calcaire coquillier, elle garde au cœur de sa nef de gigantesques foudres ayant servi à conserver du vin. Visite guidée passionnante, jardin d'herbes médicinales à ne pas manquer. *34560* ***Villeveyrac*** *(à 15km de Pézenas) Tél. 04 67 78 06 09 Ouvert mi-juin-sept. : tlj. 10h-12h et 14h30-18h ; hors saison : 14h-18h Fermé mar. de mi-déc. à mi-fév., 25 déc. et 1er jan. Adulte 6,90€, enfant 5,50€*

☺ **Les Arts Vailhan.** Ils sont complices et inventifs : ce sont les membres éclectiques d'une association qui organise des expositions et événements entre art et village. Demandez le programme de l'année. *5, chemin du Perdut 34320* ***Vailhan*** *(à 18km de Pézenas) Tél. 04 67 24 66 59*

Où acheter du vin ?

☺ **Domaine Fontedicto.** Labourées par ses juments de trait, les belles vignes de Bernard Bellahsen font battre le cœur ; ses vins sont tout aussi émouvants et d'une finesse étonnante. Cuvée Pirouette environ 11€, Promise 24€. *Fontarèche 34720* ***Caux*** *(à 7,5km de Pézenas) Tél. 04 67 98 40 22 Ouvert tte l'année sur rdv*

Mas des Cigales. Leurs rouges et rosés trônent sur toutes les tables de l'été… *54, bd Anselme-Nougaret 34720* ***Caux*** *(à 7,5km de Pézenas) Tél. 04 67 98 46 18 Ouvert juin-août : tlj. sauf dim. 11h-12h et 18h-20h ; hors saison : mar., jeu. et sam. 11h-12h et 17h30-19h30*

Domaine Saint-Martin-de-la-Garrigue. Riche gamme de vins, sur un domaine splendide, au milieu des pinèdes. De 6 à 13€. *34530* ***Montagnac*** *(à 6,5km de Pézenas) Tél. 04 67 24 00 40 Ouvert lun.-ven. 8h-12h et 13h30-17h30*

Domaine de la Clapière. Un très bon domaine également, producteur de l'AOC coteaux du languedoc. Le cate fer 2003 est splendide, il a d'ailleurs obtenu le prix d'excellence aux Vinalies de 2002. *34530* ***Montagnac*** *(vers Villeveyrac à 6km de Pézenas) Tél. 04 67 24 06 16 Ouvert tte l'année sur rdv*

Manger à Pézenas et dans les environs

petits prix

☺ **La Station Mir.** On y grignote les assiettes du jour : parmentier de canard, plats végétariens, brochettes de viande marinée, et bien d'autres spécialités de la grande Méditerranée. La maison reste ouverte tard dans la soirée (ce qui est bien rare dans les environs) et assure un accueil des plus amicaux à tout voyageur en escale… On peut venir y boire un verre à n'importe quelle heure de la journée mais, les soirs de concert (de septembre à mai), passé 22h pile, n'essayez pas de rentrer : c'est commencé. D'autres soirées sont également organisées : lectures, débats citoyens… La Sacem lui a même décerné un prix spécial, pour l'encourager à continuer. Demandez le programme ! *50, rue Conti 34120* ***Pézenas*** *Tél. 04 67 98 54 23 Fermé dim. et l'été*

prix moyens

☺ **The Boucherie of Magalas.** Garez-vous en bas du village de Magalas et montez jusqu'à l'église. Là, sur la place, quelques tables, un grand comptoir à l'intérieur. De la très bonne viande, à emporter ou à savourer sur place, dans une ambiance décalée. Accueil plein d'humour et déco kitsch joyeusement délirante. Menus à 16 et 24€ ; à la carte, plats 13€, entrées 7€. Goûtez également aux délicieuses charcuteries de

Lacaune, aux plats mijotés, aux andouillettes divines et aux viandes grillées... *34480* ***Magalas*** *(à 21km de Pézenas) Tél. 04 67 36 20 82 Fermé sam. midi, dim. et lun.*

Les Palmiers. Une petite cour intérieure parsemée de lampions, de lumières, de couleurs, et une cuisine ouverte sur le monde, mêlant produits locaux et épices d'ailleurs – lait de coco, gingembre... On s'y régale, dans une atmosphère pleine de vie et de sourires. Plats de 12 à 24€. *10, rue Mercière 34120* ***Pézenas*** *Tél. 04 67 09 42 56 Fermé oct.-avr.*

Dormir à Pézenas

prix moyens

Maison d'hôtes À la Dordine. Cinq petites chambres au cœur de l'ancien quartier juif de Pézenas. Murs en pierres apparentes et mobilier de bois et rotin. Fonctionnel et accueillant. Chambres à 40-50€ pour 2 pers. petit déj. inclus. Le soir, "découverte gourmande" : dégustation de vins et produits régionaux, 20€/pers. *209, rue des Litanies Tél. 04 67 90 34 81 www.ladordine.com Ouvert tte l'année*

Maison d'hôtes Fortassier. Deux chambres sobres et claires, dans une maison de village rénovée au cœur de Pézenas, à 55€ la double, petit déj. inclus sur la terrasse. *3, rue de Fleurus Tél. 04 67 90 08 78 et 06 09 28 87 26 Ouvert tte l'année*

prix très élevés

☺ **Hôtel d'Alfonce.** C'est ici, dans cet hôtel particulier du XVIIe siècle, que Molière et sa troupe ont donné leur première représentation. Après être passé par la monumentale porte en bois, on pénètre dans une première cour intérieure, tout en escaliers et colonnades, puis, passé un second porche, on plonge dans un petit jardin : c'est au-dessus de cet agréable univers que l'on prend son petit déjeuner, sur la loggia. Chambres doubles splendides à 100€, petit déjeuner inclus. *32, rue Conti Tél. 04 67 90 71 89 Ouvert tte l'année*

Dormir dans les environs

camping

Domaine de Saint-Martin-du-Pin. Au milieu des vignes et des pins, un terrain ombragé sur un domaine viticole. Charmant. Comptez 19€ par jour pour 2 personnes avec voiture. *34530* ***Montagnac*** *(à 9km de Pézenas) Tél. 04 67 24 00 37 ou 05 63 60 47 50 Ouvert juin-sept.*

prix élevés

☺ **Domaine du Cayrat.** De petites maisons dans la cour d'un domaine viticole, à louer à la semaine en été, au week-end ou à la nuitée le reste de l'année. Accueil charmant, atmosphère sereine et couleurs claires reposantes et piscine. Balades aux environs. Pas de table d'hôte mais une intéressante proposition : un délicieux couscous préparé par une voisine algérienne (pour 4 pers., par exemple, moyennant env. 40€ ! Doubles de 65 à 75€, petit déjeuner inclus. *34120* ***Cazouls-d'Hérault*** *(à 5km de Pézenas) Tél. 04 67 25 15 44 www.lecayrat.com Ouvert tte l'année*

La Vigneronne. Une grande bâtisse restaurée avec élégance, dotée d'une magnifique piscine entourée de murs. Chambre double à 69€ petit déjeuner inclus, 29€ le repas. En été, séjour de 3 jours consécutifs minimum. *Chez Christian Godefroy 18, route de Pézenas 34600* ***Faugères*** *(à 24km de Pézenas) Tél. 04 67 95 78 49 www.lavigneronne.com Ouvert tte l'année*

☺ **Château Les Sacristains.** Au cœur du vignoble, une demeure magnifique, restaurée et décorée avec goût, dans des tons chauds. Tomettes, meubles en bois et piscine dans le parc… Vraiment plaisant. Doubles à 75€ hors saison et 90€ en juillet-août. Petit déjeuner 9€, demi-pension 35€. Appartements à partir de 435€/semaine. *34530* ***Montagnac*** *(à 6,5km de Pézenas) Tél. 04 67 43 49 89 www.chateau-les-sacristains.fr Ouvert tte l'année*

Olargues

34390

C'est par Olargues que l'on pénètre au pays du schiste tiède, au détour d'un virage du Jaur, sa rivière préférée. Plus haut se déploient les grands lacs, les grandes étendues d'herbe et de bois, que l'on quitte soudain, par-delà le col du Cabarétou, pour plonger dans l'air sec et chaud de l'Espinouse, du Caroux. On se réveille en terre méditerranéenne, au milieu des palmiers, des orangers, des mimosas. Les vignes s'abreuvent de cette alchimie-là, donnant des vins généreux et élégants. Accrochée au balcon des monts, Olargues semble immuable : ses ruelles s'enroulent en colimaçon vers le ciel, et étouffent la chaleur sans broncher.

ITINÉRAIRES DE CARACTÈRE Olargues se trouve au centre d'une mosaïque de terroirs divers et complémentaires pour qui aime allier nature sauvage, patrimoine et dégustations… La route des Vins traverse les plus grands vignobles du Languedoc et quelques villages vraiment attachants, de Saint-Chinian à Faugères, entre garrigues odorantes et schiste brûlant… Depuis Olargues et Mons-la-Trivalle, on redescend par Vieussan vers Roquebrun – le "Petit Nice", comme on le surnomme ici à cause de son microclimat, son jardin méditerranéen. Puis on traverse les vignes et on serpente jusqu'à Berlou, puis Cessenon. De là, il faut remonter sur Saint-Nazaire-de-Ladarez et Causse-et-Veyran. La route de l'Orb, elle, remonte vers la source de la rivière et révèle d'autres hameaux – non plus viticoles mais montagnards, ruraux, de pierres brutes et de lauze collées aux parois ventées… Après Saint-Gervais-sur-Mare, il y a le village médiéval de Tour-sur-Orb et le château de Boussagues puis, plus bas encore, il y a Lunas et Joncels… La route des Lacs, enfin, s'envole sur les sommets de l'Espinouse et du Somail pour rejoindre le Tarn et l'Ariège : on y découvre, suspendus dans les vallées, les villages superbes de Fraisse-sur-Agout, La Salvetat – autant d'escales de caractère dans une région tour à tour gaie, austère, lumineuse puis intensément rayonnante, selon les heures, les jours, les saisons.

PARC DU HAUT-LANGUEDOC Le territoire de ce parc naturel régional créé en 1973 englobe la partie sud-ouest du Massif central – ses derniers soubresauts avant la mer – et subit encore les influences conjointes de l'Atlantique et de la Méditerranée, tant dans son climat que dans sa végétation. On y dénombre des milliers de plantes, des orchidées en particulier, mais aussi le mouflon, le sanglier, l'aigle royal, à découvrir dans les forêts, au bord des lacs (Raviège, Saut de Vésole), à pied, à cheval ou à VTT, en alternant pêche, baignade, botanique, spéléo…

Olargues, mode d'emploi

accès

EN BUS Quelques bus par jour au départ de Clermont-l'Hérault *via* Bédarieux. ***Hérault Transport*** *Tél. 0825 34 01 34*

EN VOITURE Par la D908 en venant de Saint-Pons à l'ouest (20km) ou de Bédarieux à l'est (30km), et par la D14 de Béziers (30km).

informations touristiques

Office de tourisme d'Olargues. *Tél. 04 67 97 71 26 www.olargues.org Ouvert juil.-août : tlj. 9h-13h et 16h-19h ; hors saison : lun.-sam. 10h-12h et 14h-17h Fermé mer*

Maison de tourisme de Saint-Pons-de-Thomières. Vitrine informative du parc du Haut-Languedoc. *Place du Foirail 34220 Saint-Pons-de-Thomière Tél. 04 67 97 06 65 www.saint-pons-tourisme.com*

marchés

Lundi à Bédarieux, mercredi à Saint-Pons-de-Thomières et dimanche à Saint-Chinian.

fêtes et manifestations

Festival Les Nuits de la terrasse et Del Catet. Les 10 premiers jours d'août, du théâtre, du cirque à Murviel-les-Béziers, Causse-et-Veyran, Saint-Nazaire-de-Ladarez, Thézan-les-Béziers et Pailhès. *Tél. 04 67 39 09 32*

Découvrir Olargues et ses environs

☆ **À ne pas manquer** Une visite chez un producteur de saint-chinian, le pont du Diable à Olargues, les gorges d'Héric **Et si vous avez le temps…** Baignez-vous dans les piscines naturelles des gorges de Colombières, passez un après-midi aux bains à Avène, goûtez aux vins du domaine Lisson à Olargues

Le village se découvre au hasard des ruelles, tranquillement, en flânant. On y entre par l'une des deux portes vestiges des anciennes fortifications, on monte puis on redescend vers la rivière, jusqu'au **pont du Diable**, un magnifique ouvrage datant du XIIIe siècle. Là, on peut descendre encore et marcher au fil de l'eau, au pied du village, dans la vallée des cerisiers et des châtaigniers.

Où goûter des vins tout en fruits et épices ?

La caractéristique du terroir saint-chinian vient d'un heureux mélange entre altitude, eau, microclimat et sols. Les vins sont complexes et agréables en bouche, tirant sur la framboise, le cassis et les épices (laurier, poivre), tout en conservant une bonne fraîcheur ; les vinifications et assemblages sont pour cela très travaillés. On trouve à Olargues et dans les proches environs des domaines réputés, de bonnes caves coopératives et des figures montantes, soucieuses d'associer respect des sols, amour du fruit et de la vie...

☺ **Domaine Lisson.** Pour vous faire goûter à la magie du lieu, Iris Rutz-Rudel vient vous chercher au bourg, puis l'aventure commence dans cette vallée du Jaur secrète et paisible. Ses vignes panachent mourvèdre et petit verdot, pinot et grenache, avec quelques pieds mystérieux. *Tél. 04 67 97 80 49 www.olargues.info sur rdv*

☺ **Domaine Rimbert.** Son fameux mas au schiste est tout simplement magnifique ! *Place de l'Aire 34360* ***Berlou*** *(à 21km d'Olargues) Tél. 04 67 89 74 66*

Borie La Vitarèle. Goutez les crès et les schistes en priorité. *34490* ***Causses-et-Veyran*** *(à 28km d'Olargues) Tél. 04 67 89 50 43 sur rdv*

Château Cazal-Viel. Dans un hameau perché, noyé dans la pinède, des vins d'excellente qualité. *34460* ***Cessenon-sur-Orb*** *(sur la D14 en dir. de Béziers, à 28km d'Olargues) Tél. 04 67 89 63 15 Ouvert 8h-12h et 13h-18h, sam.-dim. sur rdv*

Domaine Navarre. Un bon produit à des prix très doux, composé par un vigneron passionné, Thierry Navarre. *Av. de Balaussan 34460* ***Roquebrun*** *(à 20km d'Olargues) Tél. 04 67 89 53 58 sur rdv*

Découvrir des villes thermales

Lamalou-les-Bains Cette petite ville de cure a gardé une architecture du XIXe siècle typique des stations thermales : grandes bâtisses aux couleurs pastel délavées, un casino et des promenades arborées. *34240* ***Lamalou-les-Bains*** *(à 17km d'Olargues)*

Avène Austère au premier abord, cette station thermale se révèle pourtant sauvage et belle, posée au cœur de montagnes noires de hêtres et de sapins. Sans forcément faire de cure, on peut venir y passer 2 jours, goûter au calme et à la fraîcheur et se baigner dans le lac d'Avène, plus haut, ou encore à Ceilhes, un peu plus au nord et plus facile d'accès. *34260* ***Avène*** *(à 50km d'Olargues)*

Partir en randonnée

☺ **Vignes et vallées de schiste** Une dizaine de sentiers aménagés au pied de l'Espinouse et du Caroux, dans les vallées des rivières Orb et Jaur, entre vignes, schistes et châtaigneraies. *Cartes IGN et guides des PR édités par la FFRP en vente dans les offices de tourisme d'Olargues et des environs*

Club alpin français. Pour parcourir les massifs à pied, à VTT ou en escalade : le CAF de Caroux organise toute l'année des randonnées collectives à l'assaut des pentes rocheuses de l'Espinouse et du Caroux. *Tél. 04 67 28 09 68 www.clubalpin.com/béziers*

Faire une balade naturaliste

Pour percer les mystères d'un milieu naturel riche et foisonnant, profitez des sorties organisées par plusieurs organismes et associations spécialisées – surtout en été, mais aussi certains week-ends, toute l'année.

Cebenna. Des sorties plusieurs fois par semaine en été et environ une fois par mois en hiver, mais aussi des ateliers de Pâques à août pour les 5 à 12 ans. *Av. du Champ-des-Horts* ***Olargues*** *Tél. 04 67 97 88 00 www.cebenna.org*

Sorties botaniques Des balades sont organisées à Avène par des botanistes hors pair *Rens. auprès de l'office de tourisme d'Avène Tél. 04 67 23 43 38*

Se baigner en eau douce

☺ **L'Orb** Ici, les lieux de baignades ne manquent pas : les rives de l'Orb sont bordées de petites plages de galets ou de roches plates et tièdes, à Roquebrun (à 20km d'Olargues), mais aussi au pont de Réals (après Cessenon, à 28km d'Olargues), ou plus haut, vers La Tour-sur-Orb beaucoup moins fréquentée (à 30km d'Olargues).

☆ ☺ **Gorges** Les gorges d'Héric et les gorges de Colombières offrent de véritables piscines naturelles (malheureusement très fréquentées les dimanches après-midi !). Le parking (payant) est obligatoire au pied des gorges, puis il faut remonter à pied jusqu'à l'endroit désiré : plus on monte, plus on est tranquille... *34390* ***Colombières*** *(à 10km d'Olargues)*

Pratiquer le canoë

Grandeur Nature. Location de canoës selon diverses formules de parcours : 1h30, 3h, 5h, 6h30 (très sportif), voire plusieurs jours de descente avec dépose en minibus au départ du parcours choisi. Bon accueil, bon matériel, et magnifiques itinéraires. Parfait pour l'initiation. *34460* ***Roquebrun*** *(à 20km d'Olargues) Tél. 04 67 89 52 90 www.canoe-france.com*

Atelier Rivière Randonnée. Découverte de la vallée de l'Orb : 7 parcours de 5 à 36km (niveau initiation, perfectionnement). *Moulin de Tarassac 34390* ***Mons-la-Trivalle*** *(à 5km d'Olargues) Tél. 04 67 97 74 64 kayak.tarassac@wanadoo.fr*

Monter à cheval

Les Chevaux d'Isa'Anne. Promenades à cheval dans l'arrière-pays biterrois les mercredis, samedis et dimanches après-midi, ainsi que pendant les vacances scolaires toute la journée (12€ l'heure, 89€ pour 10h). *Les Combelles 34370* ***Cazouls-les-Béziers*** *(à 40km d'Olargues) Tél. 06 86 18 91 82*

Manger dans les environs

petits prix

☺ **Le Lézard bleu.** Un café bien agréable qui propose une impressionnante palette de bières, une petite restauration originale (des mezzés libanais et des plats afghans, par exemple) ainsi que des animations culturelles (expositions, cinéma, cabaret...) en été. Vue sublime sur la vallée de l'Orb. *CD 14 34390* ***Vieussan*** *(à 11km d'Olargues) Tél. 04 67 97 10 21 Fermé mar. et mer. hors saison Réservation souhaitée*

Dormir à Olargues

camping

Camping Le Baoüs. Un peu plus de 70 emplacements sous les arbres. Convivial et tranquille. Environ 12€ pour deux avec voiture. *Olargues Tél. 04 67 97 71 50 De mai à mi-sept*

.

prix moyens

Les Quatr'Farceurs. Dans l'une des ruelles du village perpendiculaires à la rue principale (remontez par l'escalier à la hauteur de l'épicerie), la maison est réservée aux hôtes, qui peuvent y consulter les livres de la bibliothèque, écouter de la musique... Au-dessus, les chambres sont simples et chaleureuses. Doubles à 45€ avec petit déj., et repas à 20€ vin compris. Cuisine végétarienne possible, pique-nique et randonnée accompagnée (à partir de 4 pers.). *Rue de la Comporte Tél 04 67 97 81 33 Fermé vac. scol. Noël*

La Mazette. À l'orée du village, quelques petites bâtisses de pierre délicatement rénovées avec une vue magique sur le village et la rivière. Ici l'on s'endort avec délice, après avoir dégusté des châtaignes grillées dans la cheminée et s'être promené par monts et vallées, régénérés par un sauna. Chambres doubles à 46€ (petit déj. inclus). Gîtes de 320 à 480€ la sem. selon la saison (forfait week-end 130€). *La Riviera de l'Aoucelou ou la Mazette Le Tour-des-Ponts Tél. 04 67 97 33 80 et 06 07 05 60 14 Ouvert tte l'année sur réservation Fermé jan.*

prix élevés

☺ **Fleurs d'Olargues.** De l'extérieur, les Fleurs d'Olargues vous sembleront peut-être quelconques, mais une fois à l'intérieur, vous serez immédiatement pris par l'atmosphère calme et hors du temps. Les chambres donnant sur le pont et le village sont splendides, remplies du parfum des parquets de cèdre et bercées par l'eau, en contrebas. On peut d'ailleurs s'y tremper les pieds, ou somnoler dans les hamacs suspendus dans le jardin au bord du Jaur, sous les arbres fruitiers... Doubles à 60, 70 et 80€ en saison (très bon petit déj. inclus). *Pont du Diable Tél. 04 67 97 27 04 www.fleurs-de-olargues.com Fermé en hiver*

prix très élevés

Domaine de Rieumégé. Un 3-étoiles plein d'élégance, avec le charme en plus. Les murs chuchotent des histoires vieilles de plusieurs siècles, et les arbres du jardin font tout pour leur rendre la pareille. Vous serez ici comme des rois. En saison, demi-pension 85€/pers. en chambre double (dîner à la carte), 120€/pers. dans la petite suite et 150€/pers. dans la grande. Petit déj. 11€. *Route de Saint-Pons Tél. 04 67 97 73 99 Ouvert mars-mi-déc.*

Dormir dans les environs

campings

Camping de Tarassac. Ce camping propose quelque 130 emplacements au bord de la rivière à l'ombre de chênes et de saules. *Au pied du pont du même nom, à l'embranchement de la petite route pour Roquebrun (à 5km à l'est d'Olargues) Tél. 04 67 97 72 64 Ouvert mars-mi-nov.*

Domaine du Pioch. Un camping en pleine nature, à l'orée des lacs et des sentiers de randonnée. Pour les amateurs de tranquillité. Pain frais du jour et produits du terroir. Location de gîtes familiaux également. *34330* ***Fraïsse-sur-Agout*** *(à 17km d'Olargues) Tél. 04 67 97 61 72 www.lepioch.com Gîtes ouverts tte l'année Camping ouvert avr.-fin oct.*

prix moyens

La Montouse. Loin de toute agitation mais au milieu d'une nature majestueuse et sauvage, 3 chambres dans une ancienne ferme près du plateau des lacs. Un grand bol d'air frais... pour 43€ la double (petit déj. inclus). Possibilité de table d'hôte : 15€ le repas. *34330* ***La Salvetat-sur-Agout*** *(à 27km d'Olargues) Tél. 04 67 97 61 63 Ouvert avr.-fin oct.*

La Cave au Puits. Une chambre au cœur du "Petit Nice", dans une des ruelles montant au jardin méditerranéen. Comptez 55€ pour deux en été avec le petit déjeuner, et 55€ en hiver avec le chauffage ! Une charmante escale. *Rue de la Chapelle 34460* ***Roquebrun*** *(à 20km d'Olargues) Tél. 04 67 89 46 69 ou 06 88 32 83 17 Ouvert tte l'année sur réservation*

GÉORÉGION

Montpellier, la capitale régionale, ville universitaire depuis bientôt mille ans, affiche sa réussite : l'urbanisme y a quelque chose d'incantatoire, qu'il s'agisse des hôtels particuliers des XVIIe et XVIIIe siècles, superbement restaurés, ou des quartiers nouveaux dessinés par Boffil dans un style antiquisant. En comparaison, son voisin, le port de Sète, semble avoir gardé son authentique simplicité, animé par l'incessant trafic des cargos, des paquebots et des grands chalutiers qui déchargent leur pêche le long des quais. Et du côté de la garrigue pointe le pic Saint-Loup, la "montagne" des Montpelliérains.

À ne pas manquer Le port de Sète, la cathédrale de Maguelone, l'étang de Thau et ses tables d'élevage, Saint-Guilhem-le-Désert

Et si vous avez le temps... Déambulez dans le centre historique de Montpellier, goûtez aux huîtres et moules de Bouzigues, visitez le célèbre musée de Lodève, descendez les gorges de l'Hérault en canoë

Montpellier et ses environs

GEOMEMO

Département	Hérault (34), 6101km² (896440 hab.)
Ville principale	Montpellier (225400 hab.)
Informations touristiques	CDT 04 67 67 71 71 OT Montpellier 04 67 60 60 60
Espace protégé	réserve naturelle de l'Estagnol
Lieux de baignade	plages du Petit et du Grand Travers (Carnon-Plage), plage des Aresquiers (Villeneuve-lès-Maguelone), plage de la Corniche (Sète), plage de Frontignan, miniplage de Bouzigues (étang de Thau)

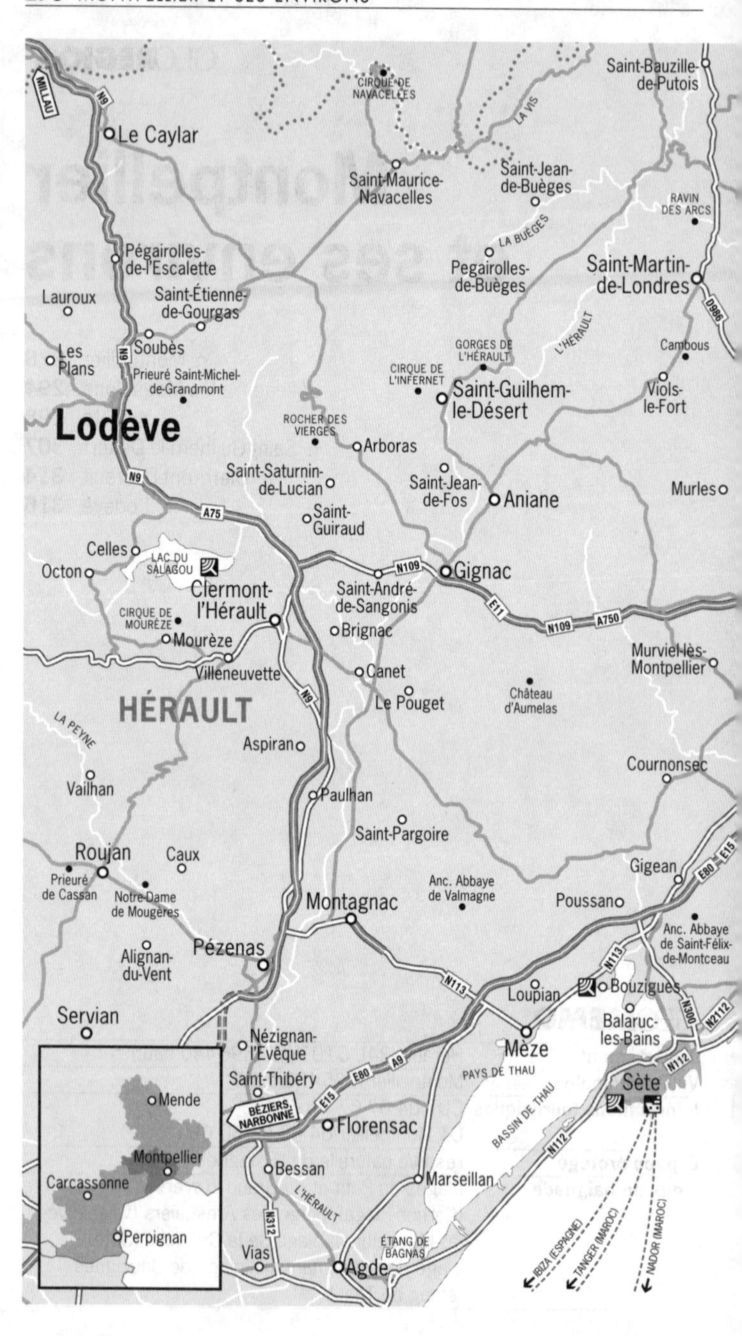
MILLAU
N9
Le Caylar
CIRQUE DE NAVACELLES
LA VIS
Saint-Bauzille-de-Putois
Saint-Maurice-Navacelles
Saint-Jean-de-Buèges
RAVIN DES ARCS
LA BUÈGES
Pegairolles-de-Buèges
Saint-Martin-de-Londres
D986
Pégairolles-de-l'Escalette
Saint-Étienne-de-Gourgas
Lauroux
Soubès
Les Plans
Prieuré Saint-Michel-de-Grandmont
GORGES DE L'HÉRAULT
L'HÉRAULT
Cambous
CIRQUE DE L'INFERNET
Saint-Guilhem-le-Désert
Viols-le-Fort
Lodève
ROCHER DES VIERGES
Arboras
Saint-Saturnin-de-Lucian
Saint-Jean-de-Fos
Aniane
Murles
A75
Saint-Guiraud
Celles
LAC DU SALAGOU
Octon
N109
Gignac
Clermont-l'Hérault
Saint-André-de-Sangonis
CIRQUE DE MOURÈZE
Mourèze
Brignac
E11
A750
Villeneuvette
Canet
Murviel-lès-Montpellier
Le Pouget
Château d'Aumelas
HÉRAULT
LA PEYNE
Aspiran
Cournonsec
Vailhan
Paulhan
Saint-Pargoire
E15
Roujan
Caux
Gigean
E80
Prieuré de Cassan
Notre-Dame de Mougères
Anc. Abbaye de Valmagne
Montagnac
Poussan
Anc. Abbaye de Saint-Félix-de-Montceau
Alignan-du-Vent
Pézenas
N113
Loupian
Bouzigues
N300
N2112
Servian
Balaruc-les-Bains
Mèze
Nézignan-l'Evêque
A9
PAYS DE THAU
N112
Sète
Saint-Thibéry
Mende
BÉZIERS, NARBONNE
BASSIN DE THAU
Florensac
Montpellier
Carcassonne
Bessan
Marseillan
L'HÉRAULT
N312
Perpignan
ÉTANG DE BAGNAS
Vias
Agde
IBIZA (ESPAGNE)
TANGER (MAROC)
NADOR (MAROC)

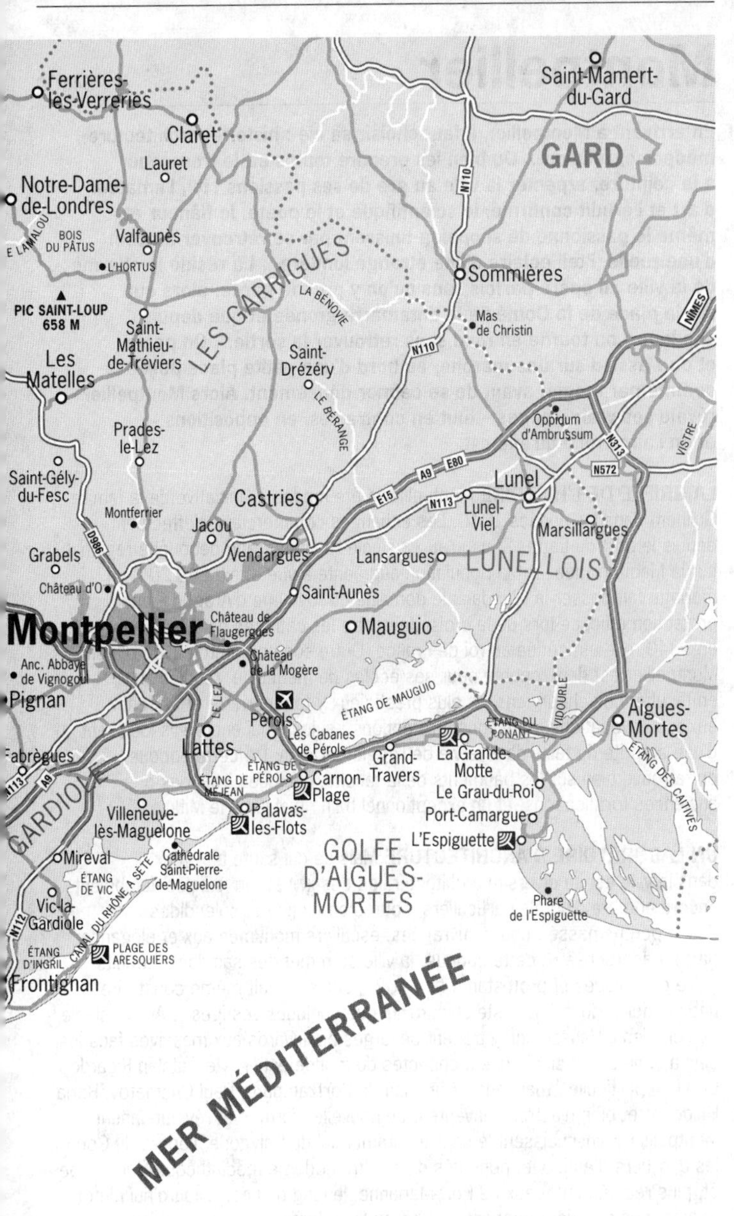
Ferrières-les-Verreries
Claret
Saint-Mamert-du-Gard
GARD
Lauret
Notre-Dame-de-Londres
Valfaunès
BOIS DU PÂTUS
L'HORTUS
Sommières
LES GARRIGUES
LA BÉNOVIE
PIC SAINT-LOUP 658 M
Saint-Mathieu-de-Tréviers
Mas de Christin
NÎMES
N110
Les Matelles
Saint-Drézéry
LE BÉRANGE
Oppidum d'Ambrussum
Prades-le-Lez
N313
VISTRE
Saint-Gély-du-Fesc
A9
E80
N572
Lunel
Castries
E15
N113
Lunel-Viel
Montferrier
Jacou
D986
Marsillargues
Grabels
Vendargues
Lansargues
LUNELLOIS
Château d'O
Saint-Aunès
Montpellier
Château de Flaugergues
Mauguio
Château de la Mogère
Anc. Abbaye de Vignogoul
Pignan
LE LEZ
ÉTANG DE MAUGUIO
Pérols
ÉTANG DU PONANT
VIDOURLE
Aigues-Mortes
Lattes
Les Cabanes de Pérols
Grand-Travers
La Grande-Motte
Fabrègues
ÉTANG DE PÉROLS
ÉTANG DE MÉJEAN
Carnon-Plage
Le Grau-du-Roi
ÉTANG DES CAITIVES
Villeneuve-lès-Maguelone
Palavas-les-Flots
Port-Camargue
GARDIOLE
L'Espiguette
Mireval
Cathédrale Saint-Pierre-de-Maguelone
GOLFE D'AIGUES-MORTES
ÉTANG DE VIC
CANAL DU RHÔNE À SÈTE
Vic-la-Gardiole
Phare de l'Espiguette
N112
ÉTANG D'INGRIL
PLAGE DES ARESQUIERS
Frontignan
MER MÉDITERRANÉE
N
5 km

Montpellier

34000

En arrivant à Montpellier, il faut choisir sa clé : histoire, architecture, médecine, religion... Ou bien les prendre toutes et, le trousseau à la ceinture, arpenter la ville au gré de ses passions : ici, l'amateur d'art et l'érudit confirmé, le scientifique et le poète, le flâneur et même le passionné de shopping finissent par se retrouver au coin d'une ruelle, l'œil éclairé d'une étrange lumière... Là réside le charme de la ville : il opère parfois sans qu'on y prenne garde, alors que sur la place de la Comédie le tintamarre gronde et que depuis une heure on tourne en rond sans retrouver la sortie... On peste et on s'assied sur une marche, au bord d'une petite place posée là comme par magie, avant de se calmer doucement. Alors Montpellier révèle ses vrais visages – tout en contrastes, en oppositions – et on l'aime telle qu'elle est.

LA GRIFFE DE L'HISTOIRE Montpellier a été fondée à l'initiative de la famille Guilhem dans les années 1040. Les échanges commerciaux s'effectuent depuis le port de Lattes – jusqu'au XVe siècle l'unique grand débouché régional sur la Méditerranée – et la population augmente à vue d'œil. En 1204, un mariage fait passer la ville dans le domaine du royaume d'Aragon – une protection efficace lors de la croisade contre les cathares de 1209 – puis, en 1349, elle est cédée au roi de France. Outre son commerce avec l'Orient, Montpellier est déjà réputée pour ses écoles de médecine, réunies au XIIIe siècle en faculté. Les chirurgiens les plus prestigieux y font carrière et attirent à eux moult vocations, donations, protections : aujourd'hui encore ils jouissent d'une autorité de taille dans la vie de l'agglomération. De cette époque, on retrouve bien sûr les bâtiments de la faculté, quelques tronçons des anciennes fortifications, et un exceptionnel bain rituel juif – le Mitkvé.

UN LABORATOIRE D'ARCHITECTURE Mais ce qui saute aux yeux dans la ville est sa diversité architecturale : des XVIIe et XVIIIe siècles flamboient encore nombre d'hôtels particuliers, sobres en façade et splendides dès le porche passé : cours ouvragées, escaliers monumentaux et élégance partout accrochée. À cette époque, la ville se remet des sanglants conflits entre catholiques et protestants : en 1622, Louis XIII fait même construire une citadelle, dont il ne reste aujourd'hui que quelques vestiges... Au XIXe siècle, des émules d'Haussmann y tracent de larges boulevards aux massives façades, puis à la fin du XXe siècle des architectes du monde entier – le Catalan Ricardo Boffil en particulier, mais aussi Christian de Portzamparc, Paul Chemetov, Borja Huidobro et bien d'autres – inventent de nouvelles formes et révolutionnent Montpellier : ainsi naissent le centre commercial du Polygone, l'opéra du Corum, les quartiers d'Antigone, ponctués d'une ultramoderne médiathèque translucide et, plus récemment, ceux de Port-Marianne, le long du Lez. Aujourd'hui plutôt vivants, ces quartiers gagnent en âme au fil du temps.

Montpellier, mode d'emploi

accès

EN AVION

Aéroport de Montpellier-Méditerranée. Au sud de la ville. Nombreux vols au dépat de Paris et de la province, avec Air France (cf. GEOVoyage). ***Accueil aérogare*** *Tél. 04 67 20 85 00 www.montpellier.aeroport.fr* ***Service de navettes Hérault Transport*** *Relient la ville en 15min Tél. 0825 34 01 34*

EN TRAIN

Gare SNCF (plan C4). Paris-Montpellier direct en TGV au départ de la gare de Lyon en 3h20 (plusieurs trains par jour). Sur la ligne, Lyon à 1h50, Nîmes à 35min. *Place Auguste-Gibert* ***SNCF*** *Tél. 3635 www.voyages-sncf.com*

EN CAR Les cars Hérault Transport desservent Nîmes (ligne 101) ou Béziers *via* Pézenas (ligne 216 puis 103). Pour de plus longues distances, voir les Courriers du Midi ou Hérault Transport ***Les Courriers du Midi*** *Tél. 04 67 06 03 67* ***Hérault Transport*** *Tél. 0825 34 01 34*

EN VOITURE Par la N113 ou l'autoroute A9 en venant de Nîmes ou de Béziers – sorties n°29, 30, 31 et 32 – et par l'autoroute A75 de Clermont-Ferrand.

Montpellier et ses environs

(en km)	Montpellier	Maguelone	Bouzigues	Salagou	Sète
Maguelone	13				
Bouzigues	30	29			
Salagou	51	56	47		
Sète	35	25	16	60	
St-Guilhem	43	49	46	28	72

orientation

Le centre historique de Montpellier – des ruelles entrelacées en forme d'écusson –, entièrement piétonnier, est entouré de boulevards périphériques. Étudiez bien le sens de circulation de ces grands axes pour ne pas être bloqué par des sens interdits (très nombreux ici). Pour rejoindre le nord de la ville, suivez la direction du Corum, des Beaux-Arts et de Millau. Les plages (au sud), le centre historique et Béziers (à l'ouest) sont bien indiqués à tous les grands carrefours. La place de la Comédie (plan C3), au sud-est de l'écusson, fait le lien avec la ville nouvelle, à l'est : de ce côté, vous trouverez la gare (plan C4), le Polygone – centre commercial – (plan D3) et le quartier Antigone (plan D3). Les parkings payants – souterrains et aériens – jalonnent la périphérie : n'hésitez pas à y garer votre voiture, car ailleurs le parking est difficile, et toute infraction vite verbalisée.

se déplacer en ville

TAM Deux lignes de tramway traversent l'agglomération entre 5h et 1h et l'une d'elles relie la gare aux principaux centres névralgiques de la ville. Lignes de bus de jour et de nuit, location de vélos pour 6€ par jour, 7 parkings au centre-ville et 4 autres le long de la ligne de tram. ***TAM*** *27, rue Maguelone (en face de la gare) Tél. 04 67 22 87 87 www.tam-way.com*

TAXI ***Taxi Tram*** *Tél. 04 67 58 10 10* ***Taxi 2000*** *Tél. 04 67 04 00 60*

location de voitures

ADA. *Aéroport Tél. 04 67 20 02 12 Gare SNCF Tél. 04 67 92 78 77 www.ada.fr*
Europcar. *Aéroport Tél. 04 67 99 34 18 Gare SNCF Tél. 04 67 06 89 03 www.europcar.fr*

informations touristiques

Office de tourisme (plan C3). *Pl. de la Comédie Tél. 04 67 60 60 60 www.ot-montpellier.fr Ouvert lun.-ven. 9h-18h30 (19h30 en été), sam. 10h-18h (9h30-18h en été), dim. 10h-13h et 14h-17h (9h30-13h et 14h30-18h en été)*

accès Internet

Cyberland 34 (plan A3). Pas moins de 22 postes avec graveur et scanner gratuit à 1,50€ l'heure et 0,75€ la demi-heure : le moins cher de la ville. *19, rue du Faubourg-du-Courreau Tél. 04 67 58 45 26 Ouvert tlj. 10h-23h*

marchés

Tous les jours – pour l'alimentaire – sous les halles Castellane (dans la vieille ville, plan B2), aux halles Laissac (derrière la gare, plan B4) et aux halles Jacques-Cœur (à Antigone, plan D3).

fêtes et manifestations

Rencontres méditerranéennes. En avril. Spectacles, danse, gastronomie tout autour de la Méditerranée.
Printemps des comédiens. Début juin. Ce festival, créé en 1986, programme entre 25 et 30 compagnies nationales et internationales. *Tél. 04 67 63 66 67 www.printempsdescomediens.com*
Montpellier Danse. Fin juin-début juillet, un rendez-vous international – le meilleur de la chorégraphie actuelle. *Tél. 0800 600 740 www.montpellierdanse.com*
Festival de Radio-France à Montpellier. En juillet, des concerts de toutes les musiques : classique, jazz, world ou variétés. Une sélection rare et de grande qualité. *Tél. 04 67 02 02 01 www.festivalradiofrancemontpellier.com*
Festival international cinéma méditerranéen Montpellier. Fin octobre-début novembre. Depuis 1979, cette manifestation favorise la découverte des films, des réalisateurs et des acteurs des deux rives de la Méditerranée. *Tél. 04 99 13 73 73 www.cinemed.tm.fr*
Les Internationales de la guitare. Début octobre. Des concerts de guitare flamenco, swing manouche, jazz, classique. *www.internationalesdelaguitare.com Tél. 04 67 66 36 55*

Découvrir Montpellier

☆ **À ne pas manquer** La place de la Comédie, le musée Fabre **Et si vous avez le temps...** Assistez à un spectacle de danse lors du festival Montpellier Danse, découvrez l'architecture contemporaine du quartier Antigone, cuisinez avec les grands de la gastronomie du Jardin des Sens, parcourez le chemin des Verriers à la découverte des ateliers d'art autour de Claret

☺ Les visites guidées sont parfois l'occasion unique de pénétrer dans certains lieux privés, fermés à clé... En 2h, par un(e) conférencier(ère) de l'office de tourisme. Visite du centre historique tous les mercredis, samedis et dimanches à 15h toute l'année, et tlj. en été à 10h et 17h. Nombreuses visites à thème entre octobre et juin : nocturnes (en été), cours d'hôtels particuliers, faculté de médecine, sur les pas de saint Roch ou encore des protestants... Une approche à la fois historique et vivante, d'une grande qualité. Adulte de 6,50 à 15€ *Rens. à l'office de tourisme*

☆ **Musée Fabre (plan C2)** Réputé pour ses peintures des grandes écoles européennes et françaises du XVIe au XVIIIe siècle, le musée a rouvert ses portes en 2006 après trois ans de travaux. Il devient ainsi aujourd'hui le deuxième musée européen des Beaux-arts par sa surface. Quatre architectes, dont Daniel Buren, ont travaillé au projet : trois édifices, trois époques, trois styles différents. La muséographie confère une nouvelle dimension aux collections présentées, qui s'ouvrent désormais à l'art contemporain. Le parcours vous conduit de l'ancien collège des jésuites en passant par l'hôtel de Massimilien jusqu'au nouveau bâtiment conçu pour accueillir les collections contemporaines. Y sont notamment réunis la donation Soulages, les expositions d'art contemporain et le groupe Support/Surface. De l'accueil à la visite vous êtes libre de votre propre parcours, grâce à la galerie multimédia, aux salons d'interprétation, aux audioguides... Des expositions temporaires sont prévues et de nouveaux services sont aussi proposés : centre de documentation, ateliers de création, auditorium, restaurant... *39, boulevard Bonne-Nouvelle Tél. 04 67 14 83 00 www.montpellier-agglo.com Ouvert mar., jeu.-ven. 10h-18h ; mer. 13h-21h ; sam.-dim. 11h-18h Fermé lun., 1er jan., 1er mai, 1er nov., 11 nov., 25 déc. Adulte 6€ (musée et expositions temporaires 7 €) TR 4€ (Musée et expositions temporaires 5€)*

☺ **Musée Atger (plan A2)** Présentés dans des armoires en bois, les dessins des plus grands maîtres de la peinture des XVIe, XVIIe et XVIIIe siècles. Rubens, Bourdon, Fragonard... mais aussi Giambattista Tiepolo et ses superbes visages, effleurés de la pointe d'un crayon, aussi expressifs qu'épurés. *2, rue de l'École-de-Médecine Tél. 04 67 41 76 30 Ouvert lun., mer., ven. 13h30-17h45 Fermé août, j. fér. et vac. scol. Noël Entrée libre*

Musée du Vieux Montpellier (plan B2) Sa visite vaut essentiellement pour la première salle : les plans de la ville aux siècles derniers vous aideront à mieux comprendre l'articulation des différents quartiers de la capitale languedocienne. Voir aussi la belle collection de meubles anciens. Vous pénétrerez en prime dans un très bel hôtel particulier : l'hôtel de Varennes, rebâti au XVIIIe siècle sur une demeure médiévale, dans lequel le musée est installé. *2, place Pétrarque Tél. 04 67 66 02 94 Ouvert mar.-sam. 9h30-12h et 13h30-17h Entrée libre*

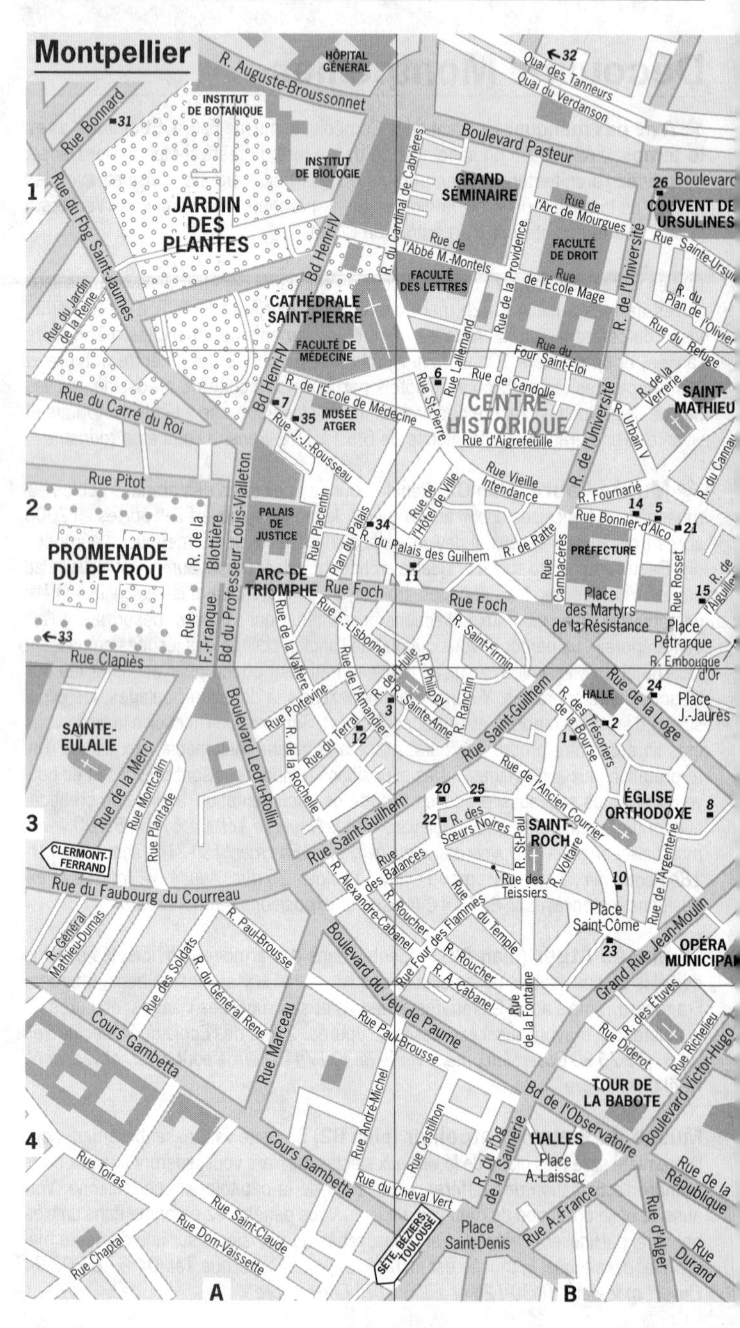
Montpellier
HÔPITAL GÉNÉRAL
R. Auguste-Broussonnet
INSTITUT DE BOTANIQUE
INSTITUT DE BIOLOGIE
JARDIN DES PLANTES
CATHÉDRALE SAINT-PIERRE
FACULTÉ DE MÉDECINE
MUSÉE ATGER
PALAIS DE JUSTICE
ARC DE TRIOMPHE
PROMENADE DU PEYROU
SAINTE-EULALIE
CLERMONT-FERRAND
GRAND SÉMINAIRE
FACULTÉ DE DROIT
FACULTÉ DES LETTRES
CENTRE HISTORIQUE
COUVENT DES URSULINES
SAINT-MATHIEU
PRÉFECTURE
Place des Martyrs de la Résistance
Place Pétrarque
HALLE
Place J.-Jaurès
ÉGLISE ORTHODOXE
SAINT-ROCH
Place Saint-Côme
OPÉRA MUNICIPAL
TOUR DE LA BABOTE
HALLES
Place A.-Laissac
Place Saint-Denis
SÈTE, BÉZIERS, TOULOUSE
Quai des Tanneurs
Quai du Verdanson
Boulevard Pasteur
Rue Bonnard
Rue du Fbg Saint-Jaumes
Rue du Carré du Roi
Rue Pitot
Rue Clapiès
Bd Henri-IV
Bd du Professeur Louis-Vialleton
Boulevard Ledru-Rollin
Rue Foch
Rue Saint-Guilhem
Rue de la Loge
Grand Rue Jean-Moulin
Boulevard du Jeu de Paume
Bd de l'Observatoire
Boulevard Victor-Hugo
Rue de la République
Cours Gambetta
Rue du Faubourg du Courreau
Rue Marceau
Rue Toiras
Rue Saint-Claude
Rue Dom-Vaissette
Rue Chaptal
Rue du Cheval Vert
Rue A.-France
Rue d'Alger
Rue Durand
A
B
1
2
3
4

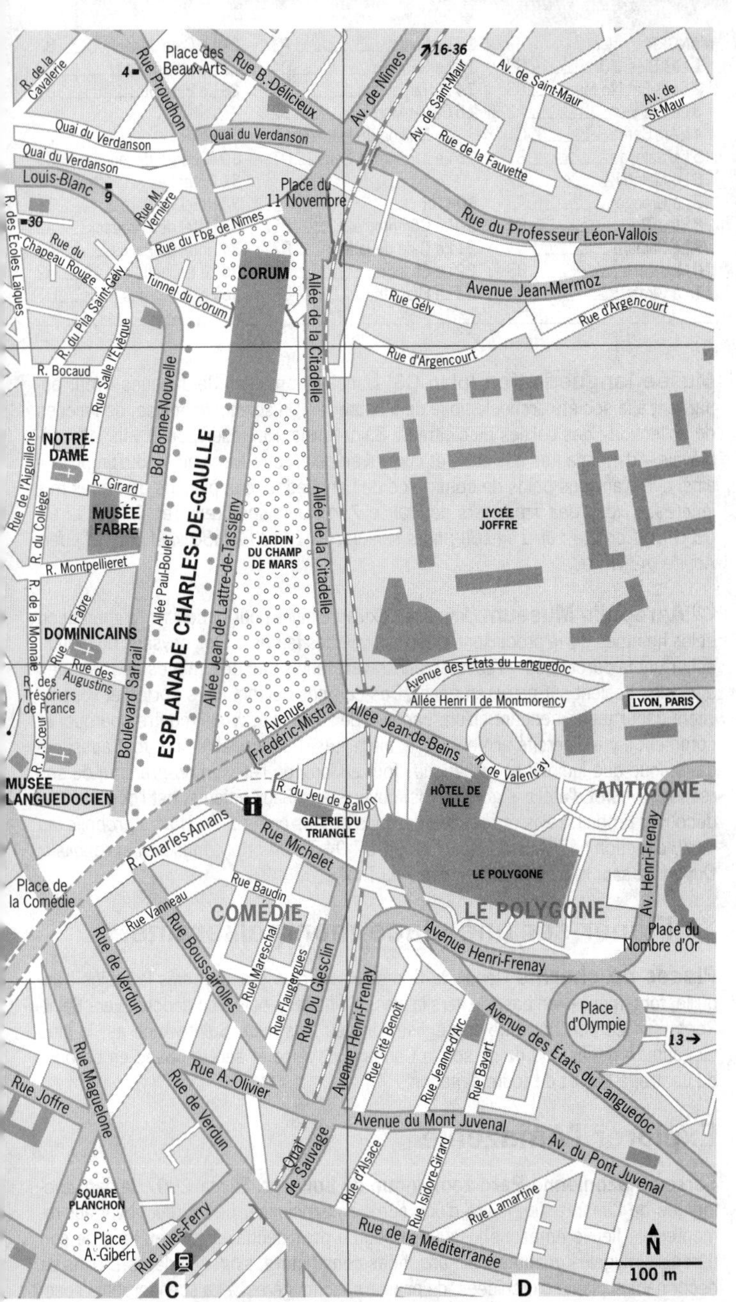

GEOREGION
MONTPELLIER ET SES ENVIRONS

MANGER
1 Les Blés d'Or — B3
2 Sens-Eat No Mad — B3
3 Le Pré vert — A3
4 L'Art Café — C1
5 Le Saleya — B2
6 Le Melody — B2
7 La Grange — A2
8 Bleu Thé — B3
9 Le Baloard — C1
10 Mosaïque — B3
11 La Girafe — B2
12 Le Pastis — A3
13 Le Séquoïa — D4
14 Le Tamarillos — B2
15 Cellier-Morel-La Maison de la Lozère — B2
16 Le Jardin des Sens — D1

SORTIR
20 Le Comptoir — B3
21 Le Café de la Mer — B2
22 Le Shandra — B3
23 Le Fitzpatrick's — B3
24 Le Café Joseph — B3
25 Le Bec de Jazz — B3
26 Le Blue Up — B1

DORMIR
30 Auberge de jeunesse — C1
31 Hôtel Les Fauvettes — A1
32 Hôtel du Parc — B1
33 Hôtel des Arceaux — A2
34 Hôtel du Palais — A2
35 Le Guilhem — A2
36 Le Jardin des Sens — D1

Musée languedocien (plan C3) L'ancienne maison de Jacques Cœur appartient à la société archéologique de Montpellier. Un splendide édifice, des pièces de collection : des parties du cloître de Saint-Guilhem-le-Désert, de la vaisselle médiévale – d'étonnantes assiettes et cuillers en bois, retrouvées au fond d'un puits – ainsi que d'anciens poids de commerce du Languedoc, des plaques de brides muletières... *Hôtel des Trésoriers de France 7, rue Jacques-Cœur Tél. 04 67 52 93 03 Ouvert en été : tlj. 15h-18h ; hors saison : tlj. 14h30-17h30 sauf dim. et j. fér. Adulte 6€ TR 3€*

☺ **Agropolis Museum** Un musée extraordinaire pour découvrir l'alimentation et les hommes qui la produisent, depuis la nuit des temps... Des paysans du monde entier ont la parole pour présenter leur travail, tandis que des images de paysages agricoles défilent sur un écran géant. Des cuisines ouvrent leurs portes et vous invitent à leur table, pendant qu'un "banquet de l'humanité" vous montre pourquoi et comment il y a diversité alimentaire et inégalités. Remarquable site, tout aussi pédagogique que ludique et esthétique. Tout au long de l'été, un programme de soirées festives et d'ateliers gourmands, ouverts aussi aux enfants, est l'occasion de découvrir produits, vins et recettes des plus grands chefs... *951, av. Agropolis (au nord, direction hôpitaux-facultés) Tél. 04 67 04 75 04 http://museum.agropolis.fr Ouvert tlj. sauf mar. 14h-18h Adulte 7€, TR 4€*

☆ Flâner sur une place montpelliéraine

Places de charme Depuis la Comédie – la plus grande, mais la moins tranquille, forcément –, on bascule vers la place Saint-Ravy, puis d'un ricochet vers Saint-Roch, sur les pourtours de son église. Un peu plus haut, Sainte-Anne est la plus élégante, à moins que ça ne soit la Canourgue, verte et aérée, posée en bordure du centre, à l'écart de toute agitation.

Explorer l'Amazonie

Serre amazonienne-Parc zoologique de Lunaret. En mai 2007, le parc zoologique de Lunaret s'enrichira d'une serre amazonienne. Le visiteur-voyageur remontera le fleuve Amazone jusqu'à sa source pour découvrir tout au long de son parcours mygales géantes, caïmans, boas constrictors, singes hurleurs... dans un décor naturel planté d'orchidées, de palmiers, de fougères... La scénographie spectaculaire, un orage toutes les 15min, devrait permettre à chacun de se plonger dans l'ambiance. *50, av. Agropolis Tél. 04 99 61 45 50 www.montpellier-herault.com/zoo-lunaret.html Ouvert mai-août : 9h-19h ; sept.-oct. et fév.-avr. : 9h-18h ; nov.-jan. : 9h-17h Fermé mi-sept.-mi-mai : lun. matin, sauf j. fér. et vac. scol. zone A*

Plonger dans les abysses

Aquarium Mare Nostrum. À l'automne 2007, un aquarium ouvrira ses portes au sein d'Odysseum. Avec 24 bassins, 3500 animaux, dont près de 300 espèces représentatives des différents territoires, il sera l'un des plus grands aquariums d'Europe. Une scénographie sophistiquée immergera le visiteur et lui permettra de traverser mers et océans : depuis la Méditerranée jusqu'à la mer de Chine en passant par le cap Horn. Ici, on naviguera entre les merveilles tropicales et les mystères des grandes profondeurs. *Allée Ulysse ZAC Portes de la Méditerranée-Odysseum Rens. à l'office de tourisme*

Cuisiner avec des grands chefs

☺ **L'Atelier de cuisine du Jardin des Sens.** Juste en face du restaurant du même nom, un petit cube accueille les gastronomes amateurs pour une série de cours de haut vol, animés pas les assistants des frères Pourcel. *Tél. 04 67 79 07 68 www.jardindessens. com Pour adultes, les mar., mer. et sam. le matin et ven. soir.*

Où faire une pause déjeuner ?

Les Blés d'Or (plan B3 n°1). D'excellentes fougasses aux grattons, moelleuses au dedans et croustillantes au-dessus. Mais aussi des feuilletés au chèvre, des parts de quiche maison, et des couques catalanes… *5, rue des Trésoriers-de-la-Bourse et aux Halles Castellane Tél. 04 67 60 46 17 Fermé dim.*

☺ **Sens-Eat No Mad (plan B3 n°2).** Le dernier-né de la famille Pourcel du Jardin des Sens : une boutique de vente à emporter garnie de produits frais, originaux et délicats. Pour manger naturel, sain et bon. Bar à soupes, jus de fruits frais, salades et faisselles bio, sandwichs au bon pain et aux aubergines, aux herbes, aux fromages parfumés et charcuteries raffinées. Comptez 3,80€ les soupes, à partir de 5,50€ les sandwichs, 2€ les yaourts. *2, rue de l'Herberie Tél. 04 67 54 31 79 Ouvert mar.-ven. 11h-17h, sam. 10h-18h*

☺ **Le Pré vert (plan A3 n°3).** Plats du jour, formules à 13€ avec une tarte salée, un dessert et un thé à la menthe, à commander dans le salon d'hiver – banquettes et coussins – ou en terrasse, autour de petites tables ou sur des transats. Thé et glaces toute la journée. Formule brunch servie les samedis et dimanches. *10, rue Sainte-Anne Tél. 04 67 02 72 81 Ouvert en saison : tlj. 10h-18h30 ; hors saison : ven.-dim. 10h-18h30*

Où faire du shoppping ?

Ville commerçante par excellence, Montpellier abrite dans ses ruelles et avenues de nombreuses boutiques – des plus *roots* aux plus luxueuses, en passant par les enseignes de créateurs – de bijoux, de vêtements, de chapeaux… On y trouve aussi tout ce qu'il faut pour aménager et décorer sa maison. Pour esquisser une topographie du shopping en ville, disons que la rue de la Loge est la plus *cheap* – avec ses enseignes grand public standard –, que la rue Foch est la plus chic, qu'au nord se vendent les fripes importées d'Inde ou d'Afrique. Les plus belles boutiques sont dans la rue de l'Ancien-Courrier – toute de marbre pavée –, installées au rez-de-chaussée des hôtels particuliers. Le quartier Saint-Roch, entre la rue Saint-Guilhem et la Grand-Rue Jean-Moulin, est l'un des plus intéressants, avec, en remontant vers le nord-est, la rue de l'Aiguillerie.

Où croquer des croquants ?

Aux Croquants de Montpellier (plan A3). Une spécialité montpelliéraine : de délicieux biscuits fins et croquants… Fabrication artisanale. *7, rue du Faubourg-du-Courreau Tél. 04 67 58 67 38 Fermé dim. et lun.*

Où acheter du fromage ?

Jean Puig (plan A3-B3). Un fromager – de famille, depuis 3 générations – comme on rêverait d'avoir près de chez soi. En attendant, faites-y votre marché : les fromages – roqueforts, pélardons, tommes du Larzac… sont excellents ! *23, rue Saint-Guilhem Tél. 04 67 58 02 38 Ouvert mar.-sam. 7h-13h et 16h-19h30*

Où choisir un bon vin ?

Caves Notre-Dame (plan B2). Cette immense cave, la plus ancienne de la ville, propose une très bonne sélection de produits. Dégustation les samedis autour d'un domaine prestigieux ou d'un cru particulier. *1348, av. de la Mer Tél. 04 67 64 48 00 Ouvert lun.-sam. 9h30-12h30 et 15h-19h30*

Caves Gambetta (plan A4). De très belles bouteilles – sans doute parmi les meilleures – à tous les prix. Un choix serré mais efficace… *16, cours Gambetta Tél. 04 67 92 56 66 www.caves-gambetta.com Ouvert 10h-12h30 et 15h-19h30 Fermé dim.-lun. matin*

Où trouver des herbes ?

☺ **La Quintessence (plan B2).** Une herboristerie traditionnelle – des bocaux s'échappent des centaines de feuilles et poudres, vendues en sachet ou bien en crème et onguent. De nombreuses pâtes de réglisse, dont les fameuses Grisettes de Montpellier. *26, rue de l'Aiguillerie Tél. 04 67 60 58 22 Ouvert lun. a-m.-sam. 9h15-12h15 et 14h15-19h*

Découvrir les environs

Abbaye du Vignogoul Sur le site d'un ancien monastère cistercien du XIIe siècle, on peut visiter l'église, de style gothique mais encore largement inspirée des formes romanes. *34570* ***Pignan*** *(à 7km à l'ouest de Montpellier) Tél. 04 67 47 70 17 Visite* *libre lun.-ven. 9h-12h et 14h-17h Visite guidée le dim. à 16h et 17h en mai-juin et sept.-oct. (tte l'année sur rdv pour les groupes) Adulte 1,50€*

Les folies montpelliéraines

Tout autour de Montpellier se sont construites aux XVIIIe et XIXe siècles des demeures grandioses, peut-être un peu clinquantes pour l'époque, inspirées des villas italiennes des environs de Venise : les folies. Elles se visitent ou bien entrouvrent juste leurs jardins pour permettre quelques flâneries.

Château de la Mogère *2235, route de Vauguières* ***Montpellier*** *(à 3km au sud de Montpellier, direction Palavas) Tél. 04 67 65 72 01 Ouvert juin-sept. : tlj. 14h30-18h30 ; oct.-mai : sam.-dim. Adulte 5€ (château et jardin)*

Château de Flaugergues *À 2km à l'est de Montpellier Tél. 04 99 52 66 37 Ouvert juin, juil. et sept. : mar.-dim. 14h-20h ; août et oct.-mai : sur rdv* ***Caveaux et jardins*** *Ouverts juin, juil. et sept. : tlj. 14h-20h ; août et oct.-mai : tlj. sauf dim. et j. fér. 9h-12h30 et 14h30-19h*

Château d'O L'été, des troupes de théâtre animent le lieu. *857, av. de Saint-Priest Ouvert lors des expositions Parc accessible lors des festivités*

Visiter un village préhistorique

Cambous Une reconstitution d'habitats préhistoriques qui remontent à 2800-2300 av. J.-C. Émouvant. *34380* ***Viols-en-Laval*** *Sur la D32 en direction de Saint-Martin-de-Londres (à 20km de Montpellier) Tél. 04 67 86 34 37 Ouvert juil.-août : mar.-dim. 14h-19h ; avr.-juin et sept.-oct. : sam.-dim. 14h-18h ; hors saison : sur rdv*

Sur le chemin des verriers

Au Moyen Âge, à la Renaissance puis aux siècles suivants, les maîtres verriers étaient organisés en confrérie. Régulièrement, les verriers du Haut-Languedoc se rassemblaient à Sommières, dans le Gard, et, pour s'y rendre, suivaient un itinéraire à travers montagnes et garrigues : le chemin des Verriers. Pour redécouvrir cet artisanat précieux, les communes des environs ont créé des ateliers à Vacquières et Ferrières-les-Verreries (verrerie archéologique de Couloubrines – XVIe siècle). *34270* ***Claret*** *(à 32km de Montpellier) Office de tourisme Tél. 04 67 59 06 39 www.cc-orthus.fr*

Ateliers de verriers Visite d'ateliers. *Atelier Yann 34270* ***Vacquières*** *(à 30km de Montpellier) Tél. 06 13 20 84 61 Visite sur rdv Atelier Trucchi 34270* ***Vacquières*** *Tél. 04 67 55 69 60 Visite sur rdv*

S'évader dans les gorges de l'Hérault

Oc Aventures. Dans les splendides paysages du pic Saint-Loup et de la haute vallée de l'Hérault. Via ferrata, parcours aventure, rando et escalade. Autour de 15€ le parcours, 10€ pour les enfants. *Chemin de Boulidou 34270* ***Saint-Jean-de-Cuculles*** *(à 18km de Montpellier) Tél. 06 77 05 86 58 Ouvert avr.-sept.*

Survoler vignes, gorges et pics

Envol Nature. Au mas de Bruyère, vous pourrez tenter le parapente en biplace, en stage ou à la journée, pour débuter ou vous perfectionner. *34190 **Montoulieu** (à 50km de Montpellier) Tél. 04 67 73 36 96*

Centre de vol à voile. Des stages et des vols d'initiation (tlj. à la demande) mais aussi des sessions de perfectionnement, le long des flancs de l'Hortus et du pic Saint-Loup, pour survoler de somptueux paysages. *Aérodrome 34380 **Mas-de-Londres** (à 30km de Montpellier) Tél. 04 67 55 01 42 Ouvert avr.-sept. : tlj. à partir de 13h Pas de sortie en cas de mauvais temps, se rens.*

Aller à la plage

De Montpellier, on peut opter pour deux directions : vers La Grande-Motte à l'est, *via* le Grand et le Petit-Travers de Carnon-Plage, ou vers Sète et la plage des Aresquiers, selon ses affinités (cf. Villeneuve-lès-Maguelone, Découvrir les environs). Au-delà de Sète, s'étend la plage de la Corniche.

Randonner à cheval

Haras de Castries. Équitation de haute école mais aussi randonnées à la carte, stages et initiation. *Chemin de Bannière 34160 **Castries** (à 12km de Montpellier) Tél. 06 30 10 52 04 Ouvert tte l'année*

Pégase. Randonnées découverte et balades nocturnes, dans la tiédeur des garrigues de l'Hortus. *Norbert Gonzales Truq de Guiraud 34380 **Mas-de-Londres** (à 30km de Montpellier) Tél. 06 64 31 30 98 Ouvert tte l'année*

Où trouver de l'huile ?

Olicoop. On y vend de l'huile d'olive par variétés et sous toutes ses formes. *37, route de Murviel-lès-Montpellier 34570 **Pignan** (à 5km de Montpellier) Tél. 04 67 47 70 22 Ouvert juil.-sept. : mar.-sam. 9h-12h et 15h-18h ; oct.-juin : mar. et ven. 9h-12h, mer. et sam. 9h-12h et 15h-18h*

Mas des Vautes. Fruité vert ou fruité noir, demandez à goûter l'huile qui vous conviendra le mieux... Les deux sont excellentes. *Sophie Arnihac 34980 **Saint-Gély-du-Fesc** (à 5km de Montpellier) Tél. 04 67 02 12 30 Ouvert mar.-ven. 14h30-18h, sam. 9h-12h et 14h30-18h*

Où goûter des vins d'exception ?

☺ **Mas Bruguière.** Isabelle, Guilhem et Xavier Bruguière sont assurément des vignerons à suivre d'année en année. Leurs crus pic-saint-loup, en rouges, sont excellents, du plus simple au plus complexe. La "cuvée des Mûriers", en blancs, donne la sensation de croquer dans un abricot fondant... Domaine splendide, au pied de l'Hortus. *34270 **Valflaunès** (à 25km de Montpellier) Tél. 04 67 55 20 97 Ouvert lun.-sam. 10h-12h et 15h-19h, dim. sur rdv*

☺ **Domaine de Cazeneuve.** André Leenhardt produit des vins magnifiques, parmi les meilleurs du Languedoc. Nous vous recommandons la cuvée "les calcaires". *34270* ***Lauret*** *(à 30km de Montpellier) Tél. 04 67 59 07 49*

Domaine Ellul-Ferrières. Des vins vendangés à la main, vinifiés avec soin, ils laissent échapper des arômes amples et profonds, de fruits rouges mais aussi de garrigue et d'épices. Le "libre ellul" se garde bien, les "romarins" se boivent dès maintenant, et la "gourmandise" se déguste avec délice : 14 mois d'élevage pour ce grenache en surmaturité ! *Sylvie et Gilles Ellul Caveau de vente 34160* ***Castries*** *Tél. 04 67 02 28 28 et 06 15 38 45 01 www.domaine-ellul.com*

Manger à Montpellier

N'oubliez pas de consulter la rubrique Où faire une pause déjeuner ?, où vous retrouverez des adresses de restauration à petits prix.

très petits prix

L'Art Café (plan C1 n°4). Dans le quartier des Beaux-Arts, de grandes salades et quelques viandes du jour, dans un décor de bois et d'ocre rouge. Expos d'artistes sur les murs. On y va aussi pour un café ou un apéritif, servis avec des tapas maison. *Place des Beaux-Arts Tél. 04 67 72 29 63 Fermé dim.*

petits prix

☺ **Le Saleya (plan B2 n°5).** Des salades copieuses dans de grandes assiettes, pleines de couleurs, autour de 11€, et des plats du jour variés, de terre comme de mer, autour de 13€. Terrasse accueillante et service efficace. *4, place du Marché-aux-Fleurs Tél. 04 67 60 53 92 Fermé dim.*

Le Melody (plan B2 n°6). Au pied de l'église Saint-Pierre, face à la faculté de médecine et jouxtant le conservatoire – il s'en échappe mélodies, gammes et accords–, une terrasse sur pilotis dans d'exquis courants d'air : la fraîcheur enfin retrouvée ! La cuisine est simple et parfumée, surtout quand il s'agit des spécialités : salade marocaine et couscous – aux raisins, amandes et cannelle – délicieux. Formule dégustation à 12€, mais aussi salades, tartes, galettes et plats du jour, le tout sur fond de jazz de Méditerranée, aux envolées de musique arabo-andalouse. *18, rue Saint-Pierre Tél. 04 67 60 56 20 Ouvert lun.-sam. 10h-19h*

La Grange (plan A2 n°7). Une petite salle très nature – bois et végétaux – pour une cuisine à base de produits frais exclusivement : des poissons du jour marinés ou grillés, des toasts campagnards et des soupes, hiver comme été. Entrées et desserts à 4-5€, plats à partir de 10,50€, et menu du midi (plat + dessert) à 14€. *30, rue J.-J.-Rousseau Tél. 04 67 54 68 80 Ouvert lun.-ven. Service 11h-15h et 19h-20h30 et plus si réservation*

Bleu Thé (plan B3 n°8). Tout près de la rue de la Loge et de la place de la Comédie, une ruelle tranquille et fraîche avec une terrasse ombragée. À l'heure du déjeuner, vous y trouverez de grandes salades très agréables autour de 10€, mais aussi des assiettes composées, des ravioles… *6, rue de la Croix-d'Or Tél. 04 67 60 41 81 Ouvert lun.-sam. 11h-19h*

Le Baloard (plan C1 n°9). À la fois restaurant, traiteur et galerie d'art, le Baloard est l'un des lieux à la mode de la ville – à l'écart des circuits touristiques et adepte d'une cuisine méditerranéenne inventive. Pas de terrasse mais une salle agréable, entre métal, bois, béton et art contemporain. Formule à midi à 11,50€ tout compris. *21, bd Louis-Blanc Tél. 04 67 79 36 68 www.baloard.com Fermé sam. midi, dim. midi et août*

Mosaïque (plan B3 n°10). Des couleurs et des saveurs, d'ici et d'ailleurs, déclinées sur tous les tons, des croustillons de chèvre frais sur salade mélangée, un duo de lotte et de Saint-Jacques à la crème de tomates séchées. Les arômes se pressent sur la langue et fondent doucement : c'est très plaisant… Terrasse sur la place Saint-Côme. Menus à 11€ (le midi) et 16, 22, 27€. *21, rue Vallat Tél. 04 67 60 77 23 Fermé dim.-lun. (ouvert lun. soir juin-sept.)*

prix moyens

☺ **La Girafe (plan B2 n°11).** Un cadre où dominent les rouges et les parmes, le bois et le verre. Quelques tables à l'intérieur et dans les ruelles alentour. Cuisine de la Méditerranée agrémentée de fantaisies du jour : cuisse de volaille farcie aux gambas, panaché de queues de crevettes sautées au pistou, nems de confit de canard et tartares (bœuf, thon…). Des produits frais, toujours. Au dessert, des figues rôties à la frangipane. *14, rue du Palais-des-Guilhem Tél. 04 67 54 48 89 Fermé sam. midi, dim. et lun.*

Le Pastis (plan A3 n°12). Déco contemporaine de pierre, bois et métal, éclairages agréables et terrasse bordant la place de l'église Saint-Anne. La cuisine reste méditerranéenne. Cuisine du marché d'une grande fraîcheur. Plats à 15€ environ et menus à 24€ (2 plats) et à 28€ (3 plats). *3, rue du Terral Tél. 04 67 66 37 26 Fermé sam. et dim.*

prix élevés

☺ **Le Séquoïa (plan D4 n°13).** Au bord de l'eau – le bassin Jacques-Cœur, en cours d'extension, accueillera bientôt de petits bateaux de plaisance –, un espace ouvert à la gastronomie d'ici et d'ailleurs. Produits frais et créativité maximum se nichent dans les assiettes tandis qu'au dehors le décor se pare de plantes et bois exotiques, de matières sobres et de lumières. Une des tables les plus en vogue. *148, rue de Galata Port-Marianne (sur le bassin Jacques-Cœur) Tél. 04 67 65 07 07 Fermé sam. midi-dim. et à midi les 2e et 3e sem. d'août*

☺ **Le Tamarillos (plan B2 n°14).** On pratique ici la cuisine des fruits et des fleurs : de l'entrée au dessert, Philippe Chapon mêle avec finesse essences et saveurs. C'est original, savoureux et frais, splendide à regarder et à déguster. Les desserts sont encore autant de promesses de bonheur : ils lui ont valu deux fois la médaille de champion de France – du temps où il officiait chez Guy Savoy, à Paris.

Vaisselle recherchée et verrerie venue des quatre coins du monde, originale et élégante. Menus du déjeuner à 18 et 29€, 50€ environ à la carte ; menus du soir de 50 à 90€. *2, place du Marché-aux-Fleurs Tél. 04 67 60 06 00 Fermé dim.-lun. et 2 sem. en août*

Cellier-Morel-La Maison de la Lozère (plan B2 n°15). Des produits du terroir ou de la mer travaillés entre tradition et fantaisie, avec en accompagnement de chaque plat un remarquable aligot – une onctueuse purée de pommes de terre et tomme de Lozère. Le menu Terroir-Culture-Passion à 47€ change toutes les semaines en fonction du marché, pendant qu'Éric Cellier propose son menu Génorisité-Émotion-Fusion à 62€. En semaine, formule déjeuner à 28€ (avec un plat, un aligot et un dessert) ou 39€ avec une entrée en plus. Cadre élégant et épuré, terrasse au cœur d'un hôtel particulier. Délicieux ! *27, rue de l'Aiguillerie Tél. 04 67 66 46 36 www.celliermorel.com Fermé lun. midi, mer. midi et dim.*

prix très élevés

☺ **Le Jardin des Sens (plan D1 n°16).** Deux étoiles au Michelin. Un espace tout de verre et de lumière, un sommet de ravissement culinaire. Le service est prévenant sans être guindé, la décoration contemporaine, et la proposition de mets à couper le souffle... Tout commence par une avalanche de petites mises en bouche, parfumées et délicates, pendant que dans les verres se mêlent textures et couleurs de saison – orange carotte ou vert petit pois. Puis ce sont des effets de température – du granité glacé au tiède beignet –, des jeux de formes et de présentation. De grandes émotions parfois, au fondant d'une viande, au mariage de saveurs. Le sucré l'emporte quelquefois sur le salé puis soudain le plateau magique arrive : une vague de fromages divins appelle une excellente bouteille de vin rouge, à moins que sur les chèvres et le roquefort, un blanc ne soit plus approprié... La myriade de desserts et mignardises clôt cette extase en de douces ondes satinées, et l'on ne pense plus qu'à une chose : revenir, goûter encore... Premier menu à 125€ et formule déjeuner à 50€ du jeu. au ven. Jacques et Laurent Pourcel – les chefs sublimes – ont créé une annexe moins onéreuse à deux pas, avenue de Nîmes : la Compagnie des Comptoirs. *11, av. Saint-Lazare Tél. 04 99 58 38 38 Fermé juil.-août : dim., lun. midi et mer. midi ; sept.-juin : lun., mar. midi, mer. midi, dim. ; 2 sem. en jan.*

Manger, dormir dans les environs

☺ **L'Auberge du Cèdre.** À 30km au nord de Montpellier, une bâtisse du XIXe siècle, majestueuse et tranquille, au cœur du vignoble du pic Saint-Loup, en bordure des vignes et des pinèdes. Un site résolument propice au repos, à la lecture au bord de la piscine ou dans le parc, aux promenades à pied, à VTT, à la rêverie au soir tombant... On y resterait une éternité, tout simplement. Restaurant sur place avec, pour l'apéritif et les petites faims, d'excellents vins servis au verre et des tapas. Comptez 30€ par personne la nuitée avec le petit déjeuner. *Domaine de Cazeneuve 34270* ***Lauret*** *Tél. 04 67 59 02 02 www.auberge-du-cedre.com Fermé mi-nov.-mi-mars Restauration tlj. pour les clients de l'hôtel, et seulement ven. soir-dim. midi pour les "extérieurs"*

Sortir à Montpellier et dans les environs

Le Comptoir (plan B3 n°20). Bistrot à vins et tapas variés, faits maison et du jour, à déguster dans la ruelle. Bonne ambiance, bons produits. Petite carte pour manger si affinités prolongées. *5, rue du Puits-du-Temple Tél. 04 67 60 94 55 Ouvert lun.-sam. 17h30-1h*

Le Café de la Mer (plan B2 n°21). Le rendez-vous gay de Montpellier – mais ouvert à tous, bien sûr –, avec une terrasse agréable sur la place. *5, place du Marché-aux-Fleurs Tél. 04 67 60 79 65 Ouvert tlj.*

Le Shandra (plan B3 n°22). Pour boire du thé indien et fumer le narguilé, bien détendu sur des coussins, les yeux au repos dans la lumière tamisée et le frou-frou des conversations alentour… *3, rue du Puits-du-Temple Tél. 04 67 02 19 51 Ouvert tlj. 13h-1h (17h-2h en été)*

Le Fitzpatrick's (plan B3 n°23). Un pub Irlandais dans la vieille ville, entre des murs séculaires aux pierres et boiseries patinées. Ambiance chaleureuse, tous les soirs mais aussi dans la journée – à l'intérieur ou sur la place Saint-Côme, attablé. *5, place Saint-Côme Tél. 04 67 60 58 30 Ouvert tlj. 12h-1h (jusqu'à 2h en été)*

Où écoutez de la musique ?

Le Café Joseph (plan B3 n°24). De l'autre côté de la place, on se retrouve en terrasse dans la journée, et dans son *lounge-bar* en soirée, avec DJ aux commandes. *3, place Jean-Jaurès Tél. 04 67 66 31 95 Ouvert tlj.*

Le Bec de Jazz (plan B3 n°25). Ambiance *underground* pour ce petit bar entre jazz et Mali où, une fois l'été passé, se tiennent quelques concerts. À partir de 19h, et jusqu'à 1h, on y boit un verre à l'écart des foules, dans une petite ruelle déserte du quartier Saint-Roch. 9, *rue des Gagne-Petit Tél. 04 67 02 18 83 Ouvert tlj.*

Le Blue Up (plan B1 n°26). Sur le boulevard, la musique retentit derrière les portes mal fermées : depuis la terrasse, on peut profiter du concert du soir, mais c'est encore à l'intérieur – dans l'étuve – qu'on goûte le mieux l'ambiance quelque peu déjantée du lieu. On y boit, danse, chante et on y souffle dans les cuivres… *4, bd Louis-Blanc Tél. 04 67 60 67 65 Fermé dim.*

Où danser dans les stations balnéaires ?

La Dune. Assez généraliste et facile d'accès, aussi bien pour la musique que pour l'ambiance. Une myriade de bars, et chaque soir un thème différent. *Grand Travers-Allée de la Plage 34280* ***La Grande-Motte***

La Villa rouge. Très électro et très gay sans être sectaire. Dans un étonnant patio où se côtoient de nombreux bars –chacun avec une ambiance différente–, on passe de belles soirées animées par des DJs architendance. *Route de Palavas 34970* ***Lattes*** *Tél. 04 67 06 52 15 Ouvert été : tlj. ; hors saison : jeu.-dim.*

Dormir à Montpellier

très petits prix

Auberge de jeunesse (plan C1 n°30). En face du couvent des Ursulines, sur la bordure nord du centre historique. Bien située dans un bâtiment de caractère, elle offre une centaine de lits répartis en chambres de 3 à 10 lits à 14,80€ la nuit + 2,80€ les draps. *Imp. Petite-Corraterie-Rue des Écoles-Laïques Tél. 04 67 60 32 22 montpellier@fuaj.org Fermé mi-déc.-mi-jan. Accueil 8h-12h et 15h-minuit*

Hôtel Les Fauvettes (plan A1 n°31). Dans une rue assez calme, jouxtant le jardin des Plantes, un petit hôtel, sans prétention, doté de chambres simples et propres, aux tapisseries un peu défraîchies mais aux volumes aérés. Petite cour sur l'arrière pour le petit déjeuner ou une bonne lecture. Comptez 26€ la double avec lavabo, 31€ avec douche, et 34€ avec douche et WC. Pas d'a/c bien entendu. *8, rue Bonnard Tél. 04 67 63 17 60*

prix moyens

☺ **Hôtel du Parc (plan B1 n°32).** Dans une maison du XIXe siècle, une vingtaine de chambres pleines de charme où l'on se sent très vite comme chez soi. Rénovation dans les teintes ocre et orangées, gaie et chaleureuse, avec quelques tableaux, divers objets et pièces de mobilier en bois et fer forgé. Chambres doubles de 48 à 75€, toutes climatisées et dotées de minibars. Petit déjeuner en terrasse ou dans la chambre (9,50€). Accueil toujours souriant, disponible et efficace. Parking privé gratuit. *8, rue Achille-Bégé Tél. 04 67 41 16 49 www.hotelduparc-montpellier. com*

prix élevés

Hôtel des Arceaux (plan A2 n°33). Une maison du XVIIIe siècle qui a été totalement rénovée. Une adresse à suivre, donc, ne serait-ce que pour son accueil chaleureux et sa terrasse… Chambres doubles de 60 à 87€. Petit déj. 9€. *35, bd des Arceaux Tél. 04 67 92 03 03 www.hoteldesarceaux.com*

Hôtel du Palais (plan A2 n°34). En plein cœur du centre historique, à deux pas de l'élégante place de la Canourgue, cet hôtel respire l'authenticité… Pas de grand confort ni de déco particulièrement soignée, mais une occasion de loger dans un quartier de caractère. Chambres doubles avec a/c de 65 à 70€. Celles avec bains à 77€ sont plus agréables. Petit déj. à 10 ou 12€. Parking payant à proximité. *3, rue du Palais-des-Guilhem Tél. 04 67 60 47 38 Ouvert toute l'année*

prix très élevés

Le Guilhem (plan A2 n°35). Des chambres de bon standing – classiques, pastel ou fleuries – pas irréprochables mais avec le charme de l'ancien… Une chambre particulièrement splendide, voûtée de pierre et parfaitement fraîche, meublée de façon contemporaine dans des tons acidulés, s'ouvre sur un jardin : la n°100, à 143€ la nuit. La plus belle, selon notre goût. Autres chambres à partir de 87€. *18, rue Jean-Jacques-Rousseau Tél. 04 67 52 90 90 www.leguilhem.com*

☺ **Le Jardin des Sens (plan D1 n°36).** Un Relais&Châteaux à la lisière du centre-ville, dans une large avenue tranquille. Derrière la façade ocre rouge, des chambres élégantes et confortables, au mobilier contemporain dans des teintes de bois et d'ocre, encore. Dans un astucieux petit jardin, une piscine. Chambres doubles standard à partir 190€ entre avril et octobre (160€ en basse saison) et jusqu'à 270€ pour les plus spacieuses (225€ hors saison). Petit déjeuner de 15 à 30€ selon la formule. *11, avenue Saint-Lazare Tél. 04 99 58 38 38 www.jardindessens.com Ouvert tte l'année*

Dormir dans les environs

Camping de Fondespierre. Un camping d'une centaine d'emplacements sous les chênes verts et les oliviers de l'arrière-pays montpelliérain, loin du bruit et à 15min de Montpellier et de la mer. Deux piscines et location de VTT sur place. *Rte de Fontmarie 34160* ***Castries*** *Tél. 04 67 91 20 03 www.campingfondespierre.com Ouvert tte l'année*

Hôtel Pinède. Une élégante maison du XIXe siècle, à la sortie du village, dans un parc arboré. Atmosphère hors du temps, grands volumes et chambres fraîches : 47€ la double, 50€ la twin. Petit déj. 5€. *4, rue Paul-Doumer 34690* ***Fabrègues*** *(à 12km au sud-ouest de Montpellier) Tél./fax 04 67 85 11 90 www.hotelpinede.com Ouvert tte l'année*

Villeneuve-lès-Maguelone

34750

C'est un village au milieu des terres, bordé de marais, d'eau douce tendant vers le salé... On en part à pied, à vélo ou en voiture, à travers les routes et les chemins ondulés, bosselés, pour rejoindre la mer et atteindre, tout au bout d'une presqu'île, la splendide cathédrale abandonnée qui se dresse dans un cadre exceptionnel. Non loin, la plus belle plage de la région, aux abords moins bétonnés qu'à Palavas et à La Grande-Motte, aux dunes peuplées de petits animaux et d'oiseaux.

Villeneuve-lès-Maguelone, mode d'emploi

accès

EN VOITURE Par la N112 en venant de Montpellier (13km) en direction de Sète puis par la D 185, ou de Sète par la N112 le long du littoral.

EN CAR La ligne 102 relie quotidiennement Montpellier au village de Villeneuve-lès-Maguelone. ***Hérault Transport*** *Tél. 0825 34 01 34*

orientation

Le village est composé d'un entrelacs de ruelles, traversé par une rue principale, la Grand-Rue. On se gare sur le pourtour, devant les commerces ou sur les parkings aménagés.

informations touristiques

Office de tourisme. *29, av. de Mirenval 34750 Villeneuve-lès-Maguelone Tél. 04 67 69 75 87 www.villeneuvelesmaguelone.fr Ouvert juin-août : lun.-sam. 9h-12h et 15h30-19h30 ; sept.-mai : lun.-ven. 9h-12h et 14h-18h*

fêtes et manifestations

Festival de musique de Maguelone. Concerts de musique ancienne et de musique baroque. Début juin. *Tél. 04 67 60 69 92*

Découvrir les environs

☆ **À ne pas manquer** La cathédrale de Maguelone **Et si vous avez le temps...** Découvrez l'étang du Méjean avec un guide naturaliste de la maison de la Nature, baladez-vous à cheval avec le Ranch des Salins, dînez sur le canal à La Péniche

☺ **Musée archéologique Henri-Prades** Sur le site de l'antique Lattara – ville portuaire occupée du VIe siècle av. J.-C. au IIIe siècle de notre ère. Passionnant, abondamment fourni et documenté. *390, av. de Pérols 34970* ***Lattes*** *(à 8km de Villeneuve-lès-Maguelone) Tél. 04 67 99 77 20 Ouvert lun. et mer.-ven. : 10h-12h et 13h-30-17h30, sam.-dim. 14h-18h Adulte 2,50€ TR 1,50€*

☆☺ **Cathédrale de Maguelone** Sur une ancienne île, accessible seulement par un chemin ou un petit train, le site est exceptionnel, préservé de toute intrusion. L'ancien évêché de Montpellier y eut pendant des siècles son siège, avant d'être transféré en ville en 1536. Entre les vignes et la mer, la pureté des lignes, essentiellement romanes, de cet édifice fortifié – en partie démantelé sur ordre de Richelieu au XVIIe siècle – en fait un chef-d'œuvre de grâce et d'art mêlés. Ne manquez pas les quelques concerts qui sont donnés pendant le festival dans cette "cathédrale des sables". *Ouvert tlj. 9h-19h*

Les églises fortifiées

On les trouve essentiellement aux environs de l'étang et près de la mer : à Montbazin, l'église Saint-Pierre et ses fresques romanes, à Loupian, l'église Saint-Hippolyte et son chevet extérieur aux arcatures lombardes, à Vic-la-Gardiole, l'église Sainte-Léocadie, toute en calcaire coquillier, et à Villeneuve-lès-Maguelone, l'église Saint-Étienne, dont le chevet roman affiche un style lombard.

Les étangs

Entre 18000 et 6000 avant notre ère, le niveau de la mer a monté, un cordon dunaire s'est formé, isolant des lagunes qui, progressivement, se sont refermées... Faune et flore ont colonisé ces étangs saumâtres, à mi-chemin entre eau douce et eau salée.

Balades nature Organisées sur place tout au long de l'été (et à certaines dates au cours de l'année) : pour découvrir le passé salinier de Frontignan ou de Maguelone, les réserves d'oiseaux, la flore et la faune côtières et dunaires, les sentiers du Méjean, etc. (durée 2h30 – tout public). Les enfants se voient proposer des ateliers nature (1,50€, durée 2h30) autour de la vie des dunes et du bord de l'eau. *Se renseigner auprès des offices de tourisme de* ***Palavas-les-Flots*** *Tél. 04 67 07 73 34* ***Lattes*** *Tél. 04 67 22 52 91* ***Vic-la-Gardiole*** *Tél. 04 67 78 94 43* ***Villeneuve-lès-Maguelone*** *Tél. 04 67 69 75 87* ***Frontignan*** *Tél. 04 67 18 50 04*

Maison de la Nature On y trouve une foule d'informations sur la vie de l'étang du Méjean et sur l'observation des oiseaux (nidifications de cigognes retransmises en direct par caméra vidéo !). La maison organise des sorties naturalistes (tous les mercredis à 9h30 en été et les mardis et jeudis à 15h30 pour les enfants de 7 à 12 ans) et constitue le point de départ de sentiers de randonnée : le sentier des Flamants roses ouvre à 9h tandis que le sentier de la Cigogne reste ouvert en permanence. *34970* ***Lattes*** *(à 8km de Villeneuve-lès-Maguelone) Tél. 04 67 22 12 44*

☺ **L'Échappée verte.** Canoë sur les canaux et les étangs de la Petite Camargue, dès 6 ans, à quelques kilomètres de La Grande-Motte, avec des moniteurs naturalistes. En matinée ou au coucher du soleil, ou à la journée. *34280* ***La Grande-Motte*** *(à 20km de Villeneuve-lès-Maguelone) Tél. 04 67 41 20 24 ou 06 13 07 04 03 www.echappeeverte.com*

☺ **Ranch des Salins.** Balades à cheval entre vignes et étangs. *Chemin des Salins 34750* ***Villeneuve-lès-Maguelone*** *Tél. 04 67 69 59 70 et 06 76 49 29 13 http://ranchdessalins.free.fr*

Louer une planche à voile, un voilier

Zénith Plage. Location de canoës, catamarans et planches. *Rive droite, av. de l'Évêché 34250* ***Palavas-les-Flots*** *(à 7km de Villeneuve) Tél. 06 09 97 63 65*

Yacht-Club de Mauguio-Carnon. Toute l'année, stages et leçons de voile. *Quai Éric-Tabarly 34280* ***Carnon-Plage*** *(à 12km de Villeneuve) Tél. 04 67 50 59 44 www.ycmc.fr*

Se baigner

En remontant la plage vers La Grande-Motte, vous trouverez un grand nombre de plages dites "privées" – c'est-à-dire garnies de matelas payants et de restaurants animés – et, en revenant vers Villeneuve, vous pourrez bronzer sans marques disgracieuses, tout souvenir de maillot de bain envolé, sur la plage des Aresquiers... Avec tout de même quelques bistrots pour vous sustenter, au débouché du grand parking de l'entrée. Les paysages sont agréables, les plages ourlées de dunes et d'oiseaux fous, mais en été, bien sûr, elles sont surpeuplées. De Villeneuve à La Grande-Motte, le sable se déroule sans discontinuer en passant par Palavas-les-Flots et Carnon-Plage... Les campings, les locations, les glacières, les transistors et les raquettes également : à vous de juger de votre seuil de tolérance. Pour piquer une tête et s'en retourner, cela peut passer...

Explorer les fonds marins

Aresquiers Plongée. Baptêmes, plongées de nuit ou stages biologie et photo sous-marine. Bon matériel, encadrement sérieux. 87, route de Montpellier *34110* ***Frontignan*** *(à 12km de Villeneuve)*

Manger à Villeneuve-lès-Maguelone et dans les environs

De nombreux établissements constellent la plage entre La Grande-Motte et Villeneuve-lès-Maguelone – de la modeste gargote à sandwichs au restaurant gastronomique. Attention : la plupart ne sont ouverts qu'en saison !

prix moyens

La Paillote Bambou. Des salades intéressante, de 8 à 14€, mais aussi des coquillages, des viandes, des poissons. Et surtout service non-stop tout au long de la journée ! Pratique pour les réveils tardifs d'été... *Route du Grand-Travers 34280* ***La Grande-Motte*** *Tél. 04 67 56 73 80 Ouvert avr.-sept.*

La Péniche. Sur le canal longeant la cathédrale de Maguelone, cette péniche aménagée vous accueille pour boire un verre et dîner, sur le pont ou à l'abri. Le pot-au-feu de la mer y est excellent, mais c'est surtout le cadre – enchanteur – qui vaut le déplacement. Menus à partir de 19€. *Chemin du Pilou 34750* ***Villeneuve-lès-Maguelone*** *Tél. 04 67 69 58 82 Fermé mars-mai et sept.-oct. : lun.-mer.*

Le Souleil. Une formule repas à partir de 20€ offre une salade, un soda et un transat, selon le marché et les arrivages de la criée. Autres menus avec salade de roquette, paella ou brasucade de moules ou avec melon, espadon grillé, salade de fruits rouges, café et vin... Apéro tapas sur commande sur fond de musique électro. Des soirées à thème sont organisées tout au long de l'été et massage oriental sur la plage, en buvant du thé... Service jusqu'à minuit. *Sur la plage (côté Palavas-les-Flots, direction la cathédrale de Villeneuve– parking payant juste devant) Tél. 04 67 42 06 96 Ouvert mai-mi-sept.*

prix élevés

L'effet-mer. Tout décoré de bois et de tissus exotiques, effet "Bali" avec son bassin intérieur. Carte originale et savoureuse, ouverte sur le monde : plats autour de

20-30€. Le Grand-Travers 34280 ***La Grande-Motte*** *Tél. 04 67 56 02 14 Ouvert mai-mi-sept. : tlj. 12h-15h et 20h-23h*

Dormir à Villeneuve-lès-Maguelone

petits prix

Hôtel Le Riche. Accueil simple et convivial, chambres propres et vastes, à des prix modestes : 35€ la nuit ! Bar au rez-de-chaussée, mais pas de panique : la maison date du XIXe siècle et les murs sont épais… *102, Grand-Rue Tél. 04 67 69 48 22 Ouvert toute l'année*

Sète *34200*

Il faut arriver à Sète en fin d'après-midi, quand le soleil rougeoie et que les eaux prennent une teinte intense, nacrée. Les premières lumières s'allument sur la ville et quelques éclats pétillent sur le mont Saint-Clair et les coteaux. Sur la droite, la masse profonde de l'étang de Thau, son quadrillage de tables et ses huîtres par millions. Sur la gauche, la mer et, devant, des usines, des fabriques,de l'industrie à peine cachée. Plus on s'approche et plus on se sent cerné par l'eau. Les goélands tournoient, quelques barques passent le cap de la Pointe-Courte et s'enfoncent dans l'étang. La nuit, on entend les moteurs des chalutiers géants s'ébrouer vers le large en ronronnant.

VISAGES D'UN PORT Le long du canal Royal, c'est toute une vie de port qui déroule ses filets. Le port de Sète est une création de Louis XIV, menée à bien par Colbert en 1666 et développée en parallèle du canal du Midi. Celui-ci débouche dans l'étang et amena longtemps vins et céréales. Le spectre d'un trafic de taille – celui du vin – tremblote encore sur les quais, devant les immeubles témoins de l'enrichissement d'antan. Aujourd'hui, Sète, qui n'a rien perdu de sa superbe, reste très active. Entre chalutiers et cargos, les ferries font la navette avec l'Espagne et avec la rive africaine de la Méditerranée. Reste aux poètes la parole et aux artistes les couleurs : Sète vibre des vers de Valéry et fredonne Brassens, qui reposent tous deux dans ses cimetières…

Sète, mode d'emploi

accès

EN TRAIN Sur la ligne TGV Paris-Béziers. ***SNCF*** *Tél. 3635 www.voyages-sncf.com*

EN CAR Lignes directes de Montpellier (102) et, avec changements, au départ d'Agde, Pézenas, Clermont-l'Hérault. ***Hérault Transport*** *Tél. 0825 34 01 34*

Sète situation (plan 1)

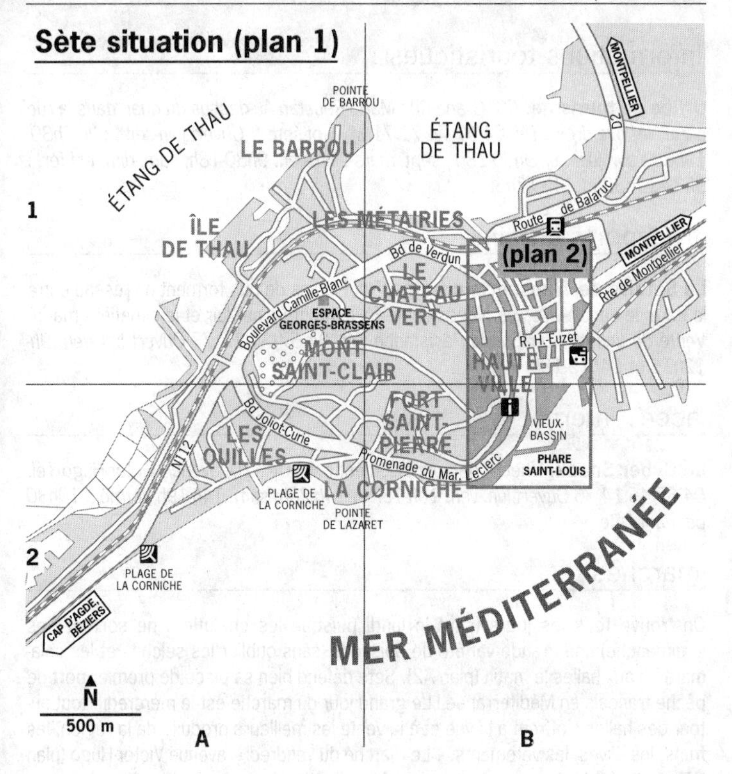

EN VOITURE De Montpellier, prenez la N112 (bondée en été) qui passe par Frontignan, ou bien l'autoroute A 9 (sortie 33) puis la N300. De Agde, la N112 débouche sur la plage puis longe la corniche – elle aussi connaît de joyeux bouchons en été. Pour remonter vers Bouzigues ou l'autoroute plus tranquillement, essayez la direction de Balaruc – plus fluide parfois.

orientation

Dominée par le mont Saint-Clair, entourée d'eau, Sète ressemble à une île : au sud, la mer, et au nord l'étang de Thau, reliés par le canal Royal qui traverse la ville. D'autres voies et plans d'eau ont été aménagés au fil des siècles pour faciliter le transport des marchandises et des voyageurs, ce qui désoriente quelque peu le visiteur. En bordure de l'étang, tout au nord, on trouve le quartier de la Pointe-Courte (sur la rive gauche du canal en regardant la mer), puis, en remontant le canal Royal, on aboutit, tout au sud, au vieux port. Sur la rive droite les rues remontent vers le Quartier Haut et grimpent jusqu'au sommet du mont Saint-Clair. Une route file le long de la corniche vers les plages et vers Agde, une autre tourne autour du mont pour rejoindre l'étang puis la ville, encore. Autant d'itinéraires à explorer pour se familiariser avec la singularité sétoise…

informations touristiques

Office de tourisme. *60, Grand-Rue Mario-Roustan Au-dessus du quai, dans la rue parallèle, rive droite Tél. 04 67 74 71 71 www.ot-sete.fr Ouvert juin-sept. : tlj. 9h30-19h30 ; avr.-juin : tlj. 9h30-18h ; sept.-mars : lun.-ven. 9h30-18h, sam.-dim. et j.fér. : 9h30-12h30 et 14h-17h30*

transports urbains

La Sétoise de Transports urbains. Neuf lignes de bus forment un réseau entre la gare, le centre-ville, les plages (ligne 6), le mont Saint-Clair et le cimetière marin. *Vente de tickets : quai de la Résistance Tél. 04 67 74 18 77 Ouvert lun.-ven. 9h-12h15 et 14h15-18h*

accès Internet

Le Cyber Snack. L'heure de connexion est à 4,50€. *10, avenue Victor-Hugo Tél. 04 67 46 14 36 Ouvert lun.-ven. 10h-13h et 14h-20h, sam. 14h-19h (fermé à 19h30 pendant l'été*

marchés

On trouve tous les jours (sauf le lundi puisque les chalutiers ne sortent pas le dimanche) une grande variété de poissons (sans oublier les seiches et les calamars…) aux halles le matin (plan A2). Sète défend bien sa place de premier port de pêche français en Méditerranée ! Le grand jour du marché est le mercredi : tout autour des halles s'offrent à la vue et à la vente les meilleurs produits de la région, les fruits, les olives, les vêtements… Le marché du vendredi – avenue Victor-Hugo (plan B1) – est réputé, lui, pour être moins cher : il attire donc une foule colossale venue de tous les environs. Pour les chineurs, rendez-vous le dimanche matin au marché aux puces de la place de la République (plan A1).

fêtes et manifestations

Joutes nautiques. Dans le port. De fin-juin à fin août : le week-end.
Quand je pense à Fernande. Début juillet. Festival de chansons françaises. *Tél. 04 67 74 70 55*
Jazz à Sète. Dans le théâtre de la Mer, un ancien fort battu par les vagues, superbe cadre musical. *Mi-juillet*
Fête de la Saint-Pierre. La fête du saint patron des pêcheurs, avec processions, tournois de joutes et bals à volonté… *Début juillet*
Fête de la Saint-Louis. Spectacles de rue, joutes et feux d'artifice. *Fin-août*
Fiestasète. Musique latine et caraïbe, à Sète et dans les communes des environs : Poussan, Gigean, Balaruc. Animations diverses (cuisine, danse, cinéma). *Fin juillet-début août Tél. 04 67 74 48 44 www.fiestasete.com*
Festival de Thau. Une semaine entière de musiques du monde, arts plastiques et gastronomie. À Mèze, Marseillan, Frontignan et Loupian. *Mi-juillet Tél. 04 67 18 70 83*

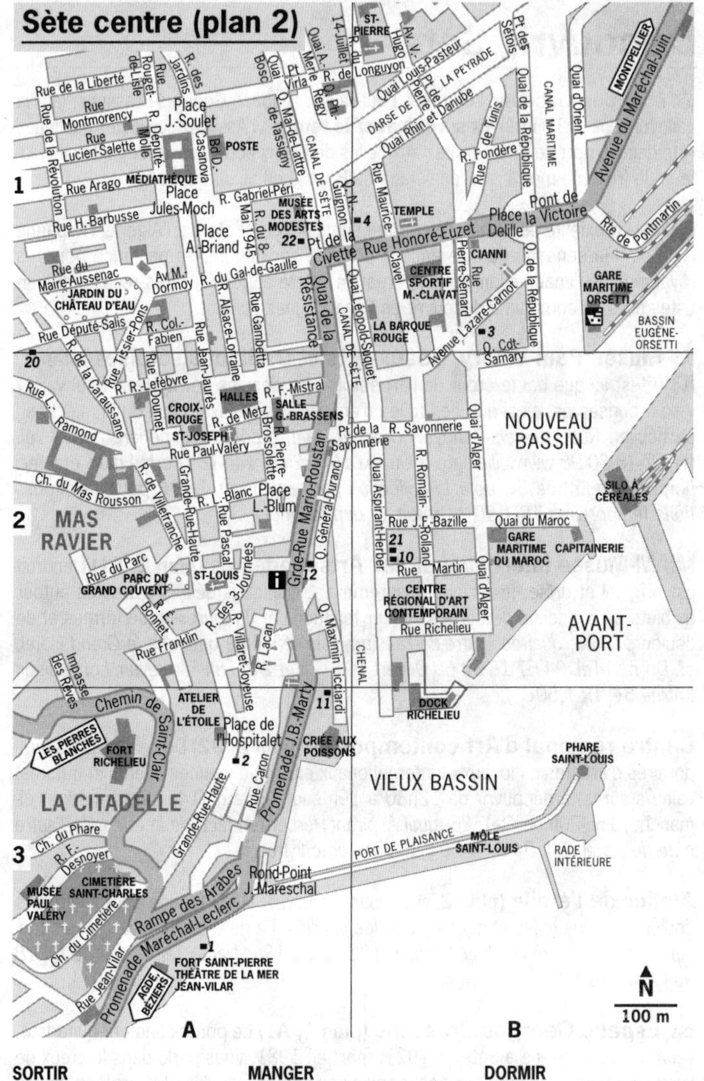

SORTIR
1 America Club ____ A3
2 Le Social ____ A3
3 Le Pub ____ B1
4 La Bodega ____ B1

MANGER
10 Le Nautic ____ B2
11 Les Demoiselles Dupuy ____ A3
12 La Palangrotte ____ A2

DORMIR
20 Auberge de jeunesse ____ A1-A2
21 L'Orque bleue ____ B2
22 Le Grand Hôtel ____ A1

Découvrir Sète

☆ **À ne pas manquer** Le musée Paul-Valéry, l'espace Georges-Brassens, la villa gallo-romaine de Loupian **Et si vous avez le temps...** Assistez aux joutes nautiques l'été dans le port de Sète, goûtez aux tielles de Cianni et de Dassé, dégustez un plateau de fruits de mer autour de l'étang de Bouzigues au Jardin de la Mer

Est-ce la proximité de la mer, l'ouverture sur le large – le Maroc, l'Algérie, l'Espagne – ou bien la sensation d'être encore presque sur une île, en partance pour les royaumes de l'imagination et de la création ? Sète abrite dans ses recoins des artistes hors du commun à découvrir en flânant le nez au vent.

☆ **Musée Paul-Valéry, Beaux-arts et traditions sétoises (plan 2, A3)** C'est ici que bat le cœur de l'art sétois : les dessins de l'écrivain Paul Valéry y sont conservés, ainsi que des toiles d'artistes régionaux – ceux du XXe siècle en particulier. *Rue François-Denoyer (Quartier Haut, à côté du cimetière marin) Tél. 04 67 46 20 98 www.ville-sete.fr Ouvert 10h-12h et 14h-18h Fermé mar. et j. fér. hors saison Entrée 3€ pour la collection permanente et 4,60€ pour les expositions temporaires TR 1,50€ Gratuit 1er dim. du mois*

MIAM-Musée international des Arts modestes (plan 2, A1) L'endroit est original et drôle, graphique assurément... Quelques délires d'artistes autour d'objets du quotidien, détournés de leur fonction par un tourbillon de formes et de couleurs... *23, quai de Lattre-de-Tassigny (sur le même quai que le Grand Hôtel, cf. Dormir) Tél. 04 67 18 64 00 Ouvert 10h-12h et 14h-18h Fermé lun. hors saison Entrée 5€ TR 1,50€*

Centre régional d'Art contemporain (plan 2, B2) Des expositions temporaires d'artistes nationaux et internationaux en vogue : jeunes talents et (futures) valeurs sûres, à découvrir de 12h30 à 19h sauf le mardi (14h-19h samedi et dimanche, 15h-20h en été). *26, quai Aspirant-Herber (en face de la criée, de l'autre côté du canal) Tél. 04 67 74 94 37 www.crac.lr.free.fr*

Atelier de l'étoile (plan 2, A3) Dans le Quartier Haut, Claude Cabrol jette ses couleurs sur les toiles et nous réveille les pupilles. La galerie est ouverte – en principe – tous les après-midi de l'année. *122, Grande-Rue-Haute Tél. 04 67 46 04 18 ou 04 67 78 60 07*

☆ **Espace Georges-Brassens (plan 1, A1)** Le poète-chanteur-guitariste, l'anar moustachu, né à Sète en 1921, mort en 1981, vous parle dans le creux de l'oreille et vous mène sur ses pas, depuis ses débuts jusqu'au plus profond de ses chansons. Visite d'une heure environ avec un casque d'écoute, avec vidéo en continu, photos et musiques. Dans la ville, le circuit "Sur les pas de Georges Brassens" donne aussi l'occasion de découvrir l'artiste (5€). *67, boulevard Camille-Blanc (dir. Corniche, île de Thau ou hôpital) Tél. 04 67 53 32 77 Fax 04 67 51 44 20 www.ville-sete.fr/brassens Ouvert tte l'année 10h-12h et 14h-18h (19h juil.-août) Fermé oct.-juin : lun. Adulte 5€ Enfants 2€*

Faire un stage de voile

Centre nautique de la Ville de Sète. Stages de fun, Hobie Cat, Optimist... (enfants à partir de 8 ans). *41, rue des Fauvettes Base Maillemeunose Port des Quilles Tél. 04 67 53 55 24*

Louer un bateau sans permis

Caraïbes. Location de bateaux à moteur, avec ou sans permis, à partir de 65€ les 2h (75€ en haute saison) *Port des Quilles sur la Corniche Tél. 06 81 29 33 29 Ouvert tte l'année*

Où faire une pause déjeuner ?

Le Nautic (plan 2, B2 n°10). À l'opposé de l'agitation du quai, une vingtaine de tables tranquilles posées face aux chalutiers pour manger simplement – mais de façon copieuse – des poissons frais et des brochettes à des prix très modestes. Convivial et bon marché. *10, quai Aspirant-Herber Tél. 04 67 74 65 17 Ouvert mar.-dim. en saison Fermé oct.-fév.*

Où manger les meilleures tielles ?

L'une des spécialités sétoises : une tourte fourrée de petits poulpes cuisinés à la tomate. Très savoureux, mille fois meilleur qu'une pizza ou qu'un sandwich et idéal pour emporter en pique-nique... Nous vous recommandons deux adresses, aller ailleurs serait s'exposer à de bien cruelles déceptions !

Cianni (plan 2, B1). Le roi de la tielle à Sète depuis 1937... Toutes les tailles, tous les tarifs (à partir de 2,10€) et toujours la même saveur, entre moelleux et parfumé. *24, rue Honoré-Euzet (angle rue Pierre-Sémard), centre-ville, ainsi que sous les halles Tél. 04 67 74 16 23 ou 04 67 74 52 28 Ouvert tlj. sauf lun.*

Dassé (plan 2, A1). Un autre grand maître de la tielle. La sauce, légèrement relevée, est un vrai régal. *35, rue de la Révolution Tél. 04 67 53 65 33 Fermé le dim. après-midi*

Où sortir le soir ?

☺ **America Club (plan 2, A3 n°1).** Le décor naturel est paradisiaque : à même la roche, une avalanche de terrasses sur pilotis se serrant tout contre l'écume, face aux vagues et à l'infini. Du haut, on se sent sur le pont d'un bateau et, plus on descend, plus on se rapproche de l'eau : la mer gronde et les éclairages, la nuit, la font enrager. Une piste de danse, un bassin vert anisé, des chaises longues léchées par les vagues pour l'après-midi et un escalier pour descendre au cœur de la grande bleue. Le soir, *mojitos, caïpirihnas* et autres cocktails au bar, avec DJ et sono efficaces. Dans la journée, matelas les pieds dans l'eau et salades-repas correctes avec, à l'étage, des fauteuils parfaits pour siroter des *drinks* à volonté... *Promenade Maréchal-Leclerc (au bout du port, vers la Corniche, au pied du théâtre) Tél. 04 67 53 02 37 Ouvert tlj. mi-avr.-mi-oct.*

☺ **Le Social (plan 2, A3 n°2).** L'annexe de la Jeune Lance sétoise, mais aussi le temple de la fête au Quartier Haut – une fête de quartier, qui mêle genres et générations sans hésiter. On y vient en voisin boire un pastis en picorant quelques tapas, et on finit par y passer la soirée, pris dans une spirale de bonne humeur contagieuse, emporté par la musique qui tonne dans tout le quartier. En contrebas, le port se tient coi. Quelques cargos – grosses baleines abandonnées – semblent cligner de l'œil pour qu'on les fasse monter jusqu'au Social... Du port, monter la rue des Pêcheurs – elle croise la Grand-Rue – sur 25m puis à gauche la rue d'Elia : au bout, un escalier y grimpe tout droit ! On y est en quelques minutes. *35, rue Villaret Joyeuse (Quartier Haut) Tél. 04 67 74 54 79 Fermé 14h-17h et mer. hors saison*

Le Pub (plan 2, B1 n°3). Ou tout simplement “Chez Lulu”. Au débouché du port de commerce, un rendez-vous de quartier pour les marins en escale et les habitués. Certains soirs, Fellini s'y serait sûrement senti comme chez lui : dans les coulisses d'un port qui relie Alger et Tanger, des personnages traversent la scène comme dans un rêve, tous plus singuliers les uns que les autres... *30, rue Lazare-Carnot Tél. 04 67 74 67 59 Ouvert tlj.*

La Ola. Ambiance festive pour ce bar de plage où la musique tonne ses basses vers la mer, dans un décor de couleurs vives et de bois. Soirées organisées au printemps et en été, avec DJ, animations et concerts *live*. Des grillades, de la sèche à la rouille ainsi que des salades, midi et soir, à moins de 15€. *Plage de la Corniche Tél. 04 67 53 07 14 Ouvert avr.-sept. : tlj.*

La Bodega (plan 2, B1 n°4). Pour finir la nuit, danser jusqu'à l'aurore, traîner de dernier verre en dernier verre... Sur le quai – en face des restos –, donc bien pratique d'accès. Si vous dormez à Sète, vous pourrez... rentrer à pied ! *21, quai Noël-Guignon Tél. 04 67 74 47 50 Ouvert lun.-sam. le soir 22h-4h*

Découvrir les environs

Visiter une villa gallo-romaine

☆ ☺ **Villa-Loupian** Sur le site même des fouilles archéologiques, toute l'histoire d'une exploitation agricole des premiers siècles de notre ère. Visite du petit domaine campagnard d'un riche propriétaire du Vᵉ siècle, au fil de mosaïques somptueuses, réalisées en partie par un atelier syrien, et admirablement restaurées. *D613 (dir. Mèze) 34140* ***Loupian*** *(à 20km de Sète) Tél. 04 67 18 68 18* ***Visite accompagnée*** *mi-juin à mi-sept. : tlj. 11h-17h45 et mer. à 15h ; hors saison : sam. à 14h, 15h30 et 17h, dim. idem avec visite supp. à 11h ; vac. scol. : lun.-sam. à 14h, 15h30 et 17h, dim. idem avec visite supplémentaire à 11h Adulte 4,60€, enfants de 6 à 12 ans 3,05€ Fermé jan.*

En savoir plus sur l'étang de Thau

Vous pouvez l'aborder en voiture et à pied, depuis ses rives – à Bouzigues en particulier. Vous y visiterez le musée, discuterez avec quelque ostréiculteur, vous promènerez le long du quai avant de goûter quelques coquillages – là-bas, tout au bout, dans l'un des mas aménagés. Mais, avant ou après, vous le découvrirez par l'eau, c'est-à-dire en bateau. Naviguer entre les tables et les parcs reste une expérience à ne pas manquer, pour comprendre, sentir ce qui se trame là, sous le turquoise des flots...

Musée de l'Étang de Thau Une approche pédagogique et vivante des activités humaines liées à la richesse de l'étang : pêche, ostréiculture et mytiliculture. À visiter absolument pour mesurer l'importance de ces métiers dans la vie et la culture locales. *Quai du Port 34140* ***Bouzigues*** *(à 18km de Sète) Tél. 04 67 78 33 57 Ouvert juil.-août : 10h-12h30 et 14h30-19h ; hors saison : 10h-12h et 14h-17h (18h mars-fin juin et sept.-oct.) Adulte 4€ Enfant 3€*

Sète Croisières. Un gros bateau rouge pour partir, pendant une heure et demie, sur l'étang et sur les canaux : le *Sub Sea Explorer*, au départ du port de Sète. *Tél.04 67 46 00 46 Ouvert juin-sept. Adulte 15€ Enfants de 3 à 12 ans 7€*

Trouver une plage de sable ou de galets

Au plus près de la ville, vous pourrez aller à pied vous baigner sur les plages de la Corniche, en direction d'Agde. En voiture, il faut traverser la ville, puis le Grau pour gagner celles de Frontignan, assez tranquilles à leur extrémité sud. En remontant, on peut rejoindre la plage naturiste des Aresquiers, de sable vers Maguelone ou de galets vers Sète. Mais, pour le calme, préférez la miniplage de Bouzigues, entre le village et la Côte Bleue, pour vous tremper dans les eaux tièdes de l'étang de Thau. Attention, elles sont très salées et riches en matière organique : peaux sensibles s'abstenir...

Faire un baptême de l'air

Baptême en ULM. Pour prendre de la hauteur sur la ville et se faire tourner la tête... *Aire de loisirs du Pont-Levis Tél. 04 67 51 41 23 et 06 11 51 14 99*

Manger à Sète

Très peu de bonnes tables à Sète. Au-delà des adresses citées, rabattez-vous sur l'étang, entre Bouzigues (aux environs de Sète) et Marseillan (cf. Béziers, Découvrir les environs d'Agde). N'oubliez pas de consulter la rubrique Où faire une pause déjeuner ?, où vous retrouverez des adresses de restauration à petits prix.

prix moyens

☺ **Les Demoiselles Dupuy (plan 2, A3 n°11).** Non, vous ne trouverez pas ici de vieilles repriseuses de filets ni de cuisinières bougonnes et légendaires : les Demoiselles sont les huîtres et moules de Gilles Dupuy – nouveau docteur en ostréiculture, ancien architecte et artiste peintre, toujours... Au service s'activent de jeunes gens très aimables, efficaces et diligents. Les coquillages viennent de l'étang de Thau et les poissons de la criée du jour : tarama maison, ragoût de seiches, dorades marinées, sardines et rougets grillés… À l'intérieur, ambiance des entrepôts voûtés du quai, et derniers tableaux du maître des lieux – graphiques et rayonnants – accrochés aux murs. En terrasse, des tables en inox et des lampes tempête pour s'arrimer au quai. Bons produits, bon accueil et bonne ambiance – à l'écart des quais touristiques. *4, quai Maximin-Licciardi (rive droite, vers le vieux port de pêche) Tél. 04 67 74 03 46 Ouvert tlj. midi et soir*

La Palangrotte (plan 2, A2 n°12). Ici aussi vous trouverez des produits frais de la pêche du jour (ce qui n'est pas le cas de tous les établissements du quai…), accommodés à la sétoise et avec un certain talent – sans faute ni maladresse. Cadre un peu austère, sans terrasse mais avec les fenêtres ouvertes sur le quai. Les Sétois considèrent ce restaurant comme leur meilleure table… Menus de 20 à 32€. Belle sélection de vins. *1, rampe Paul-Valéry/quai de la Marine Tél. 04 67 74 80 35 Ouvert tlj. en été sauf lun. Fermé dim. soir et lun. hors saison*

Où manger des fruits de mer ?

À Mèze, vous trouverez des plateaux de fruits de mer à emporter et à Bouzigues quelques bonnes tables, dont une nous a tout particulièrement ravis.

☺ **Les Jardins de la Mer.** Au-dessus de Bouzigues, sur une terrasse panoramique ouverte à tous les vents, deux grand-voiles arrimées à des piquets la protègent du soleil et claquent à tout rompre… L'ambiance est idéale pour une dégustation de fruits de mer piochés directement dans l'étang et autres poissons, cuisinés ou simplement grillés. Les spaghettis aux coquillages passés au gril puis revenus dans l'ail, les herbes et l'huile d'olive sont délicieux. Prix très abordables. *34140 **Bouzigues** (à 12km de Sète) Tél. 04 67 78 33 23 Fermé juil.-août : jeu. ; hors saison : mer.-jeu. ; jan.*

Dormir à Sète

très petits prix

Auberge de jeunesse (plan 2, A1-A2 n°20). Sur les hauteurs du mont Saint-Clair : la pente est raide mais, une fois là-haut, la vue est somptueuse depuis les terrasses en escaliers, à l'ombre des arbres centenaires. Chambres de 3 et 4 lits. En été, demi-pension à 25€/pers. Sinon, nuitée + petit déj. à 15€. Accueil de 8h à 12h et de 18h à 22h (23h en été), mais arrivez à 18h au plus tard pour vous installer ! *1, rue Général-Revest Villa Salis (Quartier Haut) Tél. 04 67 53 46 68 Fax 04 67 51 34 01 aubergedesete@caramail.com Fermé mi-déc.-jan.*

Le Valéry (hors plan). Un voyage dans le temps – les années 1950 assurément… L'un des hôtels les moins chers de Sète, et sans doute aussi l'un des plus accueillants : on y est reçu avec bonne humeur et simplicité. Petites chambres propres à partir de 27€ pour deux avec douche et WC sur le palier, et à 37€ avec douche et WC privatifs (majoration de 4€ en été). Demandez celles donnant sur la courette, plus fraîches et plus tranquilles. Petit déj. 5€ et garage 4€. *20, rue Denfert-Rochereau (centre-ville) Tél. 04 67 74 77 51 Ouvert tte l'année*

prix moyens

L'Orque bleue (plan 2, B2 n°21). Sur le quai, rive gauche. La façade, qui date du XIXe siècle, veille de son regard de pierre et de fer sur les chalutiers à ses pieds amarrés. Un peu sonore côté canal, mais tellement typique : le ronronnement des moteurs qui partent à la pêche, dès 3h, puis l'agitation du quai, dès 8h… Préférez les chambres sur l'arrière pour le calme. De 54 à 83€. 7€ le petit déj. Climatisation. *10, quai Aspirant-Herber Tél. 04 67 74 72 13 www.hotel-orquebleue-sete.com Fermé 15 j. jan.*

prix élevés

☺ **Le Grand Hôtel (plan 2, A1 n°22).** Le plus bel hôtel de la ville, où règne encore une charmante atmosphère d'autrefois – mais sans pour autant être démodée : les rénovations s'enchaînent et le design a sa place parmi les moulures et les patines rafraîchies. Magnifique patio où, ponctuellement, des œuvres d'art s'affichent, hautes en couleur. Chambres doubles de 65 à 130€ hors saison, et de 97 à 135€ en juillet-août. *17, quai de-Lattre-de-Tassigny Tél. 04 67 74 71 77 www.legrandhotelsete.com Fermé pendant les fêtes de fin d'année*

Dormir dans les environs

Motel La Côte bleue. Au-dessus de l'étang de Thau, autour d'une rafraîchissante piscine bordée de lauriers roses et de pins parasols, vous aurez le choix entre des chambres au rez-de-chaussée ou, beaucoup mieux, à l'étage – avec un divin balcon donnant sur l'étang. La décoration essaie, petit à petit, de se mettre au goût du jour. Calme assuré. Parking individuel – ombragé – pour votre voiture. Doubles de 80 à 99€. Quelques chambres à 70€ (sans terrasse), un peu démodées mais tout à fait correctes. Petit déjeuner 9€, servi en terrasse. *34140 **Bouzigues** (à 10km au nord de Sète) Tél. 04 67 78 31 42 Ouvert tte l'année*

☆ Saint-Guilhem-le-Désert

34150

Sur les franges nord du haut-pays montpelliérain, Saint-Guilhem-le-Désert fait figure de joyau, pour son abbaye mais aussi pour son village, bâti dans une fissure de la montagne, étape illustre sur le chemin de Saint-Jacques-de-Compostelle. Il est au centre d'une mosaïque de terroirs très divers, des Cévennes au nord aux vignobles au sud, du lac du Salagou à l'ouest au pic Saint-Loup à l'est, riches pour l'œil et les papilles : de belles perspectives se dessinent dans les canyons de terres rouges, d'autres enfilent églises et prieurés sur un fin collier d'or. La fraîcheur des caveaux agit comme un philtre enchanteur sur les palais les plus exigeants, avides de fruits rouges et d'épices parfumées. Sous le soleil de plomb, on se réfugie dans l'eau bleutée, réconcilié avec une nature si prévenante qu'elle en a disposé ses remèdes à notre portée…

Saint-Guilhem-le-Désert, mode d'emploi

accès

EN VOITURE De Montpellier, il faut prendre la direction de Millau par la N109 puis, à Gignac, prendre la D32 vers Aniane et ensuite la D27 vers Saint-Guilhem (comptez 40min). De Béziers, il faut remonter la N9 par Pézenas et Clermont-l'Hérault puis retrouver Gignac par la N109 (environ 1h de trajet).

EN CAR De Montpellier sur la ligne 302, puis 341 (changement à Gignac). Pour rejoindre Saint-Martin-de-Londres et la vallée de la Buèges, prendre la ligne 340 puis la 336 (changement à Agnan). ***Hérault Transport*** *Tél. 0825 34 01 34*

orientation

Saint-Guilhem s'étire le long d'un ruisseau, le Verdus, qui se jette, au pied des maisons, dans les gorges encaissées de l'Hérault. On ne peut pas circuler en voiture dans le village, aussi devrez-vous vous garer dans l'un des trois parkings payants disposés à l'entrée. S'ils sont complets, redescendez vers la grotte de Clamouse ou le pont du Diable, près desquels sont aménagés d'autres parkings.

informations touristiques

Office de tourisme. À l'entrée du village. *2, rue Font-du-Portal Tél. 04 67 57 44 33 www.saint-guilhem-le-desert.com Ouvert juil.-août : 9h30-19h ; hors saison ; 9h30-13h et 14h-17h (18h en juin et sept.)*

marchés

Nombreux marchés dans les environs : le mardi à Saint-Jean-de-Fos et à Saint-Pargoire, le mercredi à Clermont-l'Hérault, le jeudi à Montpeyroux (petite halle originale, au pied du campanile), Aniane, Canet et Octon, le vendredi à Saint-André-de-Sangonis, le samedi à Gignac, le dimanche à Montarnaud. Marchés paysans les dimanches d'été à Villemagne-l'Argentière.

fêtes et manifestations

Saison musicale de Saint-Guilhem-le-Désert. Un festival de musique classique sur le site même de l'abbaye de Gellone. Début juillet. *Tél. 04 67 57 44 33*

Découvrir Saint-Guilhem-le-Désert et ses environs

☆ **À ne pas manquer** L'abbaye de Gellone à Saint-Guilhem-le-Désert, la grotte de Clamouse à Saint-Jean-de-Fos **Et si vous avez le temps...** Descendez les gorges de l'Hérault en canoë avec Kayapuna, admirez le travail des potiers de Saint-Jean-de-Fos, dégustez les crus du Domaine Alain Chabanon

☆ **Abbaye de Gellone** Fondée en 804 par Guillaume d'Orange, petit-fils de Charles Martel, comte de Toulouse et duc d'Aquitaine. Charlemagne lui donne un morceau de la Vraie Croix et le culte prend alors de l'ampleur : on y vient de l'Europe entière, et d'autant plus après la mort de Guillaume (812) pour vénérer sa sépulture. Le chevet de l'église, du XIe siècle, est particulièrement original, avec ses chapiteaux à palmettes et entrelacs parmi des colonnettes de marbre antique et sa couronne de dix-huit niches sculptées. Le cloître, mutilé à diverses époques, est aujourd'hui... à New York (dans une antenne du Metropolitan Museum of Art, les "Cloisters", consacré à l'art médiéval en Europe). Il en reste néanmoins quelques vestiges, visibles au musée. Admirer aussi l'autel du XIIe siècle, de style byzantin, posé dans l'absidiole sud. *34150* ***Saint-Guilhem-le-Désert Abbaye*** *Ouvert juil.-août : lun.-sam. 8h-18h30, dim. et j. fér. 8h-18h. Cloître fermé en semaine et dim. 12h-14h30, sam. 12h-14h* ***Musée*** *Ouvert juil.-août : lun.-sam. 11h-12h et 14h30-18h (15h30-18h ven.), dim. 14h30-18h ; sept.-juin : 14h-17h Visite guidée, rens. à l'office de tourisme Adulte 2€, gratuit pour les moins de 12 ans*

Grotte de Clamouse La richesse souterraine des environs donne à imaginer ce qui se trame sous la garrigue et les oliviers... Sa longueur totale est d'environ 4km avec près de 1000m de galeries ouvertes au public, en une succession de salles et de couloirs sculptés de stalactites et stalagmites. *34150* ***Saint-Jean-de-Fos*** *(à 4km de Saint-Guilhem-le-Désert) Tél. 04 67 57 71 05 www.clamouse.com Ouvert juil.-août : tlj. 10h-19h ; juin et sept. : tlj. 10h-18h ; oct. et fév.-mai : tlj. 10h-17h ; nov.-jan. : téléphoner*

La vallée de la Buèges

Dans cette région du Haut-Languedoc, vous pouvez, en voiture, emprunter quelques routes sublimes, de vallées en crêtes et de cimes en vignes... Spectaculaire, la balade commence par la D122 d'Arboras, près de Montpeyroux, et remonte vers le nord en passant au pied du mont Saint-Baudille (847m) jusqu'à Pégairolles-de-Buèges, village tout de pierre sur une pointe élancée, et Saint-Jean-de-Buèges. On circule au milieu de massifs montagneux, à la lisière méridionale du causse du Larzac. De l'autre côté de la montagne de la Séranne, on devine les premières Cévennes...

Randonner à pied

Muni d'une carte, d'un topo-guide ou d'une brochure de l'office de tourisme, vous pourrez parcourir de nombreux sentiers dans les environs de Saint-Guilhem. Pour être accompagnés par un guide spécialisé, vous pouvez contacter Rand'Oc Saint-Guilhem *(tél. 06 14 97 51 79)*, sinon, chaussez vos meilleurs yeux et suivez le balisage !

Cirque de l'Infernet Dans les gorges du Verdus, une petite promenade juste au-dessus de Saint-Guilhem-le-Désert (1h aller et retour environ), où de nombreux itinéraires s'entremêlent au chemin de Saint-Jacques-de-Compostelle.

Trotter dans les garrigues

Cavalcade. Sur les sentiers de la garrigue, en bordure de l'Hérault ou dans les bois, vous cheminerez juchés sur de solides petits chevaux – des fjords – ou bien sur des *half-quarter horses*, plus grands. 18€/1h30, 32€ la demi-journée, 60€ la journée et autour de 200€ le week-end avec nuit en gîte et repas. Randonnées possibles de 2 à 7 jours dès 4 personnes vers les Cévennes, les Grands Causses, etc. *Route de Lavène 34150* ***Puéchabon*** *(à 10km de Saint-Guilhem-le-Désert) Tél. 04 67 57 47 72 et 06 81 48 72 14* cavalcade.thuot@wanadoo.fr

Randonner avec des ânes

Ser'âne. Magnifiques randonnées dans la petite vallée de la Buèges, avec un âne de bât (45€ la journée). Camping sur place. Table d'hôte. *34380* ***Saint-Jean-de-Buèges*** *(à 20km de Saint-Guilhem-le-Désert) Tél. 04 67 73 13 26 www.ser-ane.com Ouvert mars-nov. sur réservation*

Grimper à flanc de roche

Rand'Oc Saint-Guilhem. Des guides pour allier randonnée pédestre et découverte de la spéléologie. Niveau facile. Initiation à la rando-rappel dans les canyons. À la journée ou au week-end. *34150* ***Saint-Guilhem-le-Désert*** *Tél. 04 67 57 44 99 et 06 14 97 51 79*

Aventure 34. Canyoning, spéléo, parcours aventure et escalade : pour tous niveaux, en toutes saisons, sur différents sites du département. *Le Mas de Gua 34390* ***Saint-Vincent d'Ollargues*** *Tél. 04 67 23 27 92 www.aventure34.com*

Manier la pagaie

Plusieurs sociétés de location de canoës coexistent sur le site des gorges de l'Hérault : elles offrent toutes les mêmes prestations, en général sur le même parcours, sur une douzaine de kilomètres (en prenant son temps, compter 3 ou 4h de descente, voire davantage en cas de pique-nique ou de baignade sur le trajet), dans la partie de la rivière la plus spectaculaire, très encaissée, éloignée de toute route : la nature absolue et splendide.

Canoë Saint-Guilhem. *Tél. 04 67 57 44 99*
Kayapuna. *Tél. 04 67 57 30 25*
Rapido. Propose une minidescente de 4km – très calme – accessible aux enfants dès 4 ans. *Tél. 04 67 55 75 75*

Où acheter céramiques et poteries ?

Saint-Jean-de-Fos Dans le village, spécialisé dans la poterie, de nombreux ateliers réalisent de très belles œuvres, mates ou décorées de motifs végétaux. Les carreaux de faïence sont eux aussi magnifiques, dans les couleurs de la garrigue et des terres ocre rouge. Vous pouvez également visiter le musée de Poteries de terres vernissées. Grand marché des potiers début août. *34150* ***Saint-Jean-de-Fos*** *(à 5km de Saint-Guilhem-le-Désert) Tél. 04 67 57 72 97* ***Maison des Potiers*** *Ouvert juil.-mi-sept. : tlj. 11h-13h et 15h-19h ; mi-sept.-déc. et mi-mars-juin : sam.-dim., j. fér. et vac. scol. 11h-13h et 15h-19h* ***Musée de Poterie*** *Ouvert lun.-jeu 8h-12h et 13h30-17h, ven. 8h-12h*

Où trouver des vins d'exception ?

Outre les "stars" que sont devenus la grange des Pères, le domaine Peyre Rose et le mas Jullien, le secteur de Montpeyroux voit poindre toute une nouvelle génération de vignerons amoureux du terroir et partisans de méthodes de travail respectueuses des sols, des cycles naturels et des équilibres biologiques. Résultats intéressants.

Domaine Alain Chabanon. Les vignes sont travaillées selon des techniques "bio", ce qui donne de remarquables vins rouges, à découvrir avec délectation. *Alain Chabanon 34150* ***Lagamas*** *(à 8km de Saint-Guilhem-le-Désert) Tél. 04 67 57 84 64 Ouvert mer. et sam. 9h30-12h30*

Domaine d'Aupilhac. Sa cuvée les Cocalières (15€), provenant de vignes plantées en altitude est d'une très grande fraîcheur. Son montpeyroux simple est lui aussi un régal (12€). Vente en caves, par exemple à Clermont-l'Hérault, et au domaine sur rendez-vous. *Sylvain Fadat 28, rue du Plô 34150* ***Montpeyroux*** *(à 8km de Saint-Guilhem-le-Désert) Tél. 04 67 96 61 19 www.aupilhac.com Ouvert sur rdv*

Mas de la Séranne. *Mas de la Séranne, route de Puéchabon 34150* ***Aniane*** *(à 8km de Saint-Guilhem-le-Désert) Tél. 04 67 57 37 99 Fermé dim. et j. fér.*

Domaine de Montcalmès. *1, rue de la Grotte 34150* ***Puéchabon*** *(à 9km de Saint-Guilhem-le-Désert) Tél. 04 67 57 74 16 Ouvert sur rdv*

Le Clos du Cerf. Matthieu Foulquier-Gazagnes, un jeune vigneron à découvrir. *Gaste Fer, route de Saint-Privat 34700* ***Saint-Jean-de-la-Blaquière*** *(à 23km de Saint-Guilhem-le-Désert) Tél. 04 67 44 78 45 Ouvert sur rdv*

Manger à Saint-Guilhem-le-Désert et dans les environs

prix moyens

☺ **Au Pressoir.** Une terrasse sans prétention et une salle chaleureuse, une carte de terroir : ici, les légumes rivalisent de saveurs avec les viandes grillées, et les vins jouent à saute-mouton sur la carte, de village en village, à la rencontre des vignerons. Menu à 16,80€ à midi. *17, place de la Fontaine 34725* ***Saint-Saturnin-de-Lucian*** *(à 20km de Saint-Guilhem-le-Désert) Tél. 04 67 88 67 89 Ouvert à midi (sauf lun. et sam.), jeu. soir, ven. soir et sam. soir Fermé jan.-mi-fév.*

☺ **Les Vins de l'Horloge.** Un bar à vins gai et accueillant, aux murs patinés d'ocre jaune, aux carrelages multicolores d'antan, et au comptoir de zinc et bois. Cuisine de retour de marché, à l'ardoise, avec un plat du jour et une petite carte, et des vins au verre, bien sûr, de Montpeyroux et des environs. Terrasse sur la place, à l'ombre des arbres. Menu du midi 17€, carte 30€. *23, place de l'Horloge 34150* ***Montpeyroux*** *(à 8km de Saint-Guilhem-le-Désert) Tél. 04 67 44 49 80 Fermé mar. et dim. soir Réserver hors saison pour les lun., mer. et jeu. le soir*

Le Sanglier. En été, la terrasse est divine, surplombant les tranquilles garrigues, couvant de son aile les vignes. Service soigné, accueil cordial, photos du propriétaire – amoureux des lieux – aux murs et idées de balades à foison… Menus de 18 à 39€, avec un menu Terroir à 27€, pour goûter à la terrine de sanglier à la confiture d'oignons doux, à la daube de sanglier ou à la viande grillée. Quelques chambres également (de 71 à 86€). Piscine. *Domaine de Cambourras 34700* ***Saint-Jean-de-la-Blaquière*** *(à 22km de Saint-Guilhem-le-Désert) Tél. 04 67 44 70 51 www.logassist.fr/sanglier Fermé mer. midi ; fin oct-fin mars*

Le Domaine de Pélican. Une ferme-auberge où l'on se délecte des produits du coin. Pintade aux griottes, poulet à la tapenade, crème brûlée, croustade aux figues et au miel… et bien d'autres encore mêlés dans des menus à partir de 23€. Il est aussi possible de goûter les vins du domaine et même d'y dormir, en camping ou en chambres… *34150* ***Gignac*** *(à 14km de Saint-Guilhem-le-Désert) Tél. 04 67 57 68 92 www.domainedepelican.fr Ouvert nov.-juin : sam. soir et dim. midi ; juil.-août : le soir (sauf le jeu.), sur réservation*

prix élevés

L'Auberge sur le Chemin. Ancien élève de Paul Bocuse, le chef propose, dans une maison séculaire aux voûtes romanes, des menus créatifs à partir de 25€, à base de produits frais et régionaux. *38, rue Font-du-Portal 34150* ***Saint-Guilhem-le-Désert*** *Tél. 04 67 57 75 05 www.lauberge.net Ouvert tte l'année Réservation conseillée hors saison*

☺ **Le Mimosa.** Dans la salle parée de pierre, des vaisseaux de toile tamisent les lumières. Des poutres de bois blond traversent l'espace et croisent des fils d'acier où chemine l'électricité. Le clocher de l'église tinte les heures tout à côté et, sur la terrasse, les photophores se réveillent doucement. Le ballet peut commencer… jusqu'au dessert : un chariot de douceurs, tendres et savoureuses. Vous voyagerez en des contrées culinaires fines et travaillées. L'accord avec les vins suggérés est parfait, et l'accueil courtois, amical et élégant à la fois. Menu dégustation à 54€, pour goûter aux 6 plats sélectionnés du jour. *34725* ***Saint-Guiraud*** *(à 13km de Saint-Guilhem-le-Désert) Tél. 04 67 96 67 96 Ouvert le soir mar.-sam. (et dim. soir juil.-août) ainsi que le dim. midi Fermé nov.-mi-mars*

Dormir à Saint-Guilhem-le-Désert

très petits prix

Gîte de la Tour. Chambres et petits dortoirs au cœur du village. Sanitaires et cuisine équipée pour le meilleur confort. Capacité de 17 places : 13€ en dortoir et 14€ en chambre double. *Rue-Font-du-Portal Tél. 04 67 57 34 00 Fermé 15j. en jan.*

prix moyens

La Taverne de l'Escuelle. Au-dessus du restaurant, 5 chambres dans une maison ancienne, rénovées avec soin, toutes simples et pleines de charme. Certaines ont vue sur la place et les montagnes. Atmosphère calme et chaleureuse. Double 50€. *11, chem. du Val-de-Gellone/Pl. de la Liberté Tél. 04 67 57 72 05 Fermé jan.*

Dormir dans les environs

camping

Le Septimanien. Parfait pour rayonner autour de Saint-Guilhem, au milieu des vignes, avec piscine. Location de chalets et mobile homes. *Route de Brignac 34725* ***Saint-André-de-Sangonis*** *(à 12km de Saint-Guilhem-le-Désert) Tél. 04 67 57 84 23 Fax 04 67 57 54 78 www.camping-leseptimanien.com Ouvert avr.-fin-sept.*

très petits prix

☺ **Horizons.** Dans cette grande maison de village, vissée aux rochers de la vallée de la Buèges, vous pourrez dormir, manger, suivre des stages (langue française, nature…) ou participer à des visites guidées et à des chantiers. Nuitée 10-14€ (3€ les draps), demi-pension de 28 à 31€. *34380* ***Saint-Jean-de-Buèges*** *(à 20km de Saint-Guilhem-le-Désert) Tél. 04 67 73 11 19 www.seranne.org Ouvert tte l'année*

prix moyens

La Maison d'hôtes. Dans une ruelle, une maison de caractère, aux meubles simples, élégants. Terrasse à l'étage et salons au rez-de-chaussée. Trois chambres doubles à 48€ avec petit déj. (tarifs réduits hors saison). *13, rue du Caminol 34150* ***Saint-Jean-de-Fos*** *(à 4km de Saint-Guilhem-le-Désert) Tél./fax 04 67 57 31 41 ou 06 71 91 50 30 bed-and-breakfast@duboullay.com Ouvert tte l'année*

L'Ostal dal Poëta. Une toute petite porte sur la ruelle, un étroit couloir dans la pierre et, tout au bout, la maison des propriétaires – vignerons de profession, poètes aux autres heures – et, tout contre, celle des hôtes, en étage, avec une terrasse sur la cour intérieure. Chambres simples et spacieuses, tons ocre-rouge, meubles en bois et tomettes colorées au sol. Accueil sincère et tranquille. 55€ la nuit pour 2 pers. avec petit déj. Table d'hôte sur réservation 15€/pers. *11, rue de l'Église 34150* ***Montpeyroux*** *(à 8km de Saint-Guilhem-le-Désert) Tél. 04 67 96 64 79 Ouvert tte l'année*

Le Jardin. Deux chambres de charme au calme d'une maison ancienne restaurée, avec jardin et vue sur le château. Le village de Saint-Jean-de-Buèges semble comme hors du temps, au creux de la vallée de la Buèges, au détour d'un méandre de pierre et de bois. Chambres doubles à partir de 58€ avec petit déjeuner. *Pascale Genet Quartier de la Terre 34380* ***Saint-Jean-de-Buèges*** *(à 20km de Saint-Guilhem-le-Désert) Tél. 04 67 73 13 37 www.lefrancparler.com Ouvert tte l'année*

prix élevés

Le Mimosa. L'hôtel du restaurant Le Mimosa de Saint-Guiraud. Sobre et élégant, dans les tons d'ocre jaune et rouge. De 68 à 95€ la chambre. Petit déjeuner 9,50€.

Place de la Fontaine 34725 **Saint-Saturnin-de-Lucian** *(à 15km de Saint-Guilhem-le-Désert) Tél. 04 67 88 62 62 Ouvert mi-mars-oct.*

☺ **La Missare.** De la rue, rien n'y paraît, mais dans la cour c'est un bonheur : un jardin subtilement agencé, une piscine élégante et des murs en pierre, des volets grenat et une décoration très étudiée. Cette escale à Brignac est un délice. 70€ (65€ hors saison) la nuit pour 2 pers. avec le petit déj., gâteau surprise du jour compris... Garage abrité. *9, route de Clermont 34800* **Brignac** *(à 17km de Saint-Guilhem-le-Désert) Tél. 04 67 96 07 67 Ouvert tte l'année*

Clermont-l'Hérault

34850

Cette petite cité est un carrefour pour qui voyage entre vignes et garrigues, Cévennes et bord de mer. D'ici, on prend les chemins de traverse pour partir en balade, à l'assaut de la nature sauvage et des sommets, des paysages rouges et fauves, entre roche et végétal. Les abords immenses et déserts du lac du Salagou prennent des airs de pampa argentine, grands espaces cinglés par les vents, peuplés de silence et de moutons, parfois. L'eau y est turquoise, limpide et brillante, et, tout autour, la terre s'entrouvre pour laisser filtrer la vie.

Clermont-l'Hérault, mode d'emploi

accès

EN VOITURE N9 et A75 de Béziers (45km), N109 de Montpellier (40km), et D908 de Bédarieux. A75 de et vers Millau.

EN CAR De nombreuses lignes passent par Clermont-l'Hérault pour rejoindre Montpellier, Bédarieux, Lodève. ***Hérault Transport*** *Tél. 0825 34 01 34*

orientation

La ville se contourne par les grands axes ou se traverse par son centre pour atteindre le lac du Salagou ou Villeneuvette en venant de Montpellier.

informations touristiques

Office de tourisme. *9, rue Doyen-René-Gosse Tél. 04 67 96 23 86 Ouvert lun.-ven. 9h-12h30 et 14h-19h, sam. 9h-12h et 14h-17h (18h en été), dim. 10h-12h (en été seulement)*

marchés

Le mercredi matin à Clermont-l'Hérault et, en été, marché aux livres le dimanche à Villemagne-l'Argentière (à l'ouest, vers Bédarieux).

Découvrir Clermont-l'Hérault

☆ **À ne pas manquer** Le cirque de Mourèze, le lac du Salagou **Et si vous avez le temps...** Approvisionnez-vous en huile d'olive à la coopérative de Clermont-l'Hérault, faites le tour du lac du Salagou à cheval avec le Ranch de Mourèze

Manufacture royale de Villeneuvette Cette ancienne cité drapière est aujourd'hui un village un peu hors du temps, forcément : les bâtiments sont ceux des ateliers et des logements des ouvriers et, depuis le XVIIe siècle, ils bravent les éléments, tenant tête au délabrement. Certaines maisons ont été restaurées délicatement et l'ensemble est charmant. *Au sud-ouest de Clermont-l'Hérault, sur la D908, direction Bédarieux Tél. 04 67 96 06 00 Accès libre et visites guidées en été : lun. a.-m.-ven. ; hors saison sur demande*

Où acheter huile d'olive et vin ?

Huilerie coopérative de Clermont-l'Hérault. Certaines huiles sont remarquables, en particulier la Ménudal. *13, av. Wilson Tél. 04 67 96 10 36 Ouvert lun.-sam. 9h-12h et 14h-18h30 (19h en été)*

Au Fil du vin. Ce caviste, installé à Clermont-l'Hérault depuis 2002, est passionné et soucieux de présenter une gamme de qualité. Vous y trouverez la plupart des références citées dans les environs. *2 bis, rue Roger-Salengro Tél. 04 67 44 73 86 Fermé dim. après-midi*

Découvrir les environs

Se balader en pleine nature

☆ ☺ **Cirque de Mourèze** Les millénaires et leurs eaux gourmandes ont façonné dans la roche (la dolomie), là où elle était la plus fragile, la plus friable, défilés, statues géantes, pitons... On déambule le cœur battant dans cette forêt minérale, la plus grande de France. Plan des sentiers (de 1h à 5h de balade) à l'entrée du village, dans une cabane en bois. *34800* ***Mourèze*** *(à l'ouest de Clermont-l'Hérault) Office de tourisme Tél. 04 67 96 08 47*

Canyons et terres rouges. Plusieurs circuits autour du lac du Salagou, dont celui des Vailhès, au départ du barrage (16km, 5h, balisage jaune). Une autre balade sauvage au cœur du canyon de Saint-Jean-de-la-Blaquière, jusqu'au rocher des Fées pour les plus courageux.

S'initier à la botanique

Sorties botaniques À Bédarieux, en été, l'association Mycologique et Botanique organise une sortie nature le vendredi, à la découverte des plantes et des champignons de la région. *Tél. 04 67 23 93 90.* Des balades sont également proposées tous les mardis d'été au départ d'Octon : rendez-vous à 8h30 sur la place pour découvrir les richesses du lac du Salagou. *34800 **Octon** Office de tourisme Tél. 04 67 96 22 79 Ouvert 15 juin-15 sept (juil.-août : 10h-12h30 et 16h-19h)*

Se détendre dans un cadre de rêve

☆ **Lac du Salagou** Le lac artificiel du Salagou (750ha) a été mis en eau dans les années 1960 pour réguler le débit de la rivière et permettre l'irrigation de la région. L'eau est tantôt émeraude, tantôt turquoise, et reste fraîche au cœur même de l'été. Vous trouverez sur ses rives de nombreux points d'accès et beaucoup de petites plages de rochers lisses et rouges, à l'ombre parfois, souvent peu fréquentés. Outre ce grand espace de baignade, vous avez le choix entre quelques bords de rivière – l'Hérault, vous l'avez deviné – autour de Clermont-l'Hérault ou plus haut, vers Brignac.

Base de plein air du Salagou. Catamaran, planche à voile, tir à l'arc. *Lac du Salagou **Clermont-l'Hérault** Tél. 04 67 96 05 71*

Ranch de Mourèze. Promenades dans les "pampas" autour du lac du Salagou… avec baignade à cheval en prime ! Comptez 12€/h, 30€ les 3h. *Route de Salasc 34800 **Mourèze** (à l'ouest de Clermont-l'Hérault, vers Bédarieux) Tél. 04 67 88 08 96 et 06 11 97 21 16 Sur réservation*

Où acheter du vin ?

Mas des Chimères. S'il est un vin à découvrir sur les rives du lac, c'est celui-là. Bel équilibre sur les rouges – en coteaux-du-languedoc et en vins de pays. De 5,50 à 10€ la bouteille. *Guilhem Dardé 34800 **Octon** Tél. 04 67 96 22 70 Ouvert juil.-août : tlj. 10h-12h et 17h-19h ; hors saison : lun.-ven. sur rendez-vous (après 17h), sam. 15h-18h30, dim. 10h-12h*

Dormir dans les environs

prix moyens

Le Mas de Riri. Le site est sublime, avec vue plongeante sur le lac du Salagou. Les chambres, elles, sont toutes simples, sans charme particulier mais propres (48€ la double avec douche, 55€ avec bains, petit déj. compris). Possibilité de camping. *34700 **Celles** (au nord-est d'Octon) Tél. 04 67 44 63 95 Hôtel ouvert tte l'année Camping ouvert avr.-sept.*

Lodève

34700

Au nord de la région, déjà lancée sur la piste des montagnes, Lodève hésite entre le repli tranquille, ronronnant, et l'ouverture. La cité conjugue sérénité et création, et, depuis de nombreuses années, soutient le travail de ses artisans. Ce qui lui a valu d'être labellisée

"ville et métiers d'art", puis "archipel des métiers d'art" et depuis 2006 "ville d'art et d'histoire". Au fil de ses ruelles pleines de charme, on visite ainsi ateliers, galeries et musées.

Lodève, mode d'emploi

accès

EN VOITURE N9 et A75 de Clermont-l'Hérault, et D35 de Bédarieux.

EN CAR Liaisons pour Montpellier ainsi que pour Bédarieux et Saint-Pons-de-Thomières. ***Hérault Transport*** *Tél. 0825 34 01 34*

informations touristiques

Office de tourisme. *7, pl. de la République Tél. 04 67 88 86 44 www.lodeve.com Ouvert lun.-ven. 9h30-12h30 et 14h30-18h30, sam. 9h30-12h30*

marchés et manifestations

Marché. Samedi matin toute l'année. En été, marché du terroir le mardi de 16h30 à 19h30.
Salon des artisans créateurs. Les artistes et artisans de tout le Languedoc-Roussillon exposent leurs travaux. *Dernière semaine de novembre*
Festival Nature. Fin mai-début juin. Autour du lac du Salagou : sport, nature, randonnées.

Découvrir Lodève

☆ **À ne pas manquer** La cathédrale Saint-Fulcran **Et si vous avez le temps…** Découvrez le tissage des tapis à la manufacture de la Savonnerie, approchez les artistes et les artisans de la région au salon qui leur est consacré à Lodève en novembre, flânez dans les ruelles de Joncels

Cathédrale Saint-Fulcran Le clocher massif de cet édifice entièrement fortifié entre le XIIIe et le XIVe siècle domine de ses 54m l'ancien palais épiscopal attenant, construit au XVIIIe siècle et aujourd'hui hôtel de ville. Il faut entendre sonner les sept cloches de son *Gran Campan* : tous les soirs à 19h, treize coups retentissent en mémoire de saint Fulcran (919-1006), l'évêque qui fit ériger la première cathédrale au Xe siècle…

Manufacture de la Savonnerie Créé par Colbert dans une ancienne fabrique de savons, le bâtiment accueille à nouveau, depuis les années 1960, un atelier de tissage – à l'intention des femmes de harkis rapatriées en France à cette époque. Entre un et trois tapis – de facture ancienne ou contemporaine – sont ainsi fabriqués chaque année puis envoyés rejoindre le Mobilier national à Paris. *Impasse des Liciers (au sud-ouest de la ville) Tél. 04 67 96 41 34 Ouvert mar., mer. et jeu. 13h30-15h30 sur rdv Entrée 3,20€, gratuit pour les enfants*

Musée de Lodève Installé dans l'ancien hôtel du cardinal de Fleury, ce musée, hors normes pour la région, est doté de moyens qui lui permettent de présenter des expositions de renommée internationale et de grande qualité. Voir aussi les collections des départements des Sciences de la terre, de l'Archéologie et des Beaux-arts. *Square Georges-Auric Tél. 04 67 88 86 10 Ouvert mar.-dim. 9h30-12h et 14h-18h Tarif variable selon les expositions*

Rencontrer des artisans

Horizons intérieurs-Pôle des métiers d'art du Lodévois. La vitrine des trente-cinq artisans de Lodève et des environs : relieurs, céramistes, ferronniers... Pour prendre les premiers contacts. *45, Grand-Rue Tél. 04 67 44 29 28 www.horizons-interieurs.com*

Découvrir les environs

Prieuré Saint-Michel-de-Grandmont Un dépouillement subtil, dans le cloître du XIIIe siècle en particulier. Dolmens et sépultures wisigothiques dans le parc. *34700* ***Soumont*** *(sur la D153, à 8km à l'est de Lodève) Tél. 04 67 44 09 31 Visite libre du monastère tlj. 10h-18h Visite guidée du parc et du monastère juin-sept. à 10h30, 15h, 16h et 17h ; oct.-mai à 15h Adulte 5,60€ Enfant 3,80€*

Terrasses du Larzac De Lodève, remonter vers Soubès et bifurquer sur la droite, par la D25 en direction de Saint-Étienne-de-Gourgas, pour frôler la forêt de Parlatges, le sud du causse du Larzac et le pic de Saint-Baudille, avant de redescendre par la D9 vers Montpeyroux et Saint-Jean-de-Fos.

Joncels Ce village est un petit bijou. Les habitants ont carrément pris possession de l'abbaye médiévale, et des maisons particulières ont été construites à l'intérieur même du cloître. Désolant peut-être pour le monument initial, mais assurément étonnant... *34650* ***Joncels*** *Au-dessus de Lunas, à 17km à l'ouest de Lodève*

Où croquer des lucques ?

Maison Bousquet. Au bord de la route, dans une petite pièce fraîche, vous trouverez des olives lucques, de l'huile et du jus de raisin bio. Quelques cerises en bocaux également. *34700* ***Saint-Étienne-de-Gourgas*** *Tél. 04 67 44 63 38 Ouvert tlj.*

Manger à Lodève

petits prix

Soleil bleu. Un petit troquet plein de vie dans la rue principale de Lodève, avec des salades et des tartes du jour à 10€, des plats cuisinés à 10€, mais aussi des glaces, des sorbets, des cafés... Avec quelques céramistes de la région, tout en lumière et en énergie. *39, Grand-Rue Tél. 04 67 88 09 86 Fermé dim.-lun.*

Saveurs au grand sud. Sur une grande place fraîche et ombragée, une vingtaine de tables sous leurs parasols d'un jaune éclatant, et une cuisine pleine de soleil. À midi, formules autour d'une salade – aux parfums de coriandre et de cumin – et, le soir, couscous et tagines mijotés. Cafés du monde entier, glaces, thé à la menthe et pâtisseries orientales toute la journée. Accueil généreux et souriant. *Pl. de la République Tél. 06 65 79 21 05 Fermé hors saison : dim. soir et lun. ; nov.-mi-déc.*

GEOREGION

Le souvenir de Rome est omniprésent dans le chef-lieu gardois : arènes, tour Magne, Maison carrée, temple de Diane, amphithéâtre… la cité médiévale et la ville moderne, malgré leur incontestable beauté, ne peuvent effacer le souvenir de la magnificence du siècle d'Auguste. L'éclat de Nîmes n'a pas terni pour autant les autres cités historiques des environs : Uzès, Sommières, Aigues-Mortes… Le pays des vignes et des oliviers, du soleil et de la garrigue, devant lequel Pline s'écriait : "Ce n'est pas une province, c'est plutôt l'Italie", a su conserver un art de vivre presque romain.

À ne pas manquer Les arènes de Nîmes, le pont du Gard, la chartreuse de Villeneuve-lès-Avignon, Aigues-Mortes

Et si vous avez le temps… Assistez à la feria de Nîmes, admirez le portail de l'abbatiale de Saint-Gilles-du-Gard, visitez le jardin médiéval d'Uzès, explorez la Petite Camargue au fil de l'eau

GEO**REGION**

Nîmes et ses environs

GEO**MEMO**

Département	Gard (30), 5 848km² (623 110 hab.)
Ville principale	Nîmes (133 420 hab.)
Informations touristiques	CDT 04 66 36 96 30 OT Nîmes 04 66 58 38 00
Espace protégé	parc naturel régional de Camargue
Lieu de baignade	plage de l'Espiguette (Port-Camargue)

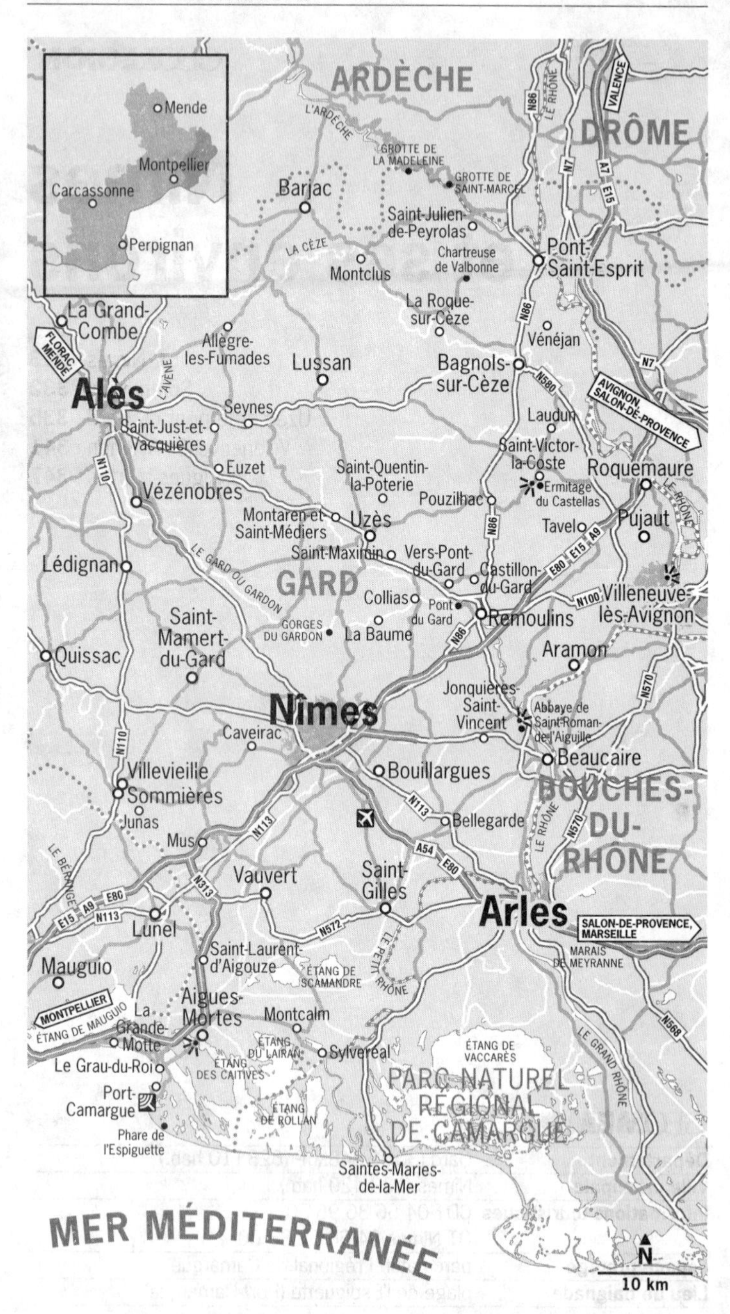
ARDÈCHE
DRÔME
GARD
BOUCHES-DU-RHÔNE
Mende
Montpellier
Carcassonne
Perpignan
L'ARDÈCHE
GROTTE DE LA MADELEINE
GROTTE DE SAINT-MARCEL
VALENCE
N86
LE RHÔNE
N7
A7
E15
Barjac
Saint-Julien-de-Peyrolas
LA CÈZE
Pont-Saint-Esprit
Chartreuse de Valbonne
Montclus
La Roque-sur-Cèze
La Grand-Combe
FLORAC, MENDE
Allègre-les-Fumades
Vénéjan
Lussan
Bagnols-sur-Cèze
N580
Alès
L'AVÈNE
Seynes
AVIGNON, SALON-DE-PROVENCE
Laudun
Saint-Just-et-Vacquières
Saint-Victor-la-Coste
N110
Euzet
Saint-Quentin-la-Poterie
Roquemaure
Ermitage du Castellas
Vézénobres
Pouzilhac
Montaren-et-Saint-Médiers
Uzès
Tavel
Pujaut
Saint-Maximin
Vers-Pont-du-Gard
A9
E80
Lédignan
LE GARD OU GARDON
Castillon-du-Gard
Villeneuve-lès-Avignon
N100
Collias
Pont du Gard
Remoulins
Saint-Mamert-du-Gard
GORGES DU GARDON
La Baume
Aramon
Quissac
N570
Jonquières-Saint-Vincent
Nîmes
Abbaye de Saint-Roman-de-l'Aiguille
Caveirac
Beaucaire
Villevieille
Bouillargues
Sommières
N113
Junas
Bellegarde
LE RHÔNE
Mus
LE BÉRANGE
A54
N313
Vauvert
Saint-Gilles
Arles
SALON-DE-PROVENCE, MARSEILLE
Lunel
N572
LE PETIT RHÔNE
MARAIS DE MEYRANNE
Saint-Laurent-d'Aigouze
Mauguio
ÉTANG DE SCAMANDRE
MONTPELLIER
Aigues-Mortes
La Grande-Motte
ÉTANG DE MAUGUIO
Montcalm
N568
LE GRAND RHÔNE
ÉTANG DU LAIRAN
Sylveréal
ÉTANG DE VACCARÈS
Le Grau-du-Roi
ÉTANG DES CAITIVES
PARC NATUREL RÉGIONAL DE CAMARGUE
Port-Camargue
ÉTANG DE ROLLAN
Phare de l'Espiguette
Saintes-Maries-de-la-Mer
MER MÉDITERRANÉE
N
10 km

Nîmes

30000

Nîmes est un triangle, historique et bouillonnant – on s'y repère les yeux fixés sur ses amers : les arènes et la Maison carrée. Les premières rythment l'année ; à la Pentecôte et aux vendanges, les taureaux sont lâchés, et partout ce n'est que trépidation, agitation, ébullition. Les bars ouvrent grand leurs bras et, au fil des nuits de feria, le défoulement opère, sur le tempo des sangrias. Le calme revenu permet d'entendre à nouveau la mélodie tranquille, la délicate palpitation : Nîmes est avant tout une cité d'art, et ce depuis déjà longtemps. Les Romains y ont bâti leur temple de pierre – la bien nommée Maison carrée –, et les modernes s'y sont construit des places, des églises, des hôtels particuliers raffinés. Nos contemporains y ont répondu de verre et de lumière : le Carré d'art vibre d'expressions picturales en expositions, d'images en mots, d'émotions en fulgurations. Entre ces deux pôles, les ruelles du centre appellent à la décontraction ; il faut s'y fondre et s'y laisser glisser pour en absorber fragrances et tendances.

HISTOIRES DE TOILES Elles entourent, enrobent ici l'humain et le bâti : les toiles de Nîmes collent à la peau de la ville depuis des temps infinis. Au XVIIe siècle, les marchands nîmois vendent à travers le monde entier toiles et tissus de qualités diverses, des bas de soie aux cotonnades grossières en passant par les indiennes, copies locales de modèles venus des Indes. Ils imposent un jour sur le marché la serge – un tissu travaillé en oblique – teinte avec de l'indigo importé. À Londres, cette toile solide, vêtement de travail parfait, s'appelle la "toile de Nîmes". Elle devient très vite le denim outre-Atlantique et Levi Straus n'a plus qu'à la développer… Le jean est né.

Nîmes, mode d'emploi

accès

EN VOITURE Par la N113 ou l'autoroute A9 de Montpellier ou d'Orange. Au départ d'Arles, prendre l'A84 ou la N113, et d'Alès, la N106.

Nîmes et ses environs

(en km)	Nîmes	Vers-Pont-du-Gard	Aigues-Mortes	Villeneuve-lès-A.
Vers-Pont-du-Gard	34			
Aigues-Mortes	46	75		
Villeneuve-lès-A.	46	28	83	
Anduze	47	54	66	81

EN AVION Aéroport de Nîmes-Arles-Camargue à 8km environ (celui de Montpellier reste néanmoins mieux desservi). Navettes vers le centre-ville. *Tél. 04 66 70 06 88*

EN TRAIN Une douzaine de trains directs par jour de Paris (3h en TGV) et aussi de Perpignan, Narbonne, Montpellier. ***Gare SNCF*** *Bd Sergent-Triaire (plan D3)* ***SNCF*** *Tél. 3635 www.voyages-sncf.com*

EN CAR Les lignes du Gard relient la plupart des villes du département : Alès, Uzès, Aigues-Mortes… La ligne 101 de Hérault Transport est directe au départ de Montpellier. ***Hérault Transport*** *Tél. 0825 34 01 34* ***Gare routière*** *Parvis sud Rue Sainte-Félicité Tél. 04 66 29 52 00*

location de voitures et de deux-roues

Ada. *2614, route de Montpellier Tél. 04 66 04 79 99*
Avis. *Aéroport Tél. 04 66 70 49 26 Gare SNCF Tél. 04 66 29 66 36*
Hertz. *Gare SNCF Tél. 04 66 76 25 91 Aéroport Tél. 04 66 70 19 96*
Sud Moto. Location de scooters à la journée (49€), au week-end, à la semaine… *2503, route de Montpellier Tél. 04 66 84 66 34*

orientation

Pour accéder au centre-ville, le plus simple est de suivre la direction de l'office de tourisme (plan B2), puis de se garer dans un des parkings souterrains, celui de la Maison carrée par exemple. Vous pouvez également suivre la direction des arènes, au sud, et continuer à pied à travers le centre historique. Évitez les boulevards circulaires en sens unique : souvent encombrés, ils sont peu pratiques.

informations touristiques

Office de tourisme (plan B2). Il propose en particulier un “Pass romain”, une formule de séjour avec dîner, nuit, petit déjeuner et tickets d'entrée dans tous les monuments, musées et sites à partir de 75€/pers. *6, rue Auguste Tél. 04 66 58 38 00 www.ot-nimes.fr Ouvert haute saison : lun.-mer. et ven. 8h30-20h, jeu. 8h30-21h, sam. 9h-19h, dim. 10h-18h ; basse saison : lun.-ven. 8h30-19h, sam. 9h-19h, dim. 10h-17h*

accès Internet

Net@games (plan B2-C2). Un cybercafé situé juste derrière la Maison carrée. Connexion tarifée à la minute. *25, rue de l'Horloge Tél. 04 66 36 36 16 Ouvert tlj. 10h-minuit*
Espace étudiant. Consultation libre des e-mails (limitée à 30min). *Bureau Information Jeunesse 8, rue de l'Horloge Tél. 04 66 27 76 86 Ouvert lun.-ven. 10h-18h*

marchés

Tous les jours, sous les halles de la Coupole (plan C1), un grand marché propose une vaste gamme de produits venus de Provence, des Cévennes, de Méditerranée ou de Lozère. Tous les jeudis soir en juillet et août sur les places de la ville : marchés nocturnes et concerts.

fêtes et manifestations

☆ L'événement phare est incontestablement la **feria**, qui se dédouble annuellement en feria de Pentecôte et en feria des vendanges (mi-septembre).

Suivez les programmations du **théâtre** (plan B2) *1, place de la Calade Tél. 04 66 36 65 10* et de l'**Association théâtre populaire** *8, rue Pierre Sémard Tél. 04 66 67 63 03*. Chacun diffuse plusieurs pièces de qualité tout au long de l'année.

Découvrir Nîmes

☆ **À ne pas manquer** La feria de Pentecôte, la Maison carrée, les arènes **Et si vous avez le temps...** Assistez à une corrida dans les arènes, flânez dans les jardins de la Fontaine, savourez la brandade de Nîmes concoctée par Raymond, sirotez un verre au Ciel de Nîmes en haut du Carré d'art

"Laissez-vous conter Nîmes" Visites guidées, sur des thèmes spécifiques selon les saisons. Des balades historiques (5,50€, tarif réduit 4,50€), des visites théâtralisées en juillet et août (9€, tarif réduit 7€), des enquêtes spéciales pour les enfants pendant les vacances (3€). *Rens. à l'office de tourisme*

☆ **Maison carrée (plan B2)** Elle trône au nord de la ville, et donne tout de suite à Nîmes sa couleur de ville romaine. Il faut l'imaginer au Ier siècle, au sud d'une place publique bien plus vaste encore, un gigantesque forum. Née temple, elle devint par la suite maison consulaire, écurie, appartement, église... Elle faillit même partir à Versailles, démontée pierre par pierre, au temps de Colbert puis de Napoléon. Au XIXe siècle, on y entreposa les archives de la ville, puis des tableaux, et c'est ainsi que cette Maison carrée nous est parvenue presque intacte... *Place de la Maison-Carrée Tél. 04 66 21 82 56 Ouvert tlj. mi-mars-mi-oct. : 9h-19h ; mi-oct.-mi-mars : 10h-17h Entrée 4,50€ TR 3,60€ (billet combiné : Maison carrée-arènes-tour Magne 9,50€ TR 7€)*

Carré d'art-musée d'Art contemporain (plan B2) Ce cube de verre qui fait face à la Maison carrée est l'œuvre de l'architecte Sir Norman Foster. Il abrite un musée d'Art contemporain où les expositions temporaires rivalisent de qualité avec le contenu de la collection permanente, axée autour de trois thèmes : l'art en France de 1960 à 1990, l'identité méditerranéenne et l'art des pays anglo-saxons. On y trouve également une bibliothèque fabuleuse et, tout en haut, un café bien agréable, le Ciel de Nîmes (cf. Où boire un verre ?). *Place de la Maison-Carrée Tél. 04 66 76 35 70 Ouvert mar.-dim. 10h-18h Entrée 5€ TR 3,70€, gratuit le 1er dim. du mois*

École des Beaux-arts-Hôtel Rivet (plan C2) Elle accueille de remarquables expositions d'artistes d'origine régionale mais ouverts sur le monde entier, du dessin à la photographie – l'une des dimensions phares de l'école. Le bâtiment est splendide. *10, Grande-Rue Tél. 04 66 76 70 22 Ouvert lun.-ven. 9h-12h et 14h-17h*

☆ **Arènes (plan C3)** L'autre pôle de la ville, tout au sud, est un amphithéâtre imposant de pierres grises, délavées par les ans : de forme elliptique, il mesure 133m de long sur 100 de large et 21m de haut, sur deux niveaux – on y loge facilement 20000 personnes et chacun peut y circuler, s'installer et jouir du spectacle sans être gêné. L'amphithéâtre n'était pas destiné aux fauves, mais aux courses de taureaux, jeux aquatiques, combats de gladiateurs... À la fin de l'Empire, ses enceintes serviront de refuge à la population, puis des maisons y seront construites, formant un

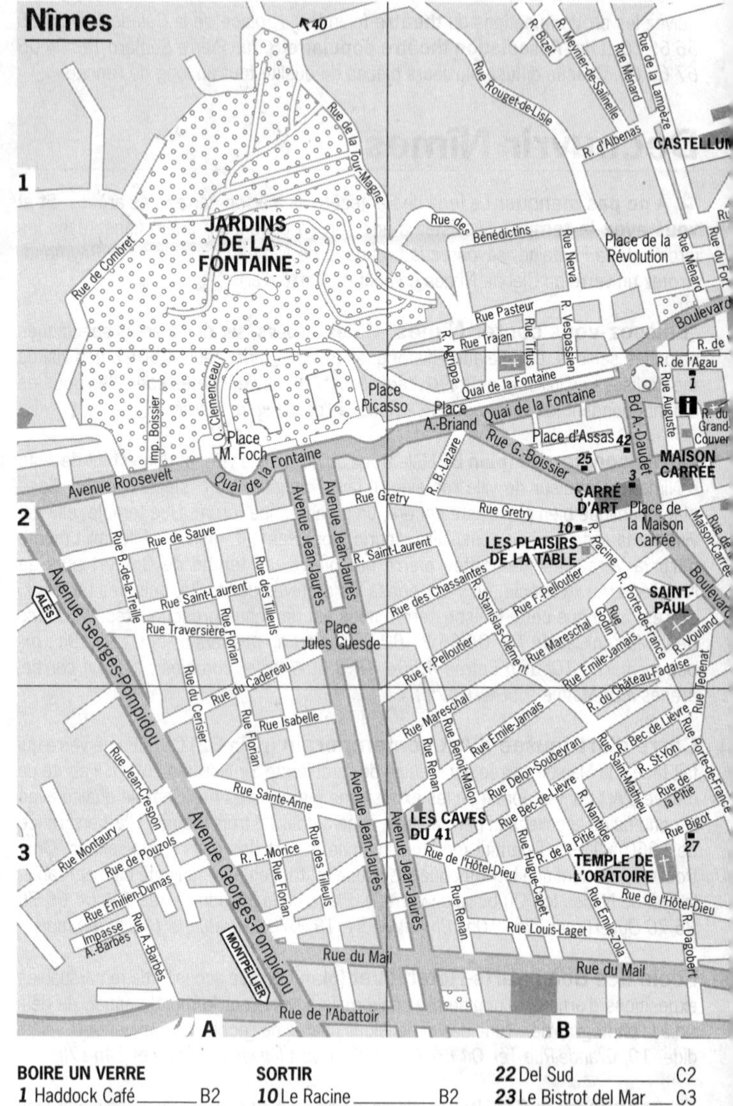

BOIRE UN VERRE
1 Haddock Café _______ B2
2 Le Café Olive _______ C2
3 Le Ciel de Nîmes _______ B2

SORTIR
10 Le Racine _______ B2

MANGER
20 Courtois _______ C2
21 La Calade _______ C2
22 Del Sud _______ C2
23 Le Bistrot del Mar _______ C3
24 Simple Simon _______ C2
25 Le Carré d'Art _______ B2
26 Le 9 _______ C2
27 L'Ex-æquo _______ B3

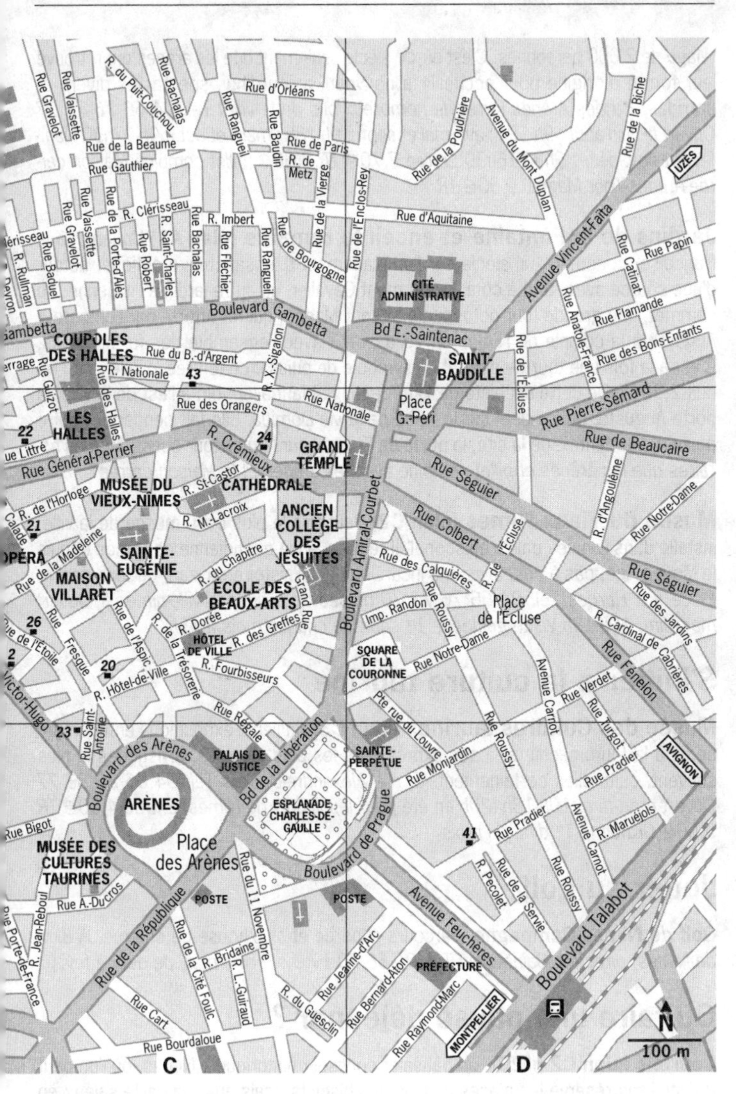

DORMIR

40 Auberge de jeunesse A1
41 Hôtel Majestic ______ D3
42 Royal Hôtel ________ B2
43 New Hôtel ________ C1
La Baume

village de 2 000 personnes. C'est au XIXe siècle seulement que les arènes ont retrouvé leur forme d'origine pour accueillir à nouveau, aujourd'hui, spectacles divers et corridas. *Bd des Arènes (arrêt de nombreux bus de la ville) Tél. 04 66 76 72 77 Ouvert tlj. juin-août : 9h-19h ; avr.-mai et sept. : 9h-18h ; mars et oct. : 9h-17h30 ; jan.-fév. et nov.-déc. : 9h30-16h30 Entrée 7,70€ TR 5,60€ (billet combiné Maison carrée-Arènes-Tour Magne) 9,50€ TR 7€*

Jardins de la Fontaine et enceinte romaine (plan A1) Un jardin à la française, conçu au XVIIe siècle sur l'emplacement d'un sanctuaire antique, autour d'une source avec, tout à côté, sur le mont Cavalier, un autre jardin à l'italienne. Au sommet, une grande tour octogonale, la tour Magne, qui fut offerte par l'empereur Auguste à la colonie de Nîmes en 15 av. J.-C. avec l'ensemble des fortifications. C'est à la fois une tour de guet et un symbole de puissance (entrée 2,70€, tarif réduit 2,30€). De cette enceinte de 7km de long, il faut aller voir, à l'est de la ville, la porte Auguste, qui se tient sur le tracé de la *via Domitia*. Elle fait pendant à l'autre porte monumentale de la cité, la porte de France, sur le pourtour ouest. *Mêmes horaires que les arènes et billet combiné avec les arènes et la Maison carrée*

Musée du Vieux Nîmes (plan C2) Peut-être le plus beau musée de la ville, installé dans l'ancien palais épiscopal. Il retrace la vie quotidienne de Nîmes depuis le Moyen Âge, pas à pas, avec une incursion dans l'histoire du jean, ou toile denim. *Place aux Herbes Tél. 04 66 76 73 70 musee.vieux-nimes@ville-nimes.fr Ouvert mar.-dim. 10h-18h Visite guidée le 1er sam. de chaque mois à 15h*

S'initier à la culture taurine

Musée des Cultures taurines (plan C3) Un lieu d'expositions entièrement dédié à la tauromachie et à ses expressions les plus diverses, artistiques le plus souvent, culturelles certainement. *6, rue Alexandre-Ducros Tél. 04 66 36 83 77 Ouvert mar.-dim. 10h-18h (20h en été pour les Jeudis de Nîmes) Entrée 4,90€ TR 3,60€ Gratuit le 1er dim. du mois*

Jouer au golf

Golf de Nîmes-Campagne. Parcours superbe et club-house de charme. *À 8km de Nîmes, direction Saint-Gilles Tél. 04 66 70 17 37 Fermé mar. de déc. à fév.*

Où faire une pause déjeuner ?

Courtois (plan C2 n°20). Un pâtissier confiseur historique à Nîmes, où l'on peut goûter sans réserve les glaces maison, les biscuits, mais aussi la carte salée : en terrasse, des tables vous permettent de déjeuner. *8, place du Marché Tél. 04 66 67 20 09 Ouvert jusqu'à minuit en juil.-août Fermé lun. de nov. à jan.*

Où acheter des produits du terroir ?

Les Plaisirs de la Table (plan B2). Une cave où il fait bon s'attarder, goûter les dernières trouvailles et discuter des figures locales – vignerons singuliers, vins d'exception… – sans prétention aucune, avec gentillesse et cordialité. Ici est née la revue *In Vino*, à l'initiative du sommelier et de ses acolytes émérites… *1, rue Racine Tél. 04 66 36 26 06 Fermé dim. et lun.*

Les Caves 41 (plan B3). Vaste espace où, très sages, s'alignent les bouteilles, des plus modestes aux plus prestigieuses. On pioche au hasard une étiquette et la voix s'anime, raconte l'histoire de la vigne, la lente évolution des raisins sous la main d'un homme, d'une femme, pour qui le vin est une passion… Accueil attentionné. *Mas Sainte-Cécile 191, chemin du Mas-de-Cheylon Tél. 04 66 36 20 36 Fermé dim.*

Maison Villaret (plan C2). Une boulangerie à l'ancienne, de ses fours sortent des brioches à la fleur d'oranger, des croquants aux amandes, des caladons (miel, amandes et citron) et des galettes vitaminées. Un régal de douceur et de craquant mêlés… *13, rue de la Madeleine Tél. 04 66 67 41 79 Ouvert lun.-sam. 7h-19h30*

Brandade Raymond (plan C1). Le spécialiste historique de la brandade de Nîmes… Pour se composer un panier-souvenir, en y ajoutant quelques tapenades et autres nouveautés maison. *34, rue Nationale Tél. 04 66 67 20 47 Ouvert mar.-sam. 8h30-12h30*

Où aller au cinéma ?

Cinéma Le Sémaphore. Cinq salles dédiées à l'actualité du cinéma d'art et d'essai et aux rétrospectives. *25, rue Porte-de-France Tél. 04 66 67 83 11 Programme Tél. 04 66 67 88 04 Serveur vocal Tél. 08 36 68 00 73 www.lesemaphore.fr.st*

Où boire un verre et grignoter en musique ?

Haddock Café (plan B2 n°1). Dans le quartier de l'îlot Littré, à deux pas de la Maison carrée, un long bar dans un ancien hangar, repeint de couleurs vives, ouvert aux expos, au théâtre, aux concerts. Midi et soir, on peut venir y manger pour environ 10€… *13, rue de l'Agau Tél. 04 66 67 86 57 Ouvert lun.-ven. et sam. soir*

Le Café Olive (plan C2 n°2). Un comptoir d'antan et une salle aux plafonds jusqu'au ciel, une poignée de tables en terrasse et du vin au verre, des salades et des assiettes originales, des plats du jour simples et attrayants… *22, bd Victor-Hugo Tél. 04 66 67 89 10 Fermé dim.*

Le Ciel de Nîmes (plan B2 n°3). Au dernier étage du musée du Carré d'art, la vue ne peut être que panoramique, plongeante sur la Maison carrée et au-delà, sur les toits ocre-orangé, les clochers. On vient y lire son journal avec un café, manger un morceau ou juste rêver, dans le vent, la main abandonnée sur une boisson glacée… *Place de la Maison-Carrée Tél. 04 66 36 71 70 Ouvert mar.-dim. 10h-18h*

Où sortir le soir ?

☺ **Le Racine (plan B2 n°10).** C'est aussi un restaurant – spécialités orientales –, mais son long bar invite surtout à venir y siroter des *drinks*, à l'apéritif ou encore plus tard le soir. Les musiques traversent le monde, électriques et toniques, électroniques aussi parfois. Un très bel endroit, avec de jolies lumières et une belle atmosphère. *2, rue Grétry Tél. 04 66 67 95 75 Ouvert lun.-mar. à midi, mer.-ven. midi et soir, sam. soir Fermé août*

Manger à Nîmes

N'oubliez pas de consulter la rubrique Où faire une pause déjeuner ?, où vous retrouverez des adresses de restauration à petits prix.

très petits prix

La Calade (plan C2 n°21). Une petite place tranquille au pied du théâtre, à l'abri des foules et des boutiques, pour grignoter des assiettes corses ou provençales, des salades ou des tartes salées, des pâtes au basilic ou au parmesan. Simple et bon marché (moins de 10€). Vin au verre, boissons fraîches et cafés la journée. Plats du jour spécial pour les Jeudis de Nîmes en été, avec concerts sur la place. *6, place de la Calade Tél. 06 71 02 14 52 Ouvert midi et soir en été Fermé à la saison fraîche*

petits prix

☺ **Del Sud (plan C2 n°22).** On en rêvait et deux fous de cuisine l'ont fait : un lieu de rencontre des plats de la Méditerranée, depuis les assiettes de Delphes, de Chypre et de Castille jusqu'aux grandes salades de Toscane, en sautant d'un serrano à un pasta nagra, des pennes aux supions au yaourt de brebis arrosé de miel de thym crétois... Formule déjeuner à 12€, formule du soir à 21€, plats à la carte environ 15€. Un plaisir résolument joyeux et communicatif. *10, rue Littré Tél. 04 66 67 22 50 Fermé dim. et lun.*

Le Bistrot del Mar (plan C3 n°23). Quelques tables en terrasse, quelques tables dedans, des moustaches généreuses et un accueil tranquille, amical... c'est un endroit hors des modes et loin des foules, dans un quartier qui pourtant n'en manque pas. On y mange des plateaux de fruits de mer et des salades de tomates, ricotta et *tutti quanti*... À des prix modestes, ce qui ne gâte rien. *4, rue Saint-Antoine Tél. 06 16 47 66 85 Fermé lun.*

prix moyens

Simple Simon (plan C2 n°24). Un salon de thé à l'anglaise qui sort des créneaux horaires du goûter pour proposer à déjeuner – des tartes du jour avec crudités, des salades, de *l'indian meat loaf*, du *cheese scone* au four... Brunch complet à 16,50€. *Place des Esclafidous Tél. 04 66 67 55 61 Fermé dim. et lun.*

Le Carré d'Art (plan B2 n°25). En face du musée d'Art contemporain, une cour de bambous et de palmiers, de petites tables carrées, et une salle aux grands volumes, d'un raffinement très détendu, très naturel : on y boit un verre et on y dîne, de terrines d'aubergine au pistou, de pavés de morue grillée à l'huile de noisettes ou bien encore de ravioles, à la carte ou en formules autour de 19, 23 et 27€. *2, rue Gaston-Boissier Tél. 04 66 67 52 40 Fermé sam. midi et dim.*

☺ **Le 9 (plan C2 n°26).** Entrée discrète – à peine une enseigne, tout juste un papier épinglé sur la porte, elle-même à peine entrebâillée. Une carte épurée : 5 entrées et 6 plats, avec 3 desserts tout au plus. Des produits simples et frais : terrine d'aubergines et poivrons marinés, épaule d'agneau, brandade ou pâtes fraîches, sans cérémonial ni poudre aux yeux. Pourtant le cadre est divin, derrière la porte se cache un jardin, puis, à l'abri des murs, une salle vaste et élégante, digne des palais florentins. Entrées de 8 à 10€, plats de 12 à 18€. *9, rue de l'Étoile Tél. 04 66 21 80 77 Ouvert avr.-mi-oct. : tlj. ; hors saison : sur réservation*

prix élevés

L'Ex-æquo (plan B3 n°27). Une nouvelle adresse nîmoise – un subtil mélange de design et de gourmandise, d'épure et d'élégance, dans une salle aux chaises rouges, murs blancs et parquet blond. Un jardin tranquille déploie, pour l'été, ses pavés. La carte décline des plats tout en fraîcheur. Les noisettes de requin sont glacées au vinaigre balsamique, les ris de veau braisés sur un pain de pommes de terre, le tout accompagné de vins choisis, de perrières en grimaudes et autres découvertes atypiques. Menus 26 et 37€. Menus du marché à midi à 15 et 19€, et menu "Carte blanche" à 53€, ou 75€ avec les vins en écho. *11, rue Bigot Tél. 04 66 21 71 96 Fermé sam. midi et dim.*

Dormir à Nîmes

très petits prix

Auberge de jeunesse (plan A1, n°40). Pour compenser le fait d'être quelque peu excentrée, l'auberge a l'avantage d'être plantée au beau milieu d'un parc botanique de 7 000m² – calme et verdure assurés. Bâtiments récemment rénovés, avec chambres de 2, 4 ou 6 lits. Nuitée 11,70€. Location de vélos et de scooters 15 et 24€/jour. *257, chemin de l'Auberge-de-Jeunesse (fléchée à partir des jardins de la Fontaine) Tél. 04 66 68 03 20 www.hinimes.com Ouvert tte l'année*

prix moyens

Hôtel Majestic (plan D3 n°41). À deux rues du centre historique, un hôtel centenaire rafraîchi avec soin. Chambres simples et claires de 42 à 54€, petit déjeuner 5€. *10, rue Pradier Tél. 04 66 29 24 14 Fermé 15 jours à la fin de l'année*

prix élevés

☺ **Royal Hôtel (plan B2 n°42).** Notre coup de cœur, tant pour la déco, l'atmosphère, que pour l'accueil, spontané et rayonnant. Datant du XIXe siècle, les chambres, le hall ont été badigeonnés de blanc, rénovés avec simplicité, en conservant les vieux sols, les carrelages d'un autre temps. Et en rajoutant de-ci de-là un meuble des années 1950, une applique de métal, un tableau contemporain, etc. Sobre, élégant, frais... bref un sans-faute ! Avec, en bas, un bar et un resto dans la même veine, *La Bodeguita*. Chambres de 65 à 100€, petit déj. 8€. *3, bd Alphonse-Daudet Tél. 04 66 58 28 27 Ouvert tte l'année*

prix très élevés

New Hôtel La Baume (plan C1 n°43). Trois étoiles de charme dans les ruelles du vieux Nîmes, dans un bâtiment du XVIIe siècle, avec ses chambres enroulées autour d'un élégant escalier – classé, s'il vous plaît – dont les chambres les plus agréables sont les plus grandes : hautes de plafond, lumineuses et fraîches – on s'y sent vraiment à son aise. Chambres à 120€ – dont certaines avec terrasse. Petit déjeuner dans le patio ou à l'ombre des pierres : 10€. *21, rue Nationale Tél. 04 66 76 28 42 www.new-hotel.com Ouvert tte l'année*

Sommières

30250

On a de la peine à l'imaginer sorti de son lit, le Vidourle, si l'on découvre Sommières au beau milieu de l'été, et pourtant ces derniers temps il a su se montrer menaçant : en 2002 des torrents ont dévalé les ruelles, balayé les vitrines des commerçants… La peur est encore là, dans les mémoires et les regards, mais la tiédeur des pierres, l'orangé des reflets indiquent une indolence retrouvée, un calme propice à la flânerie émerveillée. À Sommières, on vient se réfugier d'une vie agitée, marcher dans les pas de Lawrence Durrell et relire *Le Quatuor d'Alexandrie*… La ville est belle, les environs aussi : on s'y perd à pied dans un dédale de garrigues, de murets et de pierres sèches.

Sommières, mode d'emploi

accès

EN VOITURE De Nîmes, empruntez la D40 (28km, 30min), et la N110 en venant de Montpellier (30km, 30min) et Alès (45km, 40min).

EN CAR Ligne Sommière-Montpellier. ***Hérault Transport*** *Tél. 0825 34 01 34*

orientation

Le village est installé le long du Vidourle, avec un centre piétonnier auquel on accède après avoir garé sa voiture sur l'un des parkings : celui de gauche, le long du fleuve, tout au bout de l'impasse, celui de droite, vers l'auberge du Pont romain, ou bien encore celui du centre nouveau, place de la République.

informations touristiques

Office de tourisme du pays de Sommières. Vous pourrez, entre autres documentations, vous procurer le cartoguide des circuits pédestres et itinéraires VTT à 3€. *5, quai Frédéric-Gaussorgues Tél. 04 66 80 99 30 www.ot-sommieres.fr Ouvert 9h-12h30 et 14h-18h (fermé à 19h en haute saison) Fermé nov.-mars : sam. a.-m. et dim.*

marchés, fêtes et manifestations

Marché. Le samedi matin et également le mercredi soir en saison.
Fête médiévale. À Sommières, dernier week-end d'avril.
Festival de jazz. À Junas, en juillet.

Découvrir Sommières et ses environs

☆ **À ne pas manquer** La vieille ville de Sommières **Et si vous avez le temps...** Dégustez l'huile d'olive produite par le moulin de Villevieille, relisez Le *Quatuor d'Alexandrie* à l'Hôtel de l'Orange

☆ La Ville a réalisé un parcours historique remarquable à travers le vieux Sommières matérialisé par des panneaux à suivre à l'aide de la brochure délivrée par l'office de tourisme. On passe la porte du sud et on remonte vers la rue des Baumes, le château, avant de redescendre vers le marché et ses rues basses. *Tél. 04 66 80 99 30 Visites guidées mer. en été à 10h (4,50€)*

Espace Lawrence-Durrell Anglais d'origine, après des années de pérégrinations, Lawrence Durrell a un jour posé son ancre ici, à Sommières, pour vivre et écrire dans la douceur du Sud, bercé par les rythmes tranquilles de la terre. De 1957 à 1990, il y écrit une dizaine d'œuvres, peint et taille la pierre, tisse des liens profonds avec la population. Sommières lui rend aujourd'hui hommage en un lieu d'exception : l'ancien couvent des Ursulines organise de nombreux événements et accueille toute l'année une exposition passionnante, dans la salle Lawrence-Durrell en Languedoc. *49, rue Taillade Ouvert mar.-dim. 14h-18h (13h-19h en saison) Tél. 04 66 80 99 30 Entrée libre*

Où acheter de l'huile d'olive ?

Moulin de Villevieille. Nous vous conseillons de goûter en particulier l'huile de négrette, d'une grande finesse, aux arômes d'amande et de cacao… *154, avenue des Cévennes 30250* ***Villevieille*** *Tél. 04 66 80 03 69 Ouvert lun.-a.-m.-ven. 8h-12h et 14h-18h, sam. 9h-12h*

Manger à Sommières et dans les environs

petits prix

Resto'Ishan. Dans une petite ruelle de Sommières, une salle modeste et quelques tables dehors où flottent mille odeurs, mille senteurs… Il s'y mijote une cuisine du sud de l'Inde, que l'on peut découvrir au fil d'un menu très bon marché, 13€ seulement, avec entrées, plats, *naan* et dessert, le midi comme le soir. *5, rue Jardinières*

30250 ***Sommières*** *Tél. 04 66 93 07 42 http://resoishan.free.fr Ouvert tte l'année Fermé lun. et dim. (sauf l'été)*

prix élevés

Can Peio. Dans l'ancien hall d'une petite gare de province, quelques tables, un comptoir, et une cuisine d'où s'échappent les bruits, les fumets. On y goûte des plats catalans, à base de jambon, de calamar ou de poivron, du riz à l'encre de seiche, et des spécialités à commander dont un "mar y montana" succulent. Menu 25€, carte 37€. *Ancienne gare de Junas-Aujargues 30250* ***Junas*** *(à 5km de Sommières) Tél. 04 66 77 71 83 Fermé en saison : sam. midi, dim. midi et mer. ; hors saison : mer. et dim. soir*

Dormir à Sommières et dans les environs

camping

Camping Les Chênes. Dans la garrigue, aux abords d'un petit hameau, une centaine d'emplacements à l'ombre. Tranquille et agréable. Location de mobile homes. *95, chemin des Tuileries-Basses 30250* ***Junas*** *(à 5km environ à l'ouest de Sommières) Tél. 04 66 80 99 07 et 06 03 29 36 32 www.camping-les-chenes.com Ouvert Pâques-mi-oct.*

très petits prix

Le Gîte. Ce relais équestre installé en pleine nature reçoit les voyageurs à la nuitée, en dortoir ou en chambre, avec ou sans cheval. Nuit 15€/personne, petit déjeuner 4€, demi-pension 30€. *Route de Quissac Lieu-dit Les Mas Hauts 30250* ***Aspères*** *Tél. 04 66 80 18 01 Ouvert tte l'année*

prix moyens

Maison d'hôtes Billy. Au 2e étage d'une maison ancienne, en plein cœur du vieux village, deux chambres à 50€ la nuit (petit déj. inclus). Chauffage en suppl. l'hiver. *8, rue du Dr-Chrétien 30250* ***Sommières*** *Tél. 04 66 80 35 66 Ouvert tte l'année*

☺ **Hôtel de l'Estelou.** Les trains ont laissé la place au calme et aux rondes des oiseaux, dans les garrigues tout autour, et, près de la piscine, on se délasse sans être dérangé par aucun bruit. Le grand hall d'entrée abrite un mobilier épuré, des peintures lumineuses et des valises, des objets. Les chambres ont toutes été rénovées avec goût et simplicité, jonc de mer au sol et couleurs mates et gaies. Les prix sont modestes (entre 50 et 70€), et le service courtois, prévenant. Petit déjeuner 7€. *Ancienne gare, route d'Aubais 30250* ***Sommières*** *Tél. 04 66 77 71 08 http://hoteldelestelou.free.fr Fermeture annuelle variable, se rens.*

prix élevés

La Paillère. C'est une belle habitation de village qui date du XVIIe siècle, pleine de charme et de calme. Les chambres savent être à la fois sobres et chaleureuses, et le salon, la cour, le patio invitent à la détente, à l'ombre en été, auprès du feu dès l'hiver arrivé. L'accueil est délicat, soucieux de faire savourer au mieux un séjour dans la région. Chambres de 65 à 80€ avec petit déjeuner. *26, rue du Puits-Vieux 30121* ***Mus*** *(à 15km de Sommières) Tél. 04 66 35 55 93 www.paillere.com Fermé fév.*

☺ **Hôtel de l'Orange.** Tout en haut du village, une grande grille et un petit jardin qui piquent la curiosité… La maison, qui daterait du XVIIe siècle, en a gardé l'élégance, les pierres de taille et les sols patinés. Par un puits de lumière en escalier, on découvre une grotte d'où l'eau coule encore – c'est une baume, une source précieuse qui a traversé les ans. Les six chambres sont toutes aussi belles que singulières et, sur le toit, une terrasse fait naître quelques frissons : piscine turquoise avec toits et clocher à l'horizon… Chambres de 68 à 155€ avec petit déj. Table d'hôte sur réservation. *7, rue des Baumes Montée du château 30250* ***Sommières*** *Tél. 04 66 77 79 94 http://hotel.delorange.free.fr Ouvert tte l'année*

Uzès

30700

Dans les méandres de la plaine gardoise, Uzès s'est évadée du temps : on y déambule comme aux siècles passés, à pied forcément, au bord des places désertes, au gré des ruelles, dans l'ombre des hôtels particuliers, des monuments. Les pouvoirs rivaux de l'Histoire s'y sont imprimés en force, toujours plus hauts, plus imposants : le duché agite ses drapeaux dans le vent, pendant qu'en face l'ancien évêché toise le Gardon. Deux autres tours se dressent dos à dos ; celle dite "du Roi" – en fait un donjon vicomtal – nargue celle de l'évêque depuis le XIVe siècle, mais aujourd'hui, entre les deux, un jardin paisible et odorant s'est insinué. La place aux Herbes, elle, est la vitrine des commerçants. De là partent des rivières pavées bordées de boutiques d'antiquités regorgeant de mobilier, de livres, de vêtements et d'objets de décoration d'excellente qualité.

Uzès, mode d'emploi

accès

EN VOITURE Par la D979 de Nîmes (25km), la D981 d'Alès (35km). N100 et D981 au départ de Villeneuve-lès-Avignon (50km). Par l'A9, sortie Remoulins.

EN CAR De Nîmes, 5 cars/jour directs par la ligne 150 et *via* Remoulins (45min et 1h) et par la ligne 205 en partant de la gare routière d'Avignon (1h). ***Gare routière de Nîmes*** *Tél. 04 66 29 52 00* ***Gare routière d'Avignon*** *Tél. 04 90 82 07 35*

informations touristiques

Office de tourisme. Vous y trouverez le cartoguide des balades en Uzège et du sentier de l'Aqueduc. *Chapelle des Capucins Place Albert-1er Tél. 04 66 22 68 88 www.uzes-tourisme.com Ouvert haute saison : lun.-ven. 9h-18h, sam.-dim. 10h-13h et 14h-17h ; basse saison : 9h-12h30 et 14h-18h, sam. 10h-13h*
Visites guidées. Des visites avec un guide du pays sur un thème précis : la poterie à Saint-Quentin, les garrigues de Blauzac ou encore Racine à Saint-Maximin… De mi-juin à mi-septembre, le mardi matin à 9h, pendant 2h (4,50€, enfant 2,50€). *Rens. auprès de l'office de tourisme*

location de vélos

Payan. *Av. du Général-Vincent Tél. 04 66 22 13 94*

accès Internet

2AMicro. Connexion 5€/h. *Place d'Austerlitz Tél. 04 66 03 48 84 Ouvert juil.-août : lun.-ven. 9h30-13h30 et 15h-19h ; sept.-juin : lun.-ven. : 9h-12h30 et 13h-19h, sam. 10h-30-13h et 15h-18h30*

marchés, fêtes et manifestations

Marché. Le mercredi et le samedi (place aux Herbes).
Nuits musicales. À Uzès, concerts de musique baroque et classique en juillet.
Uzès se livre. Salon du livre en septembre.
Festival des musiques du monde et du pays d'Uzès. Fin juillet-début août
Journée de la truffe. Troisième dimanche de janvier.
Terrabio. À Collias, en septembre, conférences et dégustations… *Tél. 04 66 64 77 18*

Découvrir Uzès

☆ **À ne pas manquer** Le pont du Gard **Et si vous avez le temps…** Visitez en famille le musée du bonbon Haribo, composez un panier pique-nique de qualité au Garde-Manger, descendez le Gardon avec Kayak Vert, passez la nuit dans une cellule de moine à la chartreuse de Valbonne

Visites guidées Deux heures de visite dans la ville avec un guide-conférencier, du 15 juin au 15 sept. (lun. et ven. à 10h, mer. à 16h, adulte 4,50€, enfant 2,50€). Une visite d'1h30 au Haras national en compagnie d'un guide équestre le mardi et le jeudi en juillet et en août (1h, adulte 5€, enfant 3,50€). Spectacle Lucien Gruss et de chevaux à 18h30 certains soirs d'été (1h, adulte 12€, enfant 5€). *Rens. à l'office de tourisme*

☺ **Jardin médiéval** À notre avis le plus bel endroit d'Uzès, tranquille et secret, passionnant et accueillant. Entre deux des trois tours, des bâtiments de pierre séculaires entourent ce qui fut le logis des évêques ou des rois, puis tour à tour cachot, prison... Et aujourd'hui lieu de vie, jardin où les essences poussent à foison. Expositions temporaires et permanentes de qualité, vente de plantes et de graines, de livres et de tisanes – à goûter sur place ou à emporter. *Impasse Port-Royal Tél. 04 66 22 38 21 Ouvert juil.-août : tlj. 10h30-12h30 et 14h-18h ; avr.-juin et sept. : lun.-ven. 14h-18h, sam.-dim. et j. fér. 10h30-12h30 et 14h-18h ; oct. : tlj. 14h-17h Adulte 3€ TR 1,50€*

En savoir plus sur réglisses, Dragibus et Tagada

Musée du bonbon Haribo N'espérez pas y échapper si vous voyagez avec vos enfants... Mais même les plus grands se montreront curieux de voir comment sont fabriquées ces fameuses icônes colorées. *Pont des Charrettes (à l'entrée sud d'Uzès) Tél. 04 66 22 74 39 Ouvert juil.-août : tlj. 10h-19h ; juin et sept.-oct. : mar.-dim. 10h-13h et 14h-18h Entrée 5€ Enfant de 5 à 15 ans 3€*

Où faire une pause déjeuner ?

La Cour de l'Église. Un salon de thé installé dans une brocante, avec quelques tables dressées sous les arbres, pour goûter un mélange d'Orient ou une tisane de saison et grignoter, à midi, une "cuisine de bar" : tartines et salades aussi originales que savoureuses. *Quartier des Arts Saint-Julien 30, bd Charles-Gide Tél. 04 66 22 25 65 Ouvert été : tlj. 10h-19h ; hors saison : mer.-dim. 10h-19h*

☺ **Terroirs.** Une belle boutique de produits choisis – autour de l'olive et du vin – qui propose des assiettes et des tartines délicieuses, des tapas et des desserts (maison, cela s'entend). Vins au verre à goûter en terrasse, sous le discret frou-frou des arbres de la place. *5, place aux Herbes Tél. 04 66 03 41 90 www.eterroirs.com Fermé hors saison : lun. ; 2 sem. après les vac. scol. de Toussaint et 1 sem. jan.*

Où acheter des produits du terroir ?

☺ **Le Garde-Manger.** Une épicerie fine où l'on trouve de tout – des huiles, des tapenades, des épices et des fromages, des charcuteries... Tout pour improviser un pique-nique de qualité, ou ramener une sélection de souvenirs gourmands. *8, rue de la République Tél. 04 66 22 59 40 Ouvert mar.-sam. 10h-12h30 et 16h-19h30*

Boulangerie uzétienne. Des pains à la mie humide sous la croûte dorée, des pissaladières et des feuilletés à la brandade, mais aussi des biscuits, croquants, etc. *9, place aux Herbes Tél. 04 66 03 30 58 Ouvert lun.-sam. 6h-13h et 16h-19h*

Découvrir les environs

☆ **Pont du Gard** Incontournable, mais aménagé de façon relativement sobre et discrète. L'édifice, construit au 1er siècle après J.-C., compte trois rangées d'arcades superposées et mesure 273m de longueur pour une hauteur de 49m. L'accès à cet ouvrage d'art de l'aqueduc de Nîmes – le mieux conservé du monde romain – est gratuit. Seuls sont payants le parking (5€) et la brochure (4€) consacrée à l'espace muséographique extérieur "des mémoires de garrigue" Visites guidées 6€. 30210 ***Vers-Pont-du-Gard*** *Tél. 0820 903 330*

☺ **Chartreuse de Valbonne** Un lieu magique, calme et serein, où la voix est à l'honneur : concerts et festivals, expositions sonores… Dans la lignée des chartreux, amoureux du silence et des voix de l'âme. Dégustation des vins du domaine – repris en main par une équipe de vignerons passionnés (cf. Dormir dans les environs). *30130* ***Saint-Paulet-de-Caisson*** *(à 47km d'Uzès) Tél. 04 66 90 41 24 www.chartreusedevalbonne.com Ouvert en saison : 9h-21h ; hors saison : 10h-16h Tarif 4€ Visite guidée en saison : 13h, 14h, 15h et 16h ; hiver : 10h-16h30 Tarif 5€*

La vallée de la Cèze

De Saint-Denis, vous pouvez suivre le cours de l'eau et remonter jusqu'aux Cévennes, par Saint-Ambroix, Meyrannes, Bessèges. De l'autre côté, remontez vers La Roque-sur-Cèze, les cascades du Sautadet. Visitez des villages de pierre, des chapelles romanes, cherchez les traces des castors, baignez-vous… À moins que vous n'optiez pour une activité plus sportive…

Parapente Sud. Le site le plus proche est celui du mont Bouquet : vous pourrez y faire votre baptême en vol biplace (50-99€), suivre un stage de 4 ou 5 jours (340 à 410€) ou partir en week-end découverte (170€). Journée découverte 110€. *30580* ***Seynes*** *(à 20km d'Uzès et 10km d'Alès) Tél. 04 66 83 17 07 et 06 12 17 20 16 www.parapentesud.com*

Parcourir les gorges du Gardon

Randonnée À pied, de nombreux sentiers conduisent au surplomb des gorges – au départ de Russan, Dions, Sanilhac, Collias –, vers la grotte de la Baume en particulier. À VTT, une boucle de 30km au départ d'Uzès par le pont du Gard, Collias et Sanilhac (fiche complète auprès de l'office de tourisme).

Kayak Vert. Plusieurs circuits possibles : l'un vers le pont du Gard (8km, 19€), un autre vers La Baume (16€ la journée, 12€ la demi-journée). Tarifs réduits pour les enfants. Location de VTT également (15€ la journée). *Berge du Gardon 30210* ***Collias*** *(à 10km d'Uzès) Tél. 04 66 22 80 76 www.canoe-france.com*

Centre équestre du Pont-du-Gard. Promenades à cheval de 1h à la journée (sur réservation), leçons, stages, pour adultes ou enfants. Ici, on allie amour de l'animal et sens de la psychologie – les chevaux semblent très épanouis, et à leur contact on le devient aussi ! Sur place, camping à la ferme et piscine privée. *La Draille 30210* ***Collias*** *(à 10km d'Uzès) Tél. 04 66 58 45 20 et 06 10 71 29 43*

Où dénicher l'artisanat local ?

Saint-Quentin-la-Poterie C'est dans un village plein de charme, à 5km au nord d'Uzès, que, depuis des siècles, on travaille la terre – les potiers ont ici leur histoire, leurs ateliers disséminés dans les ruelles du village, ainsi que leur musée. Deux collectionneurs y ont déposé des milliers d'objets, présentés en alternance dans des locaux sobres et lumineux, aussi esthétiques que pédagogiques. Un atelier propose également des stages d'initiation à la poterie. Pour 5 demi-journées, par exemple, comptez 100€ (65€ pour les enfants) *30700* ***Saint-Quentin-la-Poterie Musée*** *Tél. 04 66 03 65 86 www.musee-poterie-mediterranee.com Ouvert juil.-sept. : mer.-dim. 10h-13h et 15h-19h ; avr.-juin et oct.-déc. : mer.-dim. 14h-18h Fermé jan.-mars sauf vac. scol.* ***Office culturel*** *Tél. 04 66 22 74 38*

Céramiques de Lussan Un atelier et une boutique pleins d'objets où vous trouverez les fameuses poules et pintades, mais aussi des pots, des plats, des personnages… *Mas de Fan (emprunter la route de Saint-Ambroix) 30580* ***Lussan*** *Tél. 04 66 72 90 92 Ouvert avr.-sept. : lun.-ven. 9h30-19h, sam.-dim. et j. fér. 10h-19h ; oct.-mars : lun.-sam. 9h30-12h et 14h-18h*

Manger à Uzès

N'oubliez pas de consulter la rubrique Où faire une pause déjeuner ?, où vous retrouverez des adresses de restauration à petits prix.

petits prix

L'Oustal. De l'autre côté de la place, au soleil du matin et à l'ombre dès qu'il faut, une vaste terrasse pour découvrir des plateaux originaux de salades (11€), servis dans une vaisselle géométrique et colorée, très graphiquement présentés. En haute saison, les accordéonistes de la place risquent de vous exaspérer… *Place aux Herbes Tél. 04 66 22 43 37 Ouvert tlj.*

Le Vieux Café d'Aniathazze. Une institution locale, accrochée à l'angle de la vieille ville et des boulevards qui la contournent, au centre de tous les événements : passages, livraisons, discussions… Belles tables et chaises en bois en terrasse, et intérieur tout aussi boisé, chaleureux et ponctué de tableaux, d'enseignes glanés au fil des ans. Carte brasserie bien pratique pour manger quand tout est fermé alentour (le dimanche soir en particulier !). *1, bd Gambetta Tél. 04 66 03 36 80 Ouvert tlj. Pâques-oct. Fermé mar. soir et mer. hors saison*

prix moyens

☺ **Les Trois Salons.** Dans un vieil hôtel particulier, la cour intérieure, le salon et la salle à manger ont été annexés. Selon l'heure, la saison, le temps, on passe de l'un à l'autre pour se réjouir d'une cuisine légère et inventive, aux assemblages malins. Sobriété du décor, dans les boisés et les gris, et profusion des couleurs sur une porcelaine raffinée. Menu du midi 21€ et du soir 39€. *18, rue du Docteur-Blanchard Tél. 04 66 22 57 34 Fermé lun. ; hors saison : lun.-mar. ; jan.*

prix élevés

Au Fil de l'eau. Derrière la place aux Herbes, quelques tables sous les voûtes et une salle de verre et de lumière, pour une cuisine subtile et savoureuse aux herbes d'Asie et aux poissons d'ici. Design et fraîcheur des assiettes, accueil simple et doux.

Belle carte des vins. Formule déjeuner 20€, menus 25, 29 et 37€, carte 35€ environ. *10, place Dampmartin Tél. 04 66 22 70 08 Fermé mer. et jeu. hors saison*

Le Bec à vin. Un cadre de charme pour cet établissement agréable. La cour intérieure procure un véritable bonheur en été. La cuisine méditerranéenne est simple et délicate à la fois. Comptez environ 30€ à la carte. *6, rue Entre-les-Tours Tél. 04 66 22 41 20 Fermé lun.*

Dormir à Uzès et dans les environs

Les quelques possibilités d'hébergement bon marché dans Uzès sont vraiment défraîchies : nous vous conseillons de loger aux environs… à moins de disposer d'un budget conséquent !

camping

Camping Le Barralet. Un 3-étoiles bien tenu, arboré à profusion et bien situé. Plus de 100 emplacements et location de mobile homes et caravanes. Piscine et aires de jeux. À partir de 17€ pour 2 personnes, une tente et une voiture. *30210* ***Collias*** *(à 10km au sud d'Uzès) Tél. 04 66 22 84 52 www.camping-barralet.com Ouvert avr.-sept.*

petits prix

☺ **Chartreuse de Valbonne.** C'est un peu loin d'Uzès bien sûr, mais c'est une occasion rêvée de loger dans un lieu magnifique et hors du temps : un monastère vieux de 800 ans au cœur d'une épaisse forêt (cf. Découvrir les environs). Les cellules des chartreux ont été transformées en chambres (de 38 à 40€). Quelques lits en dortoir (7€/personne). Petit déjeuner 5€. Le service est assuré par les membres du CAT qui, depuis le début du XXe siècle, lui est associé. Possibilité de formules en pension ou demi-pension. *30130* ***Saint-Paulet-de-Caisson*** *(à 47km d'Uzès) Tél. 04 66 90 41 24 www.chartreusedevalbonne.com Ouvert tte l'année*

prix moyens

La Petite Auberge de Lussan. Sur la place du village de Lussan, quelques chambres de pierres et de bois aux couleurs gaies, à 42€ la chambre avec WC sur le palier et 51€ avec WC privatifs. Pour dîner, soyez sans crainte : l'auberge fait aussi restaurant, le week-end, entre avril et octobre. Une cuisine bonne, simple et gaie est servie dans les petites salles voûtées ou en terrasse. *30580* ***Lussan*** *(à 20km d'Uzès) Tél. 04 66 72 95 53 www.auberge-lussan.com Ouvert tte l'année*

La Magnanerie. Au cœur du charmant village de Fons-sur-Lussan, une maison chargée d'histoire, rénovée et décorée avec soin, dans les couleurs du Sud. 52€ la double avec petit déjeuner. Table d'hôte 18€. *Michel Genvrin 30580* ***Fons-sur-Lussan*** *(à 25km d'Uzès) Tél. 04 66 72 81 72 Ouvert tte l'année*

Mas Champion. Une ancienne ferme qui daterait du XVIIe siècle, au milieu d'une mer de collines. Doubles de 56 à 60€, avec petit déjeuner, location de gîtes à la semaine ou au week-end. *30580* ***Saint-Just-et-Vacquières*** *(à 22km d'Uzès) Tél. 04 66 83 10 60 www.maschampion.com Ouvert tte l'année*

prix élevés

Demeure Monte Aréna. Trois chambres et une suite aménagées dans un lieu séculaire où les pierres, le mobilier ancien et la décoration soignée dessinent une harmonie parfaite. Comptez de 65 à 90€ pour 2 pers. avec le petit déjeuner (110€ la suite). Table d'hôte 30-40€. *30700* ***Montaren-et-Saint-Médiers*** *(à 4km environ d'Uzès) Tél. 04 66 03 25 24 Ouvert tte l'année sur réservation*

☺ **Les Buis de Lussan.** À la proue du village – Lussan est telle une île surgie des océans, plate-forme rocheuse dressée face aux vents –, une bâtisse toute en noblesse et rayonnement. Chambres doubles à partir de 73€ avec un excellent petit déjeuner : le maître des lieux concocte chaque matin une petite brioche fondante à souhait… Table d'hôte 30€ tout compris. *30580* ***Lussan*** *(à 17km d'Uzès) Tél. 04 66 72 88 93 Ouvert tte l'année sur réservation*

prix très élevés

Hostellerie Le Castellas. Un lieu discret et charmant à Collias, un village assoupi au bord du Gardon. Un patio délicieux où vous pourrez regarder les étoiles se cacher derrière les feuilles de palmier, une piscine au creux de la pierre, des chambres singulières, toutes décorées de main d'artiste… À partir de 80€ la chambre double. L'hôtel possède un restaurant gastronomique. Menus 30, 60, et 80€. *Grand-Rue 30210* ***Collias*** *(à 7km d'Uzès) Tél. 04 66 22 88 88 www.lecastellas.com Fermé 10 j. en déc. et jan. Restaurant Fermé nov.-mars : mer. et j. fér.*

Au Quinze. Des chambres de charme cachées dans les méandres d'une vieille demeure, sur le pourtour d'Uzès, derrière l'église Saint-Étienne. Grands volumes, pierre et béton peint, mobilier contemporain fait sur mesure. Le jardin invite à y prendre le temps de vivre, un bouquin à la main, et un bassin permet de se rafraîchir… Chambres de 80 à 120€, petit déjeuner inclus, et studio 350-450€ la semaine ou 80-90€ la nuit. *15, rue de la Petite-Bourgade 30700* ***Uzès*** *Tél. 04 66 57 29 26 www.auquinze.com*

Villeneuve-lès-Avignon *30400*

On l'imagine dans l'ombre d'Avignon, sur l'autre rive, cité-dortoir alanguie et sans grand caractère, et c'est tout le contraire.
Plus discrète, plus tranquille que sa voisine, Villeneuve laisse échapper de ses murs, de ses pierres, des arômes de bien-être et d'élégance subtile. Le village, sa place, ses immeubles aux patines anciennes, ses livrées – logis des cardinaux lassés du grouillement d'Avignon – résonnent de mélodies légères, de mots chuchotés, fredonnés.

À la Chartreuse ils s'envolent dans les airs, habitent les cellules, les couloirs, les jardins – elle accueille désormais des auteurs dramatiques en résidence. L'inspiration leur vient parfois au détour d'un chemin, sur la pente qui mène à l'abbaye, sur la colline des Mourgues aussi, ou du haut de la tour de Philippe Le Bel. Avec quelque recul on s'y repaît de la vue, ouverte et majestueuse, sur le Rhône mais aussi, bien sûr, sur Avignon.

Villeneuve-lès-Avignon, mode d'emploi

accès

EN VOITURE Accessible par la N86 et la N100 en venant de Nîmes (50km, 40min).

EN TRAIN Arrivée du TGV direct Paris-Avignon (2h40), puis bus ou taxi jusqu'à Villeneuve-lès-Avignon. 30min de Nîmes en TER, 20min en TGV. ***SNCF*** *Tél. 3635 www.voyages-sncf.com*

EN CAR La compagnie des cars Auran assure la liaison avec Pont-Saint-Esprit, par Roquemaure et Bagnols-sur-Cèze. De Nîmes, Beaucaire, Tarascon ou Avignon, empruntez les lignes du Gard. Entre Avignon et Villeneuve, réseau de bus urbains : ligne 11 et ligne 10 vers Les Angles. Arrêt à l'office de tourisme. ***Gare routière de Nîmes*** *Tél. 04 66 29 52 00* ***Cars Auran*** *Tél. 04 66 39 10 40* ***Bus urbains*** *Tél. 04 32 74 18 32 www.tcra.fr*

orientation

Le plus simple est de se garer sur le grand parking à l'entrée, devant l'office de tourisme (sauf les jours de marché), et de continuer à pied.

informations touristiques

Office de tourisme. *1, place Charles-David www.villeneuvelesavignon.fr/tourisme Tél. 04 90 25 61 33 Ouvert jan.-juin et sept.-déc. : lun.-sam. 9h-12h30 et 14h-18h ; juil. : lun.-ven. 10h-19h, sam.-dim. 10h-13h et 14h30-19h ; août : tlj. 9h-12h30 et 14h-18h*

accès Internet

Cyber-espace. Connexion 2-3€/h. *Place Jean-Jaurès Tél. 04 90 27 49 48 Ouvert mar.-ven. 10h-12h30 et 14h-19h ; sam. 10h-12h30 et 13h30-19h*

marchés, fêtes et manifestations

Marché. Le jeudi matin, place Charles-David et le samedi matin place Jean-Jaurès.
Brocante. Le samedi matin place Charles-David.
Villeneuve en scène. En juillet, manifestations théâtrales et musicales.
Rencontres de la Chartreuse. En juillet. Elles se déroulent dans le cadre du Festival de théatre d'Avignon.

Découvrir Villeneuve-lès-Avignon

☆ **À ne pas manquer** La chartreuse du Val de Bénédiction, *Le Couronnement de la Vierge* au musée Pierre-de-Luxembourg, l'abbaye de Saint-Roman de l'Aiguille près de Beaucaire **Et si vous avez le temps...** Admirez le panorama du haut de la tour Philippe-le-Bel à Villeneuve-lès-Avignon, faites une croisière en bateau-bus jusqu'à Avignon et dégustez quelques vins de la région dans le jardin d'été de la cave Saint-Marc

Vieille ville En moins de 2h, vous pourrez suivre, seul, un itinéraire passionnant à travers tout le secteur sauvegardé. Brochure disponible à l'office de tourisme, qui vend aussi un Passeport pour l'art permettant de visiter les principaux musées et monuments à des tarifs intéressants (6,86€). En été, visites guidées deux fois par semaine (pour les horaires et le reste de l'année, se renseigner auprès de l'office de tourisme).

☆ ☺ **Chartreuse du Val de Bénédiction** Un des plus beaux endroits du Gard, chargé d'âme, d'art, d'histoire. Centre national des écritures du spectacle, elle accueille chaque année des auteurs dramatiques et y présente régulièrement leurs travaux. Dans certains recoins les pierres chuchotent, lisent les textes en cours et les mots du jour... En été, on y passe la journée, pour lire, rêver, manger et méditer. En hiver, c'est la "visite chocolat", le dimanche à 15h, autour d'un feu de cheminée et d'un goûter. *Rue de la République Tél. 04 90 15 24 24 www.chartreuse.org Ouvert avr.-sept. : 9h-18h30 ; hors saison : 9h30-17h30 Adulte 6,50€ TR 4,50€*

Fort Saint-André De pierres ocre, fortifié au XIVe siècle pour protéger l'abbaye bénédictine et le bourg. *Tél. 04 90 25 45 35 Ouvert oct.-mars : 10h-13h et 14h-17h ; avr.-mi-mai et 15-30 sept. : 10h-13h et 14h-17h30 ; 15 mai-15 sept. : 10h-13h et 14h-18h Adulte 5€ TR 3,50€*

☺ **Abbaye Saint-André et jardins** Tout aussi magnifiques, paisibles et remarquablement aménagés – c'est-à-dire presque pas... Avec harmonie. ***Abbaye*** *Rens. à l'office de tourisme Tél. 04 90 25 61 33* ***Jardins*** *ouverts tlj. sauf lun. 10h-12h30 et 14h-17h (18h d'avr. à sept.)*

☆ ☺ **Musée Pierre-de-Luxembourg** Pour découvrir le chef-d'œuvre, *Le Couronnement de la Vierge*, d'Enguerrand Quarton (connu de 1444 à 1466) réalisé en 1454 avec une sensibilité et une audace esthétique extrêmes. Tout simplement envoûtant. *3, rue de la République Tél. 04 90 27 49 66 Ouvert avr.-sept. : mar.-dim. 10h-12h30 et 14h-18h30 ; oct.-mars : mar.-dim. 10h-12h et 14h-17h Fermé fév. Entrée 3€ TR 2€*

Partir en croisière

Bateau-bus. Pour avoir une vue splendide sur Villeneuve-lès-Avignon et sur Avignon... Croisières de 45min, 5 fois par jour, en juillet-août (2 fois par jour d'avril à juin et en septembre). Adulte 7,50€, gratuit pour les enfants de moins de 8 ans.

Quelques promenades nocturnes, avec ou sans dîner. *Compagnie Grands Bateaux de Provence à Avignon Tél. 04 90 85 62 25*

Où boire un verre ?

☺ **Cave Saint-Marc.** On vient y goûter des vins et, à l'apéritif, grignoter quelques tapas, sur les tonneaux, dans le jardin d'été… chauffé dès l'automne ! *7, place Saint-Pons Tél. 06 11 25 80 96 Ouvert mai-sept. : lun.-sam. 18h-minuit ; hors saison : mar.-sam. 18h30-minuit*

Où faire quelques achats dans les environs ?

Mille Soleils-Safran. Des bijoux originaux, réalisés par de véritables doigts de fée, et un dépôt-vente de vêtements et accessoires de marque. *10, rue Marcel-Fabrigoule Tél. 04 90 25 70 56 Ouvert mar.-sam. 10h-12h30 et 15h-19h*

Découvrir les environs

En suivant le Rhône

Beaucaire En redescendant vers la mer, sur la rive gauche du Rhône, la D2 traverse Aramon – on peut s'y arrêter pour se promener sur le sentier des capitelles, fléché depuis le village. Puis, en continuant la route, on découvre le site sublime de l'abbaye troglodytique de Saint-Roman de l'Aiguille. On arrive enfin à Beaucaire, avec ses hôtels particuliers, son château et l'église de Notre-Dame-des-Pommiers. Visites guidées (rens. à l'office de tourisme). *30300* ***Beaucaire Abbaye de Saint-Roman*** *Parking au pied du site, accès à pied (15min) par le chemin des Moines Tél. 04 66 59 19 72 www.abbaye-saint-roman.com Ouvert juil.-août : tlj. 10h-18h30 ; avr.-juin et sept. : tlj. 10h-18h ; oct.-mars : week-ends et vac.-scol. 14h-17h Adulte 5,50€ Gratuit pour les moins de 18 ans* ***Office de tourisme*** *24, cours Gambetta Tél. 04 66 59 26 57*

Cave gallo-romaine du mas des Tourelles Plantation, pressoir, vaisselle vinaire : tout est reconstitué à l'identique et, le 2e dimanche de septembre (14h-18h), vous pourrez assister aux vendanges à l'antique… Dégustation de vins et jus de raisins. *4294, route de Bellegarde 30800* ***Saint-Gilles*** *Tél. 04 66 59 19 72 www.tourelles.com Ouvert avr.-juin et sept.-oct. : 14h-18h ; juil.-août : 10h-12h et 14h-19h ; nov.-mars : sam. 14h-18h (vente lun.-ven.) Fermé jan.*

Service Artisanat d'art Stages d'artisanat d'art pour vous initier au modelage sur argile et engobage, à la peinture décorative à la colle de peau de lapin, à la dorure sur bois, au vitrail au plomb… Sur plusieurs demi-journées, matériel fourni. *30300* ***Beaucaire*** *Tél. 04 66 59 71 30 Ouvert tte l'année*

Le vignoble

De Villeneuve, la route (N580) vous entraîne vers le nord-ouest, en direction de Tavel, Lirac, au cœur des côtes-du-rhône. Les vignes vous font des clins d'œil, vous invitent à vous arrêter. Puis ce sont les villages de charme – Saint-Laurent-des-Arbres et Saint-Victor-la-Coste et la montée à l'ermitage du Castellas.

Manger à Villeneuve-lès-Avignon

très petits prix

Café de l'Univers. Une des terrasses les plus agréables, tranquille et provinciale. On y mange des tartes salées maison, des plats du jour et des salades, des glaces artisanales. *Place Jean-Jaurès Tél. 04 90 25 12 14 Ouvert tlj.*

prix élevés

☺ **C'est la Lune !** L'adresse en vogue sur le Rhône. On y boit un verre, le soir, on s'y baigne, l'après-midi, ou bien l'on y dîne ou déjeune : des plats du jour, des tartes moelleuses aux légumes, des salades, des tagines... Le décor oscille sur fond de béton brut, et les bougies, la nuit, dégoulinent sur les tables basses, toutes flammes tremblantes. *Montée du Valadas Les Angles (à l'entrée de Villeneuve en venant de Nîmes) Tél. 04 90 25 40 55 Ouvert juil.-mi-sept. : tlj. midi et soir ; hors saison : mar.-sam. le soir*

prix très élevés

Le Prieuré. Élégance et tradition, avec ce qu'il faut d'inventivité et de qualité – la matière première est ici traitée avec respect, et révèle toutes ses saveurs originelles. Intérieur ou terrasse, le charme des siècles passés se mêle à la dégustation et l'on passe un excellent moment, suave et distingué. Menus 40-100€. *7, pl. du Chapitre-rue Montolivet Tél. 04 90 15 90 15 Fermé avr.-juin et sept.-oct. : mar.-mer. ; nov.-mars*

Manger à Beaucaire

☺ **L'Aïl... heure.** Une petite salle chaleureuse, meublée de bric et de broc mais sans désordre et avec quelque chose de raffiné. La cuisine change tous les jours, innove et invente, avec des produits de qualité. Formule déjeuner à 17€, le soir à partir de 36€. *43, rue du Château 30300* ***Beaucaire*** *(à 25km de Villeneuve) Tél. 04 66 59 67 75 Fermé sam. midi. et dim.*

Dormir à Villeneuve-lès-Avignon

camping

Camping municipal de la Laune. Vous trouverez là 127 emplacements 3 étoiles, sous les arbres, les saules, les oliviers. Le camping dispose d'une piscine et d'un tennis. 15,20€ pour 2 pers. avec voiture. *Chemin Saint-Honoré Tél. 04 90 25 76 06 Ouvert fin mars-mi-oct.*

petits prix

Centre UCJG/YMCA. Une quarantaine de chambres de 1 à 4 lits. Haute saison : 29€ pour 2 pers., 43€ avec douche et WC ; 22 ou 33€ pour une personne selon le confort. Vous aurez également accès à un bar, à Internet, ainsi qu'à la piscine ! Le cadre est agréable, avec terrasse et jardin. *7 bis, chemin de la Justice Tél. 04 90 25 46 20 www.ymca-avignon.com Fermé Noël-jour de l'An*

prix élevés

☺ **Hôtel de l'Atelier.** Au cœur de Villeneuve, un havre de calme, dans un vieil hôtel particulier. Chaque chambre a son caractère, son atmosphère ; les murs restent blancs, les matériaux naturels sont omniprésents. Toutes sont simples et élégantes, avec pour certaines la vue sur cour, où, le matin, le petit déjeuner se prend… Chambres doubles de 63 à 89€ et de 84 à 101€ pour celles avec terrasses et vue sur le jardin. Petit déjeuner 9€ en buffet complet (viennoiseries, pain, fruits et yaourts à volonté). *5, rue de la Foire Tél. 04 90 25 01 84 www.hoteldelatelier.com Fermé jan.*

Les Écuries des Chartreux. Trois chambres magnifiques et spacieuses, avec poutres apparentes et matériaux nobles. Jardin intérieur ravissant, accueil chaleureux, en plein centre du village, à deux pas de la Chartreuse. Doubles à partir de 65€. *66, rue de la République Tél. 04 90 25 79 93 Ouvert tte l'année*

prix très élevés

Le Prieuré. Un hôtel 4 étoiles Relais&Châteaux plein de cachet, avec jardin intérieur et chambres confortables, meublées de façon cossue, dans le souci de la tradition… Piscine et tennis. Doubles de 130€ à 300€, avec climatisation, télévision, minibar, etc. *7, place du Chapitre-rue Montolivet Tél. 04 90 15 90 15 www.leprieure.fr Fermé nov.-mi-mars*

Dormir dans les environs

☺ **Domaine des Clos.** Un mas de charme parmi les vergers et les vignes, tout en élégance, meublé d'objets chinés ici ou là, de pièces uniques chargées d'histoire… Doubles de 65 à 85€. Table d'hôte 2 fois par semaine l'été. On peut aussi cuisiner sur place. Petits déjeuners très gourmands. Accueil attentionné. Des stages de cuisine et de massage sont proposés. Piscine. *Sandrine et David Ausset Route de Bellegarde 30300* ***Beaucaire*** *(à 25km environ de Villeneuve) Tél. 04 66 01 14 61 www.domaine-des-clos.com Ouvert tte l'année*

Où dormir sur une péniche ?

Le Phénicien. Croisière fluviale à thème (golf, œnologie ou découverte) entre Avignon et Sète. Vous ne serez pas plus de 18 personnes dans ce petit hôtel flottant, assez original et confortable. *Rhône Croisières 30127* ***Bellegarde*** *Tél. 04 42 41 19 14 rhone-croisiere.com*

Aigues-Mortes

30220

Le vent traverse les marais sans aucun égard pour ses quelques habitants ; il fonce le long du Rhône et déboule face à la mer, rabat la tête des roseaux et ébouriffe les crinières des chevaux, agace les cornes des taureaux. Le riz se glisse sous l'eau et pousse sans un bruit, sans un murmure. Le sel, lui, s'empile et brille dans le soleil. Une main gratte une guitare dans un coin d'Aigues-Mortes : c'est la Camargue ici encore, parfois sous une mince couche de folklore. Aigues-Mortes n'est plus le port dont saint Louis a rêvé et le trafic s'est reporté sur Marseille depuis déjà plusieurs siècles. Mais il y flotte un air d'outre-terre, de voyages et de tangages. Les maisons sont encore celles des pêcheurs et manœuvres d'antan, parmi quelques riches bâtiments d'armateurs ou de commerçants. Les boutiques rêvent encore d'ailleurs et quelques artistes et artisans conjuguent l'esprit des lieux à l'imaginaire présent.

Aigues-Mortes, mode d'emploi

accès

EN VOITURE Accès par la N113 puis la N313 de Nîmes (50km), par la D62 de La Grande-Motte et Montpellier (40km).

EN CAR Deux compagnies desservent Aigues-Mortes : les lignes du Gard à Nîmes (Tél. 04 66 29 27 29) et Hérault Transport à Montpellier (Tél. 0825 34 01 34)

orientation

La ville est un rectangle fortifié avec des parkings (payants, à l'heure) tout autour, et à l'intérieur des rues à angle droit. On s'y repère très facilement, à pied, grâce aux panneaux disposés à chaque coin de rue.

informations touristiques

Office de tourisme. Il organise des visites guidées de la ville en juillet-août les mercredis, jeudis et vendredis. Réservation impérative. *Place Saint-Louis Tél. 04 66 53 73 00 www.ot-aiguesmortes.fr Ouvert été : lun.-ven. 9h-20h, sam.-dim. 10h-20h ; le reste de l'année lun.-ven. 9h-12h et 13h-18h, sam.-dim. 10h-12h et 14h-18h*

location de deux-roues

Les Enganettes. Des VTT à 10€/jour, et également des bateaux sans permis à 35€/h et à 130€/jour (pour 4 à 6 personnes, carburant compris). *Sur le port d'Aigues-Mortes Tél 06 15 37 88 45*

Rosalie. Location de VTT, tandems et rosalies (4 places). Tarifs à l'heure, à la journée et à la semaine. *Bd du Mal-Juin 30240* ***Le Grau-du-Roi*** *Tél. 04 66 53 56 75*

marchés

Le mercredi et le dimanche.

Découvrir Aigues-Mortes

☆ **À ne pas manquer** La tour de Constance et les remparts d'Aigues-Mortes, l'abbatiale de Saint-Gilles **Et si vous avez le temps...** Parcourez la Petite Camargue à l'arrière du tracteur de Jean-Marie Espuche de la Maison du guide en Camargue, pêchez en mer sur le Météore II, allez bronzer sur la plage de l'Espiguette

☆ **Tour de Constance** Le monument en lui-même ne manque pas de charme – la salle basse en particulier –, mais on y vient surtout pour accéder aux **remparts** et au sommet de la tour, d'où la vue sur les environs est spectaculaire. *Tél. 04 66 53 61 55 Ouvert mai-août : tlj. 10h-19h (17h30 hors saison) Fermeture des caisses 1h avant Entrée 6,50€, gratuit pour les moins de 18 ans*

En savoir plus sur les salins

Salins du Midi Pour tout connaître des modes de production et de fabrication du sel et appréhender la faune et la flore typiques des milieux salés, plusieurs circuits sont organisés : avec un guide, en bus (2h15) ou bien en petit train (1h15), avec commentaires à la clé... Le discours peut agacer, mais découvrir ces montagnes de sel d'aussi près reste saisissant. *Départ des Caves de Listel Salins Patrimoine Tél. 04 66 73 40 24*

Où faire une pause déjeuner ?

Le Duende. Dans une ruelle plus tranquille que les autres, une petite terrasse, deux ou trois marches et une salle aux proportions modestes où l'on mange des assiettes du jour : des coquillages ou des macaronades, des plats du jour simples et savoureux et surtout de la morue. Vins intéressants, dont un gris des sables. *16, rue Amiral-Courbet Tél. 04 66 53 80 38 Fermé mer. hors saison et fév.*

Où faire quelques trouvailles ?

Boutique Sophie Coll. Il souffle dans cette boutique un air de finesse et d'originalité, autour de meubles et d'objets singuliers – en mosaïque : des tabourets, des bancs, des lampes et des miroirs à en sourire de plaisir. *15 bis, rue de la République Tél. 04 66 53 83 83 et 06 87 05 12 16 (atelier) Ouvert juil.-août : tlj. 10h-13h et 16h-20h ; hors saison : mar.-sam. 10h-12h et 14h30-19h, dim.-lun. sur rdv*

Où boire un verre, un thé, un café ?

Express Bar. Un brin décalé, sorti des années 1950 par la portière des années 1970, ce café évoque l'atmosphère d'un petit troquet de quartier. Plutôt appréciable en ces contrées hautement touristiques... *9, pl. Saint-Louis Tél. 04 66 53 69 85 Fermé mar. hors saison*

Découvrir les environs

☺ **Saint-Gilles** Dans la vieille ville, étape séculaire du chemin de Saint-Jacques, on découvre des façades de maisons romanes, quelques autres de la Renaissance puis des siècles suivants, mêlées, offertes au regard de l'amateur d'art. L'une d'elles, la Maison romane, se visite. Mais le clou de Saint-Gilles reste encore l'**abbatiale** – principalement pour son portail sculpté, une merveille d'art médiéval, ainsi que pour sa curiosité architecturale : la vis de Saint-Gilles. L'intérêt de cet escalier à vis situé sur l'arrière de l'ancien chœur réside dans sa virtuosité d'exécution ; il est considéré comme un chef-d'œuvre majeur des compagnons tailleurs de pierre. On y retrouve d'ailleurs de nombreux graffitis des compagnons qui, au fil des siècles, sont venus l'admirer. *Renseignements auprès de l'office de tourisme 1, place Frédéric-Mistral 30800* ***Saint-Gilles*** *(à 35km d'Aigues-Mortes) Tél. 04 66 87 33 75 www.ville-saint-gilles.fr Se rens. pour les horaires*

Maison romane Salles d'archéologie, d'histoire médiévale, d'ethnographie et d'ornithologie. *30800* ***Saint-Gilles*** *Tél. 04 66 87 40 42 Ouvert juil.-août : lun.-sam. 9h-12h et 15h-19h (18h juin et sept., 17h oct.-mai) Fermé jan. Entrée libre*

La Petite Camargue

Pas facile de faire une véritable incursion en Camargue : la plupart des terres sont des domaines privés à l'accès grillagé, cadenassé. Méfiez-vous des offres grandiloquentes de sortie découverte de la Camargue : bien souvent elles ne vous font entrevoir que les bordures, quelques taureaux d'apparat et *ersatz* de flamants…

☺ **La Maison du guide en Camargue** Pas de véritable maison mais une approche sincère du milieu, habitée par un homme qui le connaît et l'aime avec passion – Jean-Marie Espuche, guide professionnel de Camargue depuis des années. Il vous transporte sur des remorques attelées derrière des tracteurs, par les chemins qui, des marais, mènent à la mer, puis de la mer aux marais. Avec des arrêts dans le calme, moteur coupé, pour se fondre dans le paysage, observer les oiseaux, les taureaux, selon le thème de la promenade choisie. Il a ses entrées dans des domaines privilégiés et, en revenant, vous aurez l'impression d'être partis sur une autre planète, quelques heures durant… Sorties personnalisées sur demande (groupes, individuels, passionnés de cheval, d'ornitho…). ***Montcalm*** *(à 12km d'Aigues-Mortes, par la D58) Tél. 04 66 73 52 30*

Centre de découverte du Scamandre On y trouve une foule d'informations et des expositions sur les zones humides de Camargue, la faune et la flore, ainsi que des sentiers de découverte dans les marais doux. *Route des Iscles-Gallician 30600* ***Vauvert*** *(à 20km d'Aigues-Mortes) Tél. 04 66 73 52 05 www.camarguegardoise.com Ouvert mer.-sam. 9h-18h*

Explorer la Petite Camargue à cheval

Le Mas des Iscles. Pour découvrir la monte Gardiane, plus libre pour le cavalier comme pour le cheval, dans un domaine agricole où la culture du riz côtoie l'élevage du cheval, l'eau, le vent… *Chez Bernard Roche Carrefour D179-D779 30600* ***Vauvert*** *(à 20km d'Aigues-Mortes) Tél. 06 14 48 10 73*

Explorer la Petite Camargue au fil de l'eau

Pescalune. Une vieille péniche, pimpante et élégante, vous mène vers Saint-Gilles sur les canaux et rivières. Navigation sur le canal du Rhône à Sète, passage des portes du Vidourle et retour par le canal de la Radelle, 2h, adulte 9€, enfant 5,50€. *Bassin d'Évolution 30220* ***Aigues-Mortes*** *Tél. 04 66 53 79 47 et 06 07 33 52 36*

Kayak Vert. Longez à votre rythme le Petit Rhône en canoë sur une demi-journée ; plutôt le matin, avant le vent. Retour en minibus. 18€ le parcours de 10km. *Mas de Sylvéréal (RD58 à 15km d'Aigues-Mortes) 30600* ***Vauvert*** *Tél. 04 66 73 57 17 et 06 09 56 06 47 www.kayakvert-camargue.fr Ouvert avr.-mi-oct.*

Profiter de la mer

Météore II. Au Grau-du-Roi, vous pourrez embarquer à bord d'un bateau spécialement aménagé pour la pêche et partir en quête des bancs grouillant de maquereaux (tous les matins en été de 8h à 11h, moyennant 15€). Pour la pêche au congre, rendez-vous les lundis, mercredis, vendredis et dimanches d'été à 20h45 pour une soirée en mer (18€) – et les mercredis et samedis en juin et septembre. Lignes et appâts sont fournis. 30240 ***Le Grau-du-Roi*** *Tél. 06 82 96 94 66*

Surf Loisirs. Au bout du quai du Grau-du-Roi, côté plage, une boutique providentielle pour louer ou acheter d'occasion son matériel, mais aussi pour faire des stages. Comptez 80€ la découverte du kite surf et 15 ou 30€ les 2h de planche à voile en fonction du matériel. *Résidence L'Impérial 30240* ***Le Grau-du-Roi*** *Tél. 04 66 53 40 01 www.surf-loisirs.com*

Trouver une plage sauvage

La plage de l'Espiguette est la plus prisée des environs : grands espaces et dunes à l'infini… En marchant quelques centaines de mètres, voire quelques kilomètres, on accède à des zones sauvages, naturelles – et naturistes – à souhait.

Où goûter huile d'olive et tapenade ?

Moulin des Costières. On y fabrique des tapenades et des huiles. La 100% picholine décline ses arômes entre l'artichaut et la prune, un régal pour les salades, fromages et caviars d'aubergine. Vente d'olives noires et picholines également. *30800* ***Saint-Gilles*** *(à 35km d'Aigues-Mortes) Tél. 04 66 87 42 43 Ouvert lun.-sam. 9h-12h et 14h-18h*

Manger à Aigues-Mortes

N'oubliez pas de consulter la rubrique Où faire une pause déjeuner ?, où vous retrouverez des adresses de restauration à petits prix.

petits prix

La Guinguette de la République. Attenant à l'hôtel Les Templiers, le restaurant flirte avec le même esprit, simple et de bon goût. Une série de petites tables de bois sont dressées dans la ruelle et un bar ouvre sur la salle, dans les bois sombres et les couleurs mates, élégantes toujours. On y mange les plats inscrits à l'ardoise, comme les *antipasti* ou les viandes grillées. *25, rue de la République Tél. 04 66 51 66 09 Ouvert en saison Se renseigner hors saison*

prix élevés

☺ **La Maison.** Dans une maison particulière de caractère, des tables peuplent l'espace et débordent dans le patio que, de l'extérieur, on ne peut deviner derrière la lourde porte d'entrée… La carte est tout aussi attrayante que l'accueil et le décor. Après quelques tellines et un verre de vin, on hésite entre les fleurs de courgette farcies et les Saint-Jacques à la citronelle, les moules ou les coques à la plancha, après encore on tergiverse : un carré d'agneau en croûte, ou bien un loup, une dorade ? Carte environ 30€. Chambres d'hôtes. *8, rue Baudin Tél. 04 66 51 14 51 Ouvert tous les midis et dim. soir Fermé mer.*

La Camargue. La salle arbore ses pierres de taille, ses poutres et ses volumes enduits à la chaux. L'hiver, il y crépite un feu de cheminée ; l'été on passe dans le patio – un bel espace aux tables de fer forgé recouvertes de céramique et disposées en étoile autour des arbres et des guitaristes. Car ici la musique gitane bat son plein, sans trop d'artifice. Menu à 32€, carte avec rouille de poulpe, calamars à la plancha, tellines ou gardianne de *toro… 19, rue de la République Tél. 04 66 53 86 88 Ouvert tte l'année midi et soir*

Dormir à Aigues-Mortes

prix élevés

☺ **Hermitage de Saint-Antoine.** Deux anciennes maisons modestes, héritées presque intactes du XVIIe siècle, ont été réunies et rénovées avec goût pour constituer aujourd'hui un hébergement appréciable. Matériaux simples et de qualité, sobriété et gaieté : on rêve de s'y enfouir pour quelques nuits… Chambre double à 64€ (74€ en haute saison), petit déjeuner compris. *9, boulevard intérieur nord Tél. 06 03 04 34 05 www.hermitagesa.com Ouvert tte l'année*

prix très élevés

Les Arcades. L'autre belle adresse de la cité, dans un bâtiment tout aussi imposant, avec des chambres très hautes de plafond qui s'envolent vers le ciel, des volumes où l'on respire et des grandes fenêtres. Décoration simple et chaleureuse, accueil à l'unisson. De 98 à 138€ la chambre (selon la taille), petit déjeuner offert. Restaurant de qualité au rez-de-chaussée, avec des menus à 34 et 44€. Climatisé. *23, bd Gambetta Tél. 04 66 53 81 13 www.les-arcades.fr Restaurant fermé lun., mar. midi et jeu. midi ; 15 jours en oct. et 15 jours en mars*

☺ **Les Templiers.** Sans doute l'une des plus belles adresses de la région : un ancien hôtel particulier réagencé avec élégance, sans artifice ni préciosité. Atmosphère vraiment singulière dans un léger désordre maîtrisé, juste ce qu'il faut pour que l'on s'y sente à l'aise. Beaux matériaux, mobilier et déco de qualité. 105€ la double climatisée avec douche, de 130 à 135€ avec bains et climatisation. Petit déjeuner 10,50€. *23, rue de la République Tél. 04 66 53 66 56 Ouvert tte l'année*

Dormir dans les environs

camping

Mas de Plaisance. Si vous voulez fuir les terrains géants de la côte (les 1 600, 3 000 places…), optez plutôt pour le camping à la ferme… De là-bas, vous pourrez partir à pied sur les chemins, aux abords des marais et faire de jolies promenades. Comptez 17€ pour 2 pers. avec tente et voiture. *30220* ***Saint-Laurent-d'Aigouze*** *(à 3km environ d'Aigues-Mortes) Tél. 04 66 53 92 84 et 06 22 20 92 37 Ouvert avr.-sept.*

prix moyens

Manade Saint-Louis. Perdu dans la Camargue, un vieux mas et tout autour des chevaux, des taureaux… Chambres doubles à 60€, petit déjeuner à 5€. *Jean-Claude Groul Mas de la Paix 30600* ***Vauvert*** *(à 12km d'Aigues-Mortes) Tél. 04 66 53 80 64 et 06 19 51 08 90 Ouvert avr.-fin sept.*

prix très élevés

Domaine de la Fosse. En pleine Camargue, un magnifique domaine de 5 chambres immenses, pleines de charme, meublées sobrement, avec un goût certain, de 135 à 145€ petit déjeuner compris. Piscine splendide, environnement de grande qualité. *Route de Sylvéréal 30800* ***Saint-Gilles*** *(à 35km d'Aigues-Mortes) Tél. 04 66 87 05 05 www.domaine-de-la-fosse.com Ouvert tte l'année*

GEOREGION

Farouche pays des huguenots, traversé de drailles, les Cévennes sont faites de montagnes arrondies couvertes de châtaigniers et de vallées encaissées, côtelées de traversiers, ces terrasses autrefois cultivées. L'Aubrac et la Margeride présentent d'immenses prairies livrées aux bovins, semées de granit et balayées par le vent. Montagnes, plateaux et causses partagent toutefois une même richesse, celle d'une nature préservée et d'une tradition agricole solidement ancrée. Le pays du pélardon et de l'aligot, du tripoux et du saucisson demeure une authentique terre de saveurs.

À ne pas manquer Mende et sa cathédrale, les gorges du Tarn, le mont Lozère, Florac et le parc national des Cévennes, Anduze

Et si vous avez le temps... Dégustez un aligot, visitez l'écomusée de la ferme des Boissets à Sainte-Enimie, observez les vautours sur le causse Méjean, empruntez le petit train des Cévennes

GEO**REGION**

Lozère et terres cévenoles

GEO**MEMO**

Départements	Lozère (48), 5166km² (73500 hab.) Gard (30), 5848km² (623120 hab.)
Villes principales	Mende (11800 hab.) Alès (39340 hab.), Anduze (3000 hab.)
Informations touristiques	CDT Lozère, Mende 04 66 65 60 00 CDT Gard, Nîmes 04 66 36 96 30
Points culminants	mont Lozère (1699m), mont Aigoual (1567m)
Espace protégé	parc national des Cévennes (91279ha)
Principales randonnées	GR©6 (sentier des 4000 marches), GR©7, GR©65, GR©60 (sentier André-Chamson), GR©68 (tour du mont Lozère), GR©66 (tour du mont Aigoual), GR©70 (sentier Stevenson)

La Chaldette
Fau-de-Peyre
SAINT-FLOUR, CLERMONT-FERRAND
Saint-Alban-sur-Limagnole
MONTS DE LA MARGERIDE
Aumont-Aubrac
Lasbros
Saint-Denis-en-Margeride
Saint-Jean-la-Fouillousse
Javols
N106
SIGNAL DE RANDON 1551M
Rieutort
Nasbinals
Château de la Baume
GÉVAUDAN
TRUC DE FORTUNIO 1554M
Châteauneuf-de-Randon
Parc des Loups du Gévaudan
N9
SIGNAL DE MAILHEBIAU 1471m
N88
A75 E11
Marvejols
TRUC DU MIDI 1020M
Mende
Bagnols-les-Bains
TRUC DE SAINT-BONNET-DE-CHIRAC 934M
TRUC DE GREZES 1012M
Barjac
Lanuéjols
Saint-Germain-du-Teil
Balsièges
LE LOT
Le Villard
LOZÈRE
La Canourgue
N106
Sauveterre
Les Bondons
CAUSSE DE SAUVETERRE
ECOMUSEE DE LA FERME DES BOISSETS
Sainte-Enimie
Quézac
Cocurès
LE TARN
E11
A75
Saint-Chély-du-Tarn
Florac
PARC NATIONAL DES CÉVENNES
Le Massegros
La Malène
CAUSSE MÉJEAN
Saint-Laurent-de-Trèves
Barre-des-Cévennes
Saint-Rome-de-Dolan
Saint-Pierre-des-Tripiers
AVEN ARMAND
CHAOS DE NÎMES-LE-VIEUX
Le Truel
Hyelzas
Le Pompidou
GROTTE DE DARGILAN
LA JONTE
D911
Le Rozier
Meyrueis
Saint-André-de-Valborgne
CAUSSE NOIR
E11
Lanuéjols
ABÎME DE BRAMABIAU
MONT AIGOUAL 1567 M
LA DOURBIE
Millau
GORGES DE LA DOURBIE
Saint-Sauveur-Camprieu
Trèves
LE TARN
L'HÉRAULT
GORGES DE LA DOURBIE
D992
N9-E11
MONTAGNE DU LINGAS
PIC DE SAINT-GUIRAL
Le Vigan
AVEYRON
CAUSSE DU LARZAC
D999
Alzon
VIGANAIS
CAUSSES DE BLANDAS
MONTPELLIER
CIRQUE DE NAVACELLES

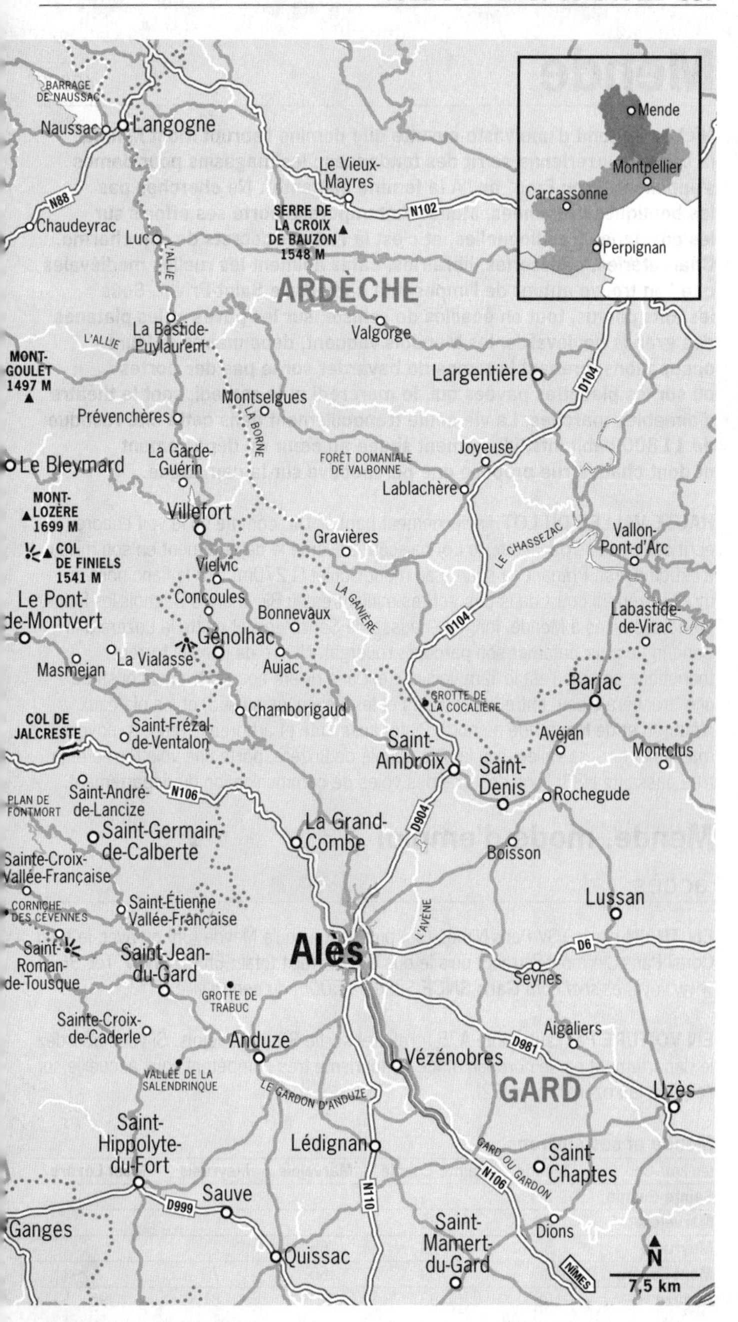

GEOREGION

LOZÈRE ET TERRES CÉVENOLES

Mende

48800

Nichée au fond d'une vaste cuvette que domine l'abrupt mont Mimat, la capitale lozérienne se rit des tendances : les magasins pour dames s'appellent "Frou Frou" ou "À la femme élégante". Ne cherchez pas les boutiques branchées, Mende l'intemporelle porte ses efforts sur les enseignes traditionnelles, et c'est là l'un des secrets de son charme. Charcuteries, pâtisseries, librairies, cafés animent les ruelles médiévales que l'on trouve autour de l'imposante cathédrale Saint-Privat. Sous les toits pentus, tout en écailles de schiste, sur les pavés et les platanes des grands boulevards, les Mendois vaquent, débonnaires, à leurs occupations, prenant le temps de bavarder sur le pas des portes ou sur les placettes pavées qui, le mercredi et le samedi, sont le théâtre d'aimables marchés. La vie coule tranquillement dans cette cité rustique de 11 800 habitants, idéalement située au cœur du département et dont chaque rue propose une perspective sur la campagne.

HAUTE VALLÉE DU LOT Anciennement baptisé Olt, comme on le voit encore écrit sur certains panneaux, le Lot naissant traverse le département en son milieu, d'est en ouest. Prenant sa source au mont Goulet (1 270m), sur le flanc nord du mont Lozère, il court dans des gorges miniatures du Bleymard à Bagnols-les-Bains, prend ses aises à Mende, longe le causse de Sauveterre et quitte la Lozère à la Canourgue pour entamer son parcours rouergat. Ni aire de jeux, ni torrent touristique comme l'est le Tarn voisin, c'est une rivière nourricière qui constitue une "frontière d'eau" entre les causses et les Cévennes au sud, et les plateaux d'Aubrac et de Margeride au nord. Plutôt luxuriante et arborée – vergers, noyers, maraîchages – sa vallée, lieu le plus peuplé de Lozère, porte une voie ferrée et la très passante N88, l'une des grandes voies de communication du département.

Mende, mode d'emploi

accès

EN TRAIN Ligne TGV Paris-Nîmes (3h) puis TER jusqu'à Mende (3h) ou avec le train Corail Paris-Clermont-Ferrand, puis le bus SNCF. Trajet total : 6h30. ***SNCF*** *Tél. 3635 www.voyages-sncf.com* ***Gare SNCF*** *Située à 500m du centre-ville*

EN VOITURE Par l'autoroute A75 (gratuite) sortie 39 à Marvejols. Si vous abordez le département par le nord, un office de tourisme très compétent vous accueille sur l'aire de la Lozère (sortie 32).

Mende et ses environs

(en km)	**Mende**	**Sainte-Enimie**	**Marvejols**	**Meyrueis**	**Mont Lozère**
Sainte-Enimie	27				
Marvejols	28	36			
Meyrueis	56	29	65		
Mont Lozère	36	59	60	70	
Anduze	105	93	119	81	95

orientation

Le vieux Mende est ceinturé de boulevards en sens unique qui suivent le tracé d'anciens remparts. Les boulevards Bourrillon et Soubeyran sont les plus vivants, avec de belles terrasses (surtout près du foirail). À Mende, pas de problème de circulation (on évitera toutefois de s'aventurer dans la vieille ville, partiellement piétonne) ni de stationnement. En plein centre, la place du Foirail fait office de parking (gratuit sam. a.-m. et dim.). Le parking du faubourg-Montbel, gratuit 24h/24, reçoit aussi les camping-cars (accès libre, branchement eau, vidange), près du pont Notre-Dame.

informations touristiques

Office de tourisme (plan A2). Très actif, il organise des visites de la ville (certaines nocturnes avec intermèdes musicaux…), des balades avec pause pique-nique du terroir (8€)… *Place du Foirail Tél. 04 66 94 00 23 www.ot-mende.fr ou www.mende.fr Ouvert juil.-août : lun.-sam. 9h-12h30 et 14h-19h, dim. 10h-12h et 15h-17h ; hors saison, fermé sam. a.-m. et dim. En été, point info pl. de la République*
Comité départemental de la randonnée. *14, bd Henri-Bourrillon Tél. 04 6647 17 03 cdrp48@worldonline*

accès Internet

Centre multimédia. Espace multimédia place du Foirail. *Tél. 04 66 49 33 39 Ouvert mar. 15h-19h, mer.-ven. 14h-19h, sam. 9h-12h et 14h-19h*

marchés

Mercredi et samedi place Chaptal et Urbain-V. En été, marchés nocturnes.

Découvrir Mende

☆ **À ne pas manquer** La cathédrale Saint-Privat **Et si vous avez le temps…** Flânez dans Mende en dégustant les croquants de la pâtisserie Majorel, détendez-vous au bord du lac de Ganivet, passez un après-midi en famille au domaine médiéval des champs à Chanac

Vous pouvez retirer à l'office de tourisme le dépliant *Destination Mende haute vallée d'Olt* qui accompagnera votre flânerie dans la vieille ville, de borne en borne, au hasard des rues aux noms évocateurs : rue de la Jarretière, du Chou-vert, des Trois-mulets, etc. On découvre quelque deux cents très belles portes anciennes : médiévales rue Droite ou rue de l'Hôpital, Renaissance rue d'Angiran ou encore du XVIIe siècle rue Monestier ou place au Blé. Dans le lavoir de la Calquière, quasi souterrain, les tanneurs aussi appelés *blanchiers* lavaient leurs peaux. On s'attardera au pied de la tour des Pénitents, dernier vestige des remparts qui comptaient jadis vingt-quatre tours identiques.

☆ **Cathédrale Saint-Privat** On ne voit qu'elle à des kilomètres à la ronde. Rapportée à celle de la ville, sa taille a de quoi surprendre. La clé de l'énigme : Urbain V, abbé gévaudanais, devient pape en 1362 et décide d'offrir à sa région natale une cathédrale fastueuse. Symbole de la puissance des évêques de Mende et seul véritable édifice gothique de Lozère, sa construction, commencée en 1369, s'achève cinq siècles plus tard. Érigée en 1874, la statue d'Urbain V trône à droite de la cathédrale. Superbes clochers asymétriques : le grand, flamboyant, fut dressé par l'évêque de La Rovère et l'autre, érigé par les chanoines. Dans la nef, huit tapisseries d'Aubusson racontent la vie de la Vierge. Des orgues Renaissance et une Vierge noire aux lignes byzantines rapportée par les Croisés. Près de la porte du grand clocher, le battant de la Non-pareille est le seul vestige d'une cloche gigantesque (25t, 2,75m de haut) fondue en 1579 par le chef huguenot Mathieu Merle pour en faire des canons.

Causse de Mende Prenez la direction de l'aérodrome, et jetez un coup d'œil à l'ermitage Saint-Privat niché dans un repli de la falaise. Continuez vers le parking du parcours de santé. De là vous emprunterez un sentier balisé par l'ONF qui mène à deux hameaux fantômes (comptez 2h15 de marche). On peut se rendre à la Croix du mont Mimat, belvédère perché à 1 067m qui domine Mende et la vallée du Lot.

Où faire une pause déjeuner ?

Boulangerie Pons. Une adresse incontournable aux délicieux parfums d'antan, où tout est alléchant. *31, rue Notre-Dame Tél. 04 66 65 03 86 Fermé lun.*

Le Bar lozérien (plan A1 n°1). Sur l'une des placettes les plus gaies du vieux Mende, la terrasse de ce snack-bar sert des salades toutes simples mais préparées avec soin (7,20€) et qui constituent à elles seules un repas complet. Fameuse salade au chèvre (salade, tomate, tagliatelles, chèvre poêlé et jambon cru). Idéal pour une petite faim estivale. Autour de vous, le spectacle de Mende déambule sereinement. *2, place René-Estoup Tél. 04 66 47 10 84 Fermé dim.*

Où acheter des souvenirs 100% lozériens ?

Pâtisserie Majorel. Allez-y pour les croquants, délicieux biscuits aux amandes et aux noisettes, élaborés en 1900 par un confiseur mendois et dont la tradition perdure chez Majorel. *2, rue de la République Tél. 04 66 65 17 85 Fermé lun.*

Artisans et terroir. Ouf ! Une boutique d'artisanat où tout est beau, trié sur le volet par une jeune femme intuitive et décidée. Du mobilier, des vêtements, de délicieux chocolats, des poteries, etc., et même la fameuse tuile à loup où le vent s'engouffre pour imiter le hurlement du loup. *4, rue de l'Ange Tél. 04 66 94 06 99 www.lozere-artisanat.com Ouvert mar.-sam.*

Découvrir les environs

Lanuéjols Sous les grands bois du col de la Loubière, le village recèle le plus bel édifice gallo-romain de Lozère, le mausolée des Bassianus (IIIe siècle). Ce monument d'une architecture grave et noble, élevé par la famille Bassianus pour ses deux fils, est proche de l'église Saint-Pierre, humble édifice roman du XIIe siècle au chevet imposant. *48000* ***Lanuéjols*** *(à 4km de Mende) Rens. mairie Tél. 04 66 48 00 82*

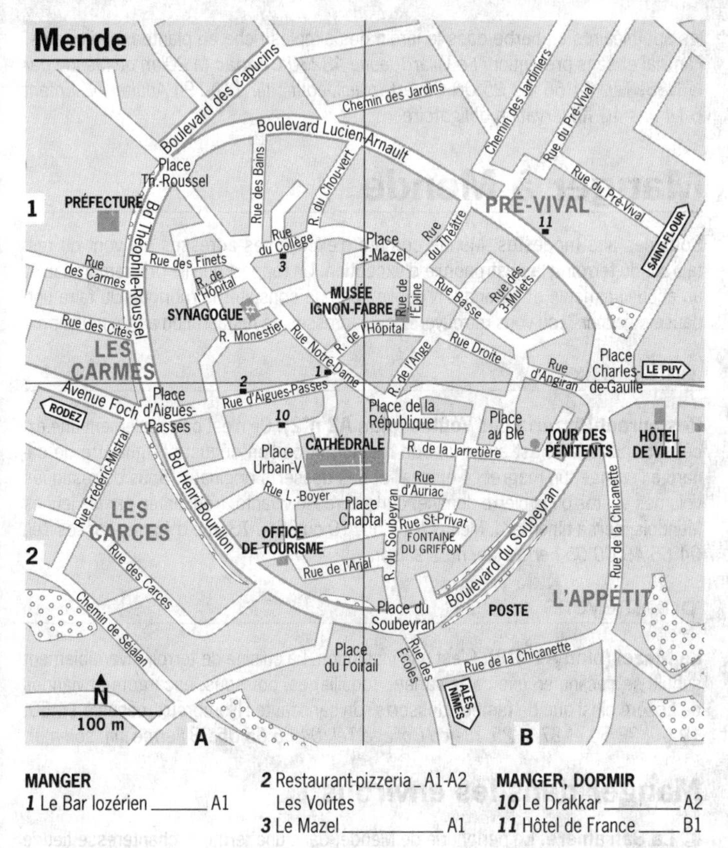

MANGER
1 Le Bar lozérien ______ A1
2 Restaurant-pizzeria Les Voûtes _ A1-A2
3 Le Mazel ______ A1

MANGER, DORMIR
10 Le Drakkar ______ A2
11 Hôtel de France ____ B1

Passer l'après-midi au bord de l'eau

Lac de Ganivet Champêtre et paisible, cerné de prairies et de sapinières, si charmant qu'il pourrait illustrer le calendrier de la Poste. La plage aménagée réunit les amateurs de baignade, de sieste ou de balade en pédalo. Pêcheurs et joueurs de pétanque se livrent à leurs passions pacifiques entre deux virées à la buvette ou au snack. Une atmosphère familiale à photographier en sépia. *À 20km de Mende*

S'initier à l'artisanat médiéval

Domaine médiéval des champs Reconstitution de la vie médiévale dans un hameau caussenard. Les ateliers (vannerie, calligraphie, bougies) sont animés par des bénévoles qui officient en costumes d'époque et invitent les visiteurs à les imiter. Les enfants aiment, ils y caressent les animaux de la ferme, dessinent, jouent les apothicaires en herbe dans le jardin des simples riche en plantes médicinales. Familial et sans prétention. *Le Villard-Jeune 48230* ***Chanac*** *(à 20km de Mende par la N88) Tél. 04 66 48 25 00 Ouvert mi-juil.-août : tlj. 11h-19h Adulte 7€ Enfant 6-14 ans 4€ Réservation obligatoire*

Manger à Mende

Sous ses airs modestes, Mende compte d'excellentes adresses qui vont du restaurant du terroir à la gastronomie d'exception. Un rapport qualité-prix remarquable, un accueil aimable et détendu. N'oubliez pas de consulter la rubrique Où faire une pause déjeuner ?, où vous retrouverez des adresses de restauration à très petits prix.

petits prix

Restaurant-Pizzeria Les Voûtes (plan A2 n°2). Ce n'est pas seulement une excellente pizzeria, c'est aussi un bon restaurant où l'on déguste l'aiguillette de canard à l'orange, un magret "4 épices" et des desserts originaux. Sous de rustiques volumes voûtés où la pierre domine, cette adresse vivante, fréquentée par les jeunes Mendois, sert à dîner tard. Menus à 11,50, 19 ou 25€. *13, rue d'Aigues-Passes Tél. 04 66 49 00 05 Fermé lun. hors saison*

prix moyens

Le Mazel (plan A1 n°3). C'est une institution. La cuisine de terroir invariablement subtile se décline en une carte variée, coquillages, poissons, escargots et viandes de Lozère ainsi que de fameux desserts. Un sans-faute ! Nombreux menus à 14,50, 19,50, 22,50 et 27€. *25, rue du Collège Tél. 04 66 65 05 33 Fermé lun. soir-mar.*

Manger dans les environs

☺ **La Safranière.** En périphérie de Mende, dans une ferme enchanteresse fleurie de rosiers anciens, ce restaurant d'une grande quiétude propose une gastronomie réjouissante, centrée sur l'essentiel : le respect du produit. Ce qui n'exclut pas un brin de fantaisie – voire de poésie – toujours juste : heureux mariages du thon et de la ciboulette, du magret de canard et du caramel d'épices, etc., qui comptent parmi les inventions du chef Sébastien Navetch. Service tout en délicatesse. Et pour que tout soit parfait, la salle au décor zen, au ton jaune safran, ne compte que cinq tables. Une adresse rare ! Menus à 22, 29 et 37€. Un menu d'exception à 45€. ***Chabrits*** *(à 5km de Mende par la D42) Tél. 04 66 49 31 54 Fermé dim. soir-lun., mars et 2e sem. de sept.*

Manger, dormir à Mende

prix moyens

Le Drakkar (plan A2 n°10). Le seul établissement de Mende au pied de la cathédrale. Par bonheur, il est sympathique et les 23 chambres rénovées sont très abordables, de 42 à 46€. En terrasse, on peut grignoter à toute heure (carte "petites faims" avec paninis et omelettes paysannes). Une carte brasserie avec formule à 12,60€ et un menu lozérien à 18,50€. Disposé sur plusieurs niveaux avec des salles conviviales et des coins plus intimes, le pub reste ouvert jusqu'à 1h. *Place Urbain-V Tél. 04 66 49 04 04 Ouvert tte l'année*

☺ **Hôtel de France (plan B1 n°11).** À l'orée du centre-ville, cet ancien relais de poste a vécu une salutaire révolution à l'aube de son 150e anniversaire quand les actuels propriétaires ont repris l'affaire. Côté cuisine, surtout, où l'on déguste désormais une gastronomie fine qui met astucieusement en valeur des produits de qualité (veau de Lozère, saumon d'Écosse…). Le patron aime les bons vins et ses conseils sont déjà un régal. Excellents menus à 24 et 27€. Un lieu paisible et fleuri avec chambres agréables de 50 à 90€ selon les options de confort choisies. Garage privé (5€). *9, bd Lucien-Arnault Tél. 04 66 65 00 04 Fermé 1re quinzaine de jan. Restaurant fermé sam. midi et lun. midi*

prix élevés

Le Pont Roupt. Sur les rives du Lot, cet hôtel-restaurant un peu excentré (à 5min à pied du centre de la ville) garantit le calme et un accueil chaleureux. Une piscine en sous-sol pour les sportifs et un sauna pour tous ceux qui aiment. De formidables petits déjeuners très copieux. Vingt-six chambres de 65 à 88€ la double selon le confort (chambre familiale à 99€). Pour se restaurer, deux formules : la brasserie l'Express, petits prix et cuisine plaisante, avec un menu à 17€, et le restaurant gastronomique où le chef officie, menus de 24 à 52€. *2, avenue du 11-Novembre Tél. 04 66 65 01 43 Fermé mi-fév.-mi-mars Restaurant fermé hors saison : sam.-dim. ; en saison : sam. midi*

Manger, dormir dans les environs

Lou Rastel. Des chambres et une table d'hôte au vert et au calme. Un accueil confondant de gentillesse, une adresse où l'on dispense généreusement l'amour de la Lozère. Bébés bienvenus. Chambres confortables (TV, sanitaires) à 52€. Une bonne table pour 17€, vin et café compris. *48000* ***Badaroux*** *(à 5km à l'est de Mende par RN 88) Tél. 04 66 47 70 04 Sur réservation en hiver*

Bagnols-les-Bains

48190

Jaillissant à 40°C, les eaux sulfurées et bicarbonatées de Bagnols-les-Bains étaient déjà exploitées par les Romains. Restauré en 1978, le complexe thermal soigne les rhumatismes, les fractures et les affections de la gorge, mais Bagnols ressemble bien peu à l'idée qu'on se fait d'une station thermale. C'est un gros village (250 habitants l'hiver, 2 000 l'été), qui s'étire langoureusement le long des rives du Lot. On y randonne, on y pêche, on y fait – sans avoir besoin d'être souffrant – des cures de remise en forme et on profite d'un site charmant, très boisé.

Bagnols-les-Bains, mode d'emploi

accès

EN VOITURE À 20km à l'est de Mende par la N88 puis la D901, en suivant le Lot.

EN CAR La compagnie Hugon assure un arrêt à Bagnols sur sa ligne Mende-Villefort. ***Cars Hugon*** *Tél. 04 66 49 03 81*

informations touristiques

Office de tourisme de Bagnols et de la haute vallée du Lot. Accueil aimable et compétent. *Avenue de la gare Tél. 04 66 47 61 13 www.ot-bagnolslesbains.com Ouvert juil.-août : lun.-sam. 8h30-12h30 et 14h-18h ; avr.-juin et sept.-oct. : lun.-ven. 8h30-12h30 et 14h-17h ; hors saison : lun.-mar. et jeu.-ven. matin 8h-12h et 13h30-16h30*

Découvrir Bagnols-les-Bains et ses environs

☆ **À ne pas manquer** L'église de Saint-Julien-du-Tournel **Et si vous avez le temps...** Passez un moment agréable à l'"espace forme" des thermes de Bagnols-les-Bains, découvrez le savoir-faire d'un tailleur de pierre dans l'atelier des Schistes Rocher à Saint-Julien-du-Tournel

Thermes de Bagnols-les-Bains Pour tous ! Une journée ou une demi-journée à l'"espace forme" (bain bouillonnant, douche au jet, massages) à partir de 25€. Forfaits "randonneur" autour de 250€. Attention, il est impératif de réserver. *Centre thermal Tél. 04 66 47 60 02 Ouvert en saison : lun.-sam. 9h-12h30 et 14h-18h30 ; hors saison : lun.-sam. 14h-18h*

Le Bleymard Village montagnard perché à 1 000m d'altitude, Le Bleymard semble très austère. Ce peut être une base de randonnées vers les sources du Lot ou vers le mont Lozère (pour la découverte du mont Lozère, il est préférable toutefois de séjourner au Pont-de-Montvert, sur le versant sud). *48190* ***Le Bleymard*** *(à 10km de Bagnols-les-Bains)*

Saint-Julien-du-Tournel Lové dans une boucle du Lot, à l'écart des routes, ce village a gardé son charme d'antan. On s'attardera dans **l'église romane** à clocher-mur, l'une des plus belles du Gévaudan, tout en lauzes de schiste. Si l'on continue la D901 vers Le Bleymard, on observe les ruines imposantes d'une forteresse médiévale s'étageant sur un éperon de roches noires. Il s'agit du château des seigneurs de Tournel (XIIe siècle). De Saint-Julien, on peut aussi emprunter l'étroite route d'Outlet qui dessert quelques hameaux pittoresques où l'on peut voir ces fameux clochers de tourmente lozériens, clochers sans églises dont le bourdon guidait les voyageurs égarés dans le brouillard (Outlet et aux Sagnes). *48190* ***Saint-Julien-du-Tournel*** *(à environ 4km de Bagnols-les-Bains)*

Où assister à la taille du schiste ?

Schistes Rocher. Une visite de 1h environ pour découvrir un savoir-faire ancestral et spectaculaire : extraction, taille des lauzes et des pierres à bâtir. *Le Tournel 48190* ***Saint-Julien-du-Tournel*** *Tél. 04 66 47 62 67 Ouvert sur réservation Visite gratuite*

Où se distraire en famille ?

☺ **Vallon du Villaret** Au pied d'un donjon du XVIe siècle, un parc de 10ha niché dans les bois. Prévoyez l'après-midi, des jeans qui ne craignent rien (pour petits et grands, car tout le monde s'amuse), et un maillot de bain car il y a d'irrésistibles jeux d'eau. La balade est ponctuée d'œuvres d'art interactives, insolites, et d'obstacles plus amusants que véritablement sportifs : ponts de singe, grotte aux 1 000 sons où les enfants font de la musique avec des billes, mobiles aquatiques, kaléidoscopes géants, toboggans, etc. Ce parcours magique a été imaginé par des plasticiens sous la houlette d'un poète inspiré, Guillaume Sonnet. Dans la tour, vous pourrez voir une exposition d'art contemporain. Dans les granges, boutique et auberge (des assiettes de charcuterie et de fromages à partir de 7€, des salades et de bons jus de fruits). "Dis, maman, on reviendra ?" *À 3km de Bagnols Tél. 04 66 47 63 76 www.levillaret.fr Ouvert printemps : tlj. 11h-18h45 ; été : tlj. 10h-18h45 ; mi-sept.-hiver : sam.-dim et vac. scol. Toussaint 11h-18h (un conseil : n'arrivez pas après 15h30 !) Entrée environ 10€ et gratuit pour les enfants de moins d'un mètre*

Où pêcher sans tuer ?

Les associations de pêche locales sont à l'origine de nombreux parcours "*no kill*" d'accès libre et gratuit. Ce sont de véritables sanctuaires de la vie sauvage où le pêcheur s'engage à remettre la belle truite fario à l'eau avec toutes les précautions qu'elle mérite. Deux parcours à Bagnols, l'un au cœur du village, l'autre en amont. *Contacter Marius Tournaire Tél. 04 66 65 15 25 ou la Fédération de pêche de Lozère Tel. 04 66 65 36 11 www.lozerepeche.com*

Manger, dormir à Bagnols-les-Bains

camping

Camping la Luminade. Sur les rives du Lot, un camping tout confort. Idéal pour les pêcheurs qui trouveront à 300m un parcours "*no kill*". Forfait semaine pour 2 personnes à partir de 95€, chalets à partir de 285€/sem. *Route de Mende Tél. 04 66 49 39 49 Ouvert mars-oct.*

prix moyens

☺ **Les Chemins Francis.** Une même équipe, deux hôtels, le Malmont et le Modern (chambres de très bon standing dans les deux cas pour, selon l'établissement,

38 ou 58€), sauna, piscine, espace détente, le tout très esthétique. Dans une salle lumineuse donnant sur le Lot, le restaurant vous régale de truites, chou farci, fricassée de volaille au thym, ris de veau aux morilles. La carte détaille la provenance des produits cuisinés (transparence totale !). Un régal, un service attentif, des prix très doux (menus de 15,50 à 27,50€) et une ambiance chaleureuse d'habitués. Les Chemins Francis proposent des forfaits balnéo, des séjours randonnée famille (vous, vos enfants et des ânes). À partir de 422€/sem. en pension complète, supplément balnéo 205€/pers./sem. Le tout avec professionnalisme et une gentillesse spontanée. *Les chemins Francis Tél. 04 66 47 60 04 www.hotel.cheminsfrancis.com Ouvert Pâques-nov. et vac. scol. fév.*

Dormir, manger dans les environs

prix moyens

La Remise. Un ancien relais de diligence, cosy et coquet, avec des chambres à 44€ (TV, sdb) et des chambres familiales (57€, 5 pers.). Salle à manger bourgeoise avec une grande cheminée pour une cuisine traditionnelle de qualité (souris d'agneau, filet mignon au jus de cèpe corsé, etc.). Menus à 12,50€ (sauf week-end), terroir à 18€ et de charme à 25€. *48190* ***Le Bleymard*** *(à 9km de Bagnols) Tél. 04 66 48 65 80 Hôtel Fermé fin déc.-fin jan. Restaurant ouvert tlj. en saison Fermé hors saison : lun. soir ; jan.*

Gîte de l'Escoutal. Havre de paix en lisière de forêt, dans une ferme restaurée qui reçoit randonneurs, cavaliers et amateurs de calme absolu. Un gîte (12€ la nuit) et des chambres d'hôtes à 50€ la double. Un vallon que parcourt un sentier, une vaste sapinière, le bonjour des passereaux… et rien d'autre. Pour dîner, une salle chaleureuse encombrée d'un mobilier disparate et de souvenirs de voyage glanés par la propriétaire, randonneuse émérite. On y sert un bon repas pour environ 17€. *Le Bonnetès 48190* ***Le Bleymard*** *(à 9km de Bagnols) Tél. 04 66 48 64 08 Ouvert tte l'année sur réservation*

Marvejols

48100

Trois belles portes fortifiées ouvrent sur le centre historique de cette grosse bourgade encadrée par les vallées du Lot et de la Truyère. À l'entrée de la ville, vous ne pourrez pas manquer les œuvres étonnantes d'Auricoste, sculpteur marvejolais des années 1950, qui en a surpris plus d'un avec sa représentation de la bête du Gévaudan et son portrait d'Henri IV. Cette dernière œuvre rappelle l'histoire mouvementée de cette ville royale. Henri IV a reconstruit Marvejols après que les armées catholiques de l'amiral de Joyeuse l'eurent incendiée à cause de la conversion de la ville au protestantisme. Aujourd'hui, Marvejols est une petite capitale agricole – un marché aux ovins a lieu le 1er et le 3e lundi du mois place de l'Esplanade – active et très hospitalière.

LA BÊTE DU GÉVAUDAN Non, ce n'est pas une légende. Elle a existé "pour de vrai", les registres paroissiaux sont assez éloquents. La bête a bel et bien tué : des femmes et des adolescents de préférence. Premier méfait : le dépeçage d'une bergère de 14 ans, le 30 juin 1764. Plus de cent victimes suivront, toutes mutilées, dénudées ou décapitées. Le Gévaudan est pris de panique et l'évêque de Mende y voit un fléau divin venu punir la coquetterie des filles et la dépravation générale. Est-ce une hyène, un loup enragé, un tueur sadique ou une chimère ? Le mystère demeure et continue à susciter des débats. Anne Ménatory, directrice du parc des loups de Sainte-Lucie, écarte la thèse du loup car "cet animal craintif redoute l'homme plus que tout, et particulièrement sa position verticale". Depuis trois siècles, toute une littérature est consacrée à la bête. Récemment, *La Dette du Gévaudan*, de Fiametta Esposito (cf. GEODocs, Bibliographie) revisite sous forme d'un brillant polar cette énigme irrésolue... Pourtant, une bête a été tuée, le 19 juin 1767 par Jean Chastel et trois balles bénies. Le carnage prit fin, pas la polémique.

Marvejols, mode d'emploi

accès

EN VOITURE À 35km à l'ouest de Mende par la N88 et la N108.

EN CAR Desservi par les cars Boulet sur la ligne Mende-Rodez et les cars Lozère tourisme sur Mende-Saint-Chély (pendant les vac. scol.) ***Cars Boulet*** *Tél. 04 66 65 19 88* ***Cars Lozère tourisme*** *Tél. 04 66 31 31 31*

EN TRAIN Ligne Paris-Béziers, liaisons avec Mende, La Bastide, Alès, ou avec le train Corail "l'Aubrac" *via* le Massif central en 7h45 ***Gare SNCF*** *Av. Pierre-Semard, à 2km du centre* ***SNCF*** *Tél. 3635 www.voyages-sncf.com*

informations touristiques

Maison du tourisme. Demandez le dépliant *Ville Royale* et les topo-guides (payants) des sentiers de randonnée. *Porte Soubeyran Tél. 04 66 32 02 14 www.ville-marvejols.fr Ouvert juil.-août : lun.-ven. 9h-12h et 14h-19h, sam. 9h-12h et 14h-18h, dim. et j. fér. 10h-12h et 16h-18h ; hors saison : mar.-ven. 9h-12h et 14h30-18h, sam. 9h-12h et 14h-17h*

Découvrir les environs

☆ **À ne pas manquer** Le parc des Loups du Gévaudan à Saint-Léger-de-Peyre **Et si vous avez le temps...** Randonnez de truc en truc

Chirac Mêlant roman et gothique, l'église Saint-Romain trône sur une place pavée de dalles calcaires. On observe également, à la lisière du village de Chirac, l'un des plus beaux dolmens de Lozère, le dolmen de la Fare, baptisé aussi Notre-Dame. Haut de 1,50m et long de 3m, il a des allures de maisonnette. *48100* ***Chirac*** *(à 5km au sud de Marvejols)*

☆ ☺ **Parc des Loups du Gévaudan** Dans le hameau préservé et typiquement lozérien de Sainte-Lucie : une initiative de Gérard Ménatory, journaliste amoureux des loups et désireux d'en restaurer l'image auprès du grand public, aujourd'hui brillamment relayé par sa fille. Dans ce parc de 7ha, vivent quatre sous-espèces de loups (une centaine d'individus au total, venus de Pologne, de Sibérie, du Canada, de Mongolie). Un sentier longe les grilles du parc, ponctué de postes d'observation où l'on attend que se montrent les gentils monstres (il faut parfois être patient, le loup n'est pas cabot). Et l'on voit apparaître des louveteaux joueurs que leur mère discipline à coups de patte. Le circuit se termine par un plaisant petit musée (diaporama sur la bête du Gévaudan, expo, philatélie, fables, etc.). Six visites commentées par jour, et nourrissage les lundis, mercredis et vendredis, vers 17h. *48100* ***Saint-Léger-de-Peyre*** *(à 8km au nord de Marvejols) Tél. 04 66 32 09 22 www.loupsdugevaudan.com Ouvert tlj. été : 10h-19h ; hors saison : 10h-17h ou 18h (c'est en hiver que les loups ont le plus beau pelage et qu'ils ressemblent vraiment aux "loups de notre enfance") Fermé jan. Entrée 6,50€ Enfant 3,50€*

Voir des trucs

Ni pics, ni montagnes, ces incongruités géographiques que l'on appelle les trucs – ou encore signaux – sont les collines en forme de mamelon qui parsèment les paysages lozériens. Autour de Marvejols vous pourrez voir le truc du Midi (1 020m), le truc de Grèzes (1 012m) et le truc de Saint-Bonnet-de-Chirac (934m).

Randonner à cheval

La Cavalerie du Petit Canyon. Des chevaux et des poneys nés à la ferme pour la plupart et vivant dehors. De Pâques à la Toussaint, Caroline André, accompagnatrice diplômée, propose des balades familiales pour tous niveaux et des séjours itinérants. *Brugers 48100* ***Marvejols*** *Tél. 04 66 32 46 08 ou 06 87 97 13 91 www.chevaux-du-petit-canyon.com*

Manger, dormir à Marvejols

prix moyens

☺ **L'Auberge de Carrière.** Dans les dépendances du château de Carrière, une charmante auberge de campagne avec terrasse et salle bourgeoisement meublée. Langoustines, gambas, escargots finement cuisinés par un chef qui joue habilement avec les épices, puise son inspiration du côté de la Méditerranée mais s'illustre aussi magistralement dans la préparation des viandes locales. Menus à 18€, 22€, 26€, et 32€ (mise en bouche, entrée, plat, fromage et dessert), une carte réduite mais de qualité et un grand choix de vins. *Quartier de l'Empery (à la sortie de Marvejols, sur la D1) Tél. 04 66 32 47 05 Fermé en saison : lun. ; hors saison : mer. soir, dim. soir et lun.*

Les Rochers. Un établissement sérieux à l'ambiance familiale. Des prix raisonnables pour des chambres bien entretenues : 29€ avec lavabo, 43,50€ avec douche-WC et 53€ avec sdb-WC. La salle de restaurant qui domine la vallée de la Colagne offre une jolie vue. On y sert une cuisine de terroir honorable et un fameux sauté de veau aux cèpes. Menus à 14, 24 et 33€. *27, av. Pierre-Semard Tél. 04 66 32 10 58 Hôtel Fermé déc.-jan. Restaurant ouvert tlj. en saison Fermé hors saison : sam. midi, dim. soir et lun. midi*

☺ **Château de Carrière.** Un château du XVIIe siècle, une piscine et un parc de 6ha où s'ébattent deux lamas et quelques paons. Derrière le décor majestueux de cette grande propriété se cache quelque chose d'aimable et de bon enfant. Le châtelain est un collectionneur – de casse-tête, entre autres – et la châtelaine une couturière de génie qui a transformé les chambres en rêve de princesse (immenses, avec sdb et TV). Comptez 65€, petit déj. compris. Pour déjeuner ou dîner, rendez-vous dans les dépendances (cf. Manger à Marvejols). Au bout d'une allée cavalière, une maisonnette a été transformée en gîte de charme pour 4 pers., comptez 400 à 500€ la semaine. *Quartier de l'Empery (à la sortie de Marvejols, sur la D42) Tél. 04 66 32 28 14 Ouvert avr.-sept.*

La Canourgue *48500*

Emblème de la cité, la tour de l'horloge attire et amuse le regard du visiteur : ronde, svelte, légèrement penchée, elle semble tenir debout par le miracle de saint Étienne, protecteur de la ville ! Accorte, pimpante, pleine de charme et insolite, La Canourgue est rafraîchie par l'Urugne et tout un réseau de canaux aux eaux vives dont le murmure vous accompagne partout – souvenir d'un temps où la ville était peuplée de tisserands et de tanneurs. Beaucoup de riches maisons à colombages ou à encorbellements, tantôt construites en grès rouge, tantôt en calcaire des causses, de nombreux commerces et ateliers (l'un des artistes a déposé au hasard des rues de drôles de sculptures en galets de rivière) forment une petite ville aimable, festive (on retiendra la fameuse "foire aux célibataires" à Pâques) où l'on découvrira aussi de roboratives spécialités gastronomiques, la *pouteille* (daube de bœuf au pied de porc) et le *manouls* (panse et tripes de brebis) !

☆ **LE CAUSSE DE SAUVETERRE** Il s'étend entre la vallée du Lot, au nord, et les gorges du Tarn qui l'entaillent au sud. Vestige sédimentaire des grandes mers du Secondaire, ce vaste plateau calcaire (55 000ha) truffé de fossiles a été soulevé jusqu'à 1 000m d'altitude par le plissement alpin du Tertiaire. Caillouteux, le plus souvent pelé (pas une goutte d'eau en surface), le causse de Sauveterre présente aussi des étendues boisées où l'on retrouve en abondance le pin noir introduit au XIXe siècle pour entraver les effets dévastateurs de l'érosion. Tirant parti de la moindre doline, quelques agriculteurs cultivent encore des céréales (du seigle, surtout). Se contentant d'herbes rases, les ovins règnent en ce lieu, se réfugiant les jours de canicule à l'abri de modernes bergeries et paissant le reste du temps sur de vastes territoires – une brebis à l'hectare, comme le veut la tradition. Figures emblématiques d'une flore timide et méritante : la lavande sauvage et la carline, chardon qui pousse au ras du sol, cœur jaune et couronne en acanthe, et que l'on cloue sur les portes des granges en guise de baromètre. Deux beaux itinéraires traversent le causse de Sauveterre : la D998 de La Canourgue à Sainte-Enimie et la D32 de Chanac à Massegros – le canton le moins peuplé de Lozère. De hameau en hameau, observez l'architecture caussenarde qui atteint des sommets d'élégance dépouillée et d'ingéniosité. Vous pourrez voir de beaux exemples en visitant le domaine des Boissets, et au hasard de la balade, les hameaux de Sauveterre, Champerboux et encore Massegros, où l'architecture de la fameuse maison aragonaise s'embellit de galeries et de balustrades, souvenir de l'occupation du Gévaudan par les rois d'Aragon.

La Canourgue, mode d'emploi

accès

EN VOITURE À 37km de Mende par la N88. Par l'autoroute A75, sortie La Canourgue.

EN TRAIN Sur la ligne Paris-Béziers ou bien par le même itinéraire que pour Marvejols par le train Corail "L'Aubrac" en 8h environ. ***Gare SNCF*** *Banassac (à environ 3km de La Canourgue)* ***SNCF*** *Tél. 3635 www.voyages-sncf.com*

EN CAR Ligne Mende-Rodez desservie par les cars Boulet. ***Cars Boulet*** *Tél. 04 66 65 19 88*

informations touristiques

Office de tourisme. Demandez les dépliants sur la randonnée de l'association Chemin et Patrimoine (1€ l'unité) et le topo-guide. *Rue de la Ville Tél. 04 66 32 83 67 www.lacanourgue.com Ouvert été : lun.-dim. matin 9h-12h30 et 14h30-19h ; hors saison : horaires réduits*

manifestations

Foire à la brocante et à l'artisanat. 2e dimanche d'août.
La Canourgue noire. Festival du roman policier. Signatures, débats, lectures, jeux d'enquêtes, expositions, musique , cinéma noir. *Tél. 04 66 32 14 55*

Découvrir La Canourgue

☆ **À ne pas manquer** Le causse de Sauveterre **Et si vous avez le temps…** Découvrez l'habitat traditionnel du causse aux alentours de Champerboux et de Sauveterre, foulez le green du golf du Sabot, dégustez une pouteille au restaurant Le Commerce à la Canourgue

Église paroissiale Saint-Martin Construite par les Bénédictins au XIe siècle cette église, romane pour l'essentiel, a malheureusement été affublée de quatre chapelles gothiques. Près de l'église, la pittoresque place au Blé accueille un marché chaque mardi. Au sud du village, se dresse la tour de l'Horloge, dernier vestige du château médiéval Saint-Étienne.

Chapelle Saint-Frézal Cet émouvant sanctuaire rustique, installé au cœur d'un site boisé de frênes et marronniers, est un lieu idéal pour faire la sieste en été (après le pique-nique). La confrérie de la Pouteille et du Manouls qui a financé sa restauration propose des visites en été (renseignements au 04 66 32 80 18, au restaurant Le Commerce ou à l'office de tourisme). *À 1km à l'est de La Canourgue, sur la route du hameau des Balmes*

Découvrir les environs

Auxillac Ce village bucolique intéressera les amoureux de Marcel Proust. En effet, Auxillac vit naître sa fidèle gouvernante Céleste Albaret, "volontairement ignorante mais douée d'un génie étrange" comme l'a écrit l'auteur de la "Recherche" qui mourut dans ses bras. Céleste ne consentit à livrer ses mémoires qu'en 1973 (*Monsieur Proust*, éditions Robert Laffont). À la Tieule, hameau d'Auxillac, on observe de mystérieuses tombes taillées dans le grès, qui sont prétendument juives, mais pourraient tout aussi bien être des sépultures mérovingiennes. *À 8km au nord de La Canourgue*

Rocher de Malepeyre À 3km du village de La Canourgue, en empruntant la D998 puis la D46, on arrive au pied de ce fameux rocher en forme de sabot qui domine la vallée de l'Urugne.

Jouer au golf

Golf du Sabot. À la sortie de La Canourgue en direction de Sainte-Enimie, au bord de l'Urugne, sous le rocher du Sabot qui lui a donné son nom, ce golf boisé et vallonné, passé à 18 trous, tire sa spécificité d'un paysage agreste et d'un panorama exceptionnel. Cours individuels et collectifs, initiation et stages. Club-house avec bar et restaurant. *La Canourgue Tél. 04 66 32 84 00 www.lozereleisure.com*

Pédaler sur l'eau

Plan d'eau de Booz. Aménagée en bordure du Lot, cette retenue d'eau est bien assez grande pour que les amateurs de baignade (non surveillée), de pédalo et de canoë-kayak s'y côtoient dans la bonne humeur. *À 3km de La Canourgue*

Manger, dormir à La Canourgue

petits prix

Le Portalou. Une grande et bourgeoise bâtisse, un parc où l'on prend le petit déjeuner comme à la campagne, une terrasse sous les glycines. Cet établissement au cœur du village a bien du charme. Chambres à la décoration un peu vieillotte, mais impeccables, de 35 à 54€ (avec sdb et TV). Un restaurant soigné pour tous budgets, menus à 12€ (sauf week-end) et à 19€. Pour un voyage gastronomique, une carte "mémoire d'Aubrac et du Causse" de 7 à 14,50€. *Pl. Portalou Tél. 04 66 32 83 55 www.hotelleportalou.com Fermé mi-nov.-mi-déc.*

prix moyens

Le Commerce. La confrérie de la Pouteille siège depuis trente ans dans cet hôtel-restaurant où le grand maître-queue de la pouteille et du manouls réunis, Pierre Mirmand (également trufficulteur), a passé le relais à ses fils. Un menu terroir à 19€ et trois autres à 12, 18 et 23€. Pour ceux qui ne peuvent pas se lever de table après pareilles libations, le lieu propose des chambres (modernes mais sans charme) de 42 à 48€. *Pl. du Portal Tél. 04 66 32 80 18 Fermé ven. soir-sam. hors saison*

Manger, dormir dans les environs

très petits prix

☺ **Camping le val d'Urugne.** Un cadre paradisiaque : sur la route des gorges du Tarn, à 3km de La Canourgue, se cache sous le rocher de Malepeyre un camping parmi les ombrages, traversé par l'Urugne. Piscine, buvette et accueil délicieux. Emplacement à partir de 10,50€ et élégants chalets à louer à la semaine (ou au week-end, hors saison). Le chalet 4/6 pers. de 250 à 650€/sem. selon la saison. *Val d'Urugne Tél. 04 66 32 84 00 Ouvert mars-nov.*

petits prix

☺ **Auberge du Moulin.** À Auxillac, un moulin enjambe un ruisseau et fait face à une terrasse couverte, aux allures de préau d'école. D'ailleurs, on croirait ce lieu issu d'un dessin d'enfant. C'est la maison natale de Céleste Albaret, celle qui veilla sur Marcel Proust comme une poule sur son poussin (cf. Découvrir les environs). On y est très bien accueilli, et la cuisine offre aux recettes traditionnelles ce qui leur manque parfois de légèreté et de fantaisie. Délicieuse joue de bœuf confite, feuilleté d'escargots et de bons desserts. Menus à 16, 20 et 23€. Trois chambres coquettes à 35€ pour y relire *À la recherche du temps perdu.* ***Auxillac*** *(à 8km de La Canourgue) Tél. 04 66 32 67 65 Ouvert tte l'année Fermé lun. soir. et mar. soir hors saison*

Le Gazy. L'un de ces bouts du monde dont la Lozère a le secret. Tapi sur le causse, le hameau du Gazy ravira les amateurs de silence. Si vous souhaitez y passer la nuit, préférez les chambres aménagées dans les anciens bâtiments où le confort est certes rudimentaire mais suffisant. Vous goûterez ainsi le plaisir incomparable de vous réveiller au son des clarines et du chant des oiseaux. Si vous séjournez en famille, vous pouvez opter pour le gîte installé dans une superbe bergerie (6 pers., 430€/sem.). La ferme-auberge se trouve dans une grange restaurée sans esbroufe, où officie la délicieuse Bambi, jeune Caussenarde reine de l'aligot. Menu terroir à 12,50€ (volailles, agneau de la ferme et de délectables charcuteries) et aligot, chaque mercredi. Chambres de 30 à 40€ selon le confort. Animaux refusés. *48230* ***Chanac*** *(à 12km de La Canourgue) Tél. 04 66 48 21 91 Ouvert sur réservation*

prix moyens

☺ **La Vialette.** Dans un superbe ensemble de bâtiments caussenards en pleine campagne, des chambres d'hôtes confortables (salle-de-bains et télévision) et joliment décorées (48€ la nuit) fonctionnant en gestion libre (une table d'hôte à 17€, boissons comprises, mais tout de même accès à la cuisine équipée pour 1€ symbolique). Adorable patronne, enthousiaste et pleine de bon sens. *À 10km de La Canourgue par la route D998 Tél. 04 66 32 83 00 www.gite-sauveterre.com Ouvert tte l'année*

☆ Sainte-Enimie

48210

L'idéal serait d'aborder Sainte-Enimie en canoë, jusqu'à atteindre le beau pont de pierre qui franchit le Tarn. Parce qu'en été, s'il faut arriver par la route encombrée et trouver une hypothétique place de parking, le village perdra beaucoup de son charme. Pourtant, la petite capitale des gorges, grandie sur une boucle du Tarn et sur le gué d'un ancien sentier de transhumance, a du caractère. Pour s'en convaincre, et apprécier son ambiance médiévale, il suffit de gravir ses ruelles pentues. De placettes en passages voûtés, d'escaliers pavés en rues ombragées par des treilles, la flânerie mène jusqu'à l'église romane Notre-Dame-du-Gourg qui abrite d'émouvantes statues du XVe siècle. Sainte-Enimie possède de belles maisons, impeccablement restaurées, en calcaire blanc, et une halle au blé qui a conservé sa mesure à grain. Autour du village, les terrasses étagées, témoins d'un passé agricole, portent les vestiges de vignobles et de vergers d'amandiers ou de cerisiers.

LA LÉGENDE DE SAINTE ENIMIE Sœur du bon roi Dagobert, pieuse et belle princesse vouant sa vie aux pauvres et aux estropiés, Enimie se réveille lépreuse à la veille de son mariage. Trouble psychosomatique, dirait-on aujourd'hui, car elle haïssait l'idée de ces épousailles qui la privaient de Dieu. Un ange apparut et l'invita à chercher en Gévaudan une source miraculeuse pour s'y baigner et retrouver la santé. Ce sera la source de la Burle, l'une des nombreuses résurgences qui alimentent le Tarn, une source toujours active et noyée de verdure. Enimie redevient "belle, saine et pure, plus que colombe et ramier", dit la légende. Elle ne quittera plus les gorges du Tarn où elle vivra dans une grotte (l'actuel ermitage), fondant abbaye, monastère, et faisant des miracles, et non des moindres, comme ressusciter un enfant noyé… Les pèlerinages vers la source de la Burle, censée guérir les maladies de peau et les yeux, firent, avant l'invention du tourisme, la prospérité de Sainte-Enimie.

Sainte-Enimie, mode d'emploi

accès

EN VOITURE À 27km de Mende par la N88.

informations touristiques

Office de tourisme des gorges du Tarn, à Sainte-Enimie. *Tél. 04 66 48 53 44 www.gorgesdutarn.net Ouvert en saison : tlj ; hors saison : lun.-ven.*

location de VTT

Adn (activité découverte nature). Location de VTT, mais aussi organisation de sorties escalade, spéléologie. *Rue basse 48210* ***Sainte-Enimie*** *Tél. 04 66 48 46 05 www.lacazelle.com*

marchés

Marché nocturne, le jeudi en été (artisanat, produits du terroir).

fêtes

Festival de la vallée du Tarn. De mi-juillet à mi-septembre aux environs de Sainte-Enimie (théâtre, animations de rue, concerts). *Rens. à l'office de tourisme*

Découvrir Sainte-Enimie

☆ **À ne pas manquer** Le village de Sainte-Enimie, l'écomusée de la ferme des Boissets **Et si vous avez le temps...** Admirez le paysage depuis l'ermitage de Sainte-Enimie, partez randonner avec l'Arbre à Balades, composez un pique-nique au marché d'Ispagnac

☆ On peut toujours voir, dans la vieille ville, la source miraculeuse de la Burle (derrière l'office de tourisme) et grimper à l'Ermitage (xe siècle, remanié au xve) où vécut la pieuse Enimie. Un sentier pentu, au départ de la source de la Burle, y monte en 1h. L'intérêt ? le panorama sur le village de Sainte-Enimie et la boucle du Tarn.

☆ ☺ **Écomusée de la ferme des Boissets** Dans un hameau superbement sauvegardé, un lieu encore vivant où habite un éleveur. L'idée géniale de ce musée est d'avoir mis en place autour de thèmes forts (l'eau, la roche, l'agro-pastoralisme, la faune, etc.) une scénographie aussi élégante que l'est l'architecture caussenarde. On se promène avec un audioguide qui lance à volonté des courts-métrages documentaires bien faits. On entend aussi des témoignages recueillis auprès d'anciens agriculteurs du causse. Celui de la salle consacrée à l'eau est particulièrement passionnant, une tranche de vie contée avec humour et humanité par une paysanne qu'on aimerait connaître. Beau panorama sur les gorges. Visites guidées des Boissets. *À 7km du village par la D986 Tél. 04 66 44 79 43 Ouvert juil.-août : tlj 10h-19h*

Rencontrer le facteur Cheval du Causse

Utopix Il était une fois un artiste dont la devise – empruntée à Théodore Monod – est "il faut rêver les choses, et elles se font". Amoureux des causses, un Savoyard achète en 1970 une friche et y réalise un doux délire : bâtir une habitation labyrinthique inspirée des bories caussenardes. Les plans passent par le prisme de son esprit poète et le résultat est stupéfiant, une grappe de mamelons calcaires, une vague de pierres figées sur la lande, bref, une drôle de maison. Autour, une voiture, un dinosaure, sculptures en pierres elles aussi, et des jeux qui amuseront ceux qui refusent de grandir. *À environ 10km au nord du village Tél. 04 66 65 10 28 ou 04 66 48 59 07 Ouvert tte l'année Entrée 6€*

Où boire un verre en terrasse ?

Le Bar de la digue. Parce qu'il propose une jolie tonnelle à l'écart de la route et qu'il regarde couler le Tarn, ce bar d'hôtel-restaurant est un lieu idéal pour siroter une bière ou un soda. *Sous l'auberge du Moulin Tél. 04 66 48 59 61 Ouvert tlj.*

Découvrir les environs

Pont de Quézac Le plus beau pont de France, un avis qui n'engage que nous et que semble partager l'écrivain Renaud Camus dans son ouvrage *Département de la Lozère* (cf. GEODocs, Bibliographie) puisqu'il conseille après l'avoir décrit avec amour de l'observer de face, de profil, de trois quarts, de sept-huitièmes, puis de neuf-dixièmes et demi. Près du pont, les rivages herbeux, les arbres seront idéals pour abriter un pique-nique. Ce pont fut construit au Moyen Âge (puis remanié) pour permettre aux pèlerins de Compostelle de franchir le Tarn. Certains étés, il revit grâce à la Nuit du court-métrage qui s'y déroule. Près du pont, la source des eaux minérales de Quézac. *48320* ***Quézac*** *(2km avant Ispagnac, prendre à droite vers Quézac et son pont) Visite guidée de l'usine d'embouteillage, lun.-jeu. à 10h30 et 14h30 (durée de la visite de 1h à 2h) réservation recommandée Tél. 04 66 45 47 15 www.eaudequezac.com Entrée 3€, enfant 12-18 ans 1,50€*

Découvrir la faune et la flore en randonnée

L'Arbre à Balades. Ce prestataire organise toute l'année des randonnées thématiques – castors, vautours par exemple. À partir de 20€/jour matériel compris (jumelles, raquettes, etc.). *Salanson 48320* ***Ispagnac*** *(à 20km à l'est de Sainte-Enimie) Tél. 04 66 44 25 10 www.arbreabalades.com*

Où remplir son panier pique-nique ?

Marché d'Ispagnac. Une bourgade fort accueillante aux portes des gorges. Des marchés vivants où déballent les maraîchers de cette très jolie vallée alluviale baptisée "les jardins de la Lozère". Quelques commerces, une ou deux terrasses sous les platanes, de quoi passer un bon moment et faire quelques courses de bouche. Une superbe église à coupole. *48320* ***Ispagnac*** *(à 20km à l'est de Sainte-Enimie)* ***Marchés*** *mar. matin et sam. matin*

Manger à Sainte-Enimie

petits prix

☺ **La Halle au Blé.** Petite restauration de qualité. Pendant que les flux touristiques arpentent la ville basse, éloignez-vous du bruit en arpentant les ruelles du centre médiéval. Là, rue du Serre, vous trouverez sous l'encorbellement d'une maison à colombages une terrasse calme et fraîche. On y voit des clients lire, écrire, et manger, bien sûr, des tartes salées, des tartines gratinées, des assiettes de terroir et un plat du jour pour moins de 10€. *5, rue du Serre Tél. 04 66 48 59 34 www.lahalleauble.com Ouvert juil.-fin sept. : tlj.*

Dormir à Sainte-Enimie et dans les environs

En été, vous trouverez beaucoup de monde à Sainte-Enimie, le service en souffre et les prix aussi. N'hésitez pas à vous isoler un peu en grimpant sur les causses ou dans les villages des gorges du Tarn qui offrent tant de bonnes adresses.

campings

Camping Les Fayards. Aménagé au bord du Tarn, un camping à taille humaine (une centaine d'emplacements) avec accès à la plage et location de canoë. En plus, il y a de l'ombre (en patois, les fayards désignent les hêtres). Forfait 2 pers. de 9 à 14€ et location de chalet 4 pers., 180 à 460€ par semaine. *À 3km de Sainte-Enimie sur la route de Millau Tél. 04 66 48 57 36 www.camping-les-fayards.com Ouvert avr.-sept.*

prix moyens

☺ **La Périgouse.** Chambres et table d'hôtes, gîte d'étape mais aussi ferme équestre ! En arrivant on est frappé par les chevaux superbes qui s'ébattent dans les prés au bord de la route. Jalonné de maisonnettes pittoresques, un sentier grimpe vers l'auberge et le bistrot. C'est dans ce hameau magnifique que sont aménagées les chambres, sobres et rustiques, avec sanitaires complets. Comptez 35€ par personne en demi-pension et 42€ pour deux la nuit avec le petit déjeuner. Les chevaux, entraînés à l'endurance, sont mis à votre disposition (balade, 24€ les 2h, randonnée six jours pour 600€ en pension complète). *Hameau La Périgouse 48210* ***Sainte-Enimie*** *(à 12km du village) Tél. 04 66 48 53 71 www.perigouse.com Ouvert Pâques-Toussaint*

☺ **La Maison de Marius.** Cette maison cossue de Quézac ouvre sur un jardin d'agrément doublé d'un immense potager. Ici, on sera aux petits soins pour vous ! Dans les chambres coquettes (de 55 à 70€ pour 2 pers, pour les séjours longs de 50 à 65€), rien ne manque (sanitaires complets, TV, sèche-cheveux, etc.). Une étape vraiment réconfortante et conviviale. *8, rue Pontet 48320* ***Quézac*** *(à 15km de Sainte-Enimie) Tél. 04 66 44 25 05*

prix moyens

☺ **Auberge du Moulin.** Une bonne adresse tenue par une vieille famille santimiole. Proche du Tarn, cet ancien moulin a fière allure. À l'intérieur, la décoration est irréprochable, sobre, sans chichi et les chambres (de 55 à 65€ selon confort et saison) donnent sur un jardin ou sur le Tarn. Cet hôtel se double d'un bon restaurant (service un peu stressé en été). Nous vous conseillons, pour commencer en fraîcheur, la salade de Saint-Jacques et de saumon fumé et ensuite, pourquoi pas ?, les écrevisses à la bordelaise, spécialité de la maison. Formule plat et dessert à 14€, menus à 18, 24 et 36€. *48210* ***Sainte-Enimie*** *Tél. 04 66 48 53 08 Fermé dim. soir hors saison ; mi-nov.-mi-mars Restaurant fermé dim. soir et lun. midi hors saison*

☆ Les gorges du Tarn

Avant d'intégrer l'enfer, le diable habitait les gorges du Tarn. L'étymologie de la Malène, "trou du Malin", semble le rappeler. Avant le XIXe siècle, les hommes évitaient les gorges et personne alors n'en soupçonnait les attraits touristiques. Et vint Édouard-Alfred Martel (1859-1938), avocat défroqué, inventeur de la spéléologie, qui se passionne pour elles. Ses écrits mettent le canyon en lumière et contribuent à populariser les gorges. Une route est ouverte en 1912 où, désormais, on se bouscule en été. Né au mont Lozère à 1 550m, le Tarn s'illustre avec brio entre Ispagnac et Le Rozier où il finit un parcours triomphal de 50km entre les falaises dont il est l'artisan et qui séparent rive droite le causse de Sauveterre et rive gauche, le causse Méjean. Un travail d'érosion opiniâtre commencé voici six millions d'années sur des sédiments calcaires solubles. Au mieux de sa forme, le Tarn pouvait creuser son lit de 1cm par an, s'insinuant entre de hautes parois ocre. Aujourd'hui, il a trouvé son rythme de croisière entre les "planiols", zones au débit calme, et les "ratches", ces quelques rapides dont les tourbillons ont généré les marmites de géants. À partir de Sainte-Enimie, l'étroitesse des gorges laisse à peine la place à la route et à quelques hameaux, une poignée de maisons calcaires nichées au pied des murailles (Saint-Chély, Pougnadoires, château de la Caze, Hauterives, La Malène, domaine de la Croze). La faune aquatique ? essentiellement composée de kayakistes, de truites, de loutres et de castors récemment réintroduits. Dans le ciel, les vautours du causse Méjean et sur les rives, le merle d'eau ou le farouche martin-pêcheur.

Les gorges du Tarn, mode d'emploi

accès

EN VOITURE Par l'A75, sortir à La Canourgue puis suivre la D998 jusqu'à Sainte-Enimie (30km superbes au travers du causse de Sauveterre). De Mende, emprunter la N88 jusqu'à Balsièges, puis continuer par la D31 vers Ispagnac ou la D986 vers Sainte-Enimie (30km).

informations touristiques

Office de tourisme des gorges du Tarn. *48210 Sainte-Enimie Tél. 04 66 48 53 44 www.gorgesdutarn.net Ouvert été : tlj : hors saison : lun.-ven.*

Office de tourisme d'Ispagnac. *Le Pavillon 48320* ***Ispagnac*** *Tél. 04 66 44 20 89 www.ispagnac.fr Ouvert été : 9h-12h30 et 15h30-19h (fermé dim. après-midi) ; hors saison : téléphoner pour les horaires (fermé sam. après-midi et dim.)*

location de VTT

Adn (activité découverte nature). Escalade, spéléo, canyon, location de VTT, *Rue basse 48210* ***Sainte-Enimie*** *Tél. 04 66 48 46 05 www.lacazelle.com*

Découvrir les gorges du Tarn

☆ **À ne pas manquer** Le Point Sublime, le roc des Hourtous, Saint-Chély-du-Tarn
Et si vous avez le temps... Descendez le Tarn avec les bateliers de La Malène ou en canoë, observez les castors dans les gorges, initiez-vous à l'escalade dans les gorges avec la Maison des moniteurs sportifs, offrez-vous un déjeuner au château de la Caze

Parcourir les gorges par la route

De Sainte-Enimie au Point Sublime La D907bis parcourt le fond des gorges de bout en bout. Si elle donne un aperçu rapide, il faut savoir qu'elle est embouteillée en juillet et en août, que le croisement y est parfois difficile et qu'elle ne permet pas d'apprécier vraiment la zone dite des Détroits. En empruntant la D995, puis D46 aux Vignes, on atteint le **Point Sublime**, (12km) belvédère situé sur le causse de Sauveterre qui domine les gorges du haut de ses 400m et permet une vue panoramique du pas de Souci jusqu'à La Malène et bien au-delà, passant par le cirque de la Baume et les Détroits. Au départ de La Malène, la D16 grimpe au **roc des Hourtous**, autre panorama incontournable, situé lui sur le causse Méjean. Encore un point de vue incontournable, au fond des gorges et en aval du cirque des Baumes : le rocher Roque Sourdre, aménagé en belvédère, offre un coup d'œil sur le pas de Souci, impressionnant chaos rocheux sous lequel le Tarn s'engouffre un instant.

☆ ☺ **Saint-Chély-du-Tarn** Le plus beau village des gorges. On l'aborde en traversant un pont gigantesque, mais étroit, qui contraste avec le charme discret du village. Quelques belles maisons grimpent à l'assaut de la roche, deux sources tombent en cascades (un régal pour les kayakistes qui s'y rafraîchissent en route ou pour qui se baigne sur la plage ombragée de Saint-Chély). Sous le repli de la paroi, bouleversante de simplicité, une chapelle tout simple, "la cénacrète", qu'il faut absolument voir. Tout près, le hameau de Hauterives (le plus photographié du département) uniquement accessible à pied – mais il suffit de le voir de la route qui passe sur la rive droite.

Descendre les gorges au fil de l'eau

Les bateliers de La Malène. Ils sont encore une dizaine à piloter des barques légères qui contiennent de 4 à 5 personnes. Armés d'une perche (ils coupent le moteur aussi souvent que possible), ils vous conduisent de La Malène jusqu'au cirque des Baumes (en aval de ce cirque, au pas de Souci, un chaos rocheux barre la rivière qui disparaît sous terre pour ressurgir aux Vignes), soit une balade de 8km (1h) parmi les détroits les plus sauvages du canyon. Le batelier vous contera l'histoire du Tarn, vous parlera de la flore et de la faune. En été nous vous conseillons de partir le matin car c'est à ce moment-là que le soleil emplit les gorges de lumière, et que l'on a le plus de chances de surprendre les animaux. Une navette vous remontera à La Malène. 18,50€, c'est cher mais incontournable. *48210* ***La Malène*** *(à droite du pont) Tél. 04 66 48 51 10 Réservation conseillée*

Descendre les gorges en canoë

Pas besoin d'être sportif pour descendre les gorges en canoë, seul impératif, savoir nager. Entre Ispagnac et Les Vignes, il y a un loueur de canoës tous les kilomètres et tous proposent le même service. Le parcours le plus intéressant se trouve entre Sainte-Enimie et les Beaumes, soit environ 22km que l'on fait en 5h sans compter les pauses baignade et pique-nique. Comptez environ 20€/pers., ce tarif incluant le retour en navette.

Le Canophile. En amont de Sainte-Enimie, ce prestataire dispose d'un parking ombragé où garer votre voiture. *Route de Florac à 200m de la sortie de* ***Sainte-Enimie*** *Tél. 04 66 48 57 60 www.canophile.com*

Canoë 2000. À côté du pont. *48210* ***La Malène*** *Tél. 04 66 48 57 71 Ouvert Pâques-Toussaint*

Observer les castors

Sorties nature Le castor déteste être dérangé et ne consent à se laisser apercevoir bien souvent que le soir. Des sorties sont organisées en fin de journée pour tenter de surprendre l'animal. Les conditions ? Savoir nager, prévoir un pique-nique et des vêtements de rechange. *Rens. office de tourisme des gorges à Sainte-Enimie Tél. 04 66 48 53 44*

Se baigner dans les gorges du Tarn

Les accès les plus aisés au Tarn se font à partir des villages. Deux exemples : la plage de la Gravière à Sainte-Enimie, ou la jolie plage de Saint-Chély ; toutes deux sont des domaines privés où l'on tolère les vacanciers. À Saint-Chély, vous serez d'autant mieux accueilli que vous aurez acquitté le droit d'entrée à l'aire de pique-nique (1€). Ailleurs, vous trouverez des accès moins faciles à emprunter (des voitures en stationnement signalent en général des points de baignade possibles) mais sachez que vous traverserez et bronzerez sur des domaines privés dont les propriétaires sont le plus souvent conciliants, mais...

Pratiquer l'escalade ou la spéléologie

Maison des moniteurs sportifs des gorges du Tarn et de la Jonte. Basé au Rozier, ce prestataire propose de nombreuses activités et notamment l'escalade à partir de 30€/pers. ou le canyoning à partir de 45€/pers. *48150* ***Le Rozier*** *Tél. 05 65 62 63 54*

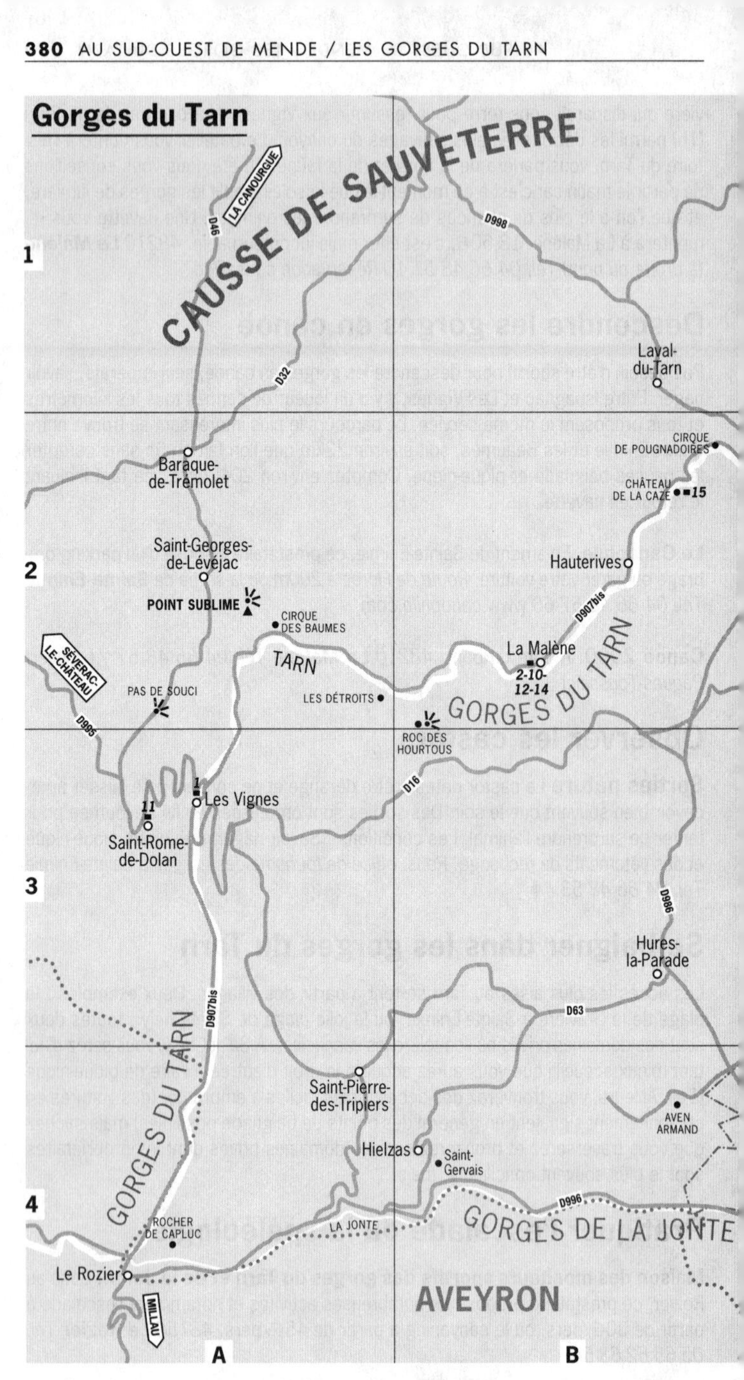
Gorges du Tarn
CAUSSE DE SAUVETERRE
LA CANOURGUE
D46
D998
D32
Laval-du-Tarn
CIRQUE DE POUGNADOIRES
CHÂTEAU DE LA CAZE
15
Baraque-de-Trémolet
Saint-Georges-de-Lévéjac
POINT SUBLIME
CIRQUE DES BAUMES
Hauterives
D907bis
La Malène
2-10-12-14
TARN
SÉVERAC-LE-CHÂTEAU
PAS DE SOUCI
LES DÉTROITS
GORGES DU TARN
D995
ROC DES HOURTOUS
D16
1
Les Vignes
11
Saint-Rome-de-Dolan
D986
Hures-la-Parade
D63
Saint-Pierre-des-Tripiers
AVEN ARMAND
Hielzas
Saint-Gervais
D996
ROCHER DE CAPLUC
LA JONTE
GORGES DE LA JONTE
Le Rozier
MILLAU
AVEYRON
1
2
3
4
A
B

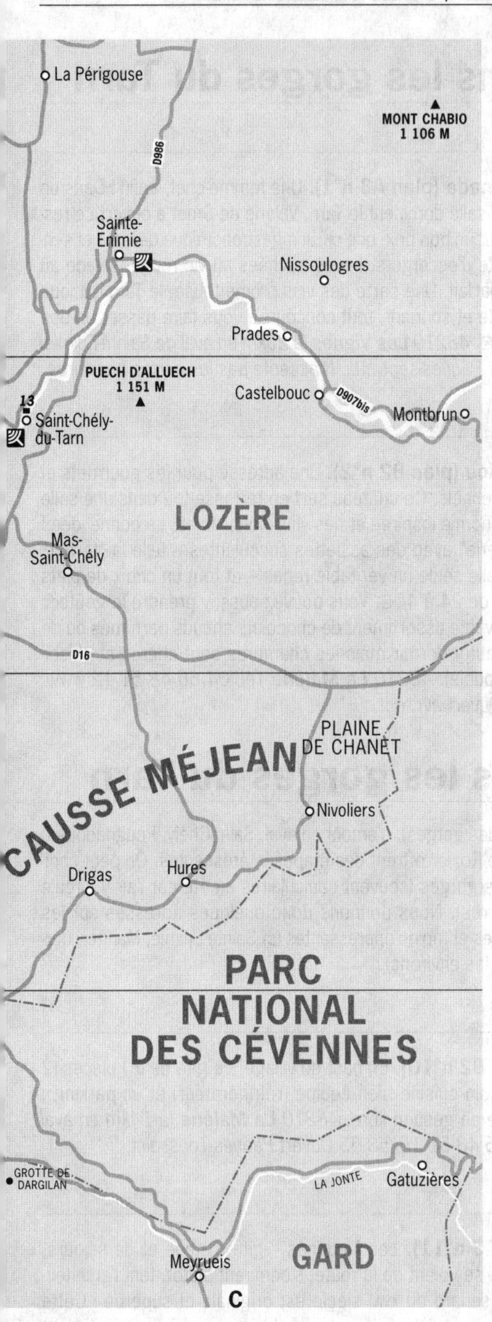

MANGER DANS LES GORGES DU TARN

- *1* Le Moulin de la Luminade — A3
- *2* Le Manoir de Montesquiou — B2

DORMIR DANS LES GORGES DU TARN

- *10* Gîte de La Malène — B2
- *11* Les Fleurines — A3
- *12* Le Pigeonnier — B2
- *13* L'Auberge de la Cascade — C2
- *14* Le Relais des Monts — B2
- *15* Château de la Caze — B2

Manger dans les gorges du Tarn

petits prix

☺ **Le Moulin de la Luminade (plan A3 n°1).** Une femme-chef, enfin ! Dans un moulin dont la terrasse et la salle dominent le Tarn, Valérie de Smet a ouvert ce restaurant d'été. Elle y offre, pour un bon prix, une cuisine gastronomique délicate et sensible : écrevisses, cassolette d'escargots, figues pochées au vin rouge, salade au fromage chaud... tout est parfait. Une carte des vins prometteuse, le Tarn qui joue sa mélopée, un service fluide et souriant, tout concourt à vous faire passer un bon moment. Menus de 12 à 36€. *48210* ***Les Vignes*** *(à 20km en aval de Sainte-Enimie) Tél. 04 66 48 85 62 Ouvert Pâques-sept. : tlj. N'accepte pas les cartes bancaires*

prix moyens

Le Manoir de Montesquiou (plan B2 n°2). Une adresse pour les gourmets et les amateurs de décors solennels. Ce château sert en terrasse (ou dans une salle très bourgeoise) une gastronomie inspirée et des vins inoubliables. La bonne idée : proposer une carte "brasserie" avec des assiettes succulentes – telle la "terroir" (env. 15€) qui constitue à elle seule un véritable repas – et tout un choix de plats fins de 5,50 à 14€. Menus de 24 à 44€. Vous pouvez aussi y prendre le goûter : le Montesquiou propose un vaste assortiment de chocolats chauds parfumés ou de gâteaux au chocolat. On peut y dormir mais les chambres sont chères et chichiteuses (de 75 à 142€ la double). *48210* ***La Malène*** *Tél. 04 66 48 51 12 www.manoir-montesquiou.com Ouvert avr.-oct.*

Dormir dans les gorges du Tarn

Passé Sainte-Enimie (porte des gorges), d'amont en aval, Saint-Chély, Pougnadoires, La Malène, Les Vignes et Le Rozier offrent des étapes intéressantes. On peut choisir de séjourner au fond des gorges (souvent caniculaires en été car l'air y circule peu, au contraire des voitures). Nous donnons donc quelques adresses sur les causses, proches, plus calmes et moins oppressantes (cf Sainte-Enimie, Manger, dormir à Sainte-Enimie et dans les environs).

très petits prix

Gîte de La Malène (plan B2 n°10). En haut du village, ce gîte de 20 places (2 dortoirs) domine le Tarn. Coin cuisine bien équipé (réfrigérateur) et un parking ; comptez env. 11€ la nuitée en gestion libre. *48210* ***La Malène*** *(à 14km en aval de Sainte-Enimie) Tél. 04 66 48 51 16/58 55 Ouvert Pâques-Toussaint*

petits prix

☺ **Les Fleurines (plan A3 n°11).** Les Fleurines – gîte d'étape et de séjours, chambres et table d'hôtes – se voient de la route, s'admirent plutôt, tant l'architecture de cet ensemble caussenard du XVIIIe siècle est originale et superbe ! Cette ferme avec sa tour-pigeonnier, son aire de battage et sa bergerie sont juchées en surplomb des gorges, un site tout aussi grandiose que le Point Sublime. L'intérieur est avenant, restauré avec un goût très sûr. Sous une voûte de pierre blanchie, le dortoir est probablement l'un des plus beaux et des plus *cosy* de la région (12€ la nuitée). Les chambres sont très bien aussi (à partir de 30€). Excellent menu à 15€, petit déjeuner à 5€. *Almières 48500* ***Saint-Rome-de-Dolan*** *(à 25km en aval de Sainte-Enimie) Tél. 04 66 48 81 01 Ouvert mars-mi-nov.*

prix moyens

Le Pigeonnier (plan B2 n°12). Dans une agréable maison de village avec fleurs et potager, l'épouse d'un batelier de La Malène vous reçoit dans une chambre d'hôtes (42€, salle de bain et WC privés) avec une terrasse sur laquelle on peut improviser des repas froids. Possibilité aussi de louer un gîte (mitoyen) propret, confortable et pouvant accueillir 4 personnes (de 200 à 300€ la semaine). *Route de La Canourgue 48210* ***La Malène*** *(à 14km en aval de Sainte-Enimie) Tél. 04 66 48 57 51 Ouvert tte l'année sur réservation*

L'Auberge de la Cascade (plan C2 n°13). Saint-Chély est le plus charmant village des gorges, et le plus paisible. La Cascade y occupe trois bâtiments distincts : la maison-mère sur la place, une annexe moins belle, et une attrayante demeure de caractère, avec piscine surplombant le Tarn. Établissement à l'ambiance familiale et aux prix sages pour une situation idéale. Chambres de 45 à 56€. Une crêperie près de la piscine pour le goûter et une table sans surprise à l'auberge. Un grand choix de menus de 15,50 à 33€. *48210* ***Saint-Chély-du-Tarn*** *(à 4km en aval de Sainte-Enimie) Tél. 04 66 48 52 82 Ouvert mi-mars-Toussaint*

prix très élevés

☺ **Le Relais des Monts (plan B2 n°14).** Au débouché d'une piste qui s'attaque hardiment au causse, sur un plateau, repose ce bijou : un majestueux couvent du XVIIIe siècle. Un ensemble architectural d'un charme absolu, égaré dans le silence caussenard, restauré avec élégance : chambres au luxe sans ostentation, au raffinement discret, chacune assortie d'une terrasse où il fait bon rêver face aux paysages solitaires et parfumés du causse de Sauveterre (de 160 à 180€, avec TV satellite, Internet, salle-de-bains, etc.). Petit déjeuner à 15€. Une adresse d'excellence, loin de tout. *48210* ***La Malène*** *(à 14km en aval de Sainte-Enimie. Prendre la route de La Canourgue et suivre les indications "les Monts") Tél. 04 66 48 54 34 www.relaisdesmonts.fr Fermé oct.-mars*

Où séjourner dans un château ?

Château de la Caze (plan B2 n°15). Vous venez juste de manquer Albert de Monaco, et de son vivant, Jackie Onassis y séjournait. Ce castel est à la démesure du site qui l'enserre. C'est une architecture défensive, certes, mais en cette fin XVe siècle le souci d'élégance prédomine. Autour, un parc baigné par le Tarn, avec piscine. Dès qu'on entre dans le château, on est happé par une pénombre toute médiévale, séduit par la rusticité du mobilier et du dallage que le temps a patinés. Lieu propice à la méditation, mais surtout à la gourmandise car un chef lozérien y officie avec talent. Il est l'inventeur d'une déclinaison de petit cochon à la sauge et aux mousserons et de l'agneau confit au citron. Menus 60 et 85€. À la carte de 36 à 50€. À table, les téléphones portables et les animaux sont interdits, les clients sont invités à s'habiller pour descendre dîner et à ne pas fumer… un lieu civilisé. Seize chambres luxueuses de 112 à 260€ hors saison passant de 118 à 276€ en haute saison. *Route des gorges 48210* **La Malène** *Tél. 04 66 48 51 01 chateau.de.la.caze @wanadoo.fr Ouvert avr.-11 nov. Hôtel Fermé mer. et jeu. en avr., oct. et nov. ; déc.-mars Restaurant fermé jeu. midi en juil.-août ; mer. midi et jeu. midi en mai-juin et sept. ; mer. et jeu. en avr., oct. et nov.*

Meyrueis

48150

Une cité baignée d'une ambiance méridionale. On sent le Sud pointer son nez aux terrasses de la place Sully et, le mercredi, jour de marché, l'accent du Midi égaie l'esplanade André-Chamson. S'il y a tant de ponts à Meyrueis, c'est que le village se trouve au confluent de trois rivières, le Bétuzon, la Brèze et la Jonte, ici au début de ses gorges. Et s'il y a tant d'hôtels, c'est sans doute parce qu'est née à Meyrueis, en 1888, à l'initiative d'Édouard-Alfred Martel, la première "société touristique des Gorges et des Cévennes", ancêtre de nos actuels offices de tourisme. Forte de ses attraits – la grotte Dargilan, l'aven Armand, la proximité des gorges et des Cévennes –, Meyrueis a très tôt accueilli les vacanciers, une manne providentielle après la faillite des ateliers de chapeliers et de sériciculteurs qui jusqu'alors faisaient sa fortune. Ce village conserve un beau patrimoine, l'église Saint-Pierre, un temple singulier, de forme octogonale, la tour de l'Horloge, vestige des fortifications, et deux superbes châteaux, Roquedols et Ayres.

LES GORGES DE LA JONTE ET LE CAUSSE MÉJEAN Îlot calcaire isolé entre les gorges du Tarn, au nord, et celles de la Jonte, au sud, le Méjean est notre "désert français" (à peine plus d'un habitant au km^2), le plus haut de tous les causses (culminant à 1 247m), celui qui subit le climat le plus dur : caniculaire en été, glacial en hiver. Quelques routes rectilignes desservent des hameaux aux architectures sévères, Saint-Pierre-des-Tripiers, Drigas ou Mas-Saint-Chély. Boisé et accidenté à l'ouest, le Méjean offre dans sa partie méridionale le spectacle de steppes blondes où le paysage se réduit à sa plus simple expression, une terre stérile qui s'étire sans fantaisie avant de s'envoler vers l'infini. Plus loin encore, au sud-est, un désert minéral, le chaos de Nîmes-le-Vieux. La roche se dénude en un relief heurté d'éboulis rocheux ravinés par les eaux de pluie, érodés par le vent, fendus par le gel. Bel exemple de ces paysages karstiques où l'érosion du calcaire par des eaux chargées en gaz carbonique a modelé cet univers minéral aux formes fantastiques. Lui aussi travaillé par les eaux, le sous-sol est éblouissant – notamment à l'aven Armand. Sur le seul Méjean, on compte trente-sept grottes repérées par les spéléologues, et cartographiées.

Meyrueis, mode d'emploi

accès

EN VOITURE À 30km de Sainte-Enimie par la D986.

informations touristiques

Office de tourisme. Vous y trouverez le topo-guide *Sentiers de découvertes du canton de Meyrueis* (7,50€) qui détaille 19 randonnées autour de Meyrueis. *Tour de l'Horloge Tél. 04 66 45 60 33 Ouvert Pâques-Toussaint : tlj. 9h-12h et 14h-19h ; hors saison : lun.-ven. 9h30-12h et 14h-17h*

marché

Le mercredi toute l'année sous la halle en hiver et place Chamson en été ; le vendredi en été sous la halle.

Découvrir Meyrueis et ses environs

☆ **À ne pas manquer** Le chaos de Nîmes-le-Vieux, la grotte Dargilan, l'aven Armand **Et si vous avez le temps...** Observer les rapaces du Belvédère des vautours, surplombez les gorges de la Jonte des corniches du causse Méjean, offrez-vous la vie de château le temps d'une nuit au château d'Ayres

Gorges de la Jonte Moins fréquentées, moins longues (15km env. en aval de Meyrueis par la D996) que celles du Tarn, et un seul village digne de ce nom, Le Truel. En été, la Jonte disparaît sur un long parcours, avalée par les crevasses de son lit. L'érosion a sculpté sur les corniches des formes étranges, dont les plus célèbres sont le vase de Sèvres et le Capluc surmonté d'une croix métallique. Pour profiter des beaux panoramas, prenez la petite vicinale qui descend de Saint-Pierre-des-Tripiers vers Le Truel.

☆ **Chaos de Nîmes-le-Vieux** Paysages ruiniformes, les parties érodées correspondaient à un type de calcaire facilement soluble, et dissous par des eaux de ruissellement ; les parties saillantes sont constituées d'un calcaire plus résistant, la dolomite. Des minigorges taries, des "rues" labyrinthiques surmontées de roches aux formes fantasmagoriques. Sentier de découverte au lieudit l'Hom. *À 15km au nord-est de Meyrueis par la D996*

☺ **Chapelle Saint-Gervais** Accrochée à un repli de la muraille, cette chapelle est toujours le théâtre d'un très vivace pèlerinage des bergers (1er dimanche de juillet). Lieu sauvage, magique, avec de belles vues sur les gorges. Empruntez le sentier qui débute au niveau de l'auberge du hameau et grimpe raide en moins de 30min à la chapelle. *Lieudit les Douzes Accessible à pied seulement*

Ferme caussenarde d'autrefois À l'intérieur de ce musée d'Art et Traditions populaires, l'habituel spectacle de ces mannequins habillés en grand-mère, de ces assiettes dressées sur des vaisseliers branlants, de ces vieilles machines agricoles et pour finir un film nostalgique vantant sur un ton docte de poésie-trémolo cette merveilleuse mais difficile vie de nos papets. *Hyelsas 48150* ***Hures-la-Parade*** *(au nord-ouest de Meyrueis) Tél. 04 66 45 65 25 www.ferme-caussenarde.com Ouvert juil.-août : 10h-19h ; Pâques-Toussaint : 10h-12h et 14h-18h Entrée 5,10€ TR 2,10€*

Explorer grottes et avens

☆ ☺ **Dargilan, la "grotte rose"** Ici, pas de funiculaire, mais des marches, Dargilan n'est pas une "industrie" comme son voisin l'aven Armand. Moins fréquentée, sa visite en est d'autant plus agréable. Entièrement vêtue de draperies roses, la grotte a du charme : 1 200m de galeries s'insinuant en méandres à –120m, coulées de calcite, colonnes, grandes orgues calcaires, cascades pétrifiées, petits lacs souterrains aux eaux cristallines. Une sortie en falaise débouche en un panorama spectaculaire sur les gorges de la Jonte. Sentier panoramique. D39 *48150* ***Meyrueis*** *(à moins de 8km du village en direction de Millau) Tél. 04 66 45 60 20 www.dargilan.com Ouvert juil.-aout : 10h-18h30 ; avr.-juin et sept. : 10h-12h et 14h-17h30 (16h30 en oct.) Entrée 8,30€, enfants 5,70€*

☆ **Aven Armand** C'est le spéléologue Édouard-Alfred Martel accompagné de son ami Louis Armand qui a procédé, le 21 septembre 1897, à la première exploration de l'aven. Ce dut être un choc, car cette merveille s'offre d'un seul coup d'œil. Aujourd'hui on y accède en funiculaire, et les bâtiments d'accueil ressemblent à un petit supermarché (une incongruité sur ce causse Méjean !). Des jeux de lumière changeants donnent vie à cette armée de 400 stalagmites où figure la plus haute du monde. Un spectacle hallucinant ! Couvrez-vous, il y fait frais, et armez-vous de patience (il y a beaucoup d'attente en été). Tous les vendredis soir, en été, des spéléologues vous entraînent pour un baptême spéléo (descente en rappel, etc., le grand frisson pour 48€/pers.). *48150* ***Hures-la-Parade*** *(à 12km de Meyrueis) Tél. 04 66 45 61 31 Ouvert tlj. juil.-août : 9h30-18h15 ; mai-juin et sept. : 9h30-12h15 et 13h30-17h15 ; mars-avr. et oct.-nov. : 10h-12h et 13h30-17h (dernière entrée) Entrée 8,30€*

Observer des vautours

☺ **Belvédère des Vautours** Une belle histoire qui commence en 1970 avec la réintroduction de quelques couples de vautours fauves. Aujourd'hui tout va bien, la colonie qui compte plus de 500 individus est en territoire conquis. Au pied des falaises du Truel, dans l'espace muséographique, on voit les vautours filmés en *live* par des caméras dissimulées dans la falaise (une sorte de "téléréalité" mais sans éliminatoires). *Le Truel 48150* ***Saint-Pierre-des-Tripiers*** *(à 16km de Meyrueis et à 5km du Rozier) Tél. 05 65 62 69 69 Ouvert Pâques-Toussaint : tlj. à partir de 10h Entrée 6,50€ Se renseigner pour les horaires de retransmission des vidéos*

Parrainer un cheval préhistorique

☺ **Chevaux de Przewalski** Przewalski (prononcez "préjalski") est le nom de l'aventurier russe qui a localisé les derniers spécimens de ces chevaux sauvages en Mongolie. Un cheval sauvage qui courait jadis en Europe et qui s'est réfugié en Asie. Petit, trapu, la crinière en toupet, la tête un peu hors de proportions, résistant à tout (sauf aux loups), ce cheval a survécu dans des zoos avant d'être réintroduit dans les grandes steppes du causse Méjean où il vit en liberté surveillée. On observe les troupeaux de la route, derrière les clôtures électriques (il n'y a pas de visite, ce n'est pas un parc, mais une expérience scientifique). *Le Vilaret 48150* ***Hures-la-Parade*** *(à 15km env. de Meyrueis par la D986 et la D63) Association Takh Tél. 04 66 45 64 43 Accueil touristique juil.-août : tlj. 10h-13h et 15h-19h avec mise à disposition de longues-vues et jumelles*

Randonner sur le causse Méjean

Corniches du causse Méjean Pour s'immerger dans l'atmosphère sauvage du Méjean, profiter des points de vue sur les gorges de la Jonte, cette balade se pratique en toute saison. Après le village désert de Capluc, prenez le sentier du ravin des Échos (GR©6A) vers le col des Deux-Canyons (ou Francbouteille). Au col de Cassagnes, tournez à droite vers le village de Cassagnes pour traverser le causse jusqu'aux corniches de la Jonte. De là, en 1h, on gagne le superbe belvédère du Vertige qui surplombe la Jonte. Retour à Capluc par la Brèche magnifique, puis redescente au Rozier. ***Départ Le Rozier*** *derrière l'église* ***Durée*** *4h* ***Parcours*** *Boucle, balisage rouge et blanc du GR©6A et panneaux jalonnant le circuit* ***Difficulté*** *Cette randonnée est déconseillée aux personnes sujettes au vertige*

Randonner avec un âne bâté

Anatole Rando'âne. Trois formules de randonnée : libre, avec accompagnateur ou possibilité de se joindre à un groupe déjà constitué. Comptez 41€/jour pour une randonnée libre (210€ l'âne pour 7 jours). *48150* ***Meyrueis*** *Tél. 04 66 45 66 48 anatolerandoane@aol.com*

S'initier aux sports de pleine nature

Fremyc. Une douzaine d'activités du VTT à la spéléo en passant par le raft, l'escalade, le parapente... Location de VTT, de 1h (7€) à 4 jours (67€), spéléo (28€/demi-journée), canyoning (42€ la demi-journée), etc., mais aussi tir à l'arc, randonnées, équitation, baptême en parapente (65€). *Place Sully 48150* ***Meyrueis*** *Tél. 04 66 45 61 54 ou 06 84 60 50 25 www.nature-cevennes.com*

Manger, dormir à Meyrueis

prix moyens

☺ **Le Saint-Sauveur.** Ce superbe hôtel particulier du XVIIIe siècle, ancienne résidence du lieutenant du roi, est incontestablement la plus noble demeure de Meyrueis. On y accède par un escalier en fer à cheval qui monte vers une terrasse ombragée. Les récents travaux de restauration ont respecté le beau volume classique des pièces, les dallages et l'escalier intérieur. Les 13 chambres ont été refaites dans le même esprit (de 42 à 53€). Dans cet endroit à la fois simple et raffiné, on se régale d'une gastronomie subtile et ingénieuse. Si l'intitulé des plats peut déconcerter – cappuccino de cèpes, pascade de ris d'agneau au roquefort – l'assiette est mémorable. Carte des vins à la hauteur de cette cuisine vraiment remarquable. Menus de 16 à 32€. À la carte, des poissons de 10 à 20€ et des viandes de 12 à 23€. Un établissement d'un excellent rapport qualité-prix. *Place Jean-Séquier Tél. 04 66 45 40 42 Ouvert mars-nov.*

☺ **Le Mont-Aigoual.** Au sommet du village, voici un hôtel-restaurant chaleureux. Une affaire de famille, et de passion. Aménagé en une terrasse paisible, l'arrière de l'hôtel ouvre sur un jardin méticuleusement entretenu, avec piscine. Les chambres récemment rénovées dégagent beaucoup de charme, les anciennes un confort plus basique (de 45 à 75€). Le chef concocte une cuisine souriante et bourrée d'idées gourmandes tel ce fameux foie gras poêlé à la crème de lentilles, ou cette flaune caussenarde (tarte à la brousse de brebis servie avec une marmelade d'orange). Une riche carte des vins. Menus à 20 et 40€. *34, quai de la Barrière Tél. 04 66 45 65 61 www.hotel-mont-aigual.com Ouvert fin mars-début nov. Restaurant fermé mar. midi sauf juil.-août*

prix très élevés

Le Château d'Ayres. Déambuler la nuit dans le parc illuminé est un véritable enchantement. Résidence seigneuriale du XVIIIe siècle, ce château s'enorgueillit encore d'avoir reçu la reine Blanche de Castille, le général de Gaulle et le chancelier Adenauer. Mobilier style Louis XV ici, là Empire : la grande classe avec un service impeccable, un piano accordé, une bibliothèque, une piscine et un tennis. Pas une chambre ne ressemble à l'autre, mais toutes auraient plu à la comtesse de Ségur. Doubles de 94 à 156€. La cuisine servie ne dépare pas – essayez la truite au jus d'huîtres – et reste abordable : menus de 22 à 47€. *À 1km du Meyrueis Tél. 04 66 45 60 10 www.chateau-d-ayres.com Fermé jan.-mi-fév.*

Manger, dormir dans les environs

Auberge du Chanet. Au lieudit de Nivoliers : le cœur du causse Méjean, pour qui ne craint ni le silence, ni les coups de vent, ni les elfes, un site sauvage et vraiment poignant… Poussez la porte, vous y découvrirez une ambiance chaleureuse. Chambres à 46€. Demi-pension en gîte d'étape à 34€/pers. Au restaurant, on déguste l'agneau du causse. Menus à 18,50, 21 et 27€. *Nivoliers 48150* ***Hures-la-Parade*** *(à 20km au nord-ouest de Meyrueis) Tél. 04 66 45 65 12 www.cevennes.com/chanet.html Ouvert Rameaux-mi-nov.*

Dormir à Meyrueis et dans les environs

camping

Camping Le Champ d'Ayres. Des installations modernes, une piscine chauffée, des animations pour les enfants. Tranquille et familial. Forfait 2 pers. à partir de

12€ et location de chalets de 190 à 490€/semaine. *48150* ***Meyrueis*** *(à 300m du village) Tél. 04 66 45 60 51 www.campinglechampdayres.com Ouvert avr.-sept.*

très petits prix

Gîte d'étape de Hyelzas. Dans un joli hameau du causse Méjean sur le GR©6, cette ferme abrite un dortoir de 16 places en gestion libre (environ 9€ la nuitée). Un calme intersidéral. *48150* ***Hures-la-Parade*** *(à 17km au nord-ouest de Meyrueis) Tél. 04 66 45 66 56 Ouvert tte l'année sur réservation*

petits prix

Les Sapins. Un hôtel pour petits budgets, en plein cœur du village, qui offre bien des agréments : un jardin, 16 chambres rénovées et calmes à prix doux (de 30 à 37€). Parking privé et local à vélos. *2, rue Henry-Maret 48150* ***Meyrueis*** *Tél. 04 66 45 60 40 Ouvert mai-sept.*

prix moyens

La Pause. Au Rozier, village animé au confluent des gorges du Tarn et de la Jonte. Bon rapport qualité-prix pour ces 6 chambres d'hôtes flambant neuves (43€, avec sdb et WC) dans une maison construite à l'ancienne, à flanc de coteau, et jouissant d'une belle vue. Piscine. *Route de Capluc 48150* ***Le Rozier*** *(à 20km à l'ouest de Meyrueis) Tél. 05 65 62 63 06 Ouvert tte l'année*

☺ Nasbinals

48260

Capitale de l'Aubrac lozérien, Nasbinals (1 160m d'altitude) vous accueille avec la statue de Pierrounet (1832-1907), un guérisseur dont la réputation a franchi l'Atlantique. Dans l'église romane Sainte-Marie, magnifique, chantent en été des chorales de jeunes filles en costumes traditionnels. Encore un raidillon et vous voilà sur la place, joyeuse en été. Alliance de granite et de basalte, Nasbinals est un tout petit village, bien préservé, un miraculé qui attire les amoureux de nature et les amateurs de vrais comices agricoles (foires aux bestiaux en août et septembre).

☆ **L'AUBRAC** L'Aubrac s'étend sur trois départements : l'Aveyron, le Cantal et surtout la Lozère où il couvre 1 000km² et où culmine à 1 471m le signal de Mailhebiau. L'Aubrac se caractérise par d'amples paysages absolument vides, des croupes basaltiques, nues, rabotées par les glaciers du quaternaire qui ont déposé aussi, çà et là, des chaos de granite ; un océan d'herbages jalonnés de murets aux pierres mal équarries et de bosquets de hêtres ou de sorbiers. Au printemps, la flore explose. Près de 2 000 espèces de plantes y fleurissent – dont les jonquilles et des narcisses que l'on glane pour les distilleries. Des cueillettes lucratives. Le thé d'Aubrac – ou calament – est recherché pour ses vertus toniques et digestives. En été, framboises et myrtilles mûrissent au bord des sentiers, et c'est au tour de la gentiane jaune d'éclore, plante dont la racine entre dans la composition d'apéritifs appréciés pour leur suave amertume. Printemps, été, voilà deux belles saisons pour randonner dans ce conservatoire naturel de la flore européenne. Les plus courageux font le "tour des monts d'Aubrac", soit huit étapes de 20km chacune. Pendant l'hiver, long de six mois, l'Aubrac est blanc de neige. Les skieurs de fond s'y oxygènent quand faiblit la burle, un vent glacé qui souffle en rafales. L'Aubrac est une terre exigeante, rude, où l'omniprésence et la force de la nature séduisent à coup sûr. Les ruisseaux aussi y sont nombreux, et peu pollués. Le Bès, notamment, occupe une place de choix dans le panthéon des pêcheurs français.

LES VACHES D'AUBRAC Fin mai, le jour de la Saint-Urbain, les vaches se font belles. Harnachées de bouquets de fleurs, de pompons, équipées de lourdes clarines, elles montent vers les plateaux d'Aubrac *via* le col de Bonnecombe pour y passer l'été. Elles seront quelque 30 000 à y ruminer tout l'été. Robe rousse, yeux ourlés de noir, cornes effilées, les vaches d'Aubrac sont aujourd'hui essentiellement élevées pour la viande sous le label "génisse Fleur d'Aubrac". Les granges d'estives – ou burons – ont perdu leur vocation fromagère, et ont parfois été transformées en auberges où l'on déguste l'aligot. Ce n'est pas la faute de Bruxelles, comme on l'entend dire ici ou là, c'est surtout parce qu'on ne trouve plus personne pour accepter la vie solitaire et le travail ingrat des vachers. Le buron du Puech de la Treil (route des lacs) pourrait toutefois bientôt rouvrir pour la fabrication de la tomme...

Nasbinals, mode d'emploi

accès

EN VOITURE Sortie de l'A75 à Aumont-Aubrac, puis D987 (25km).

informations touristiques

Office de tourisme. Il organise en été des randonnées accompagnées (s'inscrire la veille à l'office de tourisme) et des visites guidées de Nasbinals. *Tél. 04 66 32 55 73 http://ot.nasbinals.free.fr Ouvert tlj. été : 9h-12h30 et 14h-18h (dim. 17h) ; hors saison : 10h-12h30 et 14h-17h*

informations pour la randonnée

Rand'Aubrac. Tout sur la randonnée thématique (faune, flore, etc.) *Tél. 06 07 08 66 04 randaubrac@wanadoo.fr.*

fête

Fête de la transhumance. Fin mai. Dégustation d'aligot et de liqueur de gentiane sur des airs d'accordéon.

Découvrir Nasbinals et ses environs

☆ **À ne pas manquer** L'Aubrac **Et si vous avez le temps...** Découvrez Nasbinals pendant la fête de la transhumance fin mai, baladez-vous en calèche avec le centre équestre des monts d'Aubrac, taquinez la truite sur le site de la Chaldette, dégustez un aligot au Buron de Born

Route des Lacs ou route d'Argent Ces quatre lacs (Bord, Saint-Andéol, Born et Salhiens) ne brillent pas par leurs dimensions – ils sont minuscules – ni même par ce qu'ils offrent de loisirs, peu de gens s'aventurent à y prendre un bain. Et la cascade du Déroc ? Elle est assez modeste. Alors à quoi tient l'incomparable magie de ces paysages ? À quoi tient notre émerveillement ? Un mystère que vous tenterez, à votre tour, d'éclaircir. *Par la petite D52, de Nasbinals au col de Bonnecombe, au cœur du haut plateau d'Aubrac*

☺ **Château de la Baume** Dans un site romantique. Un beau gros château (XVIIe-XVIIIe siècle) rustique qui pousse la prétention jusqu'à vouloir s'appeler "le Versailles du Gévaudan". Un quadrilatère fermé sur une cour intérieure, des tours massives à mâchicoulis, un toit en écailles de schiste. Son élégante austérité parvient immédiatement à le faire aimer. Des jeunes gens déguisés en marquis le font visiter avec talent. Et c'est à l'intérieur qu'on rejoint Versailles : la décoration des salles s'inspire de ce qui se faisait chez le Roi-Soleil – armures, dorures, tapisseries, beaux bahuts, lits à courtines... La Baume a fière allure. La visite, très plaisante, se termine à la chapelle. Presque 1h d'exotisme ! L'Aubrac ne nous avait pas habitués à des univers aussi sophistiqués. *48100* ***Prinsuéjols*** *(à 15km de Nasbinals) Tél. 04 66 32 51 59 Ouvert juil.-août : 10h-12h et 14h-18h ; hors saison : sur rdv Entrée env. 6€*

Galoper sur les monts d'Aubrac

Centre équestre des monts d'Aubrac. Vous pourrez vous y inscrire pour des circuits, Aubrac et causses, chemin de Compostelle, etc. (pour 5 jours comptez 400€, hébergement compris), des balades en calèche, des leçons et des stages avec hébergement en gîte (27€/jour en demi-pension). *48260* ***Nasbinals*** *Tél. 04 66 32 50 65 Ouvert tte l'année*

Taquiner la truite et le brochet

Sites de pêche. Du signal de Mailhebiau où il prend sa source jusqu'à La Chaldette, le Bès (rivière 1re catégorie), placide et méandreux, permet tous les types de pêche. Truites, vairons, goujons et quelques brochets. À La Chaldette, vous trouverez un parcours "*no kill*". *Contacter Serge Fargier Tél. 04 66 31 66 23*

Prendre un bain de jouvence

La Chaldette. Une ministation thermale qui se résume à une poignée de maisons jetées sur les rives du Bès, un hôtel et un chalet conçu par Wilmotte où on se ressource. Modelages aux huiles (env.25€), bain relaxant (env.20€), sauna, soins aux algues, etc. *La Chaldette 48310* ***Brion*** *(à 14km de Nasbinals) Tél. 04 66 31 68 00 www.lachaldette.com*

Où boire un calament ?

L'Ange gardien-La Halte du pèlerin. Au débouché du chemin de Compostelle (GR©65), une "caravane-paillote" installée en haut de Rieutort, un village superbe et moribond. Rare et discret (d'où son prix élevé), le thé d'Aubrac (ou calament) a mille vertus : tonique, digestif, etc. On vous le sert dans de grands bols (2€) que l'on accompagnera du pain du pèlerin (1€), un gâteau reconstituant mouillé à la tisane de reine des prés (décontractant musculaire). *Rieutort-d'Aubrac 48260* ***Marchastel*** *(à 6km de Nasbinals par le GR©65) Tél. 04 66 32 79 54 Ouvert tte l'année, sur réservation l'hiver*

Manger, dormir à Nasbinals et dans les environs

très petits prix

Gîte d'étape communal. Dans le village, 19 places en dortoir avec cuisine en gestion libre (de 7,50 à 9€ la nuitée selon la saison, c'est le chauffage qui fait la différence). *48260* ***Nasbinals*** *Tél. 04 66 32 59 47 Ouvert avr.-oct.*

petits prix

Les Sentiers de l'Aubrac. Une petite adresse gentiment bourgeoise dans un pavillon neuf à la sortie de Nasbinals. Cuisine simple et bonne, légère, comme cette "salade des sentiers" (melon, magret séché, tomme, noix, salade et pommes), ou la truite au lard. Un menu "randonneurs" à 13,50€, d'autres menus à 20 et 24€, et une petite carte. *Route de Sainte-Urcize 48260* ***Nasbinals*** *Tél. 04 66 32 56 90 Ouvert tte l'année Fermé lun. hors saison*

prix moyens

Chez Madame Boyer. Madame Boyer a trouvé sa vocation : recevoir. Elle le fait avec efficacité, gentillesse et passe aux fourneaux avec gourmandise. Dans une maison fleurie de l'un des hameaux les plus pittoresques d'Aubrac, des chambres confortables aménagées dans l'ancienne grange de la propriété (de 47 à 49€). Et un fameux dîner pour 16,50€. *48260* ***Marchastel*** *(à 6km à l'est de Nasbinals par la D900) Tél. 04 66 32 53 79 Ouvert Pâques-nov.*

☺ **Le Relais d'Aubrac.** En pleine nature, cette solide bâtisse de granite repose sur les rives du Bès. Terrasse ombragée, ambiance reposante. On serait tenté de lifter un peu la déco, mais qu'importe, l'endroit a le charme des bons établissements de campagne. Chambres de 49 à 69€. Une excellente table où le jeune chef fait le meilleur aligot d'Aubrac (1er prix 2003 de la Lozère gourmande). Autres spécialités régionales tout aussi bien cuisinées, tripoux, poissons de rivière, etc. Menus de 16 à 33€. *Pont de Gournier 48260* ***Nasbinals*** *(D12, à 3km de Nasbinals) Tél. 04 66 32 52 06 www.relais-aubrac.com Ouvert mars-nov.*

Séjours Bastide. Gagnante au Monopoly aubracois, la famille Bastide possède trois hôtels à Nasbinals et le plus beau buron de la région, (cf. Déguster un aligot dans un buron). Au bas du village, Le Bastide (16 chambres spacieuses, calmes, de 43 à 63,50€). En amont du village, La Randonnée, avec jardin (21 chambres tout confort de 43 à 63,50€) et, au centre de Nasbinals, La Route d'Argent (15 chambres de 44 à 47€ avec bar et restaurant). Cet établissement est le cœur battant du village, les vieux y jouent aux cartes, les randonneurs y pansent leurs ampoules, les jeunes y passent leurs soirées. Une ambiance conviviale de vacances heureuses, qui n'avait nul besoin qu'on lui ajoute un écran de TV géant. Mais est-ce la rançon du succès ? L'accueil est minimal, les frères Bastide n'ont pas le sourire facile. On évitera de dormir à La Route d'Argent, un peu bruyant. Le restaurant (menus 15-26€) débite des tonnes d'aligot et de spécialités locales. Une réputation qui ne faiblit pas, mais quelle usine ! Bastide organise des séjours bien orchestrés (remise en forme, randonnées, etc.) et loue des VTT sur demande. *48260* ***Nasbinals*** *Tél. 04 66 32 50 03 www.nasbinals.com Ouvert tte l'année*

Déguster un aligot dans un buron

Jadis baptisé l'*ailligot* parce qu'il contient de l'ail. Pour qu'il soit fluide, on "tire l'aligot" avec une cuillère en bois ; de là viendrait l'expression "à tire larigot".

☺ **Buron de Born.** Un rêve de buron perdu dans des paysages qui sont une "quintessence d'Aubrac". Rien que de grands herbages qui ondulent, des vaches, un arbre et un lac minuscule. De la terrasse on admire ce superbe horizon en dégustant un honorable aligot accompagné de grillades (excellente viande). Copieux menus à partir de 18€ et carte. *À 10km de Nasbinals, route des Lacs (D52) Tél. 04 66 32 52 20 ou 04 66 32 50 03 Ouvert tlj. Pâques-Toussaint*

☺ **Relais des Lacs.** Pour ses savoureuses charcuteries dont les recettes se transmettent de père en fils. Un bon aligot dans une ambiance populaire et chaleureuse. Sur la carte : un généreux menu autour de 12€, et de bons casse-croûte servis avec le sourire à toute heure du jour. *Col de Bonnecombe 48100* ***Les Salces*** *(à 16km de Nasbinals) Tél. 04 66 32 61 78 Ouvert tlj. (sauf lun. en mai-juin et sept.) ; hors saison : sam.-dim Fermé déc.*

Aumont-Aubrac

48130

Timide chef-lieu d'un modeste canton, ce village qui marque la transition entre Aubrac et Margeride est surtout le point de départ de nombreuses randonnées (tour des monts d'Aubrac), une halte sur les chemins de Saint-Jacques et une étape pour les vacanciers qui empruntent l'autoroute A75. Rien ne distingue vraiment ce gros bourg tranquille, sinon son église, quelques belles maisons, et une ambiance viscéralement rurale.

Aumont-Aubrac, mode d'emploi

accès

EN VOITURE À quelques kilomètres de l'A75 et à 34km de Mende (D50).

EN TRAIN Sur la ligne Paris-Béziers ou bien par le même itinéraire que pour Marvejols en train Corail "l'Aubrac" en 7h21. ***Gare SNCF*** *À 500m du centre* ***SNCF*** *Tél. 3635 www.voyages-sncf.com*

informations touristiques

Office de tourisme. Il organise des randonnées découverte en juillet-août et des randonnées nocturnes. *Maison du Prieuré Tél. 04 66 42 88 70 www.ot-aumont-aubrac.fr Ouvert été : lun.-sam. 9h-12h30 et 14h-19h, dim. 9h30-12h30 et 15h-18h ; hors saison : lun.-sam. 9h-12h et 14h-17h30*

marché

Le vendredi. Pour les foires aux bestiaux, le calendrier est variable (rens. à la mairie, tél. 04 66 42 80 02).

Découvrir les environs

☆ **À ne pas manquer** Une randonnée dans les monts de l'Aubrac **Et si vous avez le temps...** Parcourez l'étape Aumont-Nasbinals du chemin de Saint-Jacques-de-Compostelle

Musée archéologique de Javols Javols fut sous le nom de *Anderitum* (les ancêtres des actuels Gévaudanais s'appelaient les Gabales) la capitale du Gévaudan à l'époque gallo-romaine. Cette ancienne cité romaine est le théâtre de fouilles qui ont mis au jour des vestiges – intéressants pour les historiens mais peu spectaculaires pour les néophytes. Toutefois, le petit musée archéologique et le village méritent une visite. *48130* ***Javols*** *Tél. 04 66 42 87 24 Ouvert juin-sept. et vac. de Pâques Visite et circuit découverte sur le site 3€ Chantier de fouilles en août*

Randonner sur le chemin de Compostelle

Aumont-Nasbinals La voie "Podensis" mène du Puy-en-Velay à Saint-Jacques (*via* Ronceveaux) et traverse le Gévaudan sur 60km de Saint-Alban-sur-Limagnole à Nasbinals. Cette étape, l'une des plus belles, fait la transition entre les paysages de la Margeride et ceux de l'Aubrac. D'Aumont, prenez la direction de Nasbinals (D987), passez sous la voie ferrée et engagez-vous dans le sentier forestier (des sapins puis des pins sylvestres typiques de la Margeride, 3h de marche sous les frondaisons). Quelques clairières abritent des hameaux. À Lasbros, après le café Chez Régine (snack ouvrier), le sentier aborde d'anciennes drailles au travers des pâturages où vous croiserez de grands et paisibles troupeaux (refermez soigneusement les barrières derrière vous). Impression exaltante de fouler l'Aubrac. On rejoint

Nasbinals par le hameau de Rieutort-d'Aubrac, tout en granite, typiquement aubracois (buvette). Il suffit de passer ensuite un vieux pont de pierre tapi dans les herbages pour atteindre Nasbinals *via* Montgros ***Départ*** *Partir du village d'Aumont-Aubrac, direction Nasbinals (D987)* ***Durée*** *1 journée* ***Parcours*** *GR®65, 27km, balisage rouge et blanc* ***Difficulté*** *Accessible à tous, légers dénivelés, pas d'équipement particulier nécessaire*

Manger, dormir à Aumont-Aubrac

petits prix

Chez Astruc. Randonneurs affamés, à vos fourchettes ! Dans ce bistrot ouvrier vous serez bien nourris sans bourse délier (ou presque). Menu env. 11,50€ avec crudités et charcuteries, plat du jour, fromage et glace, ici, ce n'est pas le royaume du "ou" ! *2, rue du Prieuré Tél. 04 66 42 81 71 Fermé sam. soir et dim. soir*

prix moyens

Relais de Peyre. Un hôtel-restaurant honorable, bien qu'un peu trop proche de la route. Heureusement certaines chambres donnent sur le jardin (de 37 à 57€). Accueil sympathique et prévenant. Sa cuisine traditionnelle, menus de 12 à 25€ et petite carte (comptez 20€), dépanne bien les randonneurs. *9, route du Languedoc Tél. 04 66 42 85 88 www.lerelaisdepeyre.com Fermé mi-déc.-mi-jan.*

prix élevés

Chez Camillou. Un hôtel de standing en retrait du village, à l'orée d'une sapinière, et qui parie sur un accueil tout confort (piscine, ascenseur, salle de remise en forme, sauna). Trente-neuf chambres cosy de 47 à 159€ (la suite). Le chef Cyril Attrazic, héritier de plusieurs générations de cuisiniers, est talentueux. Il travaille le foie gras, les champignons, le bœuf d'Aubrac et mérite une visite. Une carte traditionnelle et un grand choix de menus de 17 à 70€ dont un intéressant menu "découverte" à 29€. Salle à manger très solennelle, un peu guindée. *10, route du Languedoc Tél. 04 66 42 80 22 www.hotel-camillou.com Ouvert avr.-nov. Restaurant fermé dim. soir et lun. hors saison*

Manger, dormir dans les environs

☺ **Le Faôu.** Dans un superbe hameau de granite de la baronnie de Peyre. Madame Tichit s'active en salle et aux fourneaux tandis que son mari, en coulisse, concocte de fameuses charcuteries maison. Cette auberge de campagne s'est fait une spécialité des cuisses de grenouilles, de la truite au lard et du manouls. Tout est bon dans cette adresse généreuse. Copieux menu à 12€ et que dire de ceux de 16 à 35€ ? crudités, charcuterie, manouls, crabe farci ou truite, plat du jour, fromage, dessert. L'hôtel, confortable, est installé dans un bâtiment neuf à 100m du restaurant (chambres avec sdb-WC, TV, à 43€). Réservez de préférence les chambres sous les toits, les plus belles. *48130* **Fau-de-Peyre** *(à 8km d'Aumont par la D50) Tél. 04 66 31 11 00 Restaurant ouvert tlj. en saison Fermé dim. soir hors saison et mi-déc.-mi-jan.*

Saint-Alban-sur-Limagnole *48120*

Cette grosse bourgade, qui possède une belle église affublée d'un curieux clocher-peigne, a grandi au XIIIe siècle autour d'une forteresse féodale, et prospéré à la fin du XIXe siècle autour d'un gigantesque asile d'aliénés qui fut un modèle du genre en termes d'humanité. Depuis 1970, la population de cet établissement a considérablement décru. En plein cœur de cette Margeride si peu peuplée, la vie à Saint-Alban n'est pas, hors saison, un modèle de jovialité. Mais en été, le village s'anime avec le passage des pèlerins, des pêcheurs et celui des amateurs de tourisme vert qui partent à la cueillette de champignons, de framboises et de myrtilles.

LA MARGERIDE Une grande ligne montagneuse qui court du Cantal jusqu'aux Cévennes, d'où émergent quelques sommets aux formes douces (truc de Fortunio, 1 554m, et signal de Randon, 1551m). C'est ici, dans ces landes trouées de sources, couvertes de fleurs roses (épilobes, digitales, bruyères), de genêts et parcourues de torrents poissonneux (la Truyère, le Triboulin, la Colagne, le Chapeauroux) qu'on trouve l'air le plus pur de France. Les paysages sont nourris d'une magie rustique : amples vallonnements et collines se succèdent sans violence, panoramas immenses, forêts superbes où l'on reconnaît la silhouette torturée du pin sylvestre, les frondaisons du hêtre fayard ou du bouleau verruqueux. Mais le plus surprenant, ce sont ces blocs erratiques de granite qui affleurent partout, ces roches aux formes polies, parfois entassées en chaos, ou disséminées dans les prairies comme un troupeau à l'estive.

accès

EN VOITURE À 8km de l'A75 et à 40km de Mende par la N106.

informations touristiques

Office de tourisme. *Au château Tél. 04 66 31 57 01 Ouvert lun.-ven. 9h15-12h30 et 14h-18h30, sam. 9h15-12h30 et 14h-17h30 ; hors saison : tlj 13h30-16h*

Découvrir les environs

☆ **À ne pas manquer** Le village du Malzieu **Et si vous avez le temps...** Découvrez les bisons d'Europe dans la réserve de Sainte-Eulalie, cherchez les plantes carnivores dans les tourbières de Lajo, pêchez avec le guide Arnaud Pellegrin dans les hautes terres de Lozère

☆☺ **Le Malzieu** Un joli bourg médiéval, baigné par la Truyère qui conserve de beaux vestiges du temps où il était propriété des seigneurs de Mercœur, des tours et de belles demeures. Ne manquez pas la porte des Fées, site ruiniforme agrémenté d'une chapelle romane, ou encore les gorges de la Truyère, enfouies dans les forêts, hérissées de rochers (à parcourir à pied ou à VTT uniquement). *48140* ***Le Malzieu*** *(à 11km de Saint-Alban) Office de tourisme Tour de Bodon Tél. 04 66 31 82 73*

En savoir plus sur les bisons d'Europe

☺ **Réserve de bisons d'Europe** Disparu de nos contrées depuis près de quinze siècles, ayant survécu dans les immenses forêts de Pologne, le bison d'Europe a été réintroduit à Sainte-Eulalie. Deux moyens d'approcher les bisons, à pied par un sentier d'interprétation, une boucle de 1km (du 15 juin au 30 septembre – 5,50€), ou en calèche (11€), lors d'une promenade d'1h commentée. *48120* ***Sainte-Eulalie*** *(à 15km de Saint-Alban) Tél. 04 66 31 40 40 www.bisoneurope.com Ouvert tlj. en été 10h-19h, réservation conseillée ; en hiver : 10h-17h*

Circuit des bisons Une petite balade (sans aucun rapport avec la réserve de bisons) pour découvrir de près comme de loin les paysages de la Haute Margeride. À droite de l'église prenez la direction Cheyla ; après 200m de route, prenez un chemin à gauche à la sortie du bourg. Vous passerez devant le parc aux bisons, une section sur la D7 puis virez à droite direction les Bouviers. ***Départ*** *Église de Sainte-Eulalie* ***Durée*** *2h30* ***Parcours*** *Boucle de 9km, balisage jaune* ***Difficulté*** *Aucune, accessible à tous* ***Conseil*** *Procurez-vous le descriptif à l'office de tourisme du Malzieu*

Faire une balade naturaliste

Sentier de découverte des tourbières de Lajo Pour en savoir plus sur la formation et l'évolution de ce milieu, prendre conscience de sa fragilité, observer une flore étrange où l'on reconnaît le bouleau nain et la drosera (plante carnivore)… Une balade à faire à la belle saison. ***Départ*** *Derrière l'église de Lajo, petit circuit de 5,5km* ***Conseil*** *Descriptif de la balade à retirer à l'office de tourisme de Saint-Alban, du Malzieu ou au bar de Lajo*

Pratiquer les sports de pleine nature

Office de tourisme du Malzieu. Très actif, il propose de nombreuses activités, escalade, parcours aventure, équitation et loue des VTT (18€/jour). *Tour de Bodon 48140* ***Le Malzieu*** *(à 11km au nord de Saint-Alban) Tél. 04 66 31 82 73 Ouvert 9h-12h30 et 14h30-19h Fermé été : dim. a.-m. ; hors saison : dim.-lun.*

S'initier à la pêche

Arnaud Pellegrin. Ce guide, élu meilleur guide professionnel de pêche en 2000, vous initie à la pêche dans les hautes terres de Lozère. *Tél. 04 66 49 30 08 ou 06 07 14 47 26 www.alliancepeche.com*

Manger à Saint-Alban et dans les environs

petits prix

La Baraque des Bouviers. Pour le plaisir de ces 15km sur les routes désertes de Margeride, alternant landes et bois : la Margeride dans toute sa splendeur. Au sommet d'un col, une maisonnette solitaire pour les amateurs de champignons et de gastronomies reconstituantes. Menus de 12 à 25€. Tenu par un couple très sympathique. Chambres doubles 39€. *Les Bouviers 48700* ***Saint-Denis-en-Margeride*** *(à l'est de Saint-Alban) Tél. 04 66 47 31 13 Fermé lun. soir-mar ; mi-nov.-mi-déc. et mi-mars-mi-avr.*

prix élevés

La Petite Maison. Un restaurant de charme, plutôt chic et charmant. Dans la salle rustique une énorme tête de bison empaillé vous regarde manger du… bison. Oui, c'est bon le bison, une saveur plus corsée que celle du bœuf. Le menu "bison", 58€, est un peu cher mais bon, vous n'en mangerez pas si souvent… Assortiment de charcuterie de bison et sa verdure, civet de bison ou pièce de bison grillée, brochette de fromage et dessert. Outre le bison, toutes les spécialités du terroir figurent dans les menus à 29, 38, 48 et 69€. À midi, formule à 22€. Pour l'apéritif, un choix de plus de 350 whiskies ! *5, av. de Mende 48120* ***Saint-Alban-sur-Limagnole*** *Tél. 04 66 31 56 00 www.relais-saint-roch.fr Fermé lun. midi, mar. midi, mer. midi et mi-nov.-mars*

Manger, dormir dans les environs

très petits prix

Au Bon Accueil. Auberge, hôtel, gîte d'étape : "Au bon accueil" c'est tout cela et c'est mieux que bien. Cette sobre maison de granite, simplement meublée qui abrite quatre chambres à 26€ (lavabo dans la chambre, WC et salle de bains sur palier) assure également un service de gîte d'étape à 9€ la nuitée, (2,50€ la paire de draps), 23€ en demi-pension par personne. On s'y régale d'un menu à 12€, vin compris, une cuisine mijotée avec amour qui restaure son homme (tripoux, blanquette, potée). *48140* ***Paulhac*** *(à 23km au nord de Saint-Alban) Tél. 04 66 31 73 46 Fermé 1 sem. à Noël*

petits prix

☺ **L'Oustal du Parent.** Non loin de Saint-Alban, au hameau les Faux. Après quelques kilomètres d'une route sauvage, on s'étonne de trouver un lieu si animé. Des randonneurs en pagaille, des familles heureuses d'avoir trouvé une bonne adresse, tout ce petit monde mange de bon appétit dans la belle salle de restaurant une cuisine saine et réussie (menus de 16 à 32€). Vous y trouverez également quatre chambres (à 32-36€ avec sdb sur le palier, à 46-52€ avec tout le confort, toutes avec TV) mais aussi un gîte d'étape (dortoir à 11€/nuitée). Un lieu sympathique, largement ouvert sur la campagne, où les enfants peuvent gambader sans risque, sinon celui d'une overdose d'oxygène. ***Les Faux*** *(à 5km de Saint-Alban par la D587) Tél. 04 66 31 50 09 Ouvert vac. scol. fév.-11 nov.*

prix moyens

Les Sapins verts. Une adresse bien tenue, accueillante, où les chambres sont douillettes (WC et sdb, 51€) et où la table ne déçoit pas : spécialités de pays – aligot, truffades, volailles de la ferme – cuisinées avec bonheur. Attention, sur réservation seulement, menu unique à 20€ le soir. *Au lieudit Chazeyrolettes 48700* ***Fontans*** *(à 7km au sud de Saint-Alban par la D4, direction Serverette) Tél. 04 66 48 30 23 Ouvert avr.-mi-oct.*

☺ **Le Petit Château du Villard.** Au Villard, vous tombez sur ce manoir rustique a ouvert de vastes chambres d'hôtes d'inspiration médiévale. Chambres avec vue, cheminée et lits royaux (de 55 à 65€ avec petit déjeuner). Dîner aux chandelles et feu de cheminée dans la salle du rez-de-chaussée. *Le Villard 48140* ***Le Malzieu*** *(à 12km au nord de Saint-Alban) Tél. 04 66 31 09 23 ingrid.kremer@libertysurf.fr Ouvert mars-mi-nov.*

Langogne

48300

Une cité aux confins de l'Ardèche et de la Haute-Loire, nourrie d'un puissant influx campagnard. Il faut arriver à Langogne le samedi, le jour du grand marché où se donnent rendez-vous les paysans de la haute Margeride et du Velay réunis. Il y en aurait presque des bouchons à l'entrée de la ville et d'ailleurs, il y a longtemps qu'un village ne nous avait pas offert un visage aussi opulent : de nombreuses terrasses de bistrot, des librairies, un bar web, etc. Langogne est un gros bourg agricole en forme de circulade (plan circulaire des anciens remparts) qui, l'été, vit joyeusement au rythme de fêtes et marchés. Avec l'aménagement du lac de Naussac, Langogne s'est largement ouvert au tourisme.

Langogne, mode d'emploi

accès

EN VOITURE Au bord de la N88 (Mende-Le Puy), de la N906 (Montpellier-Alès-Langogne) et de la N102 (Aubenas/Brioude).

EN CAR Sur la ligne Mende-Le Puy. ***Cars Hugon*** *Tél. 04 66 49 03 81*

EN TRAIN Sur la ligne Paris-Clermont-Ferrand-Nîmes en train Corail "le Cévenol" (6h40). ***Gare SNCF*** *À 500m du centre-ville* ***SNCF*** *Tél. 3635 www.voyages-sncf.com*

informations touristiques

Office de tourisme. *15, bd des Capucins Tél. 04 66 69 01 38 www.langogne.com Ouvert en saison : lun.-sam. 9h-12h30 et 14h30-18h30, dim. 10h-12h ; hors saison : lun.-sam. 9h-12h et 14h-17h*

marchés

Marché forain, le samedi matin, ainsi que le mardi matin en juillet-août.

manifestations

Beaucoup d'animations estivales et mi-juillet, le **festival Interfolk 48** avec une programmation de concerts de *world music* de qualité.

Découvrir Langogne et ses environs

☆ **À ne pas manquer** Le village de Châteauneuf-de-Randon **Et si vous avez le temps…** Mêlez-vous à l'animation de Langogne le samedi matin, jour de marché, faites une randonnée nautique au soleil couchant sur le lac de Naussac, visitez en famille la ferme de La Toison d'or et côtoyez ses animaux étonnants à Saint-Jean-la-Fouillouse

☺ **Musée vivant de la Filature des Calquières** La laine faisait naguère la richesse de Langogne. De la toison au fil, ce musée – installé dans une ancienne filature – propose une visite passionnante. Au rez-de-chaussée, la laine brute et les engins qui la traitent : l'écraseur de crottes, le bassin de rinçage, l'essoreuse, et cette machine à aérer la laine appelée le "loup batteur", habilement présentés. Les superbes machines de l'étage fonctionnent encore, et la rarissime "Mull Jenny" dévide et tord le fil plus efficacement que vingt fileuses. Dans l'atelier où elle officie, on s'attend à voir surgir les employés : rien n'a été changé, les lunettes du comptable sont là, les horaires de travail sont affichés et une statue de la Vierge veille. *Rue des Calquières 48300* ***Langogne*** *Tél. 04 66 69 25 56 Ouvert tte l'année 9h-12h et 14h-18h Fermé nov.-mars : dim.*

☆ **Châteauneuf-de-Randon** Perché à 1 300m, l'un des plus beaux villages de Lozère vous accueille avec la statue de Bertrand du Guesclin, mort à Châteauneuf alors qu'il en faisait le siège. Une place minutieusement restaurée et un petit musée (gratuit) qui, dans les locaux de la mairie, retrace l'épopée du grand guerrier. *À 20km au sud-ouest de Langogne*

Lac de Naussac Un lac artificiel de 1 050ha dont les rives restent sauvages, à l'exclusion d'aménagements modestes et raisonnés (un restaurant et quelques campings). On s'y baigne, on y flotte (en canoë, planche, etc.) et le club nautique organise des stages de voile, planche à voile, kite surf et randonnée nautique au soleil couchant sur la goélette du club. Pour les amateurs de VTT, sachez que vous pouvez faire le tour du lac par les 29km d'une piste parfois difficile mais superbe. Comptez 4h30. Procurez-vous le descriptif à l'office de tourisme de Langogne ***Club nautique*** *Sur la D48 Tél. 04 66 69 34 25 Ouvert mai-oct.*

Caresser la truie laineuse et le karakol

☺ **La Toison d'or.** Des agriculteurs ont eu l'amusante idée d'élargir leur arche de Noé à tous les animaux "à poils laineux" de la création. Il y en a d'inattendus – la truie laineuse, la poule à laine, le mouton-nounours ou encore le karakol (mouton-astrakan) – et de plus familiers – la chèvre nubienne, le lama, les lapins angoras, etc. La visite commence par un bref diaporama sur l'élevage en Margeride puis les enfants se voient confier un seau avec blé et pain pour alimenter leur conversation avec les animaux. Passé la porte d'entrée, on est accueilli en fanfare par deux cochons nains, câlins comme des chiens, par l'ânesse Jeannette et le bon bouc Aldo. La visite, vraiment drôle pour des gamins, continue sur 7ha dans des paysages typiques de la Margeride. On peut pique-niquer dans la grange aménagée. La visite libre le matin est moins intéressante que les visites guidées de l'après-midi. *Meyrilles 48170* ***Saint-Jean-la-Fouillouse*** *(à 15km de Langogne) Tél. 04 66 69 53 17 Ouvert juil.-août, juin sur réservation Entrée 5€*

Monter à cheval

Les écuries de Palhères. Élevage de pur-sang arabe, stage d'équitation, initiation, randonnées et promenades en calèche. Dans ce domaine équestre, les propriétaires ont ouvert le gîte pour les randonneurs (chambres à partir de 40€ ; dortoir à partir de 22€/pers.) et une auberge. *Hameau de Palhères 48300* ***Rocles*** *(à 6km environ de Langogne) Tél. 04 66 69 21 41 www.relais-palheres.com*

Manger, dormir à Langogne

prix moyens

Chez Blanc. Au cœur de Langogne, dans une rue paisible, une maison sans prétention, rénovée selon des techniques respectueuses de l'environnement. Ambiance détendue autour de la table d'hôte (un aligot savoureux), ou au bar de la maison (pour les accros de l'image, une vidéothèque). Chambres doubles à 42€ et menu à 20€ (sur réservation). *2, rue de la Honde Tél. 06 07 61 55 66 Ouvert mi-mars-Toussaint : tlj.*

☺ **Grand hôtel de la Poste.** L'un des lieux où Langogne vit. Une salle de bar presque fastueuse et une salle de restaurant à la déco foisonnante. En entrant on est saisi par le délicieux parfum de la cuisine qui augure un bon repas, et nos espérances ne sont pas déçues. L'établissement sert une gastronomie de terroir bien troussée, à des prix raisonnables. Menus à 16 et 28€. Pour les pensionnaires, une salle de billard, un coin cheminée et 13 chambres confortables de 43 à 62€ la double. *13, av. Foch Tél. 04 66 69 00 02 Hôtel Ouvert tte l'année Restaurant fermé dim. soir et lun. midi*

prix très élevés

☺ **Domaine de Barres.** Si vous ne deviez faire qu'une folie en Margeride, ce serait à l'hôtel de Barres. Fleuron du classicisme à la française, le château de Barres (XVIIIe siècle) a été livré à l'inspiration zen de l'architecte contemporain Jean-Michel Wilmotte. Le résultat est irréprochable d'élégance, peut-être juste un peu froid. Mais ce que ces choix esthétiques ont de radical est d'emblée corrigé par la gentillesse de l'équipe hôtelière. Vingt chambres superbes de 80 à 125€. On s'attarde dans le parc, à l'orée du golf qui domine le lac de Naussac, on se baigne dans la piscine intérieure, on se galbe le muscle à l'espace-forme. Et puis, on passe à table, le couvert est dressé sur de joyeuses nappes jaunes, dans l'un des restaurants les plus subtils de la région. Le chef offre un sérieux lifting aux recettes lozériennes traditionnelles, et ses audaces font mouche. Menus de 15 à 25€ à midi au club house, sinon à la carte (environ 45€). Des vins succulents (de 20 à 50€). Golf à partir de 26€/jour. *Rte de Mende 48300* ***Langogne*** *Tél. 04 66 69 71 00 www.domainedebarres.com Ouvert avr.-mi-nov.*

Manger, dormir dans les environs

petits prix

L'Ousta de Baly. Dans une maison avenante de ce joli village-rue, une petite dame coquette mitonne pour ses hôtes de délicieuses daubes ou des saucisses aux herbes. On dort dans des chambres douillettes à 2 pers. ou dans une chambre pouvant convenir pour une famille ou un groupe (10 pers.). Demi-pension : double env. 35€/pers. (dégressif à partir du 3e jour), chambre familiale 32€/pers. à partir de 6 pers. *Le Giraldès 48170* ***Arzenc-de-Randon*** *(à 28km à l'ouest de Langogne) Tél. 04 66 47 93 62 www.ordilyon.fr/oustadebaly Ouvert tte l'année*

prix moyens

☺ **Le Refuge du Moure.** À l'orée de la forêt de Mercoire, sur la place d'un hameau qui ressemble à un village en réduction, cette maison pimpante vous réserve un accueil chaleureux. Aux aurores, le patron vous concocte un succulent pain perdu et en fin de soirée, il vous accueille au salon pour siroter infusions et vin d'épices au coin de la cheminée. Des chambres cosy où l'on se glisse en pantoufles (on vous les prête), de 37 à 45€ en demi-pension, et un repas soigné pour 18€ (saucisses à la châtaigne/aligot, souris d'agneau caramélisée, etc.). Possibilité de dormir en chambre-dortoir de 5 pers., 15€ la nuitée. *Le Moure 48300* ***Cheylard-l'Évêque*** *(à 10km de Langogne) Tél. 04 66 69 03 21 www.lozere-gite.com Ouvert sur réservation*

☺ **Mas de la Bonnaude.** Envie d'un rêve bucolique et raffiné dans des paysages d'une sérénité impériale. Une ferme du XVIIIe siècle et ses dépendances, le tout magnifiquement restauré et entretenu, avec piscine, tennis et des poneys pour l'agrément des enfants. On peut y faire aussi des stages d'aquarelle, et même envisager de ne rien faire du tout, se livrer à la simple contemplation tant le cadre et les bâtiments sont magnifiques. Chambres 48-80€, repas 20€. Gîte rural pour 6 pers. de

400 à 900€/semaine. *48600* ***Laval-Atger*** *(à 15km au nord-ouest de Langogne) Tél. 04 66 46 46 01 Ouvert tte l'année*

Hôtel de la Poste. Un ancien relais de diligence sur la route du Puy. Depuis un siècle, la même famille s'occupe de cette affaire qui prospère au bord de la nationale. C'est pourquoi on évitera d'y dormir, bien que les chambres rénovées aient un double vitrage, en revanche, on y mangera avec plaisir. La salle occupe tout l'espace d'une ancienne bergerie. La cuisine traditionnelle est un peu riche en sauce mais de bonne facture. L'endroit est vivant, et le bar semble drainer toute la jeunesse du coin. Menus à 15, 21, 25 et 30€. *L'Habitarelle 48170* ***Châteauneuf-de-Randon*** *(à 20km au sud-ouest de Langogne) Tél. 04 66 47 90 05 Ouvert tlj. en été Fermé ven. soir, sam. midi et dim. soir hors saison*

L'Escapade. Cette ferme-auberge propose un menu gargantuesque à 23€ composé de produits de la ferme, champignons, charcuterie, lentilles du Puy, viandes, fromage et tarte aux fruits. C'est bon, on mange donc tout. Heureusement, il y a des chambres sur place, calmes et confortables (46€). *Pomeyrols 48300* ***Naussac*** *(à 6km de Langogne) Tél. 04 66 69 25 91 Ouvert sur réservation*

Dormir dans les environs

camping

Au Rondin des Bois. Surplombant le lac de Naussac, un camping de 1 000ha parmi les pins et les genêts. Joli cadre. Forfait 2 pers. à 14€ et location de chalets de 250 à 595€/sem. *48300* ***Rocles*** *(à 6km à l'ouest de Langogne) Tél. 04 66 69 50 46 www.camping-rondin.com Ouvert tte l'année pour les locations*

très petits prix

Au Rendez-vous des Pêcheurs. Il y a peu de lieux en France qui donnent à ce point la délicieuse impression d'être loin de tout. Le Chapeauroux se jette dans l'Allier, c'est la grande affaire de ce village qui compte quelques maisons au pied d'un cirque volcanique. Ici, on trouve des pêcheurs, quelques gamins échappés d'une lointaine colonie suçant des glaces en terrasse, une retraitée qui vient depuis les Trente glorieuses et un mainate. Cinq chambres tranquilles de 25 à 28€. Un séjour qui vaut tous les stages *new-age* ! *48600* ***Saint-Bonnet-de-Montauroux*** *(à 25km au nord de Langogne) Tél. 04 66 46 32 06 Ouvert mars-oct.*

Villefort

48800

Engoncé dans un défilé, Villefort est un village-rue qui s'épanouit en son milieu, sous les platanes, au niveau de la place du Bosquet. Là sont installées les boutiques et les terrasses de bistrots qui font le charme et l'intérêt de Villefort. On vient y faire les courses et boire un verre ; pas pour admirer le patrimoine ni l'architecture, car

si quelques beaux linteaux sculptés ont été sauvegardés, la plupart des maisons, modernisées, offrent un visage banalisé maquillé de crépis douteux. Pour voir de belles façades régordanniennes, aux larges portails cintrés, souvent doubles, flanqués d'une petite porte rectangulaire qui permettait d'accéder à l'étage, il faut se rendre à Vielvic, village proche de Villefort, qui est resté intact.

LA VOIE RÉGORDANE Voie historique entre nord et sud, la Régordane survit à sa manière puisque l'actuelle D906 en emprunte partiellement le tracé et qu'elle offre toujours, par ailleurs (et notamment sur le GR®44), des vestiges visibles, pavages de granite ou ornières fossilisées dans le schiste. Pour se faufiler entre Alès et Le Puy-en-Velay, la Régordane a tout naturellement suivi l'effondrement géologique de la faille nord-sud de Villefort. Celte avant d'être romaine, elle fut incontournable jusqu'au XIVe siècle où on lui préféra le sillon rhodanien. De l'ère préhistorique jusqu'à la fin du Moyen Âge, marchandises et idées ont circulé sur la Régordane. L'huile d'olive, le sel, les épices, des étoffes rares venues d'Orient étaient acheminés vers les villes du nord, croisant les vins du Vivarais, les étoffes des Flandres, les céréales et les châtaignes. Peuplée de mulets formant de longues caravanes, de bœufs traînant des charrois, de courriers à cheval, de colporteurs venus de Savoie ou d'Italie, la Régordane était aussi un chemin de foi. De nombreux pèlerins en route vers Compostelle l'empruntaient pour bifurquer ensuite vers l'abbaye de Saint-Gilles.

Villefort, mode d'emploi

accès

EN VOITURE Par la D906, entre Le Puy au nord à 85km et Alès au sud à 56km.

EN TRAIN Ligne Paris-Montpellier ou avec le train Corail "le Cévenol" en 7h20. La gare se trouve à 500m du centre-ville. ***SNCF*** *Tél. 3635 www.voyages-sncf.com*

EN CAR Ligne Mende-Villefort 1 car/sem. en période scolaire et 2 cars/sem. hors période scolaire. ***Cars Hugon*** *Tél. 04 66 49 03 81*

informations touristiques

Office du canton de Villefort. Vous pourrez vous y procurer le topo-guide *Le pays de Villefort à pied* contenant le descriptif de 18 randonnées en boucle (7,80€), ou vous inscrire pour des randonnées accompagnées par un guide diplômé. *Rue de l'Église Tél. 04 66 46 87 30 http://villefort-cevennes.com Ouvert été : tlj. 9h30-12h30 et 15h-19h, dim. 10h-13h ; hors saison : lun.-ven. 9h30-12h et 15h-17h*

Découvrir Villefort

☆ **À ne pas manquer** Le château d'Aujac **Et si vous avez le temps...** Prenez un café en terrasse sur la place du Bosquet à Villefort, admirez le mont Ventoux et les Alpes du belvédère des Bouzèdes, randonnez le long des gorges de l'Altier sur le sentier du canal la Viale

Lac de Villefort Enchâssé dans des montagnes aux pentes abruptes qui laissent affleurer la roche, ce lac a des allures de loch écossais. L'horizon est vierge, et les rives envahies par la forêt laissent peu de place aux équipements touristiques (une base de loisirs, un camping, un hôtel). Une retenue hydroélectrique barre le cours de l'Altier et forme depuis quarante ans ce lac artificiel qui a immergé le village de Bayard. Au hameau de Castanet, le château a désormais les pieds dans l'eau. Cette belle bâtisse du XVIe siècle en cours de restauration mérite un coup d'œil, tout comme le château du Champ (propriété privée), à Altier, véritable manoir de conte de fées.

Passer une journée au bord de l'eau

Plage et base nautique de Villefort Au bord du lac, évidemment, à la plage municipale aménagée et complétée par une base nautique où vous pourrez pratiquer toutes sortes d'activités sportives (planche à voile, ski nautique, etc.). *Route de Langogne, à 2,5km de Villefort*

Grandeur nature. Ce centre d'activités sportives, installé à la base nautique, propose des journées canyoning (à partir de 45€), une initiation au canoë (à partir de 37€/jour), des parcours spéléo intéressants, des randonnées originales comme cette rando-vertige sur le mont Lozère avec des parties de via corda, un parcours spéléo nature le mardi de 14h à 21h (env. 45€), de la planche à voile, du dériveur ou encore du tir à l'arc. Vous pouvez également louer un bateau à moteur sans permis (à partir de 55€/demi-journée). *Base nautique Route de Langogne, à 3km de Villefort Tél. 04 66 46 80 62 ou 04 66 46 83 39 www.grandeurnature48.com Base plein air ouverte avr.-oct. Base nautique ouverte juil.-août*

Découvrir les environs

☺ **La Garde-Guérin** Classé monument historique dès 1928, puis amoureusement entretenu par une association, ce village a longtemps servi de carrière. On venait s'y servir en matériaux, tant la pierre y est belle. De gros moellons de granite, ou de grès, superbement taillés, forment l'appareillage de nobles demeures pour la plupart construites au Moyen Âge par de riches seigneurs, les "Pariers". Réunis en confrérie, ces nobles protégeaient la Régordane du brigandage, accompagnant les voyageurs et entretenant la route. Ils en tiraient de substantiels droits de péage qu'ils se partageaient à parité (d'où leur nom de Pariers). Aujourd'hui, La Garde-Guérin se dresse toujours fièrement au point le plus sauvage d'un plateau dénudé plongeant vers la trouée du Chassezac. Vestige d'un château fort primitif, une imposante tour signale de loin ce hameau au puissant caractère montagnard qui accueille l'été d'intéressantes "Rencontres musicales". *48800* ***Prévenchères*** *(à 8km au nord de Villefort)*

Pied-de-Born Une superbe route (D151) dans les gorges de l'Altier vous conduira à Pied-de-Born. En amont du village, au pied de la Clède, vous pourrez visiter un petit musée de la Châtaigne. Là, la Born forme de larges vasques où l'on peut nager et plonger. Enfin pour prendre un bain de soleil à votre aise, des rochers plats d'un granite étonnamment blanc vous attendent. *48800* ***Pied-de-Born*** *(à 9km de Villefort)* ***Musée de la Châtaigne*** *Ouvert juil.-août : tlj. 17h-19h Gratuit*

Concoulès À la lisière de la forêt domaniale de Malmontet, Concoulès offre un beau panorama sur la vallée depuis son église romane (XIIe siècle) coiffée d'un beau clocher-peigne. On peut visiter le jardin du Tomple, chez Mme Pellet, un jardin ornemental à l'anglaise niché au fond d'un vallon sur de belles terrasses cévenoles. *30450* ***Concoulès*** *(à 7km au sud de Villefort)* ***Jardin*** *Tél. 04 66 61 11 31 Ouvert 15 juin-15 sept. : tlj. 10h-20h ; mai-14 juin et 16 sept.-oct. : tlj. 14h-19h*

Génolhac À l'entrée de ce village gardois, le temple. À la place de l'actuel terrain de foot, se tenait jadis un "désert", lieu de rassemblement clandestin des huguenots quand ils furent persécutés par Louis XIV. On entre ici en pays protestant, délaissant les terres catholiques de la haute Lozère. Gros bourg de granite, déjà un brin méridional, Génolhac s'étire le long de la Gardonnette et de l'ancienne Régordane. De part et d'autre de la rue principale, des ruelles et des passages voûtés forment le centre, très animé en été. En haut du village, à l'écart, l'église romane avec un beau clocher-peigne. *30450* ***Génolhac*** *(à 20km de Villefort)* ***Office de tourisme*** *Tél. 04 66 61 18 32 Ouvert en saison : lun.-sam. matin 9h30-12h30 et 16h-19h ; hors saison : mar.-sam. 10h-12h et 15h-18h*

☆☺ **Château d'Aujac** À 10km à l'est de Génolhac, un fier château qui, de son pic, domine toute la vallée de la Cèze. On parcourt les 300 derniers mètres à pied, les yeux levés vers cette forteresse (XIIe siècle, remaniée jusqu'au XVe) qui raconte l'épopée de l'architecture militaire, du mâchicoulis à la canonnière. Le site est admirable, et si le château a traversé les siècles avec autant de superbe, c'est qu'il fut toujours habité, et qu'il l'est encore. Le bâtiment se présente nu au visiteur (ni mobilier ni tenture), mais les guides ont un tel talent de conteur que le lieu s'anime par la magie du verbe. On visite ensuite, au pied de la forteresse, le hameau superbement restauré où des artisans montrent leur savoir-faire. Boutique médiévale, buvette. *À 19km de Villefort 30450* ***Aujac*** *Tél. 04 66 61 19 94 ou 06 87 34 60 95 www.chateau-aujac.com Ouvert juil.-août : mar.-dim. 11h-19h ; hors saison : dim. et j. fér. 14h-18h Fermé Toussaint-Pâques Entrée 5€*

Château de Portes L'originalité de cette construction installée sur la voie Régordane réside dans sa forme défensive en éperon. Un éperon guerrier couronné d'une échauguette miniature qui n'est pas une minauderie architecturale mais une tour de guet. Remanié au XVIIe siècle afin de présenter l'aspect d'une résidence princière, le château a gardé ses allures de forteresse médiévale. En 1969, un groupe de jeunes bénévoles sauve le château abandonné depuis 1930. Aujourd'hui, le site accueille un festival bien rodé (fin juillet-mi-août), des expositions, des visites théâtralisées tous les week-ends du mois d'août (adulte 6€, enfant 4€). *30530* ***Portes*** *(à 15km au sud de Génolhac par la D906 et à 31km de Villefort) Tél. 04 66 54 92 05 ou 04 66 34 35 90 Ouvert été et vac. scol. : tlj. 10h-13h et 15h-19h ; hors saison : week-end et j. fér. 14h-18h Fermé vac. scol. Noël et nov.-mars Entrée 4,50€ TR 3€*

Belvédère des Bouzèdes Au départ de Génolhac, la D362 se hisse en 10km au-dessus des châtaigneraies jusqu'à ce magnifique point de vue d'où, par temps clair, on voit le mont Ventoux et les Alpes.

Randonner au bord d'un *acol*

Sentier du canal la Viale Sachez qu'un *acol* est un canal d'irrigation et que celui que suit ce sentier balisé par le parc national est l'un des plus spectaculaires. Suspendu à flanc de montagne, son tracé sinueux en pierres sèches épouse ici le relief tourmenté des gorges de l'Altier. ***Départ*** *Hameau du Mont à 6km au nord de Villefort* ***Parcours*** *Boucle de 7km balisée par des flèches jaunes* ***Durée*** *5h* ***Difficulté*** *moyenne* ***Conseil*** *Procurez-vous le descriptif à l'office de tourisme de Villefort ou de La Garde-Guérin Prévoyez de bonnes chaussures et surveillez les enfants*

Suivre le chemin des transhumances

Sentier des drailles perdues Ce sentier emprunte en partie la grande draille du Languedoc, chemin de transhumance qui reliait les garrigues de la région d'Uzès aux pâturages du Gévaudan. ***Départ*** *Parking du col du Péras (à 18km de Génolhac, sur la route de Bonnevaux)* ***Durée*** *4h* ***Parcours*** *Boucle de 12km ; balisage jaune* ***Difficulté*** *Aucune et pas de gros dénivelés non plus, mais attention le sentier est parfois exposé au soleil, prévoyez une casquette* ***Conseil*** *Procurez-vous le descriptif dans la pochette "Sentier de découverte autour de Génolhac" (5€) à l'office de tourisme de Génolhac Tél. 04 66 61 18 32*

Manger, dormir à Villefort

prix moyens

Le Mas de l'Affenadou. En occitan, l'"affenadou" est une auberge qui ravitaillait aussi chevaux et mules. Cette ferme du XVIe siècle bien restaurée est tenue par une jeune femme qui respire la sérénité et aime recevoir. Sur la table, le canard – élevé et engraissé sur place – dans tous ses états, rillettes, magrets, confits… et des champignons. On se sent bien à l'Affenadou, et l'ambiance y est familiale. Chambres confortables à la déco rustique pour 44€ ; forfait couple à 71€ (demi-pension et petit déjeuner compris). *À 1km du centre, par la D66 vers le Pouget Tél. 04 66 49 27 42 (04 66 46 97 23 en été) Fermé jan.-mars*

Hôtel du lac. Posé solitaire sur les rives du lac, côté soleil, cet hôtel idéalement situé n'est plus tenu que par une des sœurs Séveran, celle qui travaille en cuisine depuis maintenant 42 ans. Un établissement populaire pour un séjour sage "à l'ancienne", comme la cuisine. Blanquette de veau façon grand-mère (dans le menu à 12,50€ le midi en semaine uniquement pour les ouvriers) et menus à 16 et 25€. Une dizaine de chambres bien entretenues, simples, de 43 à 46€, donnant sur des eaux émeraude. Sous la terrasse panoramique du bar, un sentier vous conduira au lac, profitez-en pour faire une pause baignade. *À 2km de Villefort Tél. 04 66 46 81 20 Fermé jan.*

prix moyens

☺ **Hôtel Balme-restaurant la Clède.** En entrant chez Balme, on se croirait en visite chez une lointaine cousine de province qu'on adore et qu'on voit trop rarement. Quelques fleurs en tissu sur les tables, des tableaux surannés ; l'endroit a le charme un peu fané des établissements chic d'antan. L'accueil est vraiment charmant. On retient pour longtemps la qualité de la cuisine du patron et comme la patronne est une fine sommelière, le repas est parfait ! Belle carte env. 20€ avec une saucisse de châtaigne, aligot pour 10€. Menus à 21 et 35€. On peut aussi y dormir pour 46 à 53€. *Place du Portalet Tél. 04 66 46 80 14 http://hotelbalme.free.fr Fermé 15 nov.-15 fév. Restaurant fermé dim. soir et lun. hors saison*

Manger, dormir dans les environs

petits prix

Le Mas de Cocagne. Un lieu 100% bio, 100% cul-de-sac, 100% destressant. On vous propose une table végétarienne sous une belle tonnelle, ouverte à tous (et pas seulement aux hôtes des chambres), sur réservation. L'occasion rêvée de découvrir le beignet aux feuilles de consoude, entre autres raretés, et les délicieux produits d'un gigantesque potager (15,50€ le dîner, 17€ si vous insistez pour avoir de la viande). Chambre avec sdb attenante, bricolée par un émule de Gaudi, comptez 35€/pers. en demi-pension. Vous pouvez aussi camper sous la pinède pour 11€/jour. Un lieu de silence, d'histoires (cocasses) et d'éthique (verte) également habité par quelques vaches, des brebis et une ânesse. *Ferme de la Baraque 30450* ***Aujac*** *(à 20km de Villefort) Tél. 04 66 61 12 77 Ouvert tte l'année sur réservation*

Toureves. À Toureves, un hameau perché donnant sur la vallée, face au levant. Restauré avec goût par un architecte qui s'est mis au vert, ce mas isolé abrite des chambres d'hôtes (38€) et de petits dortoirs bien équipés (12€ la nuitée). En demi-pension (de 31 à 38€/personne) vous goûterez de bons produits régionaux. Cette étape fait la joie des randonneurs, à pied ou à cheval, et des amoureux d'astronomie car le ciel y est divinement limpide. *Toureves 30450* ***Génolhac*** *(à 20km de Villefort et entre Villefort et Vialas) Tél. 04 66 61 10 01 Ouvert Pâques-11 nov. sur réservation*

prix moyens

Chez Chiffe. Des chambres d'hôtes atypiques tenues par un bouquiniste amateur de randonnées qui propose des balades autour des gorges du Chassezac. Il y a quelque chose de provençal chez Chiffe, et l'ambiance y est détendue. Chambres 45€ (toutes avec TV et réfrigérateur). Pour manger ? des assiettes chaudes ou froides à partir de 13€, et un bon petit déjeuner avec tartines moelleuses et confitures maison. *48800* ***Prévenchères*** *(à 14km de Villefort) Tél. 04 66 46 01 53 Ouvert tte l'année sur réservation*

☺ **Au Portaou.** Dernière maison d'une vallée paisible, ce mas vous convie à une immersion totale dans l'univers cévenol. D'anciennes ruches taillées dans le tronc des châtaigniers, un verger planté en terrasses, une vigne naissante, et, au fond du jardin, une source auprès de laquelle il fait bon somnoler. On dîne sous la treille, près du figuier, pour 16€, vin compris. Quatre belles chambres à la déco champêtre pour 46€ la double avec petit déjeuner (salle de bains et WC privés). *Hameau de Valcrouzès 48800* ***Saint-André-de-Capcèze*** *(à 7km de Villefort) Tél. 04 66 46 20 10 www.cevennes-mont-lozere.com Fermé mi-nov.-mi-jan. sauf pendant les fêtes de fin d'année*

La Butinerie. À 12km au nord de Villefort, une adresse égarée sur le plateau qui domine les gorges du Chassezac. L'assurance du calme. Une apicultrice vous reçoit dans sa ferme dont la grande baie vitrée ouvre sur les étendues de landes à bruyères et genêts. Petites chambres avec WC et salle d'eau (50€ petit déjeuner compris). Une bonne table de spécialités locales, comptez 36€ par personne en demi-pension. *48800* ***Albespeyres*** *Tél. 04 66 46 06 47 www.labutinerie.com Ouvert tte l'année*

☺ **L'Auberge Régordane.** Dans le décor saisissant du village fortifié de La Garde-Guérin qui se vide au crépuscule pour laisser place à un silence sans âge, cette auberge installée dans une demeure seigneuriale entrouvre les portes de l'Histoire. On dîne aux bougies dans une cour dallée de granite, cernée d'architecture médiévale, on accède aux chambres par un escalier à vis vieux de huit siècles et de superbes cheminées évoquent la gloire passée du seigneur des lieux. D'une sobriété exemplaire, les chambres perpétuent le rêve médiéval, ouvrant par des fenêtres à meneaux sur le donjon du village ou sur des murs anciens (de 54 à 65€ pour deux personnes). La cuisine, qui décline les produits du terroir, a quant à elle des subtilités bien contemporaines. Menus de 19 à 37€, avec de l'agneau lozérien ou du bœuf au coulis de cèpes. Un maître de maison à la fois attentif et discret, bref, une étape incontournable où il vaut mieux réserver. *La Garde-Guérin 48800* ***Prévenchères*** *(à 3km de Villefort) Tél. 04 66 46 82 88 www.regordane.com Ouvert mi-avr.-mi-oct.*

☺ **Le Mas du Seigneur.** Ce vaste mas en schiste, ses terrasses ombragées par une treille et sa piscine ont pour seul horizon les montagnes boisées des Cévennes. Chambres doubles impeccables pour 59€ (76€ pour 3 personnes, 84€ pour 4 personnes). La maîtresse de maison qui s'est initiée aux cuisines du monde vous servira un fameux dîner pour 21€ (apéritif et vin compris). Un âne est là, pour distraire les enfants, et des chevaux peuvent être loués par les plus grands. *30530* ***Chamborigaud*** *(à 25km environ de Villefort) Tél. 04 66 61 41 52 www.mas-du-seigneur.com Ouvert tte l'année*

Dormir dans les environs

camping

Camping du lac Morangies. Au bord du lac et de la base nautique. Ombre et standing. Forfait 2 pers. de 9 à 15,50€. Location de chalets toute l'année (de 232 à 585€). *48800* ***Pourcharesses*** *(à 3km de Villefort) Tél. 04 66 46 81 27 www.cevennes.com/morangies.htm Ouvert mai-sept.*

Le Pont-de-Montvert 48220

Descendant du rude mont Lozère, Stevenson trouve soudain à Pont-de-Monvert "un indéfinissable charme méridional". Sans doute est-ce là une manifestation de l'humour anglais car si le village déploie une séduction certaine, c'est par son fort caractère montagnard. On y trouve toute une série de petites maisons granitiques, belles et sans fantaisie, portant de beaux linteaux gravés. Le village a grandi le long du Tarn dont le lit s'alanguit et se couvre ici d'une végétation exubérante. Arche unique en dos d'âne, le pont (fin XVIIe siècle) se termine par une tour-horloge qui, jadis, servait de prison. C'est à Pont-de-Monvert, le 24 juillet 1702, que l'abbé du Chayla, grand persécuteur de protestants, fut tué par une troupe de cinquante rebelles menés par le prophète huguenot Pierre Séguier rebaptisé "Esprit".

LE PÉRIPLE DE ROBERT-LOUIS STEVENSON Véritable mystique de la randonnée, Stevenson a 28 ans lorsqu'il entreprend, en 1878, la traversée des Cévennes à pied. Le futur auteur de *L'Île au trésor* et du *Cas étrange du Dr Jekyll et de Mr Hyde* tente d'oublier une déception amoureuse. Il part sur de hasardeux chemins accompagné d'une ânesse récalcitrante, Modestine, qui porte un paquetage où rien ne manque. Pendant une dizaine de jours, tous deux vont parcourir le Massif central, de Monastier-sur-Gazeille (Haute-Loire) à Saint-Jean-du-Gard (Gard), *via* les Cévennes. Fou de culture française et passionné par l'histoire des camisards – lui-même est protestant –, il nous laissera un témoignage de cette aventure dans son *Voyage avec un âne dans les Cévennes*. Aujourd'hui, les pas de Stevenson sont suivis par de nombreux randonneurs, le long du GR©70, 250km que l'on peut parcourir entièrement en 15 jours, ou que l'on peut faire partiellement.

Le Pont-de-Montvert, mode d'emploi

accès

EN VOITURE À 31km de Villefort et 20km de Florac. L'été, le village est souvent encombré de véhicules, garez-vous sur le parking près de l'écomusée.

informations touristiques

Office de tourisme intercommunal du mont Lozère. Vous y trouverez une pochette pour 16 petites randonnées (5€). *Rue du quai Tél. 04 66 45 81 94 Ouvert juil.-août : lun.-dim. matin 10h30-12h30 et 16h-19h ; hors saison : horaires réduits*
Point d'accueil à Vialas *Tél. 04 66 41 05 95*

marchés

Le mercredi matin au Pont-de-Monvert et le vendredi matin à Vialas.

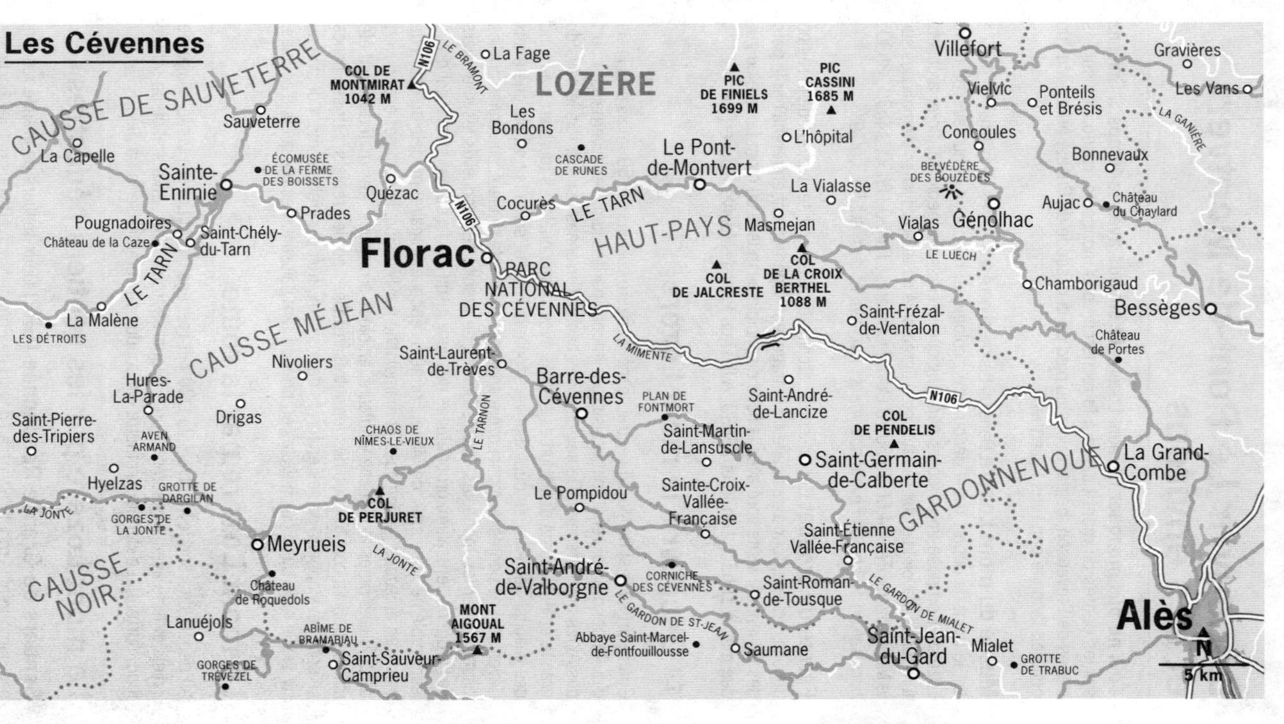
Les Cévennes
CAUSSE DE SAUVETERRE
LOZÈRE
HAUT-PAYS
CAUSSE MÉJEAN
PARC NATIONAL DES CÉVENNES
CAUSSE NOIR
GARDONNENQUE
Florac
Alès
Villefort
Génolhac
Bessèges
La Grand-Combe
Saint-Jean-du-Gard
Meyrueis
Sainte-Enimie
Le Pont-de-Montvert
Barre-des-Cévennes
Saint-Germain-de-Calberte
Saint-André-de-Valborgne
La Capelle
Sauveterre
Saint-Chély-du-Tarn
Prades
Quézac
Pougnadoires
Château de la Caze
La Malène
LES DÉTROITS
Hures-La-Parade
Drigas
Nivoliers
Saint-Pierre-des-Tripiers
Hyelzas
AVEN ARMAND
GROTTE DE DARGILAN
GORGES DE LA JONTE
Lanuéjols
GORGES DE TRÉVEZEL
Château de Roquedols
ABÎME DE BRAMABIAU
Saint-Sauveur-Camprieu
MONT AIGOUAL 1567 M
COL DE PERJURET
CHAOS DE NÎMES-LE-VIEUX
Saint-Laurent-de-Trèves
LE TARNON
LA JONTE
COL DE MONTMIRAT 1042 M
N106
LE BRAMONT
La Fage
Les Bondons
ÉCOMUSÉE DE LA FERME DES BOISSETS
CASCADE DE RUNES
Cocurès
LE TARN
PIC DE FINIELS 1699 M
PIC CASSINI 1685 M
L'hôpital
La Vialasse
Masmejan
COL DE JALCRESTE
COL DE LA CROIX BERTHEL 1088 M
LA MIMENTE
PLAN DE FONTMORT
Saint-Martin-de-Lansuscle
Saint-André-de-Lancize
Saint-Frézal-de-Ventalon
COL DE PENDELIS
Sainte-Croix-Vallée-Française
Le Pompidou
CORNICHE DES CÉVENNES
LE GARDON DE ST-JEAN
Abbaye Saint-Marcel-de-Fontfouillousse
Saumane
Saint-Roman-de-Tousque
Saint-Étienne Vallée-Française
LE GARDON DE MIALET
Mialet
GROTTE DE TRABUC
Vialas
LE LUECH
BELVÉDÈRE DES BOUZÈDES
Concoules
Vielvic
Ponteils et Brésis
Bonnevaux
Aujac
Château du Chaylard
Chamborigaud
Château de Portes
Gravières
Les Vans
LA GANIÈRE
N
5 km

Découvrir Le Pont-de-Montvert et ses environs

☆ **À ne pas manquer** Le mont Lozère **Et si vous avez le temps...** Grimpez sur les pentes du mont Lozère à la recherche des montjoies, randonnez sur les traces de Stevenson, baignez-vous au pied de la cascade de Runes, offrez-vous un couteau façonné par Yves Pellequer

Musée du mont Lozère Dans un bâtiment neuf aux allures de bunker, ce musée est le point de départ d'une découverte géologique, historique et humaine du mont Lozère et propose un parcours pédagogique intéressant (géologie, flore, architecture rurale, savoir-faire ancestraux, etc.) agrémenté de vidéos. Fiches thématiques sur le Mont Lozère. *Tél. 04 66 45 80 73 Ouvert juin-sept. : 10h30-12h30, 14h30-18h30 ; hors saison : 15h-18h Fermé nov.-mars : lun.-ven. et dim. Adulte 3,50€*

Ferme de Troubat Cet ensemble architectural de granite, typique de la région (moulin, grange, four à pain, aire de battage) est superbement entretenu par le parc des Cévennes. Visite libre avec la fiche disponible au musée du mont Lozère ou guidée mer. à 10h30, 14h30 et 16h30. *À l'est du Pont-de-Montvert Ouvert juil.-août*

☆ Découvrir le mont Lozère

Contrefort sud-est du Massif central, le mont Lozère culmine à 1 699m au pic Finiels d'où le panorama, rendu plus saisissant encore par les lumières hivernales, court des Alpes aux Pyrénées. Ce seigneur des hautes Cévennes est à la fois le pays du granite et le royaume des sources : après avoir formé quelques tourbières au fond des vallons, "les eaux se déploient vers toute la France" selon la formule chère aux Cévenols. Les pentes du mont Lozère sont parcourues de sentiers, anciennes drailles jalonnées par les montjoies, hautes balises de granite sur lesquelles les chevaliers de l'ordre de Jérusalem, propriétaires des lieux jusqu'à la fin du XVIIIe siècle, ont gravé leur emblème : une croix de Malte. Formé à l'époque primaire, modelé au cours de plusieurs épisodes géologiques et mamelonné par l'érosion, le sommet est couvert de pelouses rases et la roche y affleure, en blocs erratiques. Ces matériaux ont été utilisés pour la construction des fermettes installées sur les replats. Sur ses flancs se sont développées de vastes forêts de résineux, fruit d'un reboisement décidé au XIXe siècle mais aussi des hêtraies et, près du Tarn naissant, des bosquets d'acacias.

Le mont Lozère par la route

Au départ du Pont-de-Montvert, la D20 fait l'ascension du Lozère *via* le village de Finiels et flirte avec son sommet près duquel se trouve une petite station de ski (de fond, surtout). Le dernier kilomètre qui conduit au sommet se fait à pied.

Le mont Lozère par les sentiers pédestres

Sentiers de Grande Randonnée (GR©) Deux sentiers de grande randonnée parcourent le mont Lozère. Au départ de Pont-de-Montvert vous pouvez partir sur les traces de Stevenson en empruntant le GR©70 qui vous conduira jusqu'au Bleymard *via* le sommet du mont Lozère. Cette très belle randonnée, longue de 23km, ne présente pas de difficultés si ce n'est un passage un peu raide dans un coupe-feu. Comptez environ 7h et procurez-vous le topo-guide 700 (cf. GEODocs, bibliographie). Le GR©68, lui, est réservé aux marcheurs entraînés. Ce sentier fait le tour du mont Lozère en 115km, c'est-à-dire en 4 ou 5 jours (*via* Florac, Villefort). Un périple qui se prépare avec le précieux topo-guide 631.

Sentier du pic Finiels Ce sentier de découverte du parc national des Cévennes qui relie la station de ski du mont Lozère au point culminant de celui-ci, à 1699m, offre un point de vue exceptionnel des Alpes aux Pyrénées. ***Départ*** Chalet du mont Lozère ***Durée*** *3h* ***Parcours*** *Boucle de 9km Balisage jaune du Parc* ***Difficulté*** *Faible* ***Dénivelé*** *280m* ***Conseil*** *À faire impérativement par temps clair Rens. à l'office de tourisme*

La Calade. Ce bureau des accompagnateurs du mont Lozère propose des randonnées pédestres thématiques, des randonnées équestres hivernales ainsi que des sorties canyoning, raquettes en hiver. *Tél. 06 74 58 64 67*

Sur les chemins de Stevenson. Cette association édite une brochure gratuite et renseigne les marcheurs sur les possibilités d'étape (nombreuses, à tous les prix). *Le Pont-de-Montvert Tél. 04 66 45 86 31 www.chemin-stevenson.org*

Grimper sur les pentes du mont Lozère avec un âne

Gentiane. Vous trouverez ici des ânes doux comme des agneaux, obéissants comme des toutous, des ânes parfaitement habitués à la compagnie des enfants. On vous initie à l'art du bât et à la conduite de l'animal. Randonnée libre (organisée, 50€/jour, tarif dégressif selon la durée) ou randonnée accompagnée par un guide diplômé (à partir de 140€/jour). Le tout réglé comme une horloge ; une aire de bivouac vous permet même de passer sur place la nuit qui précède votre départ. *Castagnols 48220* ***Vialas*** *Tél. 04 66 41 04 16*

Faire une balade panoramique

Route des crêtes Partez du Pont-de-Montvert en direction de Génolhac et bifurquez au col de la Croix de Berthel sur la D35 qui se transforme en D52 avant d'atteindre la vallée et la D906 au sud de Chamborigaud. Un parcours en crêtes, sur le fil des serres, qui ménage de beaux points de vue sur le mont Lozère et les Cévennes, *via* le col de la Baraquette et le col de la Banette.

Randonner au pied du mont Lozère

Sentier du pont du Tarn Au départ de Masméjean, cette boucle de 14km commence par une hêtraie, emprunte la forêt domaniale du Bougès, et passe près du vieux pont du Tarn et de la ferme de Troubat. Pas de difficulté (sinon un passage à gué problématique par temps de crue). ***Départ*** *Le sentier dallé part à droite après la dernière ferme du village* ***Durée*** *4h* ***Parcours*** *Boucle balisée en jaune et PR© dans un carré jaune* ***Difficulté*** *Aucune*

Se baigner dans les environs

Sources du Tarn Ce sentier de pays se confond au début avec le sentier d'interprétation du Mas Camargue, jusqu'au Tarn, et se perd ensuite dans les pâturages et les landes à myrtilles jusqu'à atteindre les sources du Tarn. Le retour s'effectue par le sentier d'interprétation. ***Départ*** *À 100m après le parking de Mas Camargues, d'où part aussi une boucle de 4/5km, 2h* ***Durée*** *4h* ***Parcours*** *Boucle de 7,5km* ***Difficulté*** *Aucune* ***Dénivelé*** *À peine 200m* ***Conseil*** *Procurez-vous le topo-guide* Balades natures dans le parc national des Cévennes, *12,80€ (cf. GEODocs, bibliographie).*

Cascade de Runes À peine 1km avant le village de Runes, un chemin pédestre mène en 10min à une spectaculaire cascade qui dégringole d'une hauteur de 60m. Avant le sommet de la cascade, sur un rocher, on aperçoit une inscription runique médiévale inscrite dans un serpent qui se mord la queue. *Au nord-ouest du Pont-de-Montvert par la D35*

Monter à cheval

La Cavale du Ventalon. Cette ferme équestre propose ses chevaux à l'heure (15€) ou à la journée (60€), ainsi que des séjours itinérants. *Le village 48220* ***Saint-Maurice-de-Ventalon*** *Tél. 04 66 41 07 85*

Où rencontrer un coutelier d'exception ?

Yves Pellequer. Yves Pellequer vit en "ermite" dans le hameau isolé de la Vialasse. Mais ce solitaire au talent fou vous recevra avec plaisir. Il sculpte des couteaux, des œufs en acier damassé (un trait de génie, déposé). Un homme rare, et probablement une future star. Vous pouvez commander des couteaux personnalisés, ses prix sont encore abordables. Il reçoit tlj. 11h-17h, démonstration de forge en été l'après-midi, hors saison sur rdv. *48220* ***La Vialasse*** *(du Pont-de-Monvert, D998 sur 5km dir. Génolhac, à gauche vers Masméjean, et continuer sur 8km) Tél. 04 66 45 83 23*

Manger dans les environs

prix moyens

Le Cantou du Poncet. Cette ferme-auberge se tient dans une pittoresque maisonnette du XVIIe siècle. Ambiance joviale et gentiment rustique orchestrée par Mme Pantel qui vous accueille les bras ouverts. Elle élève tout ce que la création compte de volailles et vous les sert fumantes avec patates sautées et salade du jardin. Menu à 20€. ***Masméjean*** *(à 7km du Pont-de-Montvert) Tél. 04 66 45 85 17 Ouvert sur réservation Fermé mar.*

Maison Victoire. Cette belle maison de campagne à la vue dégagée, en lisière de hameau, est tenue par une dame adorable qui cuisine les produits du terroir, et par son époux qui tâte de l'accordéon. Dîner en terrasse ou près de la cheminée. Chambre à 85€ pour 2 personnes en demi-pension. *48220* ***Finiels*** *(à 6km du Pont-de-Montvert par la D20) Tél. 04 66 45 84 36 Ouvert tte l'année*

☺ **Chez Dédet.** Une auberge de campagne d'une rare générosité. Quand on s'étonne de la richesse des menus, la réponse du patron tombe comme une évidence "il faut bien que les gens soient contents". Ici, l'art de recevoir se conjugue avec gentillesse et professionnalisme. Menu du jour à 12€ (à midi en semaine), à 18, 23, 28 et 48€ (à 48€, c'est énorme, on ne se lève de table que pour se coucher). Retenez que les produits de saison sont ici à l'honneur (gibier, champignons), qu'on sert une fameuse charcuterie de montagne, et toutes sortes de produits régionaux (couennes roulées, escargots, etc.). Notre conseil : allez-y un jour où vous vous sentez une faim d'ogre. Quant à la carte des vins, elle est tout aussi prometteuse (130 références !). ***Masméjean*** *(à 7km du Pont-de-Montvert) Tél. 04 66 45 81 51 Ouvert en été tlj. midi et soir ; en hiver le midi seulement Fermé nov.-jan.*

Manger, dormir au Pont-de-Montvert

prix moyens

☺ **La truite enchantée.** Le lieu est enchanteur, en effet, dans sa simplicité. Les chambres de cet hôtel-restaurant sont aménagées avec un brin de poésie naïve, et l'on s'y sent réellement en vacances. La salle à manger résonne des conversations animées des pensionnaires, des randonneurs pour la plupart. Vous y goûterez une honnête cuisine régionale (truite, lapin et champignons). Menus de 14,50 à 25€. Huit chambres à partir de 28€. *Rue du quai Tél. 04 66 45 80 03 Ouvert mi-mars-mi-nov. Restaurant ouvert tlj. à midi et fermé quelques soirs hors saison*

prix moyens

☺ **Chambres et table d'hôtes Le Merlet.** Si les indications pour l'atteindre sont rares, c'est que cette ferme discrète – l'une des meilleures adresses de Lozère – n'a pas besoin de pub. La voilà déjà répertoriée dans la plupart des guides. Alors, il ne nous reste plus qu'à ajouter une bonne note dans ce concert de louanges. Site superbe, chambres au confort irréprochable (avec un rien d'élégance). Ce Merlet doit aussi son succès à l'accueil – gentil et sans mièvrerie –, à la forte personnalité du couple Galzin et à la table, bien sûr. Tout est produit et cuisiné sur place, même le pain. Une adresse d'exception à 49€/pers. en demi-pension. *À 8km du Pont-de-Montvert direction Vialas Tél. 04 66 45 82 92 www.lemerlet.com Ouvert tte l'année*

Dormir au Pont-de-Montvert et dans les environs

très petits prix

Aire naturelle de camping La Barette. Dans le hameau paisible de Finiels, un camping bien équipé (il y a même un congélateur). Forfait 2 pers. à 10€. *48220* ***Finiels*** *(à 6km du Pont-de-Monvert) Tél. 04 66 45 82 16 Ouvert mai-mi-sept.*

Gîte d'accueil communal. Dans les bâtiments neufs du musée du mont Lozère. Rien de très Cévenol, mais c'est propre ! Env. 10€ la nuitée. *48220* ***Le Pont-de-Montvert*** *Tél. 04 66 45 80 10 Ouvert vac. scol. fév.-vac. scol. Toussaint*

Florac

48400

L'été, la ville donne toute la mesure de sa jovialité le jour du marché : profusion de charcuteries, pains à la farine de châtaigne, pélardons, fruits, fripes et divers objets d'artisanat... une belle effervescence. Sous son air sage et derrière ses façades rustiques, Florac semble toujours de bonne humeur. Sous la frondaison des vénérables platanes de l'esplanade Farelle, on parle fleuri avec déjà une pointe d'accent du Midi, tandis que les fontaines et la résurgence du Pêcher recrachent en fanfare l'eau des montagnes. Aux pieds du mont Lozère et du causse Méjean, dont la corniche de Rochefort domine les toits, l'une des plus petites préfectures de France fait de la résistance : certes, elle a perdu son tribunal et sa gare, mais son château impeccablement restauré est désormais le siège du parc national des Cévennes qui reçoit environ un million de visiteurs par an. Une belle vitrine pour la capitale des Cévennes, qui se dévoue sans compter pour l'agrément des amateurs de tourisme vert.

☆ **LE PARC NATIONAL DES CÉVENNES** D'abord, qu'est-ce qu'un parc national ? "C'est un territoire d'exception, d'intérêt général, dont la qualité biologique et paysagère, la richesse culturelle et le caractère historiquement préservé justifient une protection et une gestion qui en garantissent la pérennité." Créé en 1970, et classé par l'Unesco "Réserve mondiale de biosphère" en 1985, le parc national des Cévennes couvre le mont Lozère, les causses (Noir, Larzac, Sauveterre, Méjean, gorges du Tarn et de la Jonte), les vallées des Gardons et le mont Aigoual, soit un vaste territoire de 91 279ha. Au-delà de ses missions de sauvegarde de la biodiversité du territoire, des activités pastorales et agricoles et de la restauration du patrimoine bâti, le Parc mène des actions favorisant l'accueil et l'information du public (centres d'information, sentiers de découverte et d'interprétation des paysages, écomusées). Ajoutons à cela la réintroduction de certaines espèces (vautours, tétras, cerfs, loutres, etc.) et une politique de protection qui se concrétise pour le public par une réglementation stricte : pas de camping sauvage, pas de feu, pas de cueillette systématique, chiens tenus en laisse ; on est prié de ne pas troubler la quiétude des animaux (sauvages ou domestiques), refermerles clôtures (vous êtes en zone de pastoralisme) et, bien sûr, rapporter ses ordures.

Florac, mode d'emploi

accès

EN VOITURE Florac est située entre Mende (35km) et Alès (65km) sur la N106.

EN CAR La ligne Ispagnac-Alès passe par l'ancienne gare de Florac de mi-juillet à fin août. Toute l'année liaison entre Alès et Florac. ***Cars Reilhès*** *Tél. 04 66 45 00 18 et 06 60 58 58 10*

orientation

Florac se trouve sur la rive gauche du Tarnon qui, à la sortie de la ville, se jette dans le Tarn. Pour profiter de l'animation (bistrots, boutiques), rendez-vous sur l'esplanade Farelle et sur la place de la Mairie. Attention, au plus fort de l'été, circulation et stationnement deviennent problématiques. Si les parkings F.-Mitterrand (près du Château) et Monestier (près de l'office de tourisme) sont saturés, rabattez-vous sur ceux situés à proximité de l'ancienne gare. De là vous rejoindrez le centre-ville en 2min par la passerelle piétonne.

informations touristiques

Office de tourisme de Florac. Demandez le dépliant *Florac, une source dans la ville* qui propose une belle flânerie urbaine et le calendrier des animations. *33, av. Monestier Tél. 04 66 45 01 14 www.mescevennes.com Ouvert lun.-sam. 9h-12h30 et 14h-19h ; dim. matin 9h-12h ; hors saison : lun.-sam. 9h-12h30 et 14h-18h Fermé hors saison : dim.*

Maison du Parc-château de Florac. Le Parc offre de nombreux points d'information et 4 antennes (Le Vigan, Meyrueis, Génolhac et Saint-Jean-du-Gard) mais le siège se trouve au château de Florac. Vous y trouverez une importante documentation, une boutique et l'exposition "Passagers du paysage". *6 bis, place du Palais Tél. 04 66 49 53 01 juil.-août : tlj. 9h-18h30 ; hors saison : horaires réduits*

location de vélos et encadrement sportif

Cévennes évasion. Location de VTT 19€/jour et location de canoës de 13 à 34€ ; mais aussi organisation de sorties spéléo, canyoning et escalade, 47€/jour et toutes sortes de randos "avec un grand air" selon la formule de la maison. *5, place Boyer Tél. 04 66 45 18 31 www.cevennes-evasion.com*

accès Internet

Florac-online. *1, rue du Pêcher/place de la Mairie Tél. 04 66 45 17 43 www.florac-online.com Ouvert tte l'année Fermé lun. hors saison*

marché

Le marché a lieu le jeudi matin place de la Mairie.

fêtes et manifestations

Festival nature. Au programme de cette manifestation organisée chaque été par le Parc : balades thématiques, repas-veillées, rando-photo, spectacles audio-visuels, démonstration de savoir-faire, etc., et ce sur tout son territoire. Un petit livret gratuit inventorie ces mille et une activités, village par village. Il se trouve partout, dans tous les offices de tourisme, chez les commerçants, etc. *Renseignements Tél. 04 66 44 79 43*

Florac'Hebdos. Tout l'été des animations gratuites – concerts, apéro-musique, spectacles familiaux. *Tél. 04 66 44 79 43*

Festival de la randonnée. Week-ends de l'Ascension et de Toussaint.

Journée des Bergers. En juillet-août, jeux et démonstrations sur le thème de la transhumance. Dégustation d'aligot et bal traditionnel.

Le prologue festival. Le 1er week-end de juillet. Musique et spectacles de rue.

Les 160km de Florac. Début juillet, concours d'endurance à cheval avec plus de 1 000 cavaliers en selle, un beau spectacle.

Festival de la soupe. Fin octobre, ce festival organisé par les "allumés" de la soupe propose dégustations, concours de soupes, animations de rues loufoques, pesées de cucurbitacées, etc.

Découvrir les environs

☆ **À ne pas manquer** La corniche et le parc national des Cévennes **Et si vous avez le temps...** Approfondissez vos connaissances sur le parc national des Cévennes à la Maison du Parc de Florac, faites le plein de victuailles au marché de Florac et pique-niquez au cham des Bondons, passez une soirée conviviale avec un producteur de pélardons au Mas de la Borie

☆ **Corniche des Cévennes** Entre Florac et Saint-Jean-du-Gard, une cinquantaine de kilomètres saisissants, faciles, et qui permettent d'apprécier une grande diversité de paysages puisqu'on l'aborde à la sortie de Florac en grimpant sur les contreforts du causse Méjean pour redescendre en forêt vers Saint-Jean. Entre deux on est saisi par la beauté des panoramas sur les vallées Borgne et Française, si typiquement cévenoles. Cette route était, dit-on, connue avant l'ère chrétienne. Une certitude : les Romains l'utilisaient et c'est Louis XIV qui l'a réaménagée à la fin du XVIIe siècle pour que les troupes catholiques puissent pénétrer le maquis camisard. Aujourd'hui, c'est une route touristique qui traverse quelques modestes villages, Saint-Roman-de-Tousque, Le Pompidou, Saint-Laurent-de-Trèves, et franchit plusieurs cols.

Voir des menhirs

Cham des Bondons Le deuxième site mégalithique après Carnac. Mais si la richesse en "totems de pierre" est incontestable (70 sont déjà relevés et un effort de restauration ambitionne de les relever tous), il ne s'agit pas ici d'alignement. Les monuments sont de taille plus modeste qu'à Carnac, disséminés sur un vaste plateau d'altitude où la vue est immense et où l'atmosphère est singulièrement poignante. Deux puechs (ou trucs, comme l'on dit ici), petits sommets en forme de mamelons, rappellent les attributs féminins et certains prétendent qu'ils furent associés à la forme phallique des menhirs, à l'origine d'un culte de la fécondité. Balisés par le Parc, deux sentiers des Menhirs (2 boucles de 1h et 3h) partent du parking qui se trouve à l'intersection de la D35 et de la D135. *48400* ***Les Bondons*** *(à 13km de Florac) Accès libre*

Observer des empreintes de dinosaures

Sentier découverte de Saint-Laurent-de-Trèves Aménagé par des scientifiques, ce sentier conduit en 30min au sommet de la crête de Castellas d'où la vue est superbe. Mais l'originalité de ce site tient surtout à la présence d'empreintes fossilisées de dinosaures. Des panneaux explicatifs jalonnent le parcours et une fiche technique est disponible à l'église de Saint-Laurent. Dans celle-ci, vous pouvez également voir un diaporama (3,50€) qui retrace l'histoire de l'évolution, de l'origine de la Terre jusqu'aux premiers pas sur la Lune. *48400* ***Saint-Laurent-de-Trèves*** *(à 10km de Florac sur la corniche)* ***Sentier*** *Accès libre et gratuit en toutes saisons* ***Temple*** *Ouvert juil.-août : tlj. sauf ven. 10h-13h30 et 14h30-18h*

Manger, dormir à Florac

On mange bien à Florac et ce pour des prix raisonnables dans des établissements soignés. Et si vous pensez faire des économies en dînant dans les snacks bondés de l'esplanade, c'est que vous avez mal mesuré les rapports qualité-prix.

prix moyens

☺ **Hôtel des Gorges du Tarn-restaurant l'Adonis.** Un établissement discret situé dans un quartier résidentiel moderne, un peu ingrat. Mais faites l'effort d'aller jusqu'à cette maison familiale calme et bien tenue, vous ne serez pas déçu. Cuisine raffinée, parfois ludique comme ce melon au sorbet et jus rouge à l'anis dont la présentation surprend autant que la saveur. Une carte saisonnière qui fait la part belle aux recettes inventives et bien maîtrisées : porc gratiné au cantal, coquelet aux agrumes, etc. Sans oublier les plats à base de poisson. Une bonne table pour un moment agréable avec deux menus abordables, à 17 et 22€. L'hôtel propose une trentaine de chambres sans surprise, mais au confort impeccable, de 45 à 60€. *48, rue du Pêcher Tél. 04 66 45 00 63 Fermé Toussaint-Pâques Restaurant fermé mer.*

Grand Hôtel du Parc. Près du centre, avec un grand parc, en effet, au milieu duquel trône une piscine, voici un établissement assez chic, mais à l'atmosphère plutôt détendue. À la tête du Parc, une famille réputée pour ses talents culinaires. D'excellentes spécialités locales servies dans une salle cosy. Menus à 18, 26 et 34€. Les chambres spacieuses (tout confort) ont, pour les plus précieuses, une déco bonbonnière (60 chambres de 46 à 68€). *47, av. Monestier Tél. 04 66 45 03 05 www.grandhotelduparc.fr Ouvert mi-mars-nov.*

Manger, dormir dans les environs

☺ **La Lozerette.** Mieux qu'un hôtel : une maison de vacances comme on en rêve, coquette, sereine, avec son jardin-verger, ses chambres lumineuses et sa déco raffinée (de 52 à 76€ pour 2 personnes). Il a fallu les efforts de plusieurs générations pour que la table gastronomique de la Lozerette se taille une solide réputation. Pierrette Agulhon a repris avec brio le flambeau tenu par sa grand-mère Eugénie, ajoutant une corde à l'arc de la Lozerette : une cave exceptionnelle. C'est toute la

Lozère qu'on déguste ici ; et de la quenelle de pélardon aux châtaignes à la truite sauvage au lard, la tradition sait se fait légère. Menus de 16,50 à 46€. *48400* ***Cocurès*** *(à 6km de Florac) Tél. 04 66 45 06 04 Ouvert avr.-oct. Restaurant fermé mar. (et mer. hors saison)*

Dîner chez un producteur de pélardons bio

☺ **Le Mas de la Borie.** En occitan borie signifie ferme, le mas de la Borie, c'est donc un charmant pléonasme, mais c'est surtout un lieu très chaleureux. Une vraie ferme-auberge où l'on vous propose de venir tôt (vers 18h30). Au programme de votre soirée : traite des chèvres (vous pourrez vous y essayer, et vos enfants pourront donner le biberon aux chevreaux) ; visite de la cave d'affinage et, enfin, avant de passer à table, un apéro convivial vous sera servi sur la terrasse panoramique. On dîne dans la grange près de la cheminée où les viandes sont rôties. Le repas coûte environ 20€, apéritif et vins compris. Le jeune berger force la sympathie par son enthousiasme, sa gentillesse et ses talents de cuisinier. Des chambres tout confort (double de 34 à 45€) et un gîte d'étape (12€ la nuitée en dortoir). Un lieu idéal pour qui aime sincèrement les joies de la campagne. *48400* ***La Salle-Prunet*** *(à 6km de Florac) Tél. 04 66 45 10 90 www.encevennes.com Ouvert sur réservation*

Dormir à Florac et dans les environs

très petits prix

Campings municipaux. Êtes-vous Tarn ou Tarnon ? Deux campings dont l'un au bord du Tarn, Le pont du Tarn, avec plage et piscine (forfait 2 pers. de 9,90€ à 11,50€ ; location de mobile homes de 240 à 420€/sem.), et l'autre au bord du Tarnon, La Tière, plus discret, calme et ombragé (9,80€ pour 2 pers.) ***Le pont du Tarn*** *à 1,5km du centre-ville Tél. 04 66 45 18 26 Ouvert avr.-15 sept.* ***La Tière*** *À 1km du centre-ville Tél. 04 66 45 04 02 Ouvert juil.-août*

☺ **Gîte d'étape La Carline-Le presbytère.** On a irrésistiblement envie de pousser la porte de cette belle demeure du XVIIIe siècle, de paresser sous la tonnelle ou dans le jardin. Chambres et dortoirs coquets, une cuisine et une immense bibliothèque régionale (cartes, guides, etc.) pour randonneurs compulsifs. Comptez de 11 à 12€ la nuitée, et 5€ le petit déj. (copieux). Pensez à réserver car c'est souvent complet en saison ! *18, rue du Pêcher 48400* ***Florac*** *Tél. 04 66 45 24 54 Ouvert avr.-Toussaint*

prix moyens

La Ferme de Saliègues. Une jeune productrice de fruits rouges a aménagé de belles chambres dans un bâtiment indépendant (42€ pour 2 pers., petit déj. compris, gratuit pour les tout-petits). Les hôtes ont accès à la terrasse ombragée de la maison mère et une cuisine leur est réservée pour organiser les repas. *Hameau de* ***Saliègues*** *(à 1km de Florac) Tél. 04 66 45 22 51 Ouvert tte l'année*

Saint-Germain-de-Calberte

48370

Ce village accroché sur le flanc ensoleillé d'une pente boisée repose au milieu d'un amphithéâtre de traversiers – ou terrasses, ou "bancels", ou encore "faïsses", le Cévenol n'est pas avare de mots pour désigner ces jardinets retenus par des murets. Lieu de refuge au temps de la guerre des camisards lorsque les hameaux voisins furent rasés sur ordre du roi, Saint-Germain fut également le chef-lieu d'un colloque (circonscription ecclésiastique protestante), et choisi pour cela par l'abbé du Chayla comme la base symbolique de sa vaine mission de reconquête des Cévennes par les catholiques. Aujourd'hui, Saint-Germain-de-Calberte est la capitale cévenole de la douceur de vivre – un café seulement, aux horaires d'ouverture fantasques, anime le bourg – et de tous les habitants ce sont les oiseaux les plus bruyants... Le plus beau, dans ce village modeste, c'est qu'il n'y a rien de laid à voir : à perte de vue, ce ne sont que montagnes coiffées de pins ou de châtaigniers qui laissent entrapercevoir par plaques le schiste grenat.

"LES CÉVENNES DES CÉVENNES" Saint-Germain-de-Calberte se trouve au cœur d'un vaste territoire limité au nord par la N106 Florac-Alès et au sud par la corniche des Cévennes Florac-Saint-Jean-du-Gard : un univers de crêtes schisteuses quasi infranchissables. Autour des hameaux installés sur des replats, les paysages portent l'empreinte du travail des hommes : murs en pierres sèches pour retenir la terre, et dans ces murs d'étroits escaliers pour circuler, des citernes pour capter l'eau, des barrages miniatures pour endiguer les effets du ruissellement, des béals, ou canaux, pour irriguer. Au centre des terrasses les maisons, posées à même la roche et montées avec la pierre de schiste sans fantaisie, jouent le mimétisme avec la colline. La clède – maisonnette où sèchent les châtaignes – est toujours présente, ainsi que les magnaneries, constructions apparues au XVIIIe siècle avec l'introduction de la sériciculture. Entre les barres montagneuses s'étirent les valats, ou vallées. Ici, il y en a deux, majeures : la vallée Longue, où se faufile le Gardon d'Alès, et la vallée Française. Dans ces deux vallées parallèles, orientées est-ouest, les Cévennes se font secrètes, intimes, farouches. Un rude paradis de sensations où le temps est élastique, où l'écho du monde arrive comme assourdi. Contemplant ces paysages, Stevenson a écrit : "Voilà les Cévennes par excellence, les Cévennes des Cévennes." André Chamson, reprenant l'expression, parlera de "la Cévenne des Cévennes" à laquelle il n'oubliera pas de joindre son cher mont Aigoual. Beaucoup de hameaux suspendus à mi-pente, quelques villages – Saint-Germain-de-Calberte, Barre-des-Cévennes, Saint-Étienne-Vallée-Française, Sainte-Croix, Saint-Martin-de-Lansuscle – qui, grâce à de courageux "néos" qui dynamisent la vie économique et culturelle, connaissent depuis quelques années un renouveau.

Saint-Germain-de-Calberte, mode d'emploi

accès

EN VOITURE Saint-Germain-de-Calberte est accessible à partir de la N106 qui traverse les Cévennes de Florac à Alès. Au col de Jacreste, prenez la D984 sur une vingtaine de kilomètres. Au départ de Saint-Jean-du-Gard, empruntez la D983 qui longe le gardon de Mialet. De la corniche des Cévennes, il vous faudra rejoindre Sainte-Croix-Vallée-Française, puis prendre la D28. Des itinéraires superbes où chaque virage déploie un nouveau panorama : mais attention, la plupart de ces routes sont étroites, sinueuses et deux véhicules se croisent difficilement ; heureusement, il n'y a pas un chat, même en août. Sachez aussi que vous trouverez peu de stations-service, et qu'il ne faut pas espérer rouler vite.

informations touristiques

Syndicat d'initiative intercommunal. *Mairie de Saint-Germain Tél. 04 66 45 93 66 Ouvert juil.-août : lun.-sam. 9h30-18h, dim. 10h-12h ; sept.-juin : mar. 10h-18h, mer.-sam. 9h30-13h*
Syndicat d'initiative de la vallée Française. *Maison du pays La Placette 48110 Sainte-Croix-Vallée-Française Tél. 04 66 44 70 41 Ouvert en été*

marchés

Le samedi, en juillet et août à Saint-Germain, le dimanche à Sainte-Croix-Vallée-Française et à Saint-Privat-de-Vallon.

fêtes et manifestations

Tout l'été, des animations, grillades, bals ; début août, le festival des **Savoir-faire paysans**, concours de potagers, entre autres ; le dernier week-end d'octobre, la **fête de la châtaigne** et enfin **la bogue cévenole,** fin octobre, sur le thème de la châtaigne : visites de clèdes, marché paysan...

Découvrir Saint-Germain

☆ **À ne pas manquer** Le château de Calberte, la magnanerie de La Roque **Et si vous avez le temps...** Visitez la ferme séricicole du Terrier des Cévennes au hameau de Lancizolle, goûtez le jambon sec de la charcuterie Thérond à Saint-Germain, randonnez le long de la ligne de partage des eaux sur le sentier du col des Abeilles

☆ **Château de Calberte ou château Saint-Pierre** Une forteresse féodale vieille de dix siècles, abandonnée au XVe siècle, et qui doit sa résurrection à la famille Darnas. En 1964, l'arrière-grand-père de l'actuelle propriétaire a le coup de foudre pour ce site qui achevait de mourir sous des tonnes de remblais. Quarante ans plus tard, le château revit : le donjon, la tour ronde et la superbe chapelle en schiste noir sont debout, admirablement restaurés. Une salle retrace les étapes de ce travail de titan, une autre est consacrée aux objets exhumés du chantier de fouilles contigu au château, et dans le donjon vous pourrez admirer des œuvres de Daniel Darnas, ciseleur-orfèvre. *Route du col de Pendedis Ouvert 10 juil.-10 sept. : tlj. 15h-19h et lors des journées du Patrimoine*

En savoir plus sur les vers à soie

☆ ☺ **Magnanerie de La Roque** La magnanerie est la bâtisse, indépendante ou attenante à la ferme, où les Cévenols élevaient le ver à soie (la chenille du Bombyx). L'apogée de la sériciculture se situe au milieu du XIXe siècle jusqu'à ce qu'une épizootie ravage les élevages en 1853. Bien qu'éradiquée, cette crise, qui a ruiné la production, entraîne rapidement le déclin de cette activité. La dernière magnanerie fermera en 1964. Le musée de la Magnanerie de La Roque a retrouvé le journal de classe d'une élève de primaire datant de 1930 et c'est ce témoignage – joliment lu par une comédienne cévenole – qui sert de fil rouge à une visite éducative qui se fait dans la douce pénombre de la magnanerie. *Au sud-ouest de Saint-Germain, entre Barre-des-Cévennes et Sainte-Croix-Vallée-Française, sur la D983 Tél. 04 66 45 11 77 et 04 66 49 53 01 (hors saison) Ouvert juil.-août : tlj. 10h30-13h et 14h30-18h Entrée 3,50€ TR 2,50€*

Le Terrier des Cévennes Complément indispensable à la visite de la magnanerie de La Roque, cette ferme séricicole invite à voir le ver à soie à toutes les étapes de sa métamorphose, de l'œuf au papillon en passant par le cocon. La balade commence par un tour dans la plantation de mûriers, puis on se rend à l'élevage, et pour finir on s'attarde autour d'une table pour un substantiel goûter maison (5€, cf. Manger dans les environs). La visite dure environ 2h. Vente de bouquets de cocons, les enfants sont ravis. *48370* ***Hameau de Lancizolle*** *(à 2km de Saint-Germain, route du col de Pendedis) Tél. 04 66 45 92 82 Ouvert juil.-août : sur rdv*

Où acheter de la charcuterie de montagne ?

Charcuterie Thérond. Réputé pour ses salaisons de montagne, ce charcutier fabrique un excellent jambon sec. *Tél. 04 66 45 90 05 Fermé dernière quinzaine de juin et dim. hors saison*

Découvrir les environs

☺ **Barre-des-Cévennes** En équilibre sur une crête schisteuse, Barre-des-Cévennes défie le temps. Représentatif des "villages-rues" construits en enfilade le long d'une voie de communication, ce gros hameau conserve de beaux vestiges médiévaux. Comment imaginer, en traversant Barre aujourd'hui, que les chalands venaient de Marseille pour assister à ses foires. Chacune d'entre elles attirait plus de 10 000 personnes. Témoins de cette prospérité commerciale, les maisons aux façades cossues (XVIe, XVIIe siècle), de grands portails et des portes cintrées dont le rebord en pierre servait de comptoir aux échoppes. *48400* ***Barre-des-Cévennes*** *(à 21km de Saint-Germain)*

Maison de la Châtaigne et du Châtaignier Le châtaignier, que les Cévenols baptisèrent l'"arbre à pain", marque encore le paysage. Sans doute le châtaignier s'est-il toujours spontanément plu en Cévennes, mais, à partir du XVIe siècle, il forme, avec l'homme, un couple indissociable. Il donnait son fruit, qui fut longtemps la première ressource alimentaire du pays, son bois, pour le mobilier et les charpentes, sa feuille pour nourrir les bêtes. Bois du berceau, puis celui du cercueil, le châtaignier accompagnait le Cévenol toute sa vie. Stevenson parle joliment des châtaigniers : "Voir un clan de ces bouquets d'antiques châtaigniers indomptables, pareils à des éléphants attroupés sur l'éperon d'une montagne, c'est s'élever aux plus sublimes méditations sur les puissances cachées de la nature." La maison de la Châtaigne vous en dira plus grâce à la visite d'une châtaigneraie, d'une clède et d'un moulin. *Mas de Manières, 48160* ***Saint-Martin-de-Boubaux*** *(à l'est de Saint-Germain, via le col de Pendedis) Tél. 04 67 59 13 13 Ouvert mi-oct.-nov. sur rdv Entrée 3€*

Plan de Fontmort Reboisé de sapinières au XIXe siècle, le sommet de ce col (896m) était nu quand il fut le théâtre de combats sanglants pendant la guerre des camisards. Haut lieu de la mythologie protestante, il porte un monument en forme d'obélisque commémoratif de l'édit de Tolérance (1787) qui autorisait à nouveau le culte réformé.

Se balader le long des drailles

Sentier du col des Abeilles Abeille est dérivé de *apiès* qui signifie rassemblement de brebis. Nous marchons ici le long d'une draille (sentier de transhumance) qui se confond avec la ligne de partage des eaux Atlantique/Méditerranée. Traversée de la forêt des Ayres peuplée entre autres de très vieux châtaigniers et de la forêt domaniale de Fontmort, avec de belles vues sur la vallée Longue. ***Départ*** *Col de Jalcreste (sommet du col, derrière la scierie)* ***Parcours*** *Boucle de 9km, balisage jaune avec mention PR©* ***Durée*** *3h* ***Difficulté*** *sentier facile empruntant des allées forestières sur de longs tronçons, un peu glissant quand il pleut*

Manger, dormir dans les environs

petits prix

☺ **Le Terrier des Cévennes.** Un couple de jeunes sériciculteurs et éleveurs de lapins reçoivent dans leur mas, à deux pas du Gardon. Une dizaine de couverts, sur une grande table de bois dressée sous la treille. Dîner 15€, tout compris, autour du lapin (en terrine, en civet), de la châtaigne et des produits du potager. Un bon apéro maison et un vin plaisant de la région d'Anduze. En été, cette ferme invite à voir le cycle du ver à soie (cf. En savoir plus sur les vers à soie). *48370 hameau de* ***Lancizolle*** *(à 2km de Saint-Germain-de-Calberte, route du col de Pendedis) Tél. 04 66 45 92 82 www.lozere.net Ouvert le soir sur réservation*

Lou Raïol. Installé à flanc de coteau, ce petit hôtel sans prétention propose des chambres simples et bon marché (35€) dont les fenêtres ouvrent sur les nuits étoilées et parfaitement silencieuses des Cévennes. On peut se restaurer sur place (premier menu à 13,50€). *Col de Pendedis Tél. 04 66 45 57 38 Ouvert avr.-oct.*

prix moyens

☺ **La Patache.** "C'est une adresse sans souci", dit-on ici pour signifier que tout est parfait. D'emblée, on s'y sent bien et les propriétaires, très chaleureux, ont le sourire communicatif. Menus de 14 à 22€ autour de spécialités régionales, écrevisses fraîches, pommes de terre farcies aux oignons doux, pintadeaux en sauce, courgettes à la crème et au basilic, etc. Ça ne désemplit pas depuis 20 ans, et "s'y marier porte bonheur", dit-on encore. On peut dormir dans des chambres simples et confortables avec vue (de 40 à 50€). *48110* ***Saint-Roman-de-Tousque*** *(à 35km de Saint-Germain-de-Calberte, sur la corniche des Cévennes) Tél. 04 66 44 73 76 Fermé lors des fêtes de fin d'année* ***Restaurant*** *fermé hors saison : mer.*

☺ **Château du Cauvel.** Un soir, elle jette quelques mûres dans une omelette aux herbes (un trait de génie), une autre fois, elle laque de miel des châtaignes rôties (une invention d'ici) : ce sont toutes ces petites magies culinaires d'Anne-Sylvie, sans cesse renouvelées, qui font le charme de cette table d'exception, "une cuisine de terroir et de fantaisie", dit-elle. À table, on bavarde avec les maîtres de maison, des humanistes passionnés d'écotourisme et d'histoire. Le cadre ? un château du XIIe siècle remanié au XVIIIe que l'on croirait dessiné par un enfant, avec ses tours aux toits pointus. De grandes chambres romantiques, sans chichis et gaies, chacune dotée d'une bibliothèque. Quelques pas dans la châtaigneraie, une rencontre sous la treille, plaisir et convivialité : ça se passe comme ça à Cauvel. Demi-pension de 43 à 47€/pers. *48110* ***Saint-Martin-de Lansuscle*** *(à 13km de Saint-Germain-de-Calberte, sur la D13) Tél. 04 66 45 92 75 www.lecauvel.com Ouvert tte l'année*

Lou Abeilhs. À 6km de Saint-Germain, dont 500m de chemin de terre, mais ça vaut le coup ! Une ferme restaurée avec soin, des chambres indépendantes, avec de petites terrasses en plein soleil qui regardent un panorama idéal de serres et de valats. Comptez 46€ la nuit, et des repas (18€) à base des produits de la ferme. Une cure de nature. *48370* ***Saint-Germain-de-Calberte*** *Tél. 04 66 45 94 91 www.causses-cevennes.com/mas-abeilhs/ Ouvert avr.-oct.*

Chez Jean-Marie Causse. Tel un homme-orchestre, Jean-Marie Causse, agriculteur et éleveur, vous reçoit dans sa grande demeure blanche aux volets verts dressée au centre du village du Pompidou. Mais il trouve aussi le temps pour gaver ses canards, les transformer en pâtés, foies gras, manchons, confits, cassoulets, pour enfin les servir à ses hôtes dans la grande salle, ou en terrasse à l'ombre des noyers (menus copieux à 15, 20 et 24€, sur réservation). Chambres confortables (doubles 47€) et salon avec documentation à disposition pour organiser vos randonnées. *48110* ***Le Pompidou*** *(à 33km de Saint-Germain-de-Calberte) Tél. 04 66 60 31 82 Fermé vac. scol. Noël et vac. scol. fév.*

☺ **Lou Pradel.** Une "vieille" adresse qui vient de s'offrir une salutaire révolution avec de nouveaux propriétaires, de sympathiques Belges. Les chambres, joliment liftées, sont désormais plus lumineuses. C'est un établissement irréprochable, à la hauteur du site où, comble de volupté, on vous sert une cuisine inventive très réussie. Chambres : 58€ avec le petit déjeuner. Dîner : 23€. Bravo ! *À 10km de Saint-Germain-de-Calberte, sur la route du col de Pendedis Tél. 04 66 45 92 46 www.loupradel.com Ouvert tte l'année*

prix élevés

☺ **Le Mas Leyris.** Les Japonais, qui sont tombés amoureux de ce mas cévenol, viennent en taxi de la gare de Nîmes. Quand on aime, on ne compte pas… Vous qui arrivez en voiture particulière, le périple est à la mesure de la récompense (énorme) : au bout de l'itinéraire en forme de purgatoire (bien agréable, en fait), c'est un éden. Dans ce mas, tout est calme, élégance et volupté, à commencer par le jardin fleuri de roses anciennes. À l'intérieur, chaque détail est poésie : les draps brodés, les coquillages encadrés… La maîtresse de maison réinvente avec malice une cuisine méridionale enchanteresse, légère, usant d'épices, d'herbes aromatiques et de légumes du jardin. Inoubliable ! Comptez 80€ pour une chambre double, dîner 25€. *48240* ***Saint-Frézal-de-Ventalon*** *(à 24km de Saint-Germain-de-Calberte, au niveau de Saint-Privat prendre la D29, puis la C12 sur 1km, puis une piste, direction de Leyris) Tél. 04 66 45 43 60 www.cevennes-lozere-fr.com Ouvert mai-oct.*

prix élevés

☺ **Chambres et table d'hôtes La Baume.** Au XVIIIe siècle, un remaniement aristocratique a offert de grandes et belles fenêtres à ce mas traditionnel. Un esthète l'a aujourd'hui investi et l'a restauré avec un goût très sûr y ajoutant un brin de fantaisie qui sonne toujours juste. Mobilier précieux, souvenirs de voyage et œuvres d'art contemporain – dans la salle de billard – côtoient avec bonheur des buffets et vaisseliers d'une belle élégance rustique. Tout ici respire l'aisance, les pièces sont claires, les chambres douillettes et spacieuses (double à 88€). La table prolonge cet art de vivre subtil, propre à cette maison, par une cuisine légère qui marie tradition et invention : petits légumes farcis à la brandade, truite farcie à la saucisse d'herbes et crème de pélardon… le tout arrosé d'excellents vins (26€ le dîner). *48240* ***Saint-Privat-de-Vallongue*** *(à 17km de Saint-Germain-de-Calberte* via *la N106) Tél. 04 66 45 58 89 www.labaume-cevennes.com Ouvert Pâques-Toussaint*

Dormir dans les environs

très petits prix

Camping La Garde. À 2min de Saint-Germain-de-Calberte, un camping aussi sauvage (par le site) que confortable (par ses équipements, dont une grande piscine). Forfait 2 pers. de 9 à 18€ env. Possibilité, à proximité, de louer un âne à la journée pour de courtes balades. *Tél. 04 66 45 94 82 Ouvert juin-août*

Chez Patrick et Catherine Roux. Ce camping à la ferme de 20 places est situé au bord d'un ruisseau sur un terrain calme et ombragé. Vous y aurez la possibilité de randonner avec l'agriculteur ou d'assister à la traite. Forfait 2 pers. à 11€. *48110* ***Sainte-Croix-Vallée-Française*** *(à 22km de Saint-Germain-de-Calberte, à 500m du village) Tél. 04 66 44 70 56 Ouvert mai-sept.*

Gîte d'étape Les Ayres. Paisible et fleurie, cette maison sans prétention sait recevoir. Diaporama sur les Cévennes, en guise de bienvenue, et invitation à participer à des randonnées nocturnes sur les pas du propriétaire qui connaît les Cévennes comme sa poche. Et pour se détendre, salon avec cheminée et terrasse. À l'heure du dîner deux solutions s'offrent à vous : vous cuisinerez vous-même ou goûterez les spécialités de la maison (repas à partir de 14€, ou 6,50€ le pique-nique). Nuitée en chambres communes 11€. *48240* ***Saint-André-de-Lancize*** *(à 10km de Saint-Germain-de-Calberte) Tél. 04 66 45 90 95 Ouvert tte l'année Auberge fermée 15-nov.-Pâques*

Le Vigan

30120

Un cinéma à la programmation ambitieuse, une vraie librairie, les enseignes les plus diverses, du marchand de cannes à pêche au quincaillier en passant par le loueur de vélos et l'inévitable boutique d'artisanat multiethnique... Autour de la place du Quai, qu'encadrent de hautes façades et qu'ombragent de jeunes micocouliers, les terrasses de bistrot prennent leurs aises. On trouve de tout au Vigan, et il s'y passe toujours quelque chose, à commencer par un prestigieux festival de musique classique ou de joyeux marchés nocturnes. Et pourtant, la vocation de cette petite cité encore active, qui s'efforce de ressembler à une ville et qui y parvient presque, n'est pas purement touristique, et l'on voit bien aux crépis hasardeux qui masquent de vieilles façades, à ces cours intérieures remaniées génération après génération, où la pierre médiévale côtoie le ciment, que Le Vigan n'a jamais cessé de croire en son histoire. Autrefois les filatures, aujourd'hui une usine de bas et chaussettes Weill perpétue la tradition de la bonneterie évoquée dans l'admirable Musée cévenol. Du Vigan, on part randonner au mont Aigoual, sur les traces d'André Chamson ou de Kenneth White qui vint s'installer ici dans les années 1970.

☆ **LE MONT AIGOUAL** Au sommet (1 567m), la bâtisse aux allures de manoir victorien est un observatoire météorologique vieux de 116 ans. Normal, la situation du mont Aigoual, au point de rencontre des influences atlantique et méditerranéenne, et sa météo aussi violente que fantasque, suscitent toutes les curiosités scientifiques : des vents violents (360km/h le 1er novembre 1968), une pluviométrie exceptionnellement abondante, de fortes amplitudes thermiques, des orages diaboliques et des brouillards tenaces. Quand s'apaisent les rages célestes, le sommet offre le plus beau des panoramas : un tour d'horizon n'embrassant pas moins de treize départements. À vol d'oiseau, 60km séparent l'Aigoual de la Méditerranée qui se confond avec le ciel par temps clair. "J'ai vu des nuits où tremblaient au loin toutes les lumières des rivages de la Méditerranée, des jours si clairs qu'on apercevait au nord-est le pic étincelant du Mont-Blanc", écrit Jean Carrière avant d'ajouter : "L'Aigoual, c'est, plus qu'un site particulièrement original, l'expression d'une métaphysique." Pourtant peu spectaculaire (c'est un de ses paradoxes) cette montagne, terre de légendes, théâtre de pèlerinages vivaces, a généré une imposante littérature (Frédéric Mistral, André Chamson, Jean Carrière). Qu'en est-il aujourd'hui de cette histoire d'amour, presque charnelle, entre l'Aigoual et les Cévenols ? Une certitude : cette "montagne sainte" ne livre ses sortilèges qu'aux marcheurs. Ils traverseront d'amples forêts, fruit d'un reboisement datant du XIXe siècle et organisé par deux botanistes-forestiers, Émile Deux, responsable des pentes lozériennes, et Georges Fabre, qui planta sur le versant gardois des arboretums expérimentaux dont certains prospèrent toujours, en particulier l'hort de Dieu et de la Foux.

Le Vigan, mode d'emploi

accès

EN VOITURE Venant de Nîmes, la D999 traverse Le Vigan et file vers le Larzac.

EN CAR Lignes Montpellier-Le Vigan et Nîmes-Le Vigan (rens. à l'office de tourisme).

informations touristiques

Maison de pays. Accueil très compétent. Vous pourrez vous y procurer la pochette Randonnées (5€), le descriptif du sentier Chamson (gratuit). Inscrivez-vous pour une promenade guidée de la ville incluant la visite du Musée cévenol (en été, 5€) ou pour une dégustation de jus de pommes reinettes et de produits du terroir (mardi matin en été lors du marché paysan, gratuit). *Place du Marché Tél. 04 67 81 01 72 Ouvert en saison : tlj. 8h30-12h30 et 13h30-19h ; dim. 10h-13h ; hors saison : horaires réduits*

Maison du Parc national. Un "point info" très complet. *Bd des Châtaigniers Tél. 04 67 81 56 38 www.cevennes-parcnational.fr Ouvert juil.-août*

location de VTT

Cyclos Scoots. 15,50€/jour (tarif dégressif). *18, bd Plan-d'Auvergne Tél. 04 67 81 11 88*

marchés

Le samedi matin, marché traditionnel ; de mai à octobre, le mardi matin, marché paysan ; et de mi-juillet à mi-août, marché nocturne, le mercredi.

manifestations

Fête de la Saint-Blaise. Début février à Saint-Martial (concerts de hautbois et de tambours dans les rues, bals).
Fête des potiers. À Pâques.
Printemps de la randonnée. Au printemps. Se rens. à l'office de tourisme.
Fête de la transhumance. Mi-juin à l'Espérou.
Festival de musique classique. Mi-juillet-mi-août.
Fête d'Isis. Le 1er week-end d'août, on fête la patronne du Vigan.
Foire de la pomme et de l'oignon doux. Fin octobre.
Les journées mycologiques. En octobre. Sorties découverte des champignons, expositions et ateliers.

Découvrir Le Vigan et ses environs

☆ **À ne pas manquer** Le mont Aigoual, le Musée cévenol au Vigan, l'abîme de Bramabiau à Saint-Sauveur-Camprieu, la grotte des Demoiselles près de Ganges **Et si vous avez le temps...** Visitez le musée de la Soie à Saint-Hippolyte-du-Fort, baladez-vous hors du temps dans les gorges de la Dourbie, grimpez sur le mont Aigoual par le sentier des 4000 marches

☆ ☺ **Musée cévenol** Un musée Arts et Traditions populaires tout à fait remarquable. Le cadre vaut le coup d'œil : une ancienne filature de soie aux salles majestueuses percées de baies en pleins cintres. Le musée ouvre sur d'éloquentes maquettes d'architectures rurales cévenoles. Évitant l'écueil d'une vision purement folkloriste, il décline ensuite tous les thèmes ethnologiques (pastoralisme, élevage, agriculture, etc.) avec des objets rares magistralement mis en valeur. Et comme Le Vigan fut l'une des villes de la soie et du bas, le musée présente de superbes costumes de XVIIIe siècle, une collection de bas, des coiffes, des robes de mariée, etc. Une salle rend hommage à André Chamson, une autre à la couturière Coco Chanel dont la famille habitait un village voisin. Au hasard de la visite, on peut aussi s'attarder dans le jardin paisible ou sur une terrasse d'où l'on a un point de vue magnifique sur l'Arre et le pont roman du Vigan. *1, rue des Calquières 30120* ***Le Vigan*** *Tél. 04 67 81 06 86 Ouvert avr.-oct. : tlj. sauf mar. 10h-12h et 14h-18h ; hors saison : mer. 10h-12h et 14h-18h Entrée 4,50€*

Musée de la Soie Village connu pour avoir conservé de nombreux cadrans solaires, Saint-Hippolyte rend hommage à son passé séricicole. Du mûrier jusqu'au carré de soie, ce musée vous ouvre les coulisses de la sériciculture. C'est également cette institution qui commercialise la soie des Cévennes, et en assure la promotion auprès des grands couturiers. *Place du 8-Mai 30170* ***Saint-Hippolyte-du-Fort*** *(à 31km du Vigan) Tél. 04 66 77 66 47 Ouvert juil.-août : tlj. 10h-12h30 et 14h-18h30 ; avr.-juin et sept.-nov. : tlj. 10h-12h30 et 14h-18h30 ; mi-fév.-mars : vac. scol. 10h-12h30 et 14h-18h Entrée 4,50€, enfant de 6 à 16 ans 2,80€*

☺ **Gorges de la Dourbie** Balade hors du temps dans une vallée oubliée. La Dourbie y caracole entre des blocs de granite érodés et quelques bosquets de hêtres. Au départ du village de Dourbies, suivez la D151A, puis la D114 qui longe les gorges. Sur la D151, qui propose un itinéraire similaire en crête, vous pourrez observer la châtaigneraie reprendre ses droits et admirer les formes acérées des crêtes schisteuses du Lingas. Revenez par le pic Saint-Guiral, théâtre de légendes et d'un pèlerinage toujours actif. *Au nord-ouest du Vigan,* via *l'Espérou*

Cirque de Navacelles La Vis a creusé ici une sorte de canyon au milieu duquel il lui a pris la fantaisie d'un méandre très encaissé. Aujourd'hui abandonné par la rivière, ce méandre supporte des prairies et enserre un mont calcaire qui a vaillamment résisté à l'érosion. Nous sommes ici entre les causses de Blandas et du Larzac, à l'extrême limite des Cévennes. Du Vigan, on aborde Navacelles *via* Montdardier (D48), puis Blandas (D113). Vous pourrez longer la Vis (*via* le village de Navacelles) par le GR©7, au départ de Saint-Maurice-Navacelles, jusqu'à Blandas, par exemple. Difficile de se perdre, en saison, vous serez à la queue leu leu. ***Points info** à **Alzon*** *Tél. 04 67 83 91 82 (en saison) et au belvédère de **la Baume-Auriol** Tél. 04 67 44 63 10 (Pâques-mi-nov.)*

☆ **Abîme de Bramabiau** Sur le versant nord de l'Aigoual, près de Camprieu ; vous entendrez gronder une sourde rumeur. Rapprochez-vous et vous entendrez le bruit d'un bœuf qui brame (*bramabiou*, en patois local), c'est la résurgence du Bonheur qui jaillit après une longue course souterraine de 700m. Vous y verrez à la fois une grotte et une cascade spectaculaire et ferez une balade dans un défilé étroit (couvrez-vous, il y fait frais !). *30750 **Saint-Sauveur-Camprieu** (à 37km du Vigan) Tél. 04 67 82 60 78 Ouvert juil.-août : 9h-19h ; avr.-juin et sept. : 10h-18h ; oct. 11h-17h Entrée 7€*

☆ **Grotte des Demoiselles** Un coup d'œil aux gorges de l'Hérault, puis un saut chez les Demoiselles (les Fées, à qui l'on doit ces extravagantes fantaisies souterraines) pour admirer la salle de 120m de long et 50m de haut, véritable "cathédrale" où des chorales chantent, à Noël, la messe de minuit. On descend en funiculaire vers les habituelles draperies, coulées de calcite et stalactites (couvrez-vous) particulièrement spectaculaires, et bien mises en lumière. *Près de **Ganges** (à 23km du Vigan) Tél. 04 67 73 70 02 Ouvert juil.-août : tlj. 10h-18h (dernier départ) ; hors saison : horaires réduits Adulte 8€ Enfant 4,60€*

Découvrir le mont Aigoual par la route

Du Vigan, empruntez la D48 (ou, mieux, commencez cet itinéraire par la pittoresque D190 *via* Aulas, qui rejoint la D48 à Arphy). On accède au sommet en 39km, *via* le col du Minier (belle vue sur le causse de Blachas) et *via* l'Espérou, petite station climatique qui reçoit des randonneurs l'été, et des skieurs de fond l'hiver. Au sommet, l'observatoire propose une exposition (gratuite) sur la météorologie. *Tél. 04 67 82 60 01 Ouvert mai-juin et sept. : 10h-13h et 14h-18h ; juil.-août : 10h-19h*

Découvrir le mont Aigoual par les sentiers

Avant toute expédition, interrogez le serveur vocal de Météo France pour prendre des nouvelles du temps qui peut être des plus capricieux *Tél. 3250*

GR©66 Appelé aussi "Tour de l'Aigoual", ce chemin de grande randonnée emprunte partiellement la draille de Margeride (l'un des plus beaux chemins des Cévennes) et passe par le sommet. ***Départ** Village de l'Espérou **Parcours** Boucle de 78km **Durée** Comptez 6 jours **Conseils** Équipez-vous de l'indispensable topo-guide Tour du mont Aigoual (cf. GEODocs, Bibliographie)*

Sentier des 4 000 marches Circuit phare de l'Aigoual, ce sentier qui conduit au sommet traverse des sites très variés. Après un parcours à travers des terrasses, vous pénétrerez dans une châtaigneraie à laquelle succède une zone de landes pour enfin atteindre l'observatoire du mont Aigoual (le mieux est d'y arriver pour le lever ou le coucher du soleil). Pour le retour, empruntez le GR©6 (balisage rouge et blanc) jusqu'au col de Pas (panorama). Quittez le GR©6 pour le sentier de pays (balisage jaune) vers Valleraugue. ***Départ*** *Valleraugue à 18km du Vigan (derrière l'église)* **Parcours** Boucle de 22km **Durée** 7h **Difficulté** *Avec des dénivelés de 1 300m, ce sentier est réservé aux marcheurs entraînés*

Sentier des Botanistes Ce sentier fait le tour du sommet de Trépaloup et offre de belles vues sur les crêtes des Cévennes et sur l'Hort de Dieu (jardin de Dieu), un parc arboretum créé au XIXe siècle. ***Départ*** *1,5km avant le sommet, un panneau signale le sentier* **Parcours** *Boucle de 1,5km*

Sentier André-Chamson Ce parcours, qui suit le tracé du GR©60, part du Vigan et grimpe les pentes du mont Aigoual jusqu'à La Luzette où se trouvent les tombes du romancier philosophe André Chamson et de son épouse. Élu à l'Académie française en 1957, André Chamson (1900-1983) s'est engagé dans la guerre d'Espagne auprès d'André Malraux, puis dans la Résistance. Ce sentier est jalonné de panneaux sur lesquels sont gravés des textes du poète évoquant les paysages. ***Départ*** *Derrière la mairie du Vigan* ***Durée*** *4h* ***Parcours*** *10,5km* ***Difficulté*** *La pente est raide (1 050 m de dénivelé), mais le sentier est superbe* ***Conseil*** *Procurez-vous le descriptif complet à l'office de tourisme (gratuit)*

Suivre un guide de randonnée

"Semelles au vent". Une palette de randonnées accompagnées insolites qui mêlent aventure et découverte. *Mas Cavaillac 30120* ***Molières-Cavaillac*** *(à 4km du Vigan) Tél. 04 67 81 23 95*

Où goûter la raïolette ?

Le Serre de Pommaret. Grâce à des agriculteurs dynamiques, la raïolette, gros oignon doux à la saveur subtile implanté dans les Cévennes en 1830, a obtenu son classement en AOC. Jean-David Lafont-Medveczky est l'un de ces producteurs d'oignons doux, qu'il vend frais ou confit, mais aussi de pommes de terre. *30940* ***Saint-André-de-Valborgne*** *Tél. 04 66 60 34 71 www.leserre.net*

Manger, dormir au Vigan

très petits prix

Le Val de l'Arre. Ce camping de standing, à 2km du centre, s'est judicieusement installé au bord de la rivière et offre une aire de baignade et un parcours de pêche. Forfait 2 personnes de 12 à 16€ et location de chalets 4 personnes de 196 à 371€ par semaine en fonction de la saison *Route du pont de la Croix Tél. 04 67 81 02 77 Ouvert avr.-sept.*

L'hôtel du Commerce. Non loin du centre, un hôtel neuf, sans grand charme, mais qui a beaucoup d'atouts : des chambres bien tenues, claires, un coin jardin, un parking, un accueil plaisant et des prix très doux : chambres doubles de 23,50 à 39€. *26, rue des Barris Tél. 04 67 81 03 28 sarreboubee.serge@wanadoo.fr Ouvert tte l'année*

petits prix

☺ **Le Chandelier.** À vous de choisir entre la terrasse au beau mobilier en tek et la salle voûtée, dallée, qui occupe le porche d'un ancien relais de poste. Une chose est sûre : le lieu est élégant et le service efficace et souriant. Quant à la cuisine, elle est charmeuse : subtile terrine de sanglier à la confiture d'oignons, thon à la cuisson parfaite accompagné d'un coulis de tomate et de légumes frais, entre autres délices. Ce sympathique restaurant fait un sans-faute ! Formule du midi à 9,90€. Menus de 12,90 à 24€, pour un excellent rapport qualité-prix. *19, rue Pouzadou Tél. 04 67 81 17 04 Fermé dim. et lun. hors saison*

Manger, dormir dans les environs

très petits prix

Le Plan. Pour les amateurs de camping à la ferme, quelques emplacements nichés dans un parc ombragé. Campagnard mais avec douches chaudes et barbecue. Forfait 2 pers. 10€. *Lieudit le Plan 30120* ***Bréau-et-Salagosse*** *(à 4km du Vigan, route de l'Aigoual) Tél. 04 67 81 76 81 Ouvert mai-oct.*

petits prix

☺ **Auberge la Borie.** Un ancien mas et ses terrasses (l'une d'elles avec piscine) nichés dans un de ces bouts du monde typiquement cévenols. Qui soupçonnerait que se cache là – c'est à peine s'il y a une pancarte – l'une des meilleures adresses du coin ? Le panorama est enivrant, et le reste à l'avenant : la déco foisonnante de la salle à manger et une "cuisine de femme", savamment mijotée, font depuis longtemps la belle réputation de cet hôtel-restaurant. Et, depuis 30 ans, la passion ne faiblit pas. Menu à 16€ avec terrine de pintade pistachée, pièce de bœuf ou pavé de saumon, ou diverses propositions selon la saison, et pour finir un croustillant aux reinettes. Autres menus à 24 et 32€ avec foie gras maison. Treize chambres coquettes de 30,50 à 52,50€, demi-pension en haute saison de 36 à 50€. Un lieu que l'on quitte à regret. *30120* ***Mandagout*** *(à 12km du Vigan) Tél. 04 67 81 06 03 Fermé jan.-fév. Restaurant fermé mer. hors saison*

prix moyens

Le Mas du Haut. Un endroit follement romantique, secret, au bout d'une courte piste en lacets. Un sentier dallé se fraie son chemin entre colline et maison, pour se perdre, bucolique, parmi les terrasses. Des coins et des recoins pour lire, rêver ou, tout simplement, se reposer. Chambres avec vue à 53€. *Le Serre 30120* ***Mandagout*** *(à 9km du Vigan, direction Mandagout) Tél. 04 67 81 88 48 Ouvert tte l'année*

La Maison forestière des Cévennes. Respirez ! vous êtes arrivé au pays des séquoias géants. Dans cette clairière arboretum, une ancienne maison forestière a été transformée en gîte-auberge. La nature dans toute sa splendeur, l'élégance rustique de l'aménagement, l'accueil convivial d'une équipe jeune, tout concourt à rendre l'adresse séduisante. Hébergement en chambre double 40€ (également des chambres familiales), en dortoir de 8 pers. à 15,50€ la nuitée. L'auberge propose, midi et soir, des spécialités du terroir. Menus de 17 à 21€, avec omelette aux cèpes, agneau grillé au feu de bois et charcuteries de pays. On peut aussi dormir sous la yourte (15,50€/pers. petit déj. compris). *Puechagut, D48 dir. col du Minier 30120* ***Bréau-et-Salagosse*** *(à 4km du Vigan) Tél. 04 67 81 70 96 Ouvert tte l'année*

prix élevés

☺ **Château du Rey et l'Abeuradou.** Une forteresse médiévale que Viollet-le-Duc a transformée au XIXe siècle en rêve de Sissi. Une douzaine de chambres charmantes, aristocratiquement meublées (de 70 à 97€). Piscine. Mais on viendra surtout pour le restaurant l'Abeuradou, dont la terrasse enchanteresse se prolonge vers les rives de l'Arre par une pelouse fleurie. Une cuisine goûteuse qui associe avec subtilité les produits du terroir (l'agneau est excellent) et les herbes aromatiques. Carte environ 35€. Service très raffiné. *Lieu-dit le Rey (à 4km à l'est du Vigan, direction Nîmes) Tél. 04 67 82 40 06 www.chateau-du-rey.com Ouvert avr.-sept. Restaurant fermé hors saison dim. soir et lun.*

Le Mas Quayrol. Une nouvelle équipe tente de ressusciter cet hôtel-restaurant qui fut l'une des adresses les plus prestigieuses du Vigan. Si la déco se cherche encore un peu, le site reste superbe. De la piscine, ne manquez pas le panorama unique sur la vallée d'Aulas. Seize petites chambres rénovées de 60 à 75€. On retiendra aussi la cuisine du chef qui s'illustre dans une carte sophistiquée et dont nous vous recommandons la trilogie du terroir : souris d'agneau, grenadin de veau, pigeon et les desserts inventifs (carte 23-25€ et menu dégustation à 70€). *Lieu-dit les Molières 30120* ***Aulas*** *(à 7km du Vigan) Tél. 04 67 81 12 38 www.masquayrol. com Ouvert mi-mars-mi-déc. Restaurant ouvert tlj. en saison*

Saint-Jean-du-Gard 30270

À l'auberge de l'Oronge, Stevenson écrase une larme, ou plutôt "il cède à son émotion", comme il l'écrit pudiquement. C'est là qu'il abandonne Modestine et que s'achève son périple. C'est là aussi que les Cévennes tirent leur révérence : on s'approche du Midi, on y est presque. Les hêtres disparaissent et les châtaigniers se font rares dans ces basses vallées cévenoles, ils cèdent alors leur place aux oliviers, à la vigne et, à l'horizon, le moutonnement des garrigues préfigure l'Uzège. Sur les toits, la tuile rose remplace la lauze. Les crépis des grandes maisons de Saint-Jean sont souvent colorés, le ciel est d'azur, et les marchés s'éternisent bien au-delà de Midi en une atmosphère quasi provençale. Village languide et souriant qui joue à la pétanque de midi à minuit sur la grande place du Foirail, Saint-Jean s'étire le long du Gardon.

LE CENTRE DE GRAVITÉ DE DEUX VALLÉES À partir de Saint-Jean-du-Gard prenez deux points de repère : à l'ouest la vallée Borgne, à l'est la vallée des Camisards. Dernier contrefort des Cévennes schisteuses, parallèle à la corniche des Cévennes, la vallée Borgne – de Saint-Jean vers Saint-André-de-Valborgne – longe le Gardon de Saint-Jean qui s'étrangle dans les modestes gorges du Souci. Le fond de cette vallée est occupé par des prairies, des *bancels* cultivées et des paysages plutôt verdoyants grâce à la présence de nombreuses sources (Borgne dérive de *bornha* qui, en occitan, signifie résurgence). Avant d'arriver à Saint-André, on traverse Saumane, et le hameau de Bourgnole aux belles architectures paysannes. Près des Plantiers se dressent, à quelques siècles de distance, l'abbaye romane Saint-Marcel-de-Fontfouillouse et une croix de Lorraine commémorative des actions courageuses du maquis Aigoual-Cévennes. Autre affaire de résistance, celle des camisards avec le gardon de Mialet pour fil d'Ariane. Cette vallée, qui court de Saint-Jean-du-Gard jusqu'à Anduze, fut baptisée la "Genève française" en référence à sa ferveur calviniste. Entre ces deux villes, le musée du Désert abrite la mémoire protestante, la grotte du Fort où se tenaient des prêches clandestins et le pont des Camisards. Saint-Jean-du-Gard et Anduze furent les premiers villages à s'intéresser à la Réforme (dès 1530) et à se convertir massivement (à Saint-Jean-du-Gard, on compte au XVIe siècle seulement 17 familles catholiques pour une population d'environ 3 000 personnes).

Saint-Jean-du-Gard, mode d'emploi

accès

EN VOITURE Saint-Jean se trouve sur la D907 à l'est d'Anduze (à 20km d'Alès) et à 50km de Florac en descendant par la corniche des Cévennes. En été, stationnez sur le parking près de l'office de tourisme (place Rabaut-Saint-Étienne).

EN CAR Les lignes Alès-Saint-Jean et Alès-Nîmes assurent un arrêt à Saint-Jean, face à l'office de tourisme. *Horaires disponibles à l'office de tourisme*

EN TRAIN La gare sert uniquement de point de départ au train touristique Saint-Jean-du-Gard-Anduze (cf. Anduze, Découvrir les environs) *Tél. 04 66 60 59 00*

informations touristiques

Office de tourisme de Saint-Jean-du-Gard. Demandez le dépliant *Visite de Saint-Jean*, et la pochette des sentiers de découverte (5€). *Place Rabaut-Saint-Étienne Tél. 04 66 85 32 11 Ouvert en été : tlj. 9h-13h et 14h30-18h (sauf dim. 10h-12h30) ; hors saison : lun.-ven. 9h-12h et 13h30-17h, sam. 10h-12h*
Office de tourisme de la vallée Borgne. *Les Quais 30940 Saint-André-de-Valborgne Tél. 04 66 60 32 11 Ouvert 9h30-12h et 16h30-18h30 Fermé l'après-midi hors saison*

marchés

Saint-Jean-du-Gard. Grand marché traditionnel, le mardi matin ; marché paysan, le samedi matin de Pâques à la Toussaint et marché nocturne le jeudi soir en juillet et en août.
Saint-André-de-Valborgne. Petit marché paysan le dimanche (mai-nov.).

fêtes et manifestations

À l'Ascension et à la Toussaint, **festival de la randonnée**, (rens. tél. 04 66 85 17 94). Le 3e dimanche d'août, **marché bio** à Saint-Jean-du-Gard. Fin novembre, **journées de la plante et du fruit**.

Découvrir Saint-Jean-du-Gard

☆ **À ne pas manquer** Le musée des Vallées cévenoles à Saint-Jean-du-Gard **Et si vous avez le temps...** Savourez une crêpe à la farine de châtaigne au restaurant La Treille, cherchez la pépite dans le Gardon

☆ **Musée des Vallées cévenoles** En attendant son déménagement dans la filature de la Maison rouge où elles pourront prendre leurs aises, les riches collections de ce musée d'Art et Traditions populaires s'entassent à l'étroit en un curieux bric-à-brac. Le tout a le charme des greniers : on peut toucher, soupeser un sabot, une chaussure à déboguer les châtaignes, etc. Ici, on voit de tout (mobilier paysan, objets de la vie quotidienne, outils, etc.) et certains panneaux sont suffisamment pédagogiques pour comprendre l'âme et la vie des Cévennes. L'audioguide se révèle néanmoins précieux car il permet de zoomer sur des aspects particuliers de la visite et d'en isoler l'intérêt. *95, Grand-rue Tél. 04 66 85 10 48 Ouvert juil.-août : tlj. 10h-19h ; avr.-juin et sept.-oct. : 10h-12h30 et 14h-19h ; nov.-mars : mar. et jeu. 9h-12h et 14h-18h, dim. 14h-18h Entrée 4,50€ ou 6€ avec un audioguide www.museedescevennes.com*

L'Aquarium Une cinquantaine d'aquariums pour découvrir la faune des mers tropicales, des rivières amazoniennes et asiatiques... mais aussi à l'extérieur de grands bassins vitrés pour côtoyer des poissons de rivières et lacs européens. Les requins déjeunent le mercredi et le dimanche à 15h, les tortues le vendredi à 15h. *Av. de la Résistance Tél. 04 66 85 40 53 Ouvert juin-août : tlj. 11h-19h ; sept.-oct. : mar.-dim. 11h-18h ; nov.mars : dim. 11h-18h ; avr.-mai : mar.-dim. 11h-18h Entrée 7€ TR 5€*

Où déguster une crêpe à la farine de châtaigne ?

La Treille. Le charme majeur de ce petit restaurant, c'est sa terrasse, en surplomb de la rue, sous une belle tonnelle. On s'y régale de menus qui nourrissent bien (17 et 23€) ou d'une simple mais généreuse assiette cévenole à 13€, sans oublier les crêpes à la farine de froment, mais aussi à la farine de châtaigne (accompagnée de jambon et pélardon, 100% local) à des prix doux. *10, rue Olivier-de-Serres Tél. 04 66 85 38 93 Ouvert mi-juin-mi-sept. : tlj. sauf lun. midi ; hors saison : week-end Fermé déc.-fév.*

Découvrir les environs

Sainte-Croix-de-Caderle Un amour de village cévenol (sans commerces), superbement isolé, posé sur un sommet des Cévennes gardoises. Quelques maisons bien conservées, une remarquable chapelle romane et son cimetière. En prime, un superbe panorama (avec, en premier plan, un hangar !). *30460* ***Sainte-Croix-de-Caderle*** *Au sud de Saint-Jean (D153)*

Vallée de la Salendrinque Aussi appelée val d'Émeraude, ou Petite Suisse tant elle est verdoyante. De Thoiras à Saint-Hyppolyte, *via* Lasalle, par la D57 puis la D39, on se balade le long de la Salendrinque de manoirs en châteaux (près d'une dizaine de châteaux, toutes époques confondues, visibles du bord de la route). La D258, plus secrète, offre aussi de beaux points de vue sur la vallée.

En savoir plus sur le patrimoine cévenol

Écosite de la Borie Ce site naturel, qui présente une faune et une flore exceptionnelles, en bordure du Gardon, a été (au sens propre) sauvé des eaux puisqu'il devait être immergé sous un lac artificiel. Désormais sont proposées à la Borie des animations conçues pour promouvoir l'éducation à l'environnement (initiation au jardinage, animation autour du pain, balade matinale à l'écoute du chant des oiseaux, promenade à l'affût du castor, présentation du patrimoine rural). Un sentier découverte de 1h30 assorti d'un livret-guide permet une première approche du lieu (aires de pique-nique au bord de la rivière, baignade). Accueil passionné et convivial. *De Saint-Jean-du-Gard prendre la D983 en direction de Sainte-Croix-Vallée-Française sur 5km Tél. 04 66 85 07 01 ou 04 66 85 18 94 Ouvert tte l'année, téléphoner avant de s'y rendre*

Pratiquer des sports de pleine nature

Le Merlet. Pour organiser des journées sportives, spéléo, canyoning, escalade, etc. *Rte de Nîmes 30270* ***Saint-Jean-du-Gard*** *Tél. 04 66 85 18 19 Ouvert tte l'année*

Maison de la Randonnée et des Activités de pleine nature. Randonnées thématiques à partir de 12€. *La châtaigneraie la Plaine 30140* ***Thoiras*** *Tél. 04 66 61 66 66 Ouvert juil.-août : tlj. 10h-18h ; hors saison : lun.-ven. 10h-13h et 15h-18h, sam-dim. 10h-18h*

S'initier à l'orpaillage

Orpaillage sur le Gardon. Deux chercheurs d'or vous initieront à cette activité insolite qui se pratique sur le Gardon. *30350* ***Cardet*** *Tél. 04 66 83 82 44 et aux environs Tél. 04 66 60 89 07 ou 06 60 61 51 75 www.oreval.com*

Où acheter un bon pélardon ?

Ce fromage, que l'on déguste crémeux ou sec, à la peau fripée est fabriqué avec du lait cru de chèvre. Les "néos" l'ont popularisé sur les marchés jusqu'à en faire l'emblème des Cévennes.

Ferme de la Fage. Dans une ferme magnifique posée sur un plateau d'où on a une vue superbe, Joëlle et Bruno vous conteront la manière de faire un bon pélardon (premier secret, ne pas mélanger le lait de la traite du matin à celui de la traite du soir, et il y en a d'autres). *Les Aigladines, La Fage (de Saint-Jean-du-Gard prendre la D50 puis la D160 ; à 100m après la dernière maison des Aiglandines, tourner à droite) Tél. 04 66 85 02 89 (téléphoner avant de s'y rendre de préférence) Vente sur place tlj. 9h30-11h30 et 16h-19h*

Manger, dormir à Saint-Jean-du-Gard

très petits prix

Le Mas de la Cam. Dans le parc d'un superbe mas cévenol, ce camping somptueux de 65ha est installé sur les rives du Gardon. Les équipements sont à la hauteur : piscine de 300m^2, restaurant et animation pour les enfants. Forfait 2 pers., 14-21€. Accueil parfait et excellent rapport qualité-prix, "il faudrait être fou pour aller camper ailleurs !". Pas de mobile home (les propriétaires trouvent ça laid, ont-ils tort ?), mais des gîtes dans un mas restauré à partir de 285€/semaine pour 4 pers. *Rte de Saint-André-de-Valborgne Tél. 04 66 85 12 02 www.masdelacam.fr Ouvert avr.-sept.*

prix moyens

Les Bellugues. Un restaurant simple, chaleureux, et qui repose des prétentions mal abouties de certaines tables dites gastronomiques. Les Bellugues renouvellent souvent leur carte en y apportant une pointe de fantaisie (salade aux pousses de bambous ; pavé de vivaneau, un poisson exotique qui rappelle le rouget), les assiettes sont bien garnies (presque un peu trop) et au service, une patronne rieuse et efficace. Bref, un restaurant qui a l'ambition de vous faire plaisir. En été, nous vous conseillons d'opter pour un dîner sous l'auvent dressé au cœur de la petite bambouseraie. Formules autour de 15€ et un menu "randonneur" qui comblera les plus insatiables. *13, rue Pelet-de-la-Lozère Tél. 04 66 85 37 29 Ouvert mi-mars-mi-nov. Fermé dim. soir et lun. hors saison*

Hôtel Les Bellugues. Cette ancienne filature de soie a gardé sa coquille extérieure, son volume tout en longueur et ses portes cintrées. Chacune d'entre elles est devenue une large baie vitrée éclairant généreusement les chambres. Le tout en plein centre-ville, mais niché dans un cocon de verdure. Pour se rafraîchir, il y a une piscine dans le jardin. Les 16 chambres sont sobres (de 46 à 53€) et très bien tenues par une maîtresse de maison adorable. *13, rue Pelet-de-Lozère Tél. 04 66 85 15 33 www.hotel-bellugues.com Ouvert mi-mars-mi-nov.*

Manger, dormir dans les environs

prix moyens

Mas Cornély. La maîtresse des lieux s'occupe des truites, de l'élevage de lapins, du potager. Les chambres d'hôtes (43€) sont installées dans l'intimité de la maison familiale – un magnifique mas au cœur d'une grande propriété – près du salon et de la terrasse. Pour le dîner (13€) sont servis les produits du jardin, de fameux gratins et mille et une façons d'accommoder les œufs. *30270* ***Sainte-Croix-de-Caderle*** *(à 9km de Saint-Jean) http://monsite.orange.fr/mascornelyTél. 04 66 85 44 24 Ouvert tte l'année*

Le Canton. C'est tout un grand mas qui a été réaménagé en chambres d'hôtes et autour une propriété de 7ha. Les châtaigniers y ombragent de grands potagers et la maîtresse de maison y cultive des fruits rouges. Des gamins heureux courent en tous sens et il y a de quoi ravir tout le monde : piscine, appareils de remise en forme, boulodrome, sauna, ping-pong, piano, vidéothèque, bibliothèque, etc. Chambres de 41 à 68€, repas 20€ (une saine cuisine campagnarde) et une bonne idée : le dîner des enfants est servi à 19h, ce qui permet aux adultes de dîner tranquillement à 19h45. *À 8km de Saint-Jean, sur la D153 Tél. 04 66 85 47 99 www.maslecanton.com Ouvert avr.-mi-nov.*

Le Pont des Camisards. Marina qui vient de Russie et possède toute la collection des *GEO* russes depuis leur création (pour les amateurs d'alphabet cyrillique) vous reçoit dans la maison familiale superbement rénovée de son époux cévenol. Les chambres ouvrent sur la vallée du Gardon, près du pont des Camisards et à 200m à pied d'une baignade. Comptez 45€ la chambre, 10-15€ le repas. Un seul bémol : certes les deux chambres sont en retrait mais la maison est proche de la route. *30140* ***Mialet*** *(à 7km de Saint-Jean) Tél. 04 66 85 00 09 Ouvert tte l'année*

Anduze

30140

Anduze, qui a gardé intacts ses charmes cévenols et toutes ses façades méridionales colorées, est souvent désignée comme la porte sud des Cévennes. Anduze est joliment située, engoncée entre le Gardon et l'abrupte barrière calcaire de la montagne Saint-Julien ; la rue principale canalise les – trop ? – nombreux touristes venus sous les platanes centenaires jouir d'un art de vivre qui, déjà, fleure bon le pastis. Nous voilà à la frontière de deux mondes : tournant le dos aux farouches Cévennes, Anduze regarde la plaine languedocienne. Malgré les tonitruantes boutiques à babioles, le charme d'Anduze opère dans les ruelles médiévales.

UNE VILLE POTIÈRE Il y a, sur les rives du Gardon près d'Anduze, une argile si fine que de nombreux potiers s'y installent au XVIIIe siècle. Quand les autres activités déclinent (filatures, bonneteries, fabriques de chapeaux), les potiers résistent. Court et trapu, vernissé, avec des couleurs flammées mariant le jaune miel, le vert olive et le brun châtaigne, le vase d'Anduze s'orne d'une guirlande et de macarons portant l'estampille de son fabricant. Sa forme particulière est née au XVIIe siècle à la foire de Beaucaire d'une inspiration du potier Boisset tombé amoureux d'un vase italien de type Médicis. La singularité du vase d'Anduze tient à ce mélange de sophistication florentine et de rigueur cévenole et sa popularité doit beaucoup à Louis XIV qui en passa commande pour l'orangerie de Versailles.

Anduze, mode d'emploi

accès

EN VOITURE Presque à mi-chemin entre Saint-Jean-du-Gard et Alès (12km), Anduze est à 45km de Nîmes. Dès l'entrée du village, et d'où que l'on vienne, des panneaux signalent des parkings gratuits qu'il faut absolument utiliser.

EN CAR L'arrêt est desservi sur les lignes Alès-Saint-Hippolyte-du-Fort et Alès-Saint-Jean-du-Gard par la compagnie Lafont (tél. 04 66 61 79 84) et sur la ligne Nîmes-Saint-Jean-du-Gard par les cars Fort (tél. 08 25 82 63 47)

informations touristiques

Office de tourisme d'Anduze. Cet office accueillant organise en été des visites de la ville en français (et hollandais !). Plan de la ville gratuit. *Plan de Brie Tél. 04 66 61 98 17 www.ot-anduze.fr.*
Office de tourisme d'Alès. *Place de l'Hôtel-de-ville Tél. 04 66 52 32 15*

marchés

Marché traditionnel le jeudi matin, et marché aux puces le dimanche matin (parking de Super U). En juillet-août, marché nocturne le mardi.

fêtes et manifestations

À ANDUZE Les animations sont nombreuses : le pôle culturel organise **concerts**, représentations théâtrales, débats, signatures de livres sur toute l'intercommunalité (renseignement à l'office de tourisme). Tout l'été, **Les Heures d'orgue** : programme de concerts au temple. **Foire aux vins et aux produits régionaux** en juillet, **marché des potiers** en août, et de grands repas communautaires où l'on déguste la fameuse saucisse d'Anduze.

À ALÈS Tout l'été, des concerts et des animations intitulées **Estiv'Alès** ; début juillet, **Cratères surfaces**, art de rue ; fin juillet-début août, festival **Les Fous chantants**.

Découvrir Anduze

☆ **À ne pas manquer** La bambouseraie Prafrance à Anduze, le musée du Désert et les grottes de Trabuc à Mialet, la Mine-témoin d'Alès **Et si vous avez le temps...** Regardez les potiers tourner les vases d'Anduze, dégustez la carthagène à la cave de Massillargues, rejoignez Saint-Jean-du-Gard avec le petit train des Cévennes

Vieille ville Un tour de la vieille ville vous permettra de voir le temple (XIXe siècle), le plus grand de France, la tour de l'Horloge (XIVe siècle), seul vestige des remparts, la place du Marché et sa halle couverte – une ancienne orgerie, transformée en marché aux châtaignes – où vous viendrez le jeudi, bien sûr. Une étonnante fontaine (place Couverte) avec un toit couvert de tuiles vernissées en forme de pagode rappelle que la ville entretenait au XVIIe siècle des relations commerciales avec l'Orient (encore une histoire de soie). La fontaine Pradier (sur le plan de Brie) est, elle, de facture XIXe siècle. Enfin, vous pourrez faire une sieste sous un des grands arbres du parc des Cordeliers.

☆ ☺ **Bambouseraie Prafrance** Cette bambouseraie (10ha, 1h30 de visite pour les plus pressés) n'est pas un énième parc d'attractions, une idée marketing ; sa naissance est intimement liée à l'histoire séricicole des Cévennes. À la fin du XIXe siècle, un grainetier d'Anduze effectuait de fréquents séjours en Asie pour y étudier le mûrier. Curieux de botanique, il rapporte des plans de bambous espérant les acclimater dans un terrain limoneux acheté en bordure du Gardon (un domaine jadis *pra-franc*, c'est-à-dire exonéré d'impôts). La bambouseraie est née et s'enrichira de multiples essences pour devenir aujourd'hui l'un des centres de gravité touristiques du sud. Ce jardin est une sorte d'hallucination et on est instantanément transporté dans un extravagant décor d'Extrême-Orient qui a inspiré beaucoup de cinéastes (*Le Salaire de la peur*, *Paul et Virginie*, *Les héros sont fatigués*). Dès l'entrée du parc, sous les séquoias géants, prospèrent déjà une vingtaine d'espèces de bambous dont certains atteignent 18m de haut (il y a là près de 300 espèces). On traverse un village asiatique avant de pénétrer dans la forêt de bambous géants (28m de haut), des "arbres" d'une altière élégance, qui peuvent pousser de 1m en 24h. Au hasard de la visite, vous verrez une multitude d'essences, dont un gigantesque ginkgo biloba (arbre sacré au Japon), mais aussi des serres du XIXe siècle, et un jardin aquatique avec lotus et nénuphars. La bambouseraie est également un lieu culturel, recevant des artistes dont la rêverie s'organise autour du bambou (expositions au pavillon de thé). Vous pourrez y acheter une multitude de plantes d'ornement. *À 2km au nord d'Anduze Tél. 04 66 61 70 47 www.bambouseraie.fr Ouvert mars-15 nov. : tlj. à partir de 9h30 en journée continue (heure de fermeture variable) Entrée 7€*

Musée de la Musique Un musée très vivant qui propose une balade dans le temps et à travers tous les continents. Les quelque 1 000 instruments exposés racontent la grande histoire de nos ancêtres ou les traditions de peuples méconnus. *4, montée d'Alès Tél. 04 66 61 86 60 Ouvert juil.-août : tlj. 10h30-13h et 15h-18h30 ; hors saison : dim., j. fér., vac. scol. Pâques et Toussaint 14h30-18h Fermé jan.-fév.*

Où acheter le vase d'Anduze ?

Les enfants de Boisset. La famille Boisset, à l'origine du vase d'Anduze, perpétue la tradition dans ses ateliers. *Route de Saint-Jean-du-Gard Tél. 04 66 61 80 86 Ouvert tlj. 9h-12h et 14h-19h (18h en hiver) sauf dim. matin*

Poterie de la Madeleine. Cette fabrique pratique encore le tournage artisanal. *Route de Nîmes Tél. 04 66 61 63 44 Ouvert tlj. 9h-19h*

Où goûter la carthagène ?

Cave de Massillargues-Atuech. La carthagène est un apéritif local à base de jus de raisin additionné d'alcool de marc (fine du Languedoc). Ces vignerons accueillants sont légitimement fiers d'avoir été récompensés pour leur carthagène rouge et blanche (médaille d'or au concours général agricole de Paris en 2006). *À 3km au* *sud d'Anduze sur la route de Nîmes Tél. 04 66 61 81 64 Ouvert lun.-sam. 8h-12h et 14h-19h (18h30 en hiver), et aussi dim. (en juil.-août) 9h-13h*

Découvrir les environs

Petit train des Cévennes Signaux de l'homme coiffé d'un képi ! Attention au départ ! Ce train touristique enchante les enfants parce qu'on y joue le jeu, le départ est annoncé à coups de sifflet et de stridents jets de vapeur. Quand le convoi consent à s'ébranler, crissant de toutes ses roues, c'est pour pénétrer dans un tunnel. Le reste du voyage, jusqu'à Saint-Jean-du-Gard (13km), se fait dans les paysages de la vallée des Gardons, à bord de wagons ouverts ou dans d'anciennes voitures. *Trajet de 40min Départ de la gare d'Anduze Tél. 04 66 60 59 00 Circule avr.-début nov. Billet aller-retour 11€*

☆ **Musée du Désert-Histoire des huguenots et des camisards en Cévennes** Au hameau du mas Soubeyran, qui à lui seul mérite une visite. Le musée mémorial a été créé en 1910 dans la maison natale du chef camisard Rolland. Il rassemble une collection d'objets, de tableaux et de documents qui témoignent de l'époque dite du Désert, une période qui va de la Révocation de l'édit de Nantes (1685) jusqu'à l'édit de Tolérance (1787). Les huguenots cévenols vivent alors leur foi dans la clandestinité (clairières, carrières, grottes, etc.). Désert : il ne s'agit pas d'évoquer une sorte de *no man's land* géographique, mais le mot, à forte résonance biblique, rend hommage à la traversée du désert des Hébreux. L'année 1685 sonne donc le glas de la liberté de culte, l'exil forcé des pasteurs et le début des persécutions. Ce sont les "dragonnades" : les soldats, les Dragons du roi, s'installent dans les maisons protestantes, pillant, violant jusqu'à ce que les habitants abjurent leur foi. Ceux des réfractaires qui n'ont pas pu fuir vers les pays refuges, Suisse, Allemagne, Pays-Bas, sont envoyés aux galères, pour les hommes, en prison, pour les femmes. Les enfants sont confiés aux sœurs catholiques chargées d'en extirper le démon. Et puis, de passive, la résistance devient active : le 24 juillet 1702, le sanguinaire abbé du Chayla est assassiné, c'est le début d'une guérilla qui durera deux ans, pendant laquelle 3 000 camisards ont tenu tête à 30 000 soldats. Deux chefs s'imposèrent, Rolland et Cavallier. La rébellion écrasée, le protestantisme se réorganise dans la douleur et toujours dans la clandestinité jusqu'à ce que des esprits éclairés (Voltaire, par exemple) s'en offusquent. En 1787, Louis XVI signera un édit de Tolérance, puis, en 1781, la jeune Assemblée nationale inscrira la liberté de culte à la Constitution. Aujourd'hui, ils représentent environ 2% des protestants, répartis en plusieurs courants dont les orientations religieuses présentent de subtiles différences comprises par les seuls initiés. Nous vous conseillons la visite commentée (1h). *Mas Soubeyran 30140* ***Mialet*** *(à 7km au nord d'Anduze par la D50) Tél. 04 66 85 02 72 Ouvert juil.-août : tlj. 9h30-19h ; mars-nov. : tlj. 9h30-12h et 14h-18h Entrée 4,50€* ***Rassemblement*** *1er dim. de sept.*

☆ **Grottes de Trabuc** Une heure de visite guidée dans les antres de la terre, à 120m de profondeur, par 14°C. Trabuc, c'est le nom donné à l'arme des trabucaires, bandits de grand chemin qui se réfugiaient ici. Une grotte superbe, avec beaucoup d'eau, des cascades, des féeries lumineuses et d'incroyables concrétions. La plus étonnante merveille naturelle se trouve dans la salle n°8 où vous verrez 100 000 soldats évoquant la muraille de Chine. *30140* ***Mialet*** *(à 11km d'Anduze) Tél. 04 66 85 03 28 Ouvert juil.-août : tlj. 10h-18h30 ; hors saison : horaires réduits Fermé déc.-fév. Entrée 8€ TR 4€*

Conservatoire de la Fourche À l'occasion d'une excursion à Sauve, on aurait tort de négliger ce lieu. Il raconte l'histoire des facteurs de fourches en bois de micocoulier, artisanat vieux de sept siècles qui a survécu puisque ce conservatoire fabrique et vend encore des fourches. Une visite d'autant plus intéressante que la muséographie est belle, sobre et informative. Vous pouvez repartir avec une fourche ! *Rue des Boisseliers 30610* ***Sauve*** *(à 17km d'Anduze) Tél. 04 66 80 54 46 www.lafourchedesauve.com Ouvert avr.-sept. : tlj. 9h30-12h30 et 15h-19h ; oct.-mars : mer.-dim. 14h-17h Adulte 4€ Enfant 2,50€*

☆ **Mine-témoin d'Alès** C'est durant la seconde moitié du XIXe siècle que l'industrie minière prend le pas sur les filatures. Les bassins houillers sont situés aux portes d'Alès et dans la périphérie, à la Grande-Combe ou à Bessèges. En 1950, cette activité périclite jusqu'à disparaître totalement. Le patrimoine industriel a été ici très astucieusement réhabilité. Déjà exploité par des moines bénédictins au XIIIe siècle, ce gisement se transforme en une mine école qui a longtemps servi de chantier pour des jeunes mineurs. Ses 750m de galeries ont été creusés en affleurement de terrain par des générations d'apprentis. On commence la visite en se couvrant d'un casque, on descend ensuite par un ascenseur virtuel (qui donne la sensation de pénétrer les entrailles de la terre) et on découvre au fur et à mesure tous les aspects (et les dangers) du travail à la mine, au travers notamment des machines et des outils. Attention, couvrez-vous, il fait frais, mais cette visite fascinante (1h15) n'est pas salissante. *Chemin de la cité Saint-Marie Quartier de Rochebelle 30100* ***Alès*** *Tél. 04 66 30 45 15 Ouvert juil.-août : tlj. 10h30-19h30 (départ dernière visite 18h) ; juin : tlj. 9h-18h (départ dernière visite 17h) ; avr.-mai et sept.-mi-nov. : tlj. sauf sam. 9h30-12h30 et 14h30-17h30 Fermé j. fér. Entrée 6,70€*

S'offrir une partie de pêche dans les gardons

Carpe. Ce centre d'activités autour de la pêche et de l'environnement, mené par des animateurs diplômés, vous offrira une intéressante initiation à la pêche. *1, rue Moulin 30430* ***Saint-Jean-de-Maruejols*** *Tél. 06 77 99 93 21 et 06 87 20 02 53*

Manger, dormir à Anduze

Nous arrivons là en des terres hautement touristiques et, depuis l'avènement du TGV, à seulement 3h de Paris *via* Nîmes… les prix flambent. En centre-ville fleurissent beaucoup de snack-restaurants saisonniers qui riment avec "pièges à touristes". Notre conseil, rendez-vous à l'extérieur de la ville : les meilleures adresses se trouvent à la périphérie.

camping

☺ **Camping du hameau de Veyrac.** Camping en terrasse sous les oliviers et dans le parc de la ferme, une vingtaine d'emplacements, tous vastes, la campagne et le silence à 1km du centre. Accueil chaleureux. Comptez 14€ pour deux personnes. *Route de Nîmes Tél. 04 66 60 53 29 Ouvert Pâques-oct.*

petits prix

Gîte d'étape. Au cœur d'Anduze, avec une courette ombragée et une salle commune, rustique, avec cheminée. En chambre double, à partir de 38€, en dortoir, 15€ la nuitée. Un cuisinier prépare à la demande des repas (13€) ou des pique-niques. *11, rue du Luxembourg Tél. 04 66 61 70 27 Ouvert tte l'année*

prix moyens

Les Montades. Dans un tout autre genre, une charmante Hollandaise au brushing hollywoodien vous accueille dans sa villa qui dispose d'une piscine bordée de palmiers et de lauriers-roses. D'élégantes chambres au confort irréprochable, de 40 à 60€. Votre maîtresse de maison se fera même une joie de vous initier au fitness (elle a tous les instruments de torture qu'il faut pour ça). Table d'hôte sur demande (20€ tout compris) *900, route d'Alès (à 1km d'Anduze) Tél. 04 66 60 61 20 et 06 26 49 59 37 Ouvert tte l'année*

☺ **Ferme Tirefort.** Agriculteurs et maraîchers, les Tirefort ont aménagé dans leur petit éden un mas paisible, des chambres d'hôtes indépendantes, superbement équipées et joliment décorées. Une cuisine à votre disposition, au rez-de-chaussée, ouvre sur une cour ombragée et sur la vaste propriété plantée d'oliviers. Comptez 50€ la chambre, petit déjeuner inclus. Un gîte à louer, dans un petit moulin restauré (de 310 à 420€ la semaine). *125, chemin du Tanque Tél. 04 66 60 53 29 Ouvert tte l'année*

prix très élevés

Ferme de Cornadel. Un lieu très prisé où se bouscule le "tout-Anduze", un décor idéal pour une série télévisée estivale. La salle de restaurant, tendance "tendance", est prolongée par une terrasse, installée sous une tonnelle. Très agréable. On y mange une cuisine raffinée inspirée par les produits du terroir. Menus à 28 et 41€ et une formule à 19,50€ à midi. Dans une ancienne ferme restaurée agrémentée d'une piscine, des chambres d'hôtes "au charme authentique", selon la pub – qu'on dirait tout droit sorties d'un magazine chic de décoration – coûtent de 89 à 119€ selon le confort et saison. *Route de Générargues 30140* ***Anduze*** *Tél. 04 66 61 79 44 www.cornadel.fr Fermé les 2 dernières semaines de nov. Restaurant ouvert tlj. juin-sept, fermé mar. hors saison*

Manger, dormir dans les environs

prix moyens

☺ **Le Tilleul.** Ouf ! enfin un lieu qui ne soit pas un attrape-gogos ni un repaire à bobos. Une auberge charmante en terrasse, et une clientèle de tous âges et tous styles confondus. Une carte sobre et alléchante (comptez 25€) pour une cuisine à la fois rustique et originale : terrine de canard aux foies de volaille, 7,50€, steak de thon 13,50€, souris d'agneau 14,50€, et un bon vin au pichet. Des produits simples et de qualité, tout comme l'accueil. Des chambres d'hôtes (WC, douche, env. 50€) bien aménagées dans cette paisible maison de village. *30140* ***Générargues*** *(à 3km env. d'Anduze) Tél. 04 66 61 72 32 Ouvert avr.-sept. Restaurant ouvert le soir (sauf lun.), dim. midi ou sur réservation*

L'Auberge du Temps. Derrière ses allures de forteresse et dans un cadre bucolique, ce moulin abrite une belle auberge. C'est là que madame Braco élève ses volailles avec amour avant de les cuisiner avec passion. Une cuisine familiale saine et roborative. Les deux spécialités de la patronne : la daube de taureau et le sauté de veau aux girolles. L'été, on dîne en terrasse en compagnie des gens du coin qui constituent l'essentiel de la clientèle. Menus à 15 et 20€. Chambres monacales à 50€, petit déjeuner compris. *30140* ***Corbès*** *(à 4km d'Anduze) Tél. 04 66 61 94 75 Fermé jan.-fév. Restaurant fermé mer. hors saison*

☺ **La Traversière.** Au cœur de Sauve, un hôtel particulier à la façade un peu lasse devant lequel on passerait sans se retourner s'il n'abritait pas les extraordinaires chambres d'hôtes aménagées par un jeune couple de la région. Accueil d'une réelle gentillesse. L'intérieur de la demeure est stupéfiant : du dernier étage organisé en galerie-promenade cascadent des flots de lumière tamisés par une verrière et les chambres, aux volumes majestueux, sont luxueusement décorées. Une cuisine et un salon sont à votre entière disposition, ainsi qu'une grande terrasse d'où l'on voit les collines. Trois chambres à 55€, une à 75€. *5, Grand'Rue, 30610* ***Sauve*** *(à 17km au sud d'Anduze) Tél. 04 66 77 15 40 Ouvert tte l'année*

☺ **La Vieille Maison.** Un solide mas aux pierres blondes, dans un hameau au bout d'une route en cul-de-sac. Un porche voûté débouche sur un jardin extraordinaire où chuchote une source, où fleurissent les nénuphars, un bassin de baignade, et où prospère une treille sous laquelle on dîne. Une grande demeure tout en coins et recoins, transformée par un jeune plasticien allemand en un univers délicat, entre ambiance *new-age* et fulgurances surréalistes. Il y a des œuvres d'art un peu partout, un salon oriental, une cuisine (pour vous), une salle de lecture, une terrasse d'où la vue ébouriffante porte loin sur les garrigues ; un lieu rare. Chambres bien meublées (lits style futons, fauteuils, armoires) avec salle de bains, incluse ou attenante, à partir de 65€ en haute saison et à partir de 55€ hors saison. Repas, 30€ (vin inclus) ou repas gastronomique 70€. *30170* ***Durfort*** *(à 8km d'Anduze) Tél. 04 66 61 67 19 ou 04 66 77 06 46 Ouvert tte l'année sur réservation*

prix élevés

Les 3 barbus. De cette adresse, on retiendra le cadre, de petites gorges où s'étrangle le Gardon. Cet hôtel-restaurant compte parmi ces grands établissements modernes qui proposent un service irréprochable à leur clientèle : piscine, chambres confortables, bien tenues et toute une noria de garçons aux petits soins (32 chambres de 61 à 118€, selon le confort et la situation, les plus chères ont une loggia). Dans la région, l'étape est surtout connue pour sa table : une gastronomie raffinée et réussie (ravioles de pélardon et sa crème à l'ail, piqué de saint-jacques au lard, pigeonneau en deux cuissons) et une belle carte des vins. Menus à 27, 35 et 45€. À midi, en semaine, formule, "la pause du randonneur" : pour un plat choisi par le chef (comptez environ 17€), le dessert est offert ; en juillet-août, menu-grill piscine à midi à 19€. *30140 **Générargues** (à 3km d'Anduze) Tél. 04 66 61 72 12 Hôtel ouvert avr.-déc. Restaurant fermé lun. midi et mar. midi en saison, dim. soir-lun. midi et mar. midi hors saison*

☺ **Le Mas de Prades.** À 12km à l'ouest d'Anduze, dans la verdoyante vallée de la Salendrinque. Très belle propriété, impeccablement tenue, avec piscine. Dans cette demeure de caractère, on a l'art de l'hospitalité, et vous trouverez même une bibliothèque, une salle vidéo, un patio très plaisant et une petite cuisine d'extérieur pour les pique-niques au bord de la piscine. Élégant et chaleureux. Belles chambres de 70 à 90€ (avec douche ou bain). Dîner 25€. *30140 **Thoiras** (à 12km d'Anduze) Tél. 04 66 85 09 00 ou 06 80 28 51 46 www.masdeprades.com Ouvert tte l'année sur réservation*

prix très élevés

☺ **Le Micocoulier.** Sur la place du vieux Sauve, ce restaurant-salon de thé en terrasse surplombe la rivière. Très beau cadre. Ce qui fait le charme du lieu – outre sa situation – c'est son atmosphère conviviale, une bonne musique en sourdine, et enfin une cuisine simple et savoureuse qui ne se moque pas du monde. Menus à 17 et à 22€ et une petite carte où l'on retiendra une assiette végétarienne exotique à 10€. *Place Astruc 30610 **Sauve** (à 17km d'Anduze, par la D982 via Durfort, c'est le plus bel itinéraire) Tél. 04 66 77 57 61 Ouvert avr.-mi-sept. : tlj. sauf lun. et mar. midi ; hors saison : jeu. soir-dim. soir*

GEODOCS

Revivre l'épopée cathare, découvrir l'architecture médiévale, se plonger dans les ouvrages de Stevenson, Chamson ou Chabrol, randonner dans la région avec le bon topoguide, comprendre les termes naturalistes ou occitans...
Bibliographie et **glossaire** :
l'essentiel pour approfondir vos connaissances sur le Languedoc-Roussillon ;
un **index des incontournables touristiques** et un **index général**.

Pour en savoir plus

GEOMEMO

Maison des Pyrénées	15, rue Saint-Augustin 75002 Paris Tél. 01 42 86 51 86
Maison de la Lozère	1 bis, rue Hautefeuille 75006 Paris Tél. 01 43 54 26 64 www.lozere-a-paris.com
Comité régional du tourisme du Languedoc-Roussillon	L'Acropole 954/960, av. Jean-Mermoz CS 79507 34960 Montpellier Cedex 2 Tél. 0810 811 488 www.tourisme-languedoc-roussillon.com
Conseil général de l'Aude	www.cg11.fr
Conseil général du Gard	www.cg30.fr
Conseil général de l'Hérault	www.cg34.fr
Conseil général de Lozère	www.lozerefrance.com
Conseil général des Pyrénées-Orientales	www.cg66.fr

Bibliographie

HISTOIRE ET SOCIÉTÉ

Belles demeures familiales d'Uzès, XVe-XIXe siècle (Les), J.-C. Galant et M. Olmière, Éd. Presses du Languedoc, Montpellier, 2002
Camargue, plurielle et singulière, P. Dupuy, Éd. Équinoxe, Barbentane, 2002
Canigou, montagne sacrée des Pyrénées, J. Ribas, Éd. Loubatières, Portet-sur-Garonne, 1992
Cathares (Les), J. Roux et A. Brenon. Éd. MSM, Vic-en-Bigorre, 2000
Châteaux du Gard (Les), M. Moreau, Éd. Presses du Languedoc, Montpellier, 2002
Citadelles du vertige (Les), N. Roquebert, Éd. Privat, Toulouse, 1994
Églises romanes ou oubliées du Bas-Languedoc, G. Mallet, Éd. Presses du Languedoc, Montpellier, 2000
Gard de la préhistoire à nos jours (Le), collectif, Éd. Bordessoules, Saint-Jean-d'Angély, 2003
Guide de l'Aude (Le), C. Richard, Éd. La Manufacture, Paris, 1992
Histoire de Carcassonne, sous la direction de J. Guilaine et D. Fabre, Éd. Privat, Toulouse, 2001
Histoire de la Catalogne, collectif, Éd. Privat, Toulouse, 1982
Histoire des cathares, N. Roquebert, Éd. Perrin, Paris, 1999
Histoire du Languedoc, P. Wolff, coll. "histoire des provinces", Éd. Privat, Toulouse, 2000
Histoire de Narbonne, sous la dir. de J. Michaud et A. Cabanis, Éd. Privat, Toulouse, 1981
Initiation à l'art roman, F. Leriche-Andrieu, Éd. du Zodiaque, Paris, 1984
Languedoc protestant , XVIe-XVIIIe siècle (Le), L. Puech, Éd. E&C, Le Vigan, 2003
Narbonne, 25 ans d'archéologie, collectif, catalogue de l'exposition, Narbonne, 2000
Occitanie, collectif, Ed. Autrement, Paris, 1985
Petite histoire sociale de la langue occitane : usages, images, littératures, grammaires et dictionnaires, F.-P. Kirsch, G. Kremnitz et B. Schlieben-Lang, Éd. Trabucaire, Le Canet, 2003
Route des abbayes du Languedoc-Roussillon (La), Babut, Éd. Ouest-France, Rennes, 1999
Tableaux de l'économie du Languedoc-Roussillon, collectif, Éd. Insee, Paris, 2002
Voie Domitienne (La), P.-A. Clément et A. Peyre, Éd. Presses du Languedoc, Montpellier, 2000
Vrai visage du catharisme (Le), A. Brenon, Éd. Loubatières, Portet-sur-Garonne, 1988
1907 : la guerre du vin, G. Ferré, Éd. Loubatières, Portet-sur-Garonne, 1997

LITTÉRATURE

Bousquet, J. *La Connaissance du soir*, Folio, Éd. Gallimard, Paris, 1947
Camus, R. *Le Département de la Lozère*, Éd. POL, Paris, 1996
Carrière, J. *L'Épervier de Maheux*, Éd. Robert Laffont, Paris, 1992

GEODOCS

Chabrol, J.-P. *Les Fous de Dieu*, Folio, Éd. Gallimard, Paris, 1998 ; *Mille et une veillées*, Éd. Pocket, Paris, 2002 ; *Colères cévenoles*, Éd. Pocket, Paris, 2002
Chamson, A. *La Superbe*, coll. J'ai lu, Éd. Flammarion, Paris, 2002 ; *Roux le bandit*, Éd. Omnibus, Paris, 2001 ; *L'Aigoual*, Éd. Omnibus, Paris, 2001 ; *Le Livre des Cévennes*, Éd. Omnibus, Paris, 2001 ; *Les Hommes de la route*, Éd. Omnibus, Paris, 2001
Durand-Vignes, A. *Une enfance cévenole*, Éd. La Mirandole, Pont-Saint-Esprit, 2001
Esposito, F. *La Dette du Gévaudan* Éd. du Bon Albert, Nasbinals, 2001
Magon, J.-L. *Les Larmes de la vigne*, Éd. Seghers, Paris, 1991
Marti, C. *Ombres et Lumières*, Éd. Loubatières, Portet-sur-Garonne, 1998
Puech, L. *La Montagne et le Verbe (l'Aigoual à travers la littérature)*, Éd. La Mirandole, Pont-Saint-Esprit, 1997
Racine, J. *Lettres d'Uzès*, Éd. Lacour, Nîmes, 1991
Rouanet, M. *Nous, les filles*, Éd. Payot, Lausanne, 1990 ; *Il a neigé cette nuit*, Éd. Climats, Castelnau-le-Lèz, 1997
Stevenson, R. L. *Voyage avec un âne dans les Cévennes*, Éd. Flammarion, Paris, 2002

GASTRONOMIE

Cuisine secrète du Languedoc-Roussillon (La), A. Soulier, Éd. Presses du Languedoc, Montpellier, 1998
Petite anthologie de la réglisse, collectif, Éd. Équinoxe, Barbentane, 2002
Terrines du soleil, collectif, Éd. Équinoxe, Barbentane, 2003

GUIDES DE RANDONNÉES

Aubrac, *balades et randonnées à pied et à VTT* (L'), collectif, Éd. Chamina, Clermont-Ferrand, 2001
Aude, pays cathare à pied (L'), collectif, Éd. FFRP, Paris, 2002
Balades nature dans le parc des Cévennes, collectif, Éd. Dakota/Parc national des Cévennes, Paris, 2003
Balades nature sur le littoral du Languedoc-Roussillon, collectif, Éd. Dakota, Paris, 2003
Cerdagne et Capsir, le guide rando, G. Véron, Rando Éditions, Paris, 2003
Chemin de Stevenson (Le), Topo-guide, Éd. FFRP/Chamina, Paris, 1995
Chemin du Puy, vers Saint-Jacques-de-Compostelle (Le), G. Laborde-Balen et J. Veron, Éd. FFRP/Rando Éditions, Paris, 2003
50 balades et randonnées vers les lacs des Pyrénées (du Val d'Aran à la Méditerranée), L. Audoubert, Guide Audoubert, Éd. Milan, Toulouse, 1994
50 balades et randonnées en Capcir et Cerdagne, L. Audoubert, R. Ratio, Éd Milan, Toulouse, 1997
Gard à pied (Le), collectif, Éd. FFRP, Paris, 2002
Guide Rando Canigou/ Vallespir/Conflent (Le), G. Véron, Rando Éditions, Ibos, 1996
Gorges du Tarn, de la Jonte et Causses, collectif, balades et randonnées à pied et à VTT, Éd. Chamina, Clermont-Ferrand, 1997
Hérault à pied (L'), collectif, Éd. FFRP, Paris, 2002
Lozère à pied des Cévennes au Gévaudan (La), collectif, topo-guide, Éd. FFRP/Logis de France, Paris, 2001

GEODOCS

Montagne noire, collectif, Éd. Chamina, Clermont-Ferrand, 1994
Pyrénées-Orientales (Cerdagne, Capcir, Carlit), collectif, topo-guide, Éd. FFRP, Paris, 2002
Rando découverte en famille "De Corbières en Minervois", collectif, Éd. Pays d'accueil du Lézignanais, 2002
Rando-étapes dans les Pyrénées, J.-P. Siréjol et B. Valcke, Rando Éditions., Ibos, 2003
Randonnées dans les Pyrénées-Orientales, G. Véron, Rando Éditions, Ibos, 1999
Sentiers d'Émilie en pays cathare (Les), collectif, Rando Éditions, Ibos, 2001
Sentiers d'Émilie dans les Pyrénées-Orientales (Les), S. Hoffmann, Rando Éditions, Ibos, 2000
Tour des monts d'Aubrac, collectif, topo-guide, Éd. FFRP, Paris, 2000
Tour du mont Aigoual, collectif, topo-guide, Éd. FFRP, Paris, 2003
Tour du mont Lozère, des causses Méjean et du Sauveterre, collectif, topo-guide, Éd. FFRP / Conseil général de la Lozère, Paris, 2002
Vallée et gorges du Tarn, du mont Lozère à Albi, collectif, balades à pied et à VTT, Éd. Chamina, Clermont-Ferrand, 1995

GUIDES DE VOYAGES

Bibliothèque du naturaliste, les Pyrénées (La), C. Dendaletche, Éd. Delachaux et Niestlé, Lonay, 2003
Cévennes, collectif, Éd. MSM, Vic-en-Bigorre, 2003
Géologie du Languedoc-Roussillon (La). J.-C. Bousquet, Éd. Presses du Languedoc, Montpellier, 1999
Guide de la faune et de la flore méditerranéennes, collectif, Éd. Delachaux et Niestlé, Lonay, 2003
Parc national des Cévennes, collectif, Éd. Gallimard, Paris, 1996
Pays catalans, collectif, Éd. MSM, Vic-en-Bigorre, 2001
Pyrénées-Orientales/Roussillon, collectif, Éd. Encyclopédies Bonneton, 2000
Vallée du Lot (La), collectif, Éd. Gallimard, Paris, 2002

CARTES

Michelin
- locales N°339 (Gard-Hérault), N°344 (Aude-Pyrénées-Orientales) et N°330 (Lozère)
- régionale N°527

IGN
- régionale R13
- départementales N° 11, N° 30, N° 34, N° 48, N° 66
- topographiques Top 100 N° 59, N° 65, N° 66, N° 72

Glossaire

Acol (ou bancel) Terrasse aménagée par l'homme, à flanc de montagne, pour y pratiquer la polyculture
Aligot Mélange de purée de pommes de terre et de tomme fraîche avec adjonction d'ail
Aven Puits naturel creusé en terrain calcaire après dissolution ou effondrement
Borie Terme désignant une ferme ou une bergerie
Boules de picolat (ou boles de picolat) boulettes de farce (viande de veau et de porc, œufs, ail et oignons) en sauce
Capitelle (ou cazelle) Petite

construction en pierres sèches, de forme ronde ou carrée, servant d'abri pour les vignerons et bergers
Cathare Adepte du catharisme – doctrine religieuse médiévale, considérée comme hérétique par l'Église, prônant une absolue pureté des mœurs
Caune Terme désignant une grotte
Causse Vaste plateau, calcaire ou karstique
Cers Vent souvent violent et froid, venant de l'ouest et du nord-ouest – appelé mistral dans la vallée du Rhône et tramontane en Catalogne
Clède Maisonnette à un étage où les Cévenols faisaient sécher les châtaignes
Combe Vallée profonde
Garrigue Ensemble d'espèces végétales clairsemées, poussant sur des sols calcaires : thym, romarin, lavande, genévrier, chêne kermès, buis, chêne vert
Doline Cuvette d'effondrement, souvent circulaire, caractéristique des paysages calcaires
Draille Voie de transhumance (souvent reconvertie en sentier de randonnée)
Gardon Nom donné aux cours d'eau dans les Cévennes
Gouffre Cavité dotée d'une résurgence d'eau douce, souterraine ou à l'air libre en cas d'effondrement de la voûte
Grau Embouchure d'un fleuve ou d'une rivière, mais aussi un canal reliant un marais ou un étang à la mer
Lauze Pierre plate épaisse utilisée pour couvrir les toits et les murs des maisons, dans les régions de montagne en particulier
Lavogne Mare naturelle servant d'abreuvoir
Maquis Ensemble d'espèces végétales poussant de manière touffue et dense sur des terrains siliceux : ciste, lavande, bruyère, arbousier, chêne liège, châtaignier, pin maritime
Marin Vent venant de la mer, d'est à sud-est, humide et chaud.
Mas Diminutif de mazet, le terme désigne une maison paysanne, mais aussi, sur le bord de l'étang de Thau, le lieu de l'exploitation ostréicole
Misteris Statues grandeur nature représentant la passion du Christ, portées à dos d'homme lors des processions de la semaine sainte
Ostal (ou oustau) Maison d'habitation (très usitée en Lozère)
Pech Pic, sommet d'une montagne
Plancha (à la)/Planxa (à la) Mode de préparation culinaire très répandu en Catalogne consistant à faire griller (ou revenir) les aliments sur une plaque de cuisson
Pouteille Bœuf mariné, pieds de porc et pommes de terre servis en ragoût à La Canourgue et dans les environs
Raïolette Gros oignon cévenol à la saveur douce
Retable Panneau sculpté posé en surplomb de l'autel
Rigole Petit canal non navigable, étroit et pentu, alimentant un canal principal
Serre Crête d'une montagne
Souquet Petit bois de taille issu de la vigne ramassé pour le feu
Troubadour Poète-musicien courtois de langue d'oc des XIIe-XIIIe siècles, équivalant du trouvère du nord de la France. Vient de l'occitan *trobar* – trouver, composer
Truc Sommet isolé, raboté par l'érosion, typique des paysages de Lozère
Zarzuela Sorte de bouillabaisse de poissons et fruits de mer sur la côte roussillonnaise

★ Index des incontournables touristiques

(cf. premier rabat de couverture)

Index général

A

B

C

Aidez-nous à construire des GEOGuide qui répondent encore mieux à vos envies !

Chers lecteurs, toutes vos remarques et propositions sont les bienvenues. N'hésitez pas à nous en faire part et à répondre à ces questions : cela nous permettra de mieux vous connaître et d'améliorer encore le contenu de nos guides. Merci de retourner le questionnaire à l'adresse suivante : Éditions Gallimard / Questionnaire GEOGuide / 5 rue Sébastien-Bottin 75007 Paris

Pour commencer, dans quel GEOGuide avez-vous trouvé ce questionnaire ?

....

VOS VOYAGES

Combien de séjours à but touristique effectuez-vous chaque année ?

en France	❑ 1	❑ 2	❑ 3 et +
à l'étranger	❑ 1	❑ 2	❑ 3 et +

Vous partez pour (plusieurs réponses possibles) :

la France	❑ 1 semaine	❑ 2 semaines	❑ 3 semaines et +
l'étranger	❑ 1 semaine	❑ 2 semaines	❑ 3 semaines et +

Combien de week-ends à but touristique effectuez-vous chaque année ? (hors visites parents et amis)

en France	❑ 1	❑ 2	❑ 3 et +
à l'étranger	❑ 1	❑ 2	❑ 3 et +

Vous partez (plusieurs réponses possibles) :

	Voyage en France	Voyage à l'étranger	Week-end
seul	❑	❑	❑
en couple	❑	❑	❑
en famille	❑	❑	❑
avec des amis	❑	❑	❑
en voyage organisé	❑	❑	❑

VOS GUIDES DE VOYAGE

Quand vous partez, combien de guides achetez-vous ?

	Voyage en France	Voyage à l'étranger	Week-end
Guides pratiques*	...	...	...
Guides culturels**	...	...	...

* axés sur les informations pratiques et les adresses, contenant plus de texte et de cartes que de photographies et d'illustrations
** axés sur l'histoire et la culture, contenant beaucoup de photographies et d'illustrations

Combien de temps avant votre départ achetez-vous votre (vos) guide(s) ?

	Voyage en France	Voyage à l'étranger	Week-end
entre 3 et 6 mois avant	❑	❑	❑
dans le mois qui précède	❑	❑	❑
sur place	❑	❑	❑

Avec les guides de quelles collections partez-vous le plus souvent ? (plusieurs réponses possibles)

....

Cherchez-vous de l'information sur votre destination ailleurs que dans les guides de voyage ? ❑ oui ❑ non

Si oui, où : ❑ presse magazine ❑ offices de tourisme ❑ Internet ❑ autre : ....

VOTRE GEOGUIDE

Si vous avez acheté ce guide vous-même, pourquoi avez-vous choisi GEOGuide ?
(plusieurs réponses possibles)

- ❑ conseil de votre libraire
- ❑ conseil de votre entourage
- ❑ publicité
- ❑ article de presse
- ❑ confiance dans les guides Gallimard
- ❑ confiance dans le magazine GEO
- ❑ vous l'avez découvert vous-même sur votre lieu d'achat

Dans le dernier cas, quels sont les critères qui ont motivé l'achat de ce GEOGuide ?
(plusieurs réponses possibles)

- ❑ aspect extérieur de l'ouvrage (couverture, format, etc)
- ❑ présence de photographies couleur
- ❑ présence de cartes dépliantes
- ❑ présentation intérieure
- ❑ contenu culturel
- ❑ contenu pratique
- ❑ volume d'information
- ❑ prix
- ❑ autre : ....

Que pensez-vous de votre GEOGuide et de ses différentes rubriques ?

Concernant les informations culturelles, vous avez trouvé GEOGuide :

	Dans la partie GeoPanorama	Dans les parties GeoRégions
très complet	❑	❑
complet	❑	❑
assez complet	❑	❑
pas du tout complet	❑	❑

Concernant les informations pratiques (prix, horaires, coordonnées), vous avez trouvé GEOGuide :

❑ très fiable ❑ fiable ❑ assez fiable ❑ pas du tout fiable

Votre opinion sur la sélection d'adresses :	Suffisant	Insuffisant
nombre d'adresses d'hébergement	❑	❑
nombre d'adresses de restauration	❑	❑
nombre de visites culturelles (musées, églises, sites…)	❑	❑
nombre de balades et randonnées	❑	❑
nombre d'activités de loisirs	❑	❑
nombre d'adresses shopping	❑	❑

Avez-vous des remarques et suggestions ?

....

....

Repartirez-vous avec un GEOGuide ? ❑ oui ❑ non

VOUS

Vous êtes : ❑ un homme ❑ une femme

Votre âge :

❑ moins de 25 ans ❑ 25-34 ans ❑ 35-44 ans ❑ 45-64 ans ❑ 65 ans et +

Votre profession :

- ❑ agriculteur
- ❑ profession libérale
- ❑ cadre supérieur
- ❑ employé
- ❑ ouvrier
- ❑ encadrement et technicien
- ❑ retraité
- ❑ sans activité professionnelle
- ❑ étudiant

Vous pouvez nous indiquer votre adresse si vous le souhaitez :

Nom : ....

Adresse : ....

Code postal : .... Ville : .... Pays : ....

GEODOCS

Q –R

S

GEODOCS

GEODOCS

Index des cartes et des plans

Légendes des cartes et des plans

Office de tourisme
Aéroport
Gare maritime
Gare ferroviaire
Gare routière
Station de sports d'hiver
Plage
Site de plongée

Autoroute et 2x2 voies
Route principale
Route secondaire
Autre route
Voie ferrée
Liaison maritime
Limite de département, frontière

Axe urbain principal
Zone urbaine
Espace vert
Cimetière
Site remarquable
Sommet, col
Panorama

GEODOCS

AUTEURS. Pierre Guitton (GEOPanorama, Terres catalanes, Lozère et terres cévenoles), Frédéric Denhez (GEOPanorama, fonds marins, GEOPratique, Plongée), Lara Brutinot (GEOPratique, Carcassonne et ses environs, Béziers et ses environs, Narbonne et ses environs, Montpellier et ses environs, Nîmes et ses environs).
CRÉDITS PHOTOGRAPHIQUES. Couv : © Jean Rey, ANA. II : © G. Sioen. IV, ht : © E. Teissedre, Diaporama ; bas : © Pratt-Priès, Photononstop. V, ht : © José Nicolas, Imagefrance.com ; bas : © A. Fiore. VI, ht : © F. Jalain, Hoa-Qui ; bas : © F. Jalain, Hoa-Qui. VII, ht : © A. Fiore ; bas : © F. Jalain, Hoa-Qui. VIII : © René Mattès, Hoa-Qui. X, ht : © Reimbold, Hoa-Qui ; bas : © Christophe Levillain. XI, ht : © Guillaume Montagnier ; bas : © Reimbold, Hoa-Qui. XII, ht : © R. Lacroix, Diaporama ; bas : © Alain Felix, Hémisphères. XIII, ht : © J.-C Dewolf, Photononstop ; bas : © M. Buscail, Diaporama. XIV, ht : © T. Baasanbat, Diaporama ; bas : © Pratt-Priès, Photononstop. XV, ht : © Béron, ANA ; bas : © Gérard Gsell, Photononstop. XVI, ht : © J.-C Dewolf, Photononstop ; bas : © M. Buscail, Diaporama
CARTOGRAPHIE INFOGRAPHIQUE. Édigraphie.
REMERCIEMENTS. Marc Lugand (conseiller scientifique), Mathilde Nobilet, Nicole-Lise Bernheim, Colin, Brigitte Donnadieu, Olivier Drouault, Jacques Le Cacheux, Catherine Nouzille, Françoise Paran, Didier et Virginie.
MISE À JOUR. Fabienne Darmostoupe.

GALLIMARD LOISIRS. 5, rue Sébastien-Bottin 75007 Paris
Tél. 01 49 54 42 00 **Fax** 01 45 44 39 45 **Internet** www.guides.gallimard.fr

PRISMA PRESSE. Régie publicitaire : Prisma Presse 6, rue Daru 75379 Paris Cedex 08.
Directrice de la publicité Valérie Ronssin. **Tél.** 01 44 15 34 32.
Responsable de clientèle Évelyne Allain-Tholly. **Tél.** 01 44 15 32 77. **Fax** 01 44 15 31 44.

BOÎTE AUX LETTRES GEOGUIDE. GEOGuide 5, rue Sébastien-Bottin 75007 Paris. geoguide@guides.gallimard.tm.fr

 Premier dépôt légal : mars 2004. Dépôt légal : février 2007.
Numéro d'édition : 146252. **ISBN** : 978-2-74-241960-9. **Photogravure** : Apex Graphic (Paris).
Impression : LegoPrint (Italie).

Collioure. Somptueux décor de schiste sur fond de grande bleue, le petit port a inspiré les peintres fauves séduits par la pureté de la lumière.

Chaos de Nîmes-le-Vieux. Typique du relief karstique, ce paysage fantasmagorique est le fruit du patient travail de l'érosion sur le causse calcaire.

Barques catalanes. Ces embarcations traditionnelles de 9 à 11m, conçues pour naviguer par tous les temps, sont gréées d'une voile dite latine.

Prafrance, Anduze. Depuis 1860 et sur plus de 34ha, ce jardin rassemble une vingtaine de variétés de bambous dont certains atteignent 28m de haut.

Toiture de lauzes. Plaques de pierre schisteuse ou calcaire, les lauzes protègent des intempéries l'habitat traditionnel des causses et des Cévennes.

Tissus Soleiado. Ces cotonnades sont issues d'une longue tradition textile ; la région nîmoise produisait d'ailleurs à la fin du XVIIIe s. les fameuses indiennes.

Le Languedoc-Roussillon

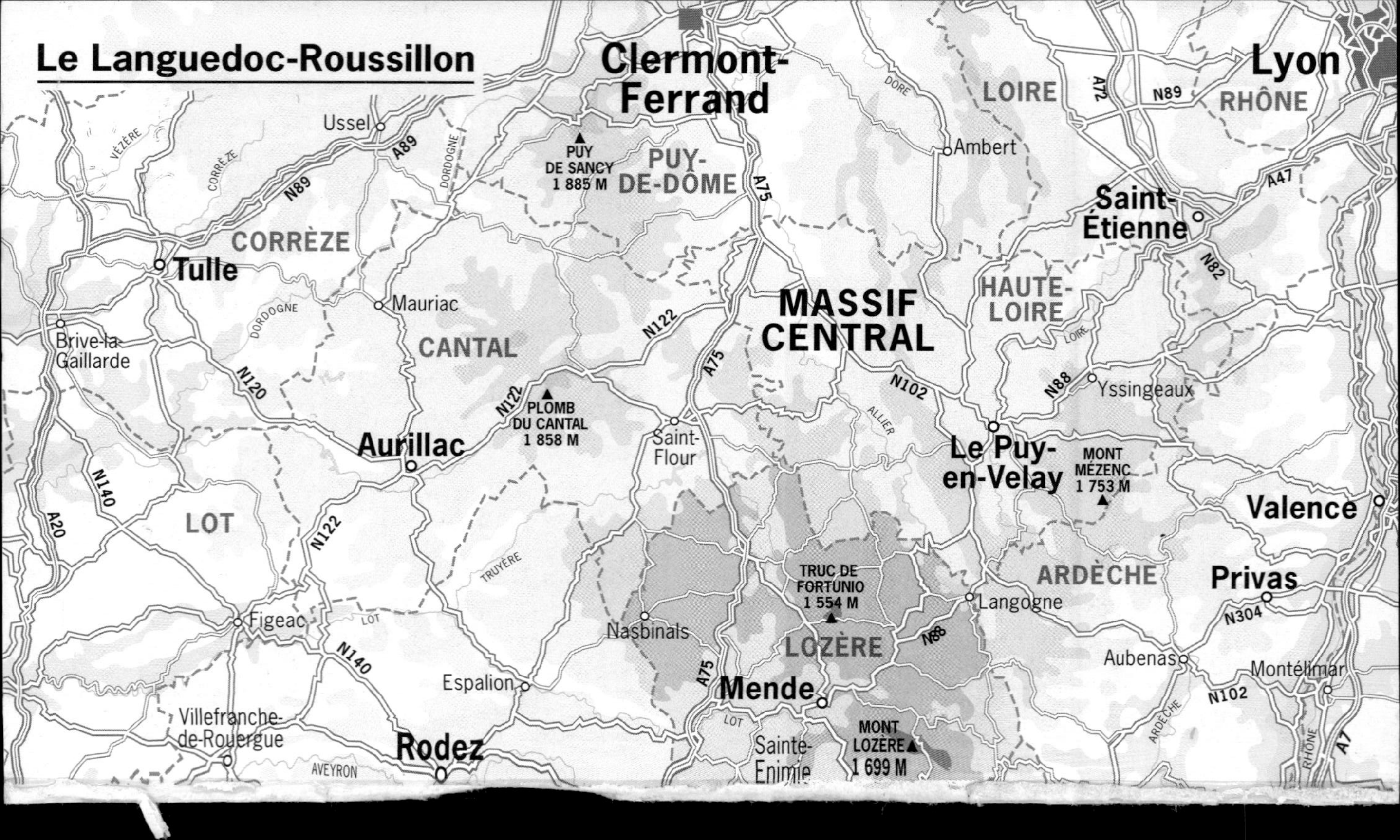